Catch & Kill

Ronan Farrow

CATCH & KILL

*Chantage, spionage en het complot om
seksueel misbruik te verzwijgen*

UITGEVERIJ LUITINGH–SIJTHOFF

© 2019 Nederlandse vertaling

Uitgeverij Luitingh-Sijthoff B.V., Amsterdam

Alle rechten voorbehouden

Oorspronkelijke titel: *Catch and Kill.*

Vertaling: Anna Helmers-Dieleman, Alexander van Kesteren en Mylene Delfos voor Asterisk★, Amsterdam

Illustraties: Dylan Farrow

Omslagontwerp: Gregg Kulick / Pankra

Auteursfoto: Brigitte Lacombe

Boekverzorging: Asterisk★, Amsterdam

ISBN 978 90 245 8450 5

NUR 320, 813, 740

www.lsamsterdam.nl

www.boekenwereld.com

INHOUD

DEEL II
WITTE WALVIS

DEEL III
SPIONNENLEGER

DEEL IV
SLEEPER

DEEL V
ONTSLAGVERGOEDING

Voor Jonathan

NOOT VAN DE AUTEUR

C atch and Kill is gebaseerd op twee jaar verslaggeving. Daarvoor is gebruikgemaakt van gesprekken met ruim tweehonderd bronnen, van honderden pagina's aan contracten, e-mails en tekstberichten, en tientallen uren geluidsopnames. Voor het boek zijn dezelfde normen voor feitenonderzoek gehanteerd als bij de artikelen van *The New Yorker* waarop het is gebaseerd.

Alle dialoog in het boek is exact overgenomen uit contemporaine verklaringen en documenten. Omdat dit een verhaal is over observatie, zijn gesprekken vaak opgevangen of opgenomen door derden, en was ik soms in staat om hun verklaringen en verslagen te bemachtigen. Bij het maken van mijn eigen opnames heb ik me aan juridische en ethische normen gehouden.

De meeste bronnen die u in deze pagina's zult ontmoeten, mag ik bij naam noemen. Sommigen kunnen zich dat echter nog altijd niet permitteren vanwege de dreiging van juridische vergelding of bedreigingen van hun persoonlijke veiligheid. In die gevallen zijn hier de codenamen gebruikt die tijdens het onderzoeksproces voor hen zijn gehanteerd. Ik heb vóór publicatie contact gezocht met alle personen die een prominente rol spelen in *Catch and Kill* om ze de kans te geven te reageren op eventuele aantijgingen aan hun adres. Als zij bereid waren om met me te praten, zijn hun reacties meegenomen in het verhaal. Als ze dat niet waren, is er te goeder trouw geprobeerd om bestaande publieke verklaringen in het boek op te nemen. Van het geschreven materiaal dat in het boek wordt geciteerd, is de oorspronkelijke taal inclusief spel- en overnamefouten behouden.

Catch and Kill vindt plaats tussen eind 2016 en begin 2019. Het bevat beschrijvingen van seksueel geweld die sommige lezers aangrijpend of traumatisch kunnen vinden.

PROLOOG

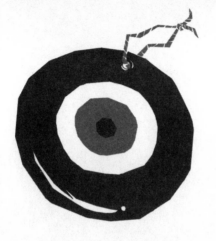

De twee mannen zaten in een hoekje van het Nargis Cafe, een Oezbeeks-Russisch restaurant in de Brooklynse buurt Sheepshead Bay. Het was eind 2016, en koud. De ruimte was aangekleed met snuisterijen uit de steppes en keramieken verbeeldingen van het boerenleven: oma's met hoofddoekjes, boeren met schapen.

De ene man was een Rus, de ander een Oekraïner, maar dat onderscheid deed er nauwelijks toe: ze waren allebei kinderen van de uit elkaar vallende Sovjet-Unie. Ze leken halverwege de dertig. Roman Khaykin, de Rus, was klein, dun en kaal, en had een vijandige stompe neus en donkere ogen. Verder was alles aan hem bleek: hij had amper wenkbrauwen, zijn gezicht was bloedeloos, en zijn kale schedel was glimmend en glad. Hij kwam oorspronkelijk uit Kislovodsk, dat letterlijk 'zure wateren' betekent. Zijn ogen spiedden in het rond, altijd op zijn hoede.

Igor Ostrovskiy, de Oekraïner, was langer en enigszins dik. Hij had krullend haar dat zich moeilijk liet temmen als het wat langer werd. Begin jaren negentig was hij met zijn familie naar de Verenigde Staten gevlucht. Net als Khaykin was hij altijd op zoek naar iets om zijn voordeel mee te doen. Hij was ook nieuwsgierig en bemoeizuchtig. Toen hij op de middelbare school vermoedde dat een paar klasgenoten in gestolen creditcardnummers handelden, speurde hij net zo lang tot hij het kon bewijzen en hielp de politie vervolgens het zaakje op te rollen.

Khaykin en Ostrovskiy spraken Engels met een accent, dat werd opgeluisterd met idiomen uit hun moedertaal. *Krasavtsjik!* zei Khaykin dan – 'knappe jongen!' – wat letterlijk op iemands uiterlijk slaat maar in de praktijk wordt gebruikt als complimentje voor talent of goed werk. Ze zaten allebei in het vak van intrige en bespieding. Toen Ostrovskiy in 2011 als privéspeurder zonder werk zat, had hij 'Russische privédetectives' gegoogeld en lukraak naar Khaykin ge-e-maild of hij werk voor hem had. Khaykin mocht Ostrovskiy's gotspe wel en begon hem in te huren voor surveillanceklussen, tot ze ruzie kregen over Khaykins methodes. Daarna waren ze hun eigen weg gegaan.

Terwijl er borden met kebab werden gebracht, vertelde Khaykin hoezeer hij sinds hun laatste samenwerking zijn grenzen verlegd had. Hij was ingehuurd door een nieuwe, schimmige opdrachtgever, een organisatie die hij niet bij naam wilde noemen. Hij deed goede zaken. 'Ik ben met een paar coole dingen bezig,' zei hij. 'Duistere shit.' Hij had ook wat nieuwe methodes opgedaan. Hij kon bankgegevens en ongeautoriseerde kredietrapporten bemachtigen. Hij kon aan de geolocatiegegevens van een telefoon komen om nietsvermoedende doelwitten te volgen. Hij legde uit wat zo'n telefoonkraak kostte: een paar duizend dollar voor de gebruikelijke aanpak van het probleem, met goedkopere opties voor goedgelovige doelwitten en duurdere voor degenen die moeilijker te vinden bleken. Khaykin zei dat hij deze tactiek al eens met succes had gebruikt in een zaak waarin iemand hem had ingehuurd om een familielid op te sporen.

Ostrovskiy ging ervan uit dat Khaykin uit zijn nek lulde. Maar hij had werk nodig. En Khaykin, zo bleek, had meer mankracht nodig om zijn mysterieuze nieuwe cliënt van dienst te kunnen zijn.

Voordat ze afscheid namen, vroeg Ostrovskiy nog eens naar het traceren van telefoons. 'Is dat niet illegaal?' vroeg hij zich af.

'Ehhhh,' zei Khaykin.

Aan een tegelmuur dichtbij hing een blauw-en-wit boos oog aan een touwtje, dat toekeek.

DEEL I
GIFVALLEI

1
OPNAME

'Hoe bedoel je, het wordt morgen niet uitgezonden?' Mijn woorden zweefden door de lucht van de leeglopende nieuwsredactie op de derde verdieping van 30 Rockefeller Plaza – soms simpelweg 30 Rock genoemd. Dit gebouw, het Comcast-gebouw, dat voorheen het General Electric-gebouw was geweest en nog langer geleden het RCA-gebouw, huisvestte het hoofdkwartier van NBC. Aan de andere kant van de lijn probeerde Rich McHugh, mijn producer bij NBC News, zich verstaanbaar te maken boven wat klonk als het bombardement op Dresden, maar wat eigenlijk het natuurlijke geluidslandschap was van een huishouden met twee jonge tweelingen. 'Ze hebben net gebeld, ze... nee, Izzy, samen delen... Jackie, toe, niet bijten... papa is aan het bellen...'

'Maar het is het sterkste verhaal van de serie,' zei ik. 'Misschien niet de beste televisie, maar wel met het beste verhaal eráchter...'

'Ze zeggen dat we 't moeten doorschuiven. Het is *fakakt*,' zei hij, waarbij hij de laatste lettergreep wegliet. (McHugh probeerde graag Jiddische woorden uit. Het ging nooit goed.)

Het uitzenden van een serie opeenvolgende onderzoeksitems, zoals degene die McHugh en ik op het punt stonden te lanceren, vereiste een zekere mate van choreografie. Elk van de verhalen was lang en slokte hele dagen op in de montagekamers van NBC. Er één verplaatsen, was geen sinecure. 'Doorschuiven naar wanneer?' vroeg ik.

Aan de andere kant van de lijn klonk een doffe dreun, en daarna meerdere kreetjes van plezier. 'Ik bel je later terug,' zei hij.

McHugh ging al heel lang mee in de tv-wereld: hij had bij Fox en MSNBC gewerkt, en bijna tien jaar bij ABC's ochtendprogramma *Good Morning America*. Hij was een boom van een kerel met rood haar en een blozend gezicht, en droeg vaak geruite overhemden. Hij had een oprechte, bondige manier van spreken die dwars door het passief-agressieve taaltje van de bedrijfsbureaucratie heen prikte. 'Hij ziet eruit als een boer,' had het hoofd van de onderzoeksafdeling een jaar eerder gezegd, toen hij ons voor het eerst samen op een klus zette. 'Trouwens, hij praat ook als een boer. Jullie twee samen, dat slaat nergens op.'

'Waarom krijgen we de opdracht dan?' had ik gevraagd.

'Jullie zullen elkaar goeddoen,' had hij schouderophalend geantwoord.

McHugh kwam toen sceptisch over. Ik had het niet graag over mijn persoonlijke achtergrond, maar de meeste mensen waren er wel bekend mee: mijn moeder, Mia Farrow, was een actrice, en mijn vader, Woody Allen, een regisseur. Mijn jeugd was breed uitgemeten in de roddelbladen nadat hij door mijn zeven jaar oude zus Dylan van seksueel misbruik was beschuldigd, en een seksuele relatie begon met een van mijn andere zussen, Soon-Yi, met wie hij uiteindelijk trouwde. Ook toen ik op ongebruikelijk jonge leeftijd ging studeren, en toen ik als junior functionaris van Buitenlandse Zaken naar Afghanistan en Pakistan vertrok, werd er in het nieuws over bericht. In 2013 was ik aan een vierjarig contract bij NBCUniversal begonnen, waarvan ik het eerste jaar een middagprogramma presenteerde op MSNBC, de nieuwszender van hun kabeltelevisienetwerk. Het was mijn droom om er een serieus, op feiten gebaseerd programma van te maken, en aan het einde was ik trots hoe ik de ongelukkige plek in de programmering had gebruikt voor eerder opgenomen onderzoeksverhalen. Het programma kreeg wat slechte recensies aan het begin en goede aan het eind – kijkers had het, van begin tot eind, maar weinig. Dat het van de buis werd gehaald, werd nauwelijks opgemerkt; jaren later kwam ik op feestjes nog steeds kennissen tegen die me enthousiast vertelden dat ze het programma geweldig vonden en er elke dag naar keken. 'Wat aardig van je,' zei ik dan maar.

Ik was overgeplaatst naar NBC om daar als onderzoekscorrespondent aan de slag te gaan. Voor Rich McHugh was ik een groentje met een beroemde naam, dat iets te doen moest hebben omdat zijn contract langer liep dan zijn tv-programma. Hier moet ik misschien zeggen dat die scepsis wederzijds was, maar ik wil gewoon dat iedereen me aardig vindt.

Als je met een producer door het hele land aan reportages werkt, breng je veel tijd samen door in vliegtuigen en huurauto's. De eerste keren dat we samen op reis waren, lag de stilte als een gapend gat tussen ons in terwijl de vangrails van de snelweg voorbijflitsten, of praatte ik de tijd vol met te veel verhalen over mezelf, waarop dan een enkele grom terugkwam.

Maar de samenwerking begon sterke reportages op te leveren voor mijn onderzoeksserie bij ochtendprogramma *The Today Show* en voor *Nightly News*, en zo groeide er ook een schoorvoetend wederzijds respect. McHugh was minstens zo slim als ieder ander die ik in de nieuwswereld was tegengekomen, en hij was een scherpe scriptredacteur. En we hielden allebei wel van een lastig verhaal.

Na McHughs telefoontje zag ik op een van de beeldschermen op de redactie de hoofdlijnen van het nieuws voorbijrollen, en stuurde hem een berichtje: 'Seksueel geweld? Is dat waar ze huiverig voor zijn?' Het verhaal dat we moesten verplaatsen, ging over universiteiten waar onderzoeken die zich richtten op seksueel geweld op de campus, verprutst werden. We hadden met zowel slachtoffers als vermeende daders gesproken, die soms in tranen voor de camera zaten, en soms met hun gezicht in de schaduw. Het was het soort reportage waarbij presentator Matt Lauer, in het slot van 8 uur 's ochtends waarvoor het bestemd was, met een diep gerimpeld voorhoofd moest zeggen hoe zorgwekkend het was – om vervolgens over te schakelen naar een item over de gezichtsverzorging van beroemdheden.

McHugh schreef terug: 'Ja. Allemaal Trump en dan seksueel geweld.'

Het was zondagavond, begin oktober 2016. De vrijdag ervoor had *The Washington Post* een artikel gepubliceerd met de terughoudende titel 'Opname Trump uit 2005 opgedoken waarin hij extreem schunnig gesprek over vrouwen voert.'[1] Het artikel ging gepaard met een filmpje van het soort dat je maar beter niet op je werk kunt bekijken. In een monoloog die was opgenomen door entertainmentnieuwsprogramma *Access Hollywood*, zat Donald Trump op te scheppen dat hij vrouwen 'by the pussy' kon grijpen.[2] 'Ik heb geprobeerd haar te neuken. Ze was getrouwd,' had hij gezegd. 'Nu heeft ze van die grote neptieten en zo.'

Trumps gesprekspartner was Billy Bush, de presentator van *Access Hollywood*. Bush was een klein mannetje met goed haar. Je kon hem in de buurt van een beroemdheid zetten, en dan kwam er vanzelf een gestage stroom beroerde en soms vreemde rode-loperpraat uit. 'Wat vind je van je kont?'[3] had hij Jennifer Lopez eens gevraagd. En toen ze zichtbaar ongemakkelijk antwoordde: 'Dat meen je niet, toch? Dat vraag je me niet echt, hè?' zei hij opgewekt: 'Jawel hoor.'

En zo hoorde je Bush, terwijl Trump zijn daden beschreef, instemmend kwetteren en gniffelen. 'Yes! *The Donald* heeft gescoord!'

Access Hollywood was eigendom van NBCUniversal. Nadat *The Washington Post* het verhaal die vrijdag had uitgebracht, hadden NBC-platformen haastig hun eigen versies uitgezonden. Toen *Access* de opname uitzond, waren de pikantere opmerkingen van Bush eruit gesneden. Sommige critici wilden weten wanneer de directie van NBC achter het bestaan van de opname was gekomen, en of ze die opzettelijk hadden achtergehouden.[4] Gelekte verklaringen gaven verschillende tijdlijnen.[5] In 'opvolgtelefoontjes' naar journalisten zeiden sommige NBC-directieleden dat het verhaal gewoon nog niet af was; dat de juridische afdeling er nog naar keek. (Over één zo'n telefoontje merkte een schrijver voor *The Washington Post* venijnig op: 'Het directielid kende geen enkel concreet juridisch probleem dat voort zou kunnen komen uit het uitzenden van een elf jaar oude opname van een presidentskandidaat die zich er indertijd kennelijk van bewust was dat hij door een televisieprogramma werd opgenomen.'[6]) Twee juristen van NBC, Kim Harris en Susan Weiner, hadden de opname beoordeeld en groen licht gegeven om hem uit te brengen, maar NBC had geaarzeld, en was daardoor een van de belangrijkste verkiezingsverhalen van een generatie misgelopen.

Er was nog een probleem: *The Today Show* had Billy Bush net aan hun team van vaste presentatoren toegevoegd. Krap twee maanden eerder hadden ze een 'Maak kennis met Billy'-filmpje uitgebracht,[7] compleet met beelden waarop hij in de uitzending zijn borsthaar liet waxen.

McHugh en ik waren al weken bezig met het monteren en juridisch natrekken van onze serie. Maar het probleem werd duidelijk zodra ik de serie op social media begon te promoten. 'Kom kijken hoe #BillyBush zijn excuses aanbiedt, en blijf kijken hoe #Ronan-Farrow hem uitlegt waarom excuses nodig zijn,' tweette een kijker.

'Natúúrlijk hebben ze seksueel geweld doorgeschoven,' schreef ik een uur later naar McHugh. 'Billy Bush moet zijn excuses voor het *pussy-grab*-praatje zo dicht mogelijk bij onze zendtijd aanbieden.'

Billy Bush bood zijn excuses die dag niet aan. Terwijl ik de volgende ochtend aan de zijkant van Studio 1A stond te wachten en mijn script doorkeek, kondigde presentatrice Savannah Guthrie aan: 'In afwachting van een nadere evaluatie van de kwestie heeft NBC News Billy Bush, de presentator van *Today*'s derde uur, geschorst vanwege zijn rol in dat gesprek met Donald Trump.'[8] En daarna gingen ze gauw verder met een item over koken en meer hyperopgewekt gelach – en mijn reportage over misbruik van ADHD-middel 'Adderall' onder studenten, dat in alle haast was afgemaakt om het verhaal over seksueel geweld te vervangen.

In de jaren voordat de opname van *Access Hollywood* uitkwam, waren er weer beschuldigingen van seksueel geweld opgekomen tegen komiek Bill Cosby. In juli 2016 had de voormalige Fox News-persoonlijkheid Gretchen Carlson een rechtszaak wegens ongewenste intimiteiten aangespannen tegen het hoofd van dat televisienetwerk, Roger Ailes.[9] Kort nadat de opname naar buiten was gekomen, organiseerden vrouwen in minstens vijftien steden sit-indemonstraties en protestmarsen bij Trumps gebouwen,[10] waar ze leuzen over emancipatie scandeerden en borden omhooghielden waarmee ze hun eigen draai gaven aan het begrip 'pussy': plaatjes van poezen die blazen of een hoge rug opzetten, begeleid door de tekst 'PUSSY GRABS BACK'. Vier vrouwen verklaarden in het openbaar dat Trump ze zonder hun toestemming had betast of gezoend op de routineuze manier die hij aan Billy Bush beschreven had. Ze werden door Trumps campagne weggezet als fantastes. De hashtag #WhyWomenDontReport, die dankzij de commentatrice Liz Plank veel bekendheid verwierf, riep vrouwen op om uit te leggen waarom ze geen aangifte doen.[11] 'Een (vrouwelijke) strafadvocaat zei dat ik, omdat ik een seksscène in een film had gedaan, het nooit zou winnen van de studiobaas,' tweette de actrice Rose McGowan. 'Omdat het een publiek geheim in Hollywood/Media is & ze mij vernederden terwijl ze mijn verkrachter de hemel in prezen,' ging ze verder. 'Het is verdomme tijd voor wat eerlijkheid in deze wereld.'[12]

2
BEET

Sinds de oprichting van de eerste studio's waren er maar weinig filmbazen zo dominant, of zo dominerend geweest als die waar McGowan naar verwees. Harvey Weinstein was medeoprichter van de productie- en distributiebedrijven Miramax en The Weinstein Company, waar hij met titels zoals *Sex, Lies and Videotape, Pulp Fiction* en *Shakespeare in Love* had bijgedragen aan de vernieuwing van het model voor de onafhankelijke film.[1] Zijn films hadden meer dan driehonderd Oscarnominaties gekregen, en bij de jaarlijkse uitreikingen werd hij vaker bedankt dan vrijwel ieder ander uit de filmgeschiedenis[2] – in dat lijstje kwam hij net achter Steven Spielberg en ruim vóór God. Soms leek zelfs dat een prima onderscheid: Meryl Streep had Weinstein voor de grap zelfs een keer God genoemd.

Weinstein was 1,80 meter lang, en fors. Zijn gezicht was scheef, met één kleiner oog dat doorgaans een beetje dicht hing. Vaak droeg hij een losse spijkerbroek met daarboven een te groot T-shirt dat om zijn lichaam leek te deinen. Weinstein was de zoon van een diamantslijper en was opgegroeid in Queens. Als tiener waren hij en zijn jongere broer Bob stiekem naar een filmhuis gegaan om *The 400 Blows* te zien, in de hoop dat het een 'seksfilm'[3] was. In plaats daarvan stuitten ze op de Franse nouvelle vague-cineast François Truffaut en ontsproot hun liefde voor intellectuele cinema. Weinstein ging studeren aan de State University of New York in Buffalo, die hij deels had gekozen omdat de stad meerdere bioscopen had. Toen hij achttien was, schreven hij en zijn vriend Corky Burger een column voor het studentenblad *The Spectrum*, waarin een personage voorkwam met de naam 'Denny the Hustler', die vrouwen bedreigde tot ze deden wat hij wilde. '"Denny the Hustler" accepteerde geen nee,'4 stond er in de column. 'Zijn benadering draait om psychologisch overwicht, of in lekentermen: "Luister, schatje, ik ben waarschijnlijk de knapste, opwindendste persoon die je ooit zou willen ontmoeten – en als je niet met me danst, denk ik dat ik dit bierflesje op je kop kapotsla."'

Weinstein stopte met zijn studie om een bedrijf te beginnen met zijn broer Bob en met Burger, eerst onder de vlag van Harvey and Corky Productions, dat zich specialiseerde in concertpromotie. Maar in een theater in Buffalo dat hij had verworven, vertoonde Weinstein ook de onafhankelijke en buitenlandse films waar hij van was gaan houden. Uiteindelijk zetten hij en Bob Weinstein het bedrijf Miramax – vernoemd naar hun ouders Miriam en Max – op, en begonnen ze kleine, buitenlandse films aan te kopen. Weinstein bleek flair te hebben om van een film een happening te maken. Ze kregen prijzen, zoals de verrassende Palme d'Or in Cannes voor *Sex, Lies and Videotape*. Begin jaren negentig kocht Disney Miramax op. Tien jaar lang was Weinstein de gans die het ene gouden ei na het andere legde. En in de jaren 2000, toen de relatie met Disney begon te wankelen en de broers een nieuw bedrijf, The Weinstein Company, begonnen, haalden ze algauw honderden miljoenen dollars5 aan investeringen op. Weinstein had het succes uit zijn gloriedagen niet helemaal teruggevonden, maar won toch twee keer op rij de Oscar voor Beste Film – in 2010 voor *The King's Speech* en in 2011 voor *The Artist*. Tijdens zijn weg naar de top trouwde hij met zijn assistente, ging weer scheiden, en huwde later een aankomende actrice die hij voor kleine rollen was gaan casten.

Weinstein stond bekend om zijn agressieve, intimiderende stijl van zakendoen. Hij vertoonde dreiggedrag: hij kon zichzelf groter maken om iemand bang te maken, zoals een kogelvis die zich opblaast. Dan kwam hij dicht bij een rivaal of medewerker staan, met een rood gezicht en zijn neus tegen die van de ander. 'Ik zat eens aan mijn bureau en dacht dat we werden getroffen door een aardbeving,' vertelde Donna Gigliotti, die een Oscar met Weinstein deelde voor het producen van *Shakespeare in Love*, later aan een journalist. 'De muur schudde gewoon. Ik stond op. Het bleek dat hij een marmeren asbak tegen de muur had gegooid.'[6] En dan had je nog de verhalen, vooral gefluister, van een duisterder soort geweld tegen vrouwen, en van pogingen om zijn slachtoffers stil te houden. Elke paar jaar was er wel een journalist die over de geruchten hoorde en ging rondsnuffelen om te kijken of de rook naar vuur zou leiden.

In de maanden voor de presidentsverkiezingen van 2016 leek er bij Weinstein niets aan de hand. Hij was op een cocktailparty voor William J. Bratton, de voormalige hoofdcommissaris van New York.[7] Hij stond te lachen met Jay-Z bij de aankondiging van een film- en televisiedeal met de rapper.[8] Hij haalde zijn oude banden aan met de Democratische politici voor wie hij al tijden een belangrijke fondsenwerver was.

Hij zat al het hele jaar in de braintrust rondom Hillary Clinton. 'Ik vertel je vast niks nieuws, maar dat moet de kop in worden gedrukt,' e-mailde hij naar Clintons staf. Hij doelde op de toenadering van Bernie Sanders, een rivaliserende kandidaat, tot kiezers met een Latijns-Amerikaanse of Afro-Amerikaanse achtergrond. 'In dit artikel staat alles wat ik gisteren met je heb besproken,' zei hij in een ander bericht, waarbij hij een column met kritiek op Sanders meestuurde, en hij drong aan op een negatieve campagnetactiek. 'Ik stuur zo wat creatief materiaal door. Ben met jouw idee aan de haal gegaan,' antwoordde Clintons campagneleider.[9] Aan het eind van het jaar had Weinstein honderdduizenden dollars voor Clinton bij elkaar gebracht.[10]

Een paar dagen nadat McGowan die oktober haar tweets had gestuurd, was Weinstein in het St. James-theater in New York voor een luxueus benefietconcert dat hij en anderen voor Clinton hadden opgezet, waarmee er nog eens twee miljoen dollar aan haar campagnekas zou worden toegevoegd. De muzikante Sara Bareilles zat op het podium, badend in paars licht,[11] en zong: 'Your history of silence won't do you any good / Did you think it would? / Let your words be anything but empty / Why don't you tell them the truth?' – wat wel zó toepasselijk is, dat het haast niet waar kan zijn, maar toch was het zo.

Weinsteins invloed was de afgelopen jaren wel wat geslonken, maar nog steeds voldoende om publiekelijk te worden omarmd door de elites. Terwijl het nieuwe filmprijzenseizoen die herfst losbarstte, schreef Stephen Galloway, een filmrecensent van het tijdschrift *The Hollywood Reporter*, een artikel met de kop 'Harvey Weinstein, the Comeback Kid'[12] en de ondertitel 'Er zijn veel redenen om hem te steunen, zeker nu.'

Rond dezelfde tijd stuurde Weinstein een e-mail naar zijn advocaten, inclusief David Boies, de prominente jurist die Al Gore had vertegenwoordigd[13] bij zijn verzoek om een hertelling na de presidentsverkiezingen in 2000, en die bij het Amerikaanse Hooggerechtshof voor het homohuwelijk had gepleit. Boies vertegenwoordigde Weinstein al jaren. Hij was toen al achter in de zeventig, nog steeds in vorm, en zijn gezicht had zich met de jaren tot iets vriendelijks en benaderbaars geplooid. 'De Black Cube Group uit Israël heeft via Ehud Barak contact met me opgenomen,' schreef Weinstein. 'Het zijn strategen en ze zeggen dat jullie bureau ze eerder heeft gebruikt. Gmail me zodra je kan.'[14]

Barak was de voormalige minister-president van Israël en hoofd van de generale staf van het Israëlische leger. Black Cube, de organisatie die hij aan Weinstein had aanbevolen, werd grotendeels gerund door voormalige officiers van de Mossad en andere Israëlische inlichtingendiensten. De groep had afdelingen in Tel Aviv, Londen en Parijs, en bood zijn cliënten – volgens hun eigen voorlichtingsmateriaal – de vaardigheden van privédetectives aan die 'zeer ervaren en getraind zijn door de Israëlische militaire elite en overheidsinlichtingendiensten.'[15]

Later die maand tekenden Boies' advocatenkantoor en Black Cube een vertrouwelijk contract en maakten Boies' collega's 100.000 dollar over voor een eerste termijn werk. In de documenten rondom de opdracht werd Weinsteins identiteit vaak verhuld. Er werd naar hem verwezen als 'de eindcliënt' of 'Mr X.' Als ze zijn naam zouden gebruiken, schreef een van de privédetectives van Black Cube, 'zou hij buitengewoon boos worden.'

Weinstein leek opgetogen over hun werk. Tijdens een vergadering eind november drong hij er bij Black Cube op aan om door te gaan. Er werd meer geld overgemaakt, en daarna zette de organisatie agressieve operaties in gang die ze 'Fase 2A' en 'Fase 2B' noemden.

Niet veel later kreeg een journalist die Ben Wallace heette, een telefoontje van een onbekend nummer met de landcode van het Verenigd Koninkrijk. Wallace was achter in de veertig en droeg een smal professorbrilletje. Een paar jaar eerder had hij *The Billionaire's Vinegar* gepubliceerd, een geschiedenis van de duurste fles wijn ter wereld. Meer recent had hij stukken geschreven voor *New York Magazine*, waarvoor hij de voorafgaande weken met mensen had gesproken over de geruchten rondom Weinstein.

'Noem me maar Anna,' zei de stem aan de andere kant van de lijn met een verfijnd Europees accent. Na zijn studie had Wallace een paar jaar in Tsjechië en Hongarije gewoond. Hij had een goed oor voor accenten, maar kon dit niet helemaal plaatsen. Hij vermoedde dat ze Duits was.

'Ik heb uw telefoonnummer via een vriend,' vervolgde de vrouw, en ze legde uit dat ze wist dat hij aan een verhaal over de entertainmentindustrie werkte. Wallace probeerde te bedenken welke vriend dat geweest kon zijn. Er waren niet veel mensen op de hoogte van zijn klus.

'Ik heb iets wat voor u misschien van belang kan zijn,' ging ze verder. Toen Wallace doorvroeg, was ze terughoudend. De informatie die ze had, was gevoelig, zei ze. Ze moest hem persoonlijk spreken. Hij aarzelde even. Toen dacht hij: wat kan het voor kwaad? Hij zocht nog naar een doorbraak in het verhaal. Misschien kon zij daar wel voor zorgen.

De maandagochtend daarop zat Wallace in een koffietentje in SoHo en probeerde hoogte te krijgen van de geheimzinnige vrouw. Ze leek halverwege de dertig, en had lang blond haar, donkere ogen, hoge jukbeenderen en een Romeinse neus. Ze droeg Converse-gympen en gouden juwelen. Anna zei dat ze haar echte naam liever nog niet gaf. Ze was bang, en worstelde met de beslissing om met haar verhaal naar buiten te treden. Dit fenomeen was Wallace in het contact met andere bronnen ook al opgevallen. Hij zei dat ze er de tijd voor mocht nemen.

Voor hun volgende ontmoeting, niet lang daarna, had ze een hotelbar gekozen in dezelfde buurt. Toen Wallace aankwam, glimlachte ze uitnodigend, of zelfs verleidelijk naar hem. Ze had al een glas wijn besteld. 'Ik bijt niet,' zei ze terwijl ze zachtjes op de stoel naast haar klopte. 'Kom maar naast me zitten.' Wallace zei dat hij verkouden was, en bestelde thee. Als ze zouden gaan samenwerken, zei hij tegen haar, had hij meer informatie nodig. Op dat moment kon Anna zich niet meer goed houden. Haar gezicht verwrong zich in een gepijnigde uitdrukking, en toen ze haar ervaringen met Weinstein begon te beschrijven, leek ze te vechten tegen de tranen. Het was duidelijk dat ze iets intiems en aangrijpends had meegemaakt, maar ze gaf geen details prijs. Ze wilde zelf meer weten voordat ze op al Wallace' vragen in zou gaan. Ze vroeg wat hem had bewogen om de opdracht aan te nemen en wat hij ermee hoopte te bereiken. Terwijl hij antwoord gaf, leunde Anna naar hem toe, en strekte haar pols opzichtig naar hem uit.

Voor Wallace begon deze klus een vreemde, beladen ervaring te worden. Zoveel ruis en belangstelling van buitenaf was hij niet gewend. Hij werd zelfs door andere journalisten benaderd: Seth Freedman, een Engelsman die voor *The Guardian* had geschreven, nam kort daarna contact op, en suggereerde dat hij had gehoord waar Wallace aan werkte, en wilde helpen.

3
SLIJK

In de eerste week van november 2016, kort voor de verkiezingen, gaf Dylan Howard, de hoofdredacteur van het roddelblad *The National Enquirer*, een ongebruikelijke opdracht aan een van zijn redactieleden. 'Alles moet uit de kluis worden gehaald,' zei hij. 'En daarna hebben we daar beneden een versnipperaar nodig.' Howard kwam oorspronkelijk uit Zuidoost-Australië. Hij had een trollenpopachtig kuifje rood haar boven een rond gezicht, en droeg jampotglazen en stropdassen in schreeuwende kleuren. Die dag leek hij in paniek. *The Wall Street Journal* had net naar de *Enquirer* gebeld voor een reactie op een verhaal waarbij Howard zelf betrokken was, evenals David Pecker, de algemeen directeur van American Media Inc, het moederbedrijf van de *Enquirer*. In het verhaal werd beweerd dat AMI in opdracht van Donald Trump de gevoelige taak op zich had genomen om achter een tip aan te gaan[1] – niet met de bedoeling om die te publiceren, maar om die te laten verdwijnen.

Het redactielid maakte de kluis open, haalde er een aantal documenten uit, en probeerde hem weer dicht te krijgen. Later zouden journalisten over die kluis schrijven alsof het de loods was waar aan het eind van *Indiana Jones* de Ark des Verbonds werd opgeborgen, maar eigenlijk was het een klein, goedkoop en oud ding. Hij stond in een kantoor dat jarenlang van voormalig eindredacteur Barry Levine was geweest. Hij klemde nogal eens.

Pas na verschillende pogingen en een FaceTime-oproep naar diens wederhelft voor advies, kreeg het redactielid de kluis weer dicht. De hoeveelheid afval die later die dag door een afvalploeg werd opgehaald, was volgens een medewerker groter dan anders. Een document dat met Trump te maken had, was samen met andere documenten in het bezit van de *Enquirer* versnipperd.

In juni 2016 had Howard een lijst opgesteld van alle mogelijk beschadigende informatie over Trump die zich in de archieven van AMI had verzameld – materiaal dat tientallen jaren terugging. Na de verkiezingen vroeg Michael Cohen, Trumps advocaat, al het materiaal op dat het roddelimperium over de nieuwe president had liggen. Er volgde een interne discussie: sommigen begonnen zich te realiseren dat er een juridisch problematisch papierspoor zou ontstaan als ze alles weggaven, en verzetten zich. Desondanks bepaalden Howard en andere leidinggevenden dat al het journalistieke materiaal dat nog niet in de kleine kluis lag, uit de opslagdozen in Florida moest worden gehaald, en naar het AMI-hoofdkwartier moest worden gestuurd. Toen dat arriveerde, werd het eerst in de kleine kluis gelegd, en later, toen de politieke temperatuur rondom de relatie tussen het tijdschrift en de president witheet werd, in een grotere kluis in het kantoor van hr-directeur Daniel Rotstein. (Iemand die het moederbedrijf van de *Enquirer* goed kende, vroeg eens met gespeelde verbazing of de hr-afdeling van het bedrijf zich dan niet in een striptent bevond.) Pas later, toen een van de medewerkers die sceptisch waren geweest, nerveus werd en ging kijken, werd er ontdekt dat er iets mis was: de lijst met Trump-verhalen klopte niet met de aanwezige dossiers. Sommig materiaal was vermist geraakt. Howard zwoer tegen zijn collega's dat er nooit iets was vernietigd, een verklaring waar hij tot op de dag van vandaag bij blijft.

Op een bepaalde manier strookte het vernietigen van documenten met de routineuze onwettige activiteiten die al jaren kenmerkend waren voor de *Enquirer* en het moederbedrijf. 'We zitten altijd op het randje van wat wettelijk toegestaan is,' zei een senior redactielid van

AMI tegen me. 'Het is heel opwindend.' Een van hun vaste methodes was het illegaal verkrijgen van medische dossiers.[2] De *Enquirer* had mollen bij de grote ziekenhuizen. Een van hen verdonkeremaande de dossiers van Britney Spears, Farah Fawcett en anderen uit het UCLA Medical Center; uiteindelijk bekende hij schuld en werd hij veroordeeld.

AMI deed ook stelselmatig aan wat de ene na de andere medewerker heeft omschreven als 'chantage' – het tegenhouden van de publicatie van beschadigende informatie in ruil voor tips of exclusieve informatie. En onder het personeel werd er gefluisterd over een nog grimmigere kant van AMI's activiteiten, inclusief een netwerk van ingehuurde privédetectives die soms op creatieve manieren werden betaald om onder de radar te kunnen blijven, en die op tactieken vertrouwden van fysiekere, opdringerige aard.

Op een andere manier leek er echter iets nieuws te gebeuren in de AMI-kantoren in het Financial District van Manhattan. Pecker kende Donald Trump al tientallen jaren. Toen een journalist na de verkiezingen tegen Pecker zei dat kritiek op Trump niet hetzelfde was als kritiek op AMI, had hij geantwoord: 'Voor mij wel. Die man is een persoonlijke vriend van me.'[3] De twee hadden al jaren een verbond, waar ze allebei van profiteerden. Pecker, een grijzende oud-accountant uit de Bronx met een flinke snor, kwam zo dichter bij de macht en Trumps vele privileges. 'Pecker mocht meevliegen in zijn privéjet,' werd me verteld door Maxine Page, die tussen 2002 en 2012 regelmatig werk bij AMI deed, onder andere als eindredacteur bij een van hun websites. Ook Howard deelde in Trumps gunsten. In 2017 stuurde hij op de avond voor de inauguratie enthousiaste berichtjes naar vrienden en collega's, met foto's van de festiviteiten waar hij bij mocht zijn.

Voor Trump strekten de voordelen van de relatie veel verder. Jerry George, een andere oud-redacteur, schatte dat Pecker in de 28 jaar dat George bij de *Enquirer* werkte, misschien wel tien verhalen van formaat over Trump had gesmoord, en vele andere mogelijke sporen had weggewerkt.[4]

Toen Trump zijn tocht naar het Witte Huis begon, leek het verbond dieper en anders van aard te worden. Plotseling stond de *Enquirer* officieel achter Trump, en begonnen de krant en andere AMI-media het ene dweperige artikel na het andere te publiceren. 'ZOEK GEEN RUZIE MET DONALD TRUMP!' verkondigde een nummer van roddelblad *Globe*. 'HOE TRUMP GAAT WINNEN!' voegde de *Enquirer* toe. Toen de *Enquirer* de 'Bizarre Geheimen van de Kandidaten!' op een rijtje zette, was hun onthulling over Trump dat 'hij nog meer steun en populariteit geniet dan zelfs hij toegeeft!'5 Schreeuwerige voorpagina's over Hillary Clintons zogenaamde verraad en tanende gezondheid werden vaste prik. 'PSYCHOPAAT HILLARY CLINTONS GEHEIME PSYCHISCHE DOSSIERS ONTHULD!' kopten ze, en 'HILLARY: CORRUPT! RACISTISCH! CRIMINEEL!' – soms met zoveel uitroeptekens dat de koppen eruitzagen als goedkope musicaltitels. Een favoriet motief was de ophanden zijnde dood van Clinton. (Op wonderlijke wijze trotseerde ze de *Enquirer*'s prognoses en bleef ze maar bijna doodgaan, helemaal tot het einde van de verkiezingen.) Kort voordat de kiezers naar de stembus gingen, liet Howard zijn collega's een aantal van die voorpagina's verzamelen, zodat Pecker ze aan Trump kon aanbieden.

Tijdens de campagne belden Trumps mensen, inclusief Michael Cohen, met Pecker en Howard. Een reeks voorpagina-artikelen over Ted Cruz, Trumps rivaal in de Republikeinse voorverkiezingen, waarin een wilde complottheorie werd gebracht die Cruz' vader in verband bracht met de moord op John F. Kennedy, kwam ook uit de koker van iemand in Trumps kamp: politiek consultant Roger Stone. Howard legde zelfs contact met Alex Jones,6 een maniakale radiopersoonlijkheid die Trumps kandidatuur met zijn complottheorieën een flinke duw in de rug had gegeven, en verscheen later in Jones' programma. En soms kregen de redactieleden van AMI niet alleen de opdracht om onflatteuze aanwijzingen over de *Enquirer*'s favoriete kandidaat weg te werken, maar ook om actief naar informatie op zoek te gaan, en die veilig op te bergen in de kluizen van het bedrijf.

'Dat slaat echt nergens op,' zei een van hen later tegen me. 'Het leek de *Pravda* wel.'

Het pact met Trump was niet de enige alliantie die Howard en Pecker koesterden. In 2015 had AMI een productiedeal gesloten met Harvey Weinstein.7 Op papier zorgde de deal ervoor dat AMI, dat te kampen had met teruglopende oplagecijfers, een televisie-programma van hun website Radar Online kon maken. Maar de relatie had nog een andere dimensie. Dat jaar ontstond er een hechte band tussen Howard en Weinstein. Toen een model bij de politie aangifte had gedaan omdat Weinstein haar zou hebben be-tast, droeg Howard de redactie op om het verhaal te laten vallen, en later verkende hij de mogelijkheden om de rechten van haar verhaal te kopen, als ze in ruil daarvoor een geheimhoudingsver-klaring zou tekenen. Toen de actrice Ashley Judd beweerde dat ze was aangerand door een niet nader genoemde studiobaas[8] van wie het desondanks vrij duidelijk was dat ze Weinstein bedoelde, wer-den AMI-journalisten gevraagd om op jacht te gaan naar negatieve informatie over haar afkickverleden. Toen McGowans bewering opdook, had Howard volgens een collega gezegd: 'Ik moet wat slijk over die trut hebben.'

Eind 2016 werd de band nog hechter. In een e-mail liet Howard trots aan Weinstein weten wat een van de door AMI ingehuurde pri-védetectives voor elkaar had gekregen: in een gesprek had de speur-der een vrouw overgehaald om dingen te zeggen die beschadigend waren voor McGowan, en dat gesprek had hij stiekem opgenomen. 'Ik heb iets GEWELDIGS,' schreef Howard. De vrouw was 'behoorlijk tekeergegaan over Rose'.

'Dit is de doodklap,' antwoordde Weinstein. 'Zeker als het niet naar mij kan worden herleid.'

'Dat kan het niet,' schreef Howard terug. 'En – even tussen ons – het gesprek is OPGENOMEN.'9 In een andere e-mail stuurde Howard hem een lijst van andere personen die op een vergelijkbare manier moesten worden aangepakt. 'Laten we vervolgstappen bespreken voor ieder van hen,' schreef hij.

The National Enquirer was als een riool: bijna alle nare roddels van Amerika stroomden er uiteindelijk naartoe. Als ze een verhaal lieten vallen, of het op aandringen van AMI's hooggeplaatste vrienden met succes in de doofpot hadden gestopt, belandde het in de archieven van de *Enquirer* in wat sommige collega's *kill files* noemden. Nu hij steeds nauwer met Weinstein samenwerkte, begon Howard deze opgeslagen stukken kritisch onder de loep te nemen. Op een dag in die herfst vroeg hij volgens collega's om een specifiek dossier, over een vaste presentator bij een televisienetwerk.

4
KNOP

M att Lauer zat als volgt met zijn benen over elkaar: rechterknie over de linker, bovenlichaam licht naar voren geleund, en zijn rechterhand stevig bovenaan het rechterscheenbeen. Zelfs tijdens informele gesprekken zag hij eruit alsof hij moeiteloos een reclameblok kon gaan aankondigen. Wanneer ik Lauers ontspannen-maar-zelfverzekerde zithouding in de uitzending probeerde na te doen, leek ik vooral op iemand die nieuw is bij yoga.

Het was december 2016. We zaten in Lauers kantoor op de tweede verdieping van Rockefeller Plaza 30. Hij zat achter zijn glazen bureau, en ik op de bank ertegenover. Op de planken en dressoirs stonden overal Emmybeeldjes. Lauer was begonnen bij de lokale televisie in West Virginia,[1] en was van daaruit opgeklommen tot zijn huidige positie als een van de meest prominente en populaire figuren bij een omroepnetwerk. NBC betaalde hem ruim 20 miljoen dollar per jaar en vloog hem per helikopter van en naar zijn huis in de Hamptons.[2]

'Het is écht goed materiaal,' zei Lauer over het laatste verhaal in mijn onderzoeksserie. Hij had gemillimeterd haar, wat hem goed stond, en een plukkig, peper-en-zoutkleurig baardje, wat hem minder goed stond. 'Die lekkende kernreactor, waar was die ook alweer...'

'Washington State,' zei ik.

'Washington State. Dat was het. En die vent van de regering zweet peentjes.' Hij schudde zijn hoofd en grinnikte.

Het verhaal ging over Hanford Site, een nucleair complex waar de Amerikaanse regering kernafval van het Manhattanproject had begraven – genoeg om meerdere olympische zwembaden mee te kunnen vullen. Het personeel kwam verontrustend vaak met dat afval in aanraking.

'Daar moeten we in het programma meer van hebben,' zei hij. Hij geloofde in serieuze onderzoeksjournalistiek, en daar hadden we het vaak over gehad. 'Doet het goed op de set. En in de kijkcijfers,' ging hij verder. 'Wat heb je nog meer in de pijplijn zitten?'

Ik keek naar het stapeltje papieren dat ik meegenomen had. 'Eén verhaal gaat over Dow en Shell, die in Californië de landbouwgrond volgooien met giftige chemicaliën.' Lauer knikte goedkeurend terwijl hij een hoornen bril op zijn neus schoof en zich naar zijn beeldscherm draaide. Ik zag de e-mails in de weerspiegeling van zijn brillenglazen voorbijrollen. 'Er is een serie over verslaving, één over veiligheidshervormingen voor vrachtwagens die worden tegengehouden door lobbyisten,' ging ik verder. 'En één over ongewenste intimiteiten in Hollywood.'

Zijn ogen flitsten terug naar mij. Ik wist niet zeker welk van die verhalen zijn aandacht had getrokken.

'Het is voor een serie over dingen waar in Hollywood weinig over wordt gezegd,' zei ik. 'Kindermisbruik, racisme, ongewenste intimiteiten...'

Lauer droeg een perfect op maat gemaakt pak met grijs ruitjespatroon, en een marineblauwe, gestreepte stropdas. Hij streek hem glad en vestigde zijn aandacht weer op mij. 'Dat klinkt fantastisch.' Hij bekeek me kritisch. 'Waar zie je jezelf over een paar jaar?' vroeg hij.

Het was bijna twee jaar geleden dat MSNBC mijn tv-programma had opgeheven. 'Ronan Farrow gaat van presentatiedesk naar kantoorhokje,'[3] had Page Six, de roddelrubriek van *The New York Post*, recent gekopt. Wat bleek: mijn werkplek was overdag tijdens de nieuwsprogramma's van MSNBC op de achtergrond in beeld. Terwijl Tamron Hall of Ali Velshi het nieuws presenteerde, zag je mij daarachter typen en telefoontjes plegen. Ik was trots op het werk dat ik deed voor *Today*. Maar ik vond het moeilijk om een niche te vinden. Ik overwoog alles, zelfs radio. Die herfst had ik een gesprek bij het satellietomroepbedrijf Sirius XM Satellite Radio. Melissa Lonner, een vicedirectrice daar, was een paar jaar eerder weggegaan bij *Today*. In een poging om optimistisch te klinken, zei ik tegen haar dat *Today* waarschijnlijk een beter platform voor onderzoeksjournalistiek was dan kabeltelevisie. 'Ja,' zei Lonner met een stijf glimlachje. 'Ik vond het daar geweldig.' Maar eigenlijk was ik onzeker over mijn toekomst, en betekende het veel voor me dat Lauer me zijn tijd gunde.

Ik dacht na over zijn vraag en antwoordde: 'Ik zou op enig moment wel weer willen presenteren.'

'Weet ik, weet ik,' zei hij. 'Je dénkt dat je dat wilt.' Ik deed mijn mond open om te reageren, maar hij onderbrak me. 'Je bent op zoek naar iets.' Hij nam zijn bril af, en bekeek hem nauwkeurig. 'Misschien vind je het wel. Maar je moet erachter zien te komen wie je bent. Waar je écht om geeft.' Hij glimlachte. 'Kijk je uit naar volgende week?'

Ik zou tijdens de kerstdagen invallen bij het programma, als hij en de andere vaste presentators vakantie hadden.

'Ja, zeker!' antwoordde ik.

'Denk eraan, jij bent de nieuwe op de set. Interactie is alles. Zorg dat je goeie lokkertjes voor een gesprek hebt in je *Orange Room*-script.' De *Orange Room* was het segment van *Today* waarin we diapresentaties van Facebookposts uitzonden, om de een of andere reden. 'Maak de scripts persoonlijk. Als ik daar zat, zou je over mijn kinderen beginnen. Je snapt het wel.' Ik krabbelde wat aantekeningen op papier, bedankte hem en liep naar de deur.

Toen ik bij de deur kwam, zei hij plagend: 'Stel ons niet teleur. Ik zal kijken.'

'Wil je deze dicht?' vroeg ik.

'Laat maar aan mij over,' zei hij. Hij drukte een knop op zijn bureau in. De deur zwaaide dicht.

Niet lang daarna stuurde ik een exemplaar van *The Teenage Brain: A Neuroscientist's Survival Guide to Raising Adolescents and Young Adults* naar Lauers huis in The Hamptons. In de uitzending deed ik mijn uiterste best om zijn advies te volgen. Ik stond buiten op het *Today Show*-plaza en verspreidde de feestvreugde terwijl mijn adem wolkjes vormde voor mijn gezicht. Tijdens de intro's en outro's zat ik met de andere invallers op de halvemaanvormige bank in Studio 1A en pakte mijn scheenbeen vast, en leek helemaal niet op Matt Lauer.

Op een ochtend sloten we het programma af met een montage van de outtakes en bloopers van het afgelopen jaar. Iedereen had die band al gezien: hij was al eens eerder uitgezonden, en nog eens vertoond bij het niet-confessionele eindejaarsfeestje van *Today*. Toen de band liep en de studiolampen werden gedimd, liep bijna iedereen van de set af of begon op zijn telefoon te kijken. Maar er was één senior *Today*-medewerkster die onbeweeglijk voor het scherm bleef zitten. Ze was een van de hardst werkende mensen die ik in de tv-wereld had ontmoet. Ze was begonnen bij het lokale nieuws en was opgeklommen tot haar rol van nu.

'Ik benijd je niet,' zei ik. 'Dat je hier steeds weer naar moet kijken.'

'Nee,' zei ze, terwijl ze naar het scherm bleef kijken. 'Ik vind dit prachtig. Dit was mijn droombaan.' Tot mijn schrik zag ik dat ze tranen in haar ogen had.

Een paar weken na mijn gesprek met Matt Lauer zat ik om de hoek in de directievertrekken van NBC News, tegenover de directeur van *The Today Show*, Noah Oppenheim. Zijn hoekkantoor keek uit over Rockefeller Plaza, maar die dag werd het zicht belemmerd door mist en motregen. Naast me zaten McHugh en Jackie Levin, de senior producer die onze aankomende onderzoeksserie overzag – de serie waar ik Lauer over had verteld, over Hollywood. 'Oké, wat hebben jullie?' vroeg Oppenheim, die op een bank achterovergeleund zat. Ik bereidde me erop voor om hem bij te praten.

Oppenheim was net als Lauer een voorstander van het serieuze, 'harde' nieuws. Toen hij werd gepolst om *Today* te leiden, kwam hij nog voordat hij een werkplek had, bij me langs en zei dat ik altijd direct naar hem toe moest komen, niet naar de andere directieleden die bij het programma betrokken waren. Hij had me vaker bij *The Today Show* gezet en had groen licht gegeven voor mijn steeds ambitieuzere onderzoeken. Toen *Ronan Farrow Daily* van de buis ging, was Oppenheim degene die regelde dat ik bij NBC zou blijven en mijn serie voor *Today* kon blijven maken. Oppenheim was achter in de dertig, en had vriendelijke, jongensachtige gelaatstrekken en een altijd wat hangerige lichaamstaal – hij wachtte altijd tot jij naar hem toe leunde in plaats van andersom. Hij was onverschillig, relaxed, cool – eigenschappen die ik miste, en waar ik hem om benijdde. Het was een stoner met Bambiogen, die de indruk gaf dat niets zijn goede bui kon bederven. We hadden gelachen om zijn verhalen waarin hij stoned was geworden en integrale Thaise thuisbezorgmenu's had besteld, en hadden afgesproken om eens een avond wat spacecake in huis te halen.

Oppenheim was slim en had een prestigieuze opleiding gehad. Ergens vroeg in de verkiezingscampagne van 2000 hadden Chris Matthews, een tv-persoonlijkheid van MSNBC, en zijn uitvoerend producent Phil Griffin – die later diezelfde zender zou gaan leiden – hun reis van New Hampshire naar Harvard onderbroken vanwege een sneeuwstorm, en waren uitgestapt in Harvard. Griffin en een collega hadden Oppenheim – destijds een laatstejaarsstudent die voor *The Harvard Crimson* schreef – die avond dronken aangetroffen in een hoekje. Uiteindelijk zouden ze hem een klus op tv aanbieden. 'Ze stapten uit bij Harvard Square en raakten in een bar met een paar studentes aan de praat,' vertelde Oppenheim later tegen een journalist.[4] 'Die volgden ze 's avonds laat naar een feestje in het kantoor van het nieuwsblad, waar een van hen een krant meenam en een artikel las dat ik had geschreven over de race om het presidentschap.'

Na die toevallige ontmoeting schopte Oppenheim het van conservatieve tv-deskundige tot producer bij MSNBC, en uiteindelijk tot senior producer bij *Today*. Maar zijn ambities strekten altijd verder. Hij was coauteur van een reeks zelfhulphoeken getiteld *The Intellectual Devotional* ('Maak indruk op je vrienden: leg Plato's allegorie van de grot uit, en peper je cocktailpartygesprekken met operabegrippen,' stond achter op het boek) en schepte op dat Steven Spielberg ze als kerstcadeautjes had weggegeven,[5] 'dus nu kan ik gelukkig sterven.' In 2008 vertrok hij bij NBC en verhuisde met zijn gezin naar Santa Monica om een carrière in Hollywood na te jagen. Als hij het over journalistiek had, zei hij: 'Dat was een geweldige ervaring in mijn twintiger jaren, maar ik was altijd dol op de filmwereld, en op films, en drama.' Hij werkte kort voor het reality-tv-imperium van mediaerfgename Elisabeth Murdoch, en richtte zich daarna op het schrijven van filmscenario's. 'Ik deed dat,' zei hij over reality-tv, 'en werd toen onrustig[6] omdat het me nog steeds niet dichter bij mijn echte passie bracht: dramatische scenario's.'

Alles waar Oppenheim aan begon, leek hem te lukken – ook in Hollywood. Hij stuurde zijn eerste scenario, *Jackie*, een sombere biopic over de dagen tussen Kennedy's moord en begrafenis, naar een staflid bij een studio, een oude bekende uit zijn Harvard-tijd. 'Nog geen week later zit ik ineens met Steven Spielberg in zijn kantoor op het Universal-terrein,' vertelde hij later.[7] De film bevatte veel dialoogvrije, onafgebroken shots waarin de vrouw in kwestie met uitgelopen mascara heen en weer liep. Recensenten waren enthousiast; het publiek, merkte ik, was dat minder. 'Welke film was dat nou ook alweer, die hij had gedaan?' had McHugh gevraagd toen we naar de vergadering liepen.

'*Jackie*.'

'Oei.'

Oppenheim had ook meegeschreven aan een bewerking van het postapocalyptische youngadult-avonturenboek *The Maze Runner*, die geld opbracht, en een vervolgfilm in de *Divergent*-serie, die dat niet deed.

De jaren tussen Oppenheims vertrek van Rockefeller Plaza en zijn terugkeer waren niet gemakkelijk geweest voor *Today*. Ann Curry, een van de vaste presentatrices die geliefd was bij het publiek, maar niet bij Matt Lauer, was ontslagen. De kijkcijfers waren gezakt tot onder die van de concurrentie, het nóg opgewektere *Good Morning America*. Er stond voor NBC veel op het spel: *Today* was goed voor een half miljard dollar aan reclameopbrengsten per jaar. In 2015 haalde NBC Oppenheim terug naar *Today* om het tij te keren.

In juni 2016 had ik van Oppenheim groen licht gekregen voor een serie die ik, in de typische, overdreven stijl die bij ochtendtelevisie hoort, 'De Duistere Kant van Hollywood?' had genoemd. Bij bepaalde onderwerpen bleek het echter moeilijk om er steun voor te krijgen. Het eerste voorstel dat ik naar de hoge heren stuurde, ging over beschuldigingen van seksueel wangedrag met minderjarigen, inclusief degene die uiteindelijk in het tijdschrift *The Atlantic* zijn gemeld over regisseur Bryan Singer[8] – die hij altijd heeft ontkend – en de beschuldigingen van kindermisbruik geuit door acteur Corey Feldman. Het interview met Feldman was al geregeld: *Today*'s hoofd boekingen, Matt Zimmerman, had afgesproken dat de ex-kindster zou komen optreden, en zou blijven voor een gesprek met mij. Maar later belde Zimmerman om te laten weten dat Oppenheim de invalshoek van kindermisbruik 'te duister' vond, en hadden we het plan geschrapt.

De verhalen die ik ter vervanging voorstelde, bleken ook zo hun obstakels te hebben. McHugh en ik hoorden van Levin, de senior producer, dat een verhaal over beroemdheden die concerten gaven voor dictators, zoals Jennifer Lopez' miljoenenoptreden voor Gurbanguly Berdimuhamedow, de totalitaire leider van Turkmenistan, kansloos was vanwege de band die NBC met Lopez had. Op mijn voorstel voor een verhaal over rassendiscriminatie in Hollywood leek niemand überhaupt in te willen gaan. Uiteindelijk zei Oppenheim grinnikend: 'Luister, ik ben ook tegen onrecht enzo, maar ik denk gewoon niet dat onze kijkers willen zien hoe Will Smith gaat zitten klagen dat hij het zo zwaar heeft.'

Netwerktelevisie is een commercieel medium. Discussies over de wenselijkheid van items zijn aan de orde van de dag. Je moet kiezen waar je voor wilt strijden, en deze dingen waren de strijd niet waard. We lieten de Hollywood-serie een paar maanden liggen, en zouden hem later in het jaar weer oppakken, zodat hij begin volgend jaar, rondom het Oscarseizoen, zou kunnen worden uitgezonden.

Terwijl we op die januaridag in Oppenheims kantoor zaten, sparden we over meer potentiële onderwerpen, inclusief een voorstel over plastische chirurgie. Toen kwam ik terug op een van mijn voorstellen die de gesprekken tot dusver hadden doorstaan: een verhaal over de Hollywoodse matras – artiesten die werden lastiggevallen, of werk aangeboden kregen in ruil voor seks. 'We boeken gestage vooruitgang,' zei ik. Ik was al in gesprek met enkele actrices die zeiden dat ze iets te vertellen hadden.

'Je zou eens naar Rose McGowan moeten kijken, die heeft iets over een studiobaas getweet,' zei Oppenheim.

'Dat heb ik niet gezien,' antwoordde ik. Ik pakte mijn telefoon en vond een artikel uit het tijdschrift *Variety*. McGowans tweets gleden onder mijn duim voorbij. 'Misschien wil ze wel praten,' zei ik. 'Ik ga erachteraan.'

Oppenheim haalde hoopvol zijn schouders op.

4
KANDAHAR

Een paar dagen later sprak Harvey Weinstein in Los Angeles af met privédetectives van Black Cube. Die meldden dat ze vooruitgang boekten: ze kwamen steeds dichter bij de vooraf afgesproken doelwitten.[1] Weinsteins advocaten hadden de betaling voor Fase 2A vlug afgehandeld,[2] maar de factuur voor Fase 2B hadden ze al ruim een maand laten liggen. Pas na verschillende gespannen contactmomenten werd er nog een betaling gedaan en ging het volgende, intensere en riskantere stadium van de operatie van start.

Onze verslaggeving bij NBC werd ook steeds intenser. Gedurende die maand begon de Hollywood-serie vorm te krijgen. Ik was begonnen aan een verhaal over gemanipuleerde campagnes voor film- en tv-prijzen, samen met een verhaal over seksistische sollicitatiepraktijken achter de camera, en nog één over Chinese invloed op Amerikaanse blockbusters. (De vijanden in *Red Dawn* veranderden tijdens de postproductiefase in Noord-Koreanen; dokters in Peking redden Iron Man terwijl ze melk drinken van het merk Yili.)

Het bleek een uitdaging om mensen te vinden voor het verhaal over ongewenste intimiteiten. De ene na de andere actrice trok zich terug, vaak nadat er prominente persagenten bij werden betrokken. 'Het is gewoon geen onderwerp waar we over willen praten,' kreeg ik steeds te horen. Maar de telefoontjes deden wel stof opwaaien. En in ons onderzoek dook Harvey Weinsteins naam telkens weer op.

Er kwam een producer, Dede Nickerson, naar Rock 30 voor een interview over het China-verhaal. We zaten in zo'n neutrale conferentiezaal die je al in honderd nieuwsprogramma's hebt gezien, verfraaid met gekleurde lampen en een plant op de achtergrond. Na afloop begonnen McHugh en de crew de apparatuur af te breken, en ging Nickerson op weg naar de dichtstbijzijnde liften. Ik ging haar achterna.

'Ik had u nog één ding willen vragen,' zei ik, terwijl ik haar inhaalde. 'We doen een verhaal over ongewenste intimiteiten in de filmwereld. U heeft voor Harvey Weinstein gewerkt, toch?'

Nickersons glimlach verslapte.

'Het spijt me,' zei ze. 'Ik kan je niet helpen.'

We waren bij de liften aangekomen.

'Tuurlijk, oké. Als u iemand weet met wie ik misschien zou kunnen praten...'

'Ik moet mijn vlucht halen,' zei ze. Ze liep de lift in, stond toen even stil en voegde toe: 'Wees maar voorzichtig.'

Een paar dagen later zat ik over een bureau gebogen in een van de glazen hokjes aan de zijkant van de nieuwsredactie, die bedoeld waren voor vertrouwelijke telefoontjes. Ik draaide McGowans telefoonnummer, met wie ik via Twitter contact had opgenomen. We hadden elkaar één keer eerder ontmoet, in 2010, toen ik bij Buitenlandse Zaken werkte. Pentagon-functionarissen hadden aangekondigd dat ze op bezoek kwam en hadden gevraagd of ik mee wilde gaan lunchen – alsof ze op zoek waren naar een taalspecialist en dachten dat ik vloeiend 'actrice' sprak. McGowan had de functionarissen ontmoet tijdens een recente tournee van de liefdadigheidsorganisatie United Service Organizations, die live entertainment verzorgt voor uitgezonden Amerikaanse troepen en hun families. Ze was gefotografeerd op het vliegveld van Kandahar[3] of in Kabul, in skinny jeans en neonkleurige, laag uitgesneden T-shirts, met lang haar dat wapperde in de wind. 'Ik zag eruit als een gestileerde bimbo,' zou ze daar later over zeggen.⁴ Mc-Gowan was een charismatische verschijning op het scherm: met haar gevatte, scherpe gevoel voor humor in een reeks vroege rollen – *The Doom Generation, Jawbreaker, Scream* – werd ze een lieveling van de indiefilm. Maar later kreeg ze steeds minder rollen, en de rollen die ze wel kreeg, waren nogal matig. Toen we elkaar ontmoetten, had ze voor het laatst een hoofdrol gespeeld in *Planet Terror,* een hommage aan de B-films van de jaren zeventig, geregisseerd door haar toenmalige vriend Robert Rodriguez, waarin ze een stripper speelde met de naam Cherrie Darling en een machinegeweer als been.

Toen McGowan en ik elkaar bij die lunch ontmoetten, klikte het meteen. Ze fluisterde me citaten toe uit de film *Anchorman,* waarvan ik er ook wel wat paraat had. Ze wist dat ik was opgegroeid in een Hollywood-gezin. Ze sprak over acteren – de leuke rollen, en de rollen waar je seksistisch behandeld of uitgebuit werd, wat de meeste waren. Ze maakte duidelijk dat ze moe begon te worden van het wereldje en de onderdrukkend beperkte kijk op vrouwen die er heerste. De volgende dag e-mailde ze me: 'Als ik in de toekomst iets kan doen, dan zorg ik dat ik beschikbaar ben. Aarzel alsjeblieft niet om het te vragen.'

Toen ik McGowan zeven jaar later vanaf de redactie belde, nam ze de telefoon op. Het was duidelijk dat ze nog altijd iets alternatiefs had. Ze vertelde dat ze voor Roy Price, het hoofd van Amazons opkomende film- en televisiestudio, een surrealistisch programma over een sekte mocht gaan maken. Ze voorspelde een strijd om de patriarchale machtsstructuren in Hollywood en daarbuiten. 'Niemand in de media heeft het erover gehad wat Hillary's verlies voor vrouwen betekent,' zei ze. 'De oorlog tegen vrouwen bestaat echt. Dit is *ground zero.*' En ze sprak, onbevreesd en veel specifieker dan in haar tweets, over haar bewering dat Weinstein haar had verkracht.

'Zou je zijn naam voor de camera willen noemen?' vroeg ik.

'Ik zal erover nadenken,' antwoordde ze. Ze was bezig met een boek, en twijfelde nog hoeveel ze daarin zou onthullen. Maar ze stond er ook voor open om voor die tijd al iets van het verhaal los te laten.

De media hadden haar afgewezen, zei McGowan, en zij had de media afgewezen.

'Maar waarom praat je dan met mij?' vroeg ik.

'Omdat jij het meegemaakt hebt,' antwoordde ze. 'Ik heb gezien wat je hebt geschreven.'

Ongeveer een jaar eerder had *The Hollywood Reporter* een lovend portret gepubliceerd van mijn vader, Woody Allen, waarin alleen terloops werd vermeld dat mijn zus Dylan hem van seksueel misbruik had beschuldigd. Het tijdschrift had daar felle kritiek op gekregen. Toen had Janice Min, de eindredactrice van *The Hollywood Reporter*, besloten om direct op de kritiek in te gaan, en had ze mij gevraagd een stuk te schrijven over die heftige reactie, en of die terecht was.

Om eerlijk te zijn, ik had bijna mijn hele leven geprobeerd Dylans beschuldiging te ontwijken, en niet alleen in het openhaar. Ik wilde niet dat mijn ouders, of de ergste jaren uit het leven van mijn moeder, of van mijn zus, of van mijn jeugd, zouden bepalen wie ik was. Mia Farrow is een van de grootste actrices van haar generatie, en een geweldige moeder die veel voor haar kinderen heeft opgeofferd. En toch werden haar talent en reputatie voor een groot deel in beslag genomen door de mannen in haar leven. Dat wakkerde bij mij de wens aan om op mezelf te staan; om bekend te zijn om mijn werk, wat dat dan ook mocht zijn. Daarmee bleven de gebeurtenissen in mijn jeugd thuis achter, gevangen in de tijd, in oeroude roddelartikelen en permanente twijfel – onopgelost, onoplosbaar.

Dus besloot ik mijn zus voor de eerste keer te interviewen over wat er was gebeurd, in detail. Ook verdiepte ik me in de rechtbankdossiers en alle andere documenten die ik kon vinden. Volgens de verklaring die Dylan gaf toen ze zeven jaar oud was, en die ze sindsdien precies zo heeft herhaald, nam Allen haar mee naar een kruipruimte in onze familiewoning in Connecticut en penetreerde haar met een vinger. Ze had al eens tegen een therapeut verteld dat Allen haar ongepast had aangeraakt. (De therapeut, die door Allen was ingehuurd, maakte die beweringen pas later – in de rechtszaal – bekend.) Direct voor het vermeende misbruik had een babysitter Allen met zijn gezicht in Dylans schoot gezien. Toen een kinderarts de beschuldiging uiteindelijk bij de autoriteiten meldde, huurde Allen volgens een schatting van een van zijn advocaten, minstens tien privédetectives in via een netwerk van juristen en subcontractanten.[5] Ze achtervolgden wetshandhavers, op zoek naar bewijs van drank- of gokproblemen. Frank Maco, een aanklager in Connecticut, sprak later van een 'campagne om de onderzoekers te verstoren', en volgens collega's was hij destijds van slag geweest. Maco staakte zijn poging om Allen aan te klagen, een beslissing die hij toeschreef aan zijn wens om Dylan het trauma van een rechtszaak te besparen, maar hij benadrukte dat hij 'gegronde reden' had gehad om ermee door te gaan.

Ik liet Min weten dat ik wel een opiniestuk wilde schrijven. Ik pretendeerde niet dat ik onpartijdig in het verhaal van mijn zus stond – ik gaf om haar en steunde haar. Maar ik betoogde dat haar bewering in een categorie viel van geloofwaardige beschuldigingen van seksueel misbruik, die te vaak werden genegeerd door de vakbladen in Hollywood en de andere nieuwsmedia. 'Dat soort zwijgen is niet alleen verkeerd. Het is gevaarlijk,' schreef ik.[6] 'Het geeft aan slachtoffers het signaal dat het de ellende niet waard is om naar buiten te treden. Het geeft een signaal af over wie we zijn als samenleving: wat we door de vingers zien, wie we negeren, wie ertoe doet en wie niet.' Ik hoopte dat het mijn enige verklaring over de kwestie zou zijn.

'Ik werd gevraagd om iets te zeggen. Dat heb ik gedaan,' zei ik, in een poging om het onderwerp achter ons te laten. 'Einde verhaal.'

Ze lachte bitter. 'Er komt nooit een einde aan.'

Ik was niet de enige journalist die achter McGowan aan zat. Seth Freedman, dezelfde Engelse *Guardian*-schrijver die Ben Wallace had gebeld om zijn hulp aan te bieden, had naar HarperCollins, de uitgever van McGowans boek, ge-e-maild. Freedman bleef aandringen: hij steunde McGowan en wilde haar graag interviewen. Toen hij Lacy Lynch, een literair agent die McGowan adviseerde, aan de telefoon kreeg, was hij vaag over zijn onderzoek. Hij zei dat hij met een groepje journalisten aan een verhaal over Hollywood werkte. Hij wilde niet zeggen of er een specifieke publicatie aan verbonden was. Maar Lynch zei tegen McGowan dat ze dacht dat de schrijver het goed bedoelde, en dat het haar een interessante kans leek.

Niet lang na mijn gesprek met McGowan sprak ze Freedman aan de telefoon. Hij zei dat hij buiten stond op de boerderij van zijn familie op het Engelse platteland, en zachtjes praatte zodat niemand wakker zou worden. 'Waar wilde u met me over praten?' vroeg McGowan.

'We willen een snapshot doen van hoe het leven in 2016-'17 voor mensen in Hollywood is,' legde hij uit. Hij begon over McGowans felle kritiek op Donald Trump en suggereerde dat er misschien nog wel 'een soort spin-offstuk' over haar activisme in zat. Het klonk alsof er veel middelen aan zijn werk werden besteed. Hij bleef herhalen dat er andere, niet nader genoemde journalisten waren die hem hielpen bij het verzamelen van informatie.

McGowan had meer dan genoeg verraad en misbruik meegemaakt, en was doorgaans op haar hoede. Maar Freedman was warm, openhartig, en soms heel persoonlijk. Hij verwees meerdere keren naar zijn vrouw en hun groeiende gezin. Langzaam begon McGowan hem aardig te vinden. Ze vertelde over haar levensverhaal, en moest op een gegeven moment zelfs huilen. Naarmate ze meer platen van haar pantser afwierp, werd hij specifieker. 'Natuurlijk is alles wat we zeggen off the record, maar ik heb met mensen gesproken die bij, weet je wel, bijvoorbeeld, Miramax, hebben gewerkt, die zeiden: "Ik heb een geheimhoudingsverklaring getekend", en die mogen helemaal niks zeggen over wat er met ze is gebeurd maar willen wanhopig kwijt dat "persoon X me heeft misbruikt of persoon X me het leven zuur heeft gemaakt".'

'Mijn boek zal op een hoop van die dingen ingaan,' zei McGowan.

Freedman toonde veel interesse voor haar boek, en wat ze erin wilde gaan zeggen. 'Hoe krijg je de uitgever zo ver om het te publiceren?' vroeg hij, verwijzend naar haar beschuldiging.

'Ik heb een document,' zei ze. 'Een ondertekend document uit de tijd van het misbruik.'

Maar wat zouden de gevolgen zijn, vroeg hij zich af, als ze te veel zei? 'De meeste mensen waar ik in Hollywood mee praat, die zeggen, weet je, ik mag er officieel niet over praten.'

'Omdat ze allemaal te bang zijn,' antwoordde McGowan.

'En als ze er wel over praten,' ging Freedman verder, 'dan vinden ze nooit meer werk of zullen ze nooit...' Maar die zin kon hij niet afmaken. McGowan was nu zo spraakzaam, dat ze over haar volgende punt begon.

Eén, twee, tot drie keer toe vroeg Freedman haar met welke mensen van de media ze wilde gaan praten voor het boek uitkwam, en hoeveel ze diegenen zou gaan vertellen. 'Wie zou op dit moment het ideale platform voor je zijn om die boodschap naar buiten te brengen?' vroeg hij. 'Betekent dat dan, dat je de naam uit de pers houdt omdat het je duur zou komen te staan,' zei hij, opnieuw zinspelend op die gevolgen, 'als je de naam naar buiten bracht en als iemand het je dan betaald zou zetten?'

'Dat weet ik niet. Ik zie wel hoe ik me dan voel,' zei McGowan.

Freedmans stem klonk vol empathie, als van een bondgenoot. 'Dus,' vroeg hij, 'wat zou voor jou nou een reden zijn om te denken: laat het maar zitten?'

6
CONTINENTAAL

'Ze vechten hier al jaren voor,' zei ik. Een week na mijn telefoongesprek met McGowan zat ik aan de presentatiedesk in Studio 1A, terwijl de camera's van *The Today Show* draaiden. Ik had net een item afgerond over de strijd die voorstanders van veiligheidsmaatregelen voerden tegen de vrachtwagenindustrie. Ze wilden verplichte zijrekken op vrachtwagencombinaties, om te voorkomen dat er auto's onder terecht zouden kunnen komen. Ze stelden dat die aanpassing levens zou redden. De lobbyisten zeiden dat het te duur zou zijn. 'Ronan, goed werk,' zei Matt Lauer, en daarna ging hij vlotjes verder met het volgende item. 'Heel sterk,' voegde hij er tijdens het volgende reclameblok aan toe terwijl hij de set afliep, met een zwerm productieassistenten om hem heen die hem zijn jas, handschoenen en script aangaven. 'Ook 'n mooie betrokken sfeer achteraf, je kreeg goeie reacties.'

'Dank je,' zei ik. Hij kwam wat dichterbij staan.

'Hé, hoe gaat het met die andere verhalen?'

Ik wist niet zeker welke hij bedoelde. 'Dat grote verhaal over de vervuilde landbouwgrond in Californië. Dat zul je wel interessant vinden, denk ik.'

'Tuurlijk, tuurlijk,' zei hij. Er viel een korte stilte.

'En rondom de Oscars kom ik met het Hollywood-verhaal dat ik had genoemd,' probeerde ik aarzelend.

Hij fronste zijn wenkbrouwen. Toen flitste de glimlach weer op zijn gezicht. 'Mooi,' zei hij, en hij gaf me een klap op de rug. Terwijl hij naar de uitgang liep, voegde hij er over zijn schouder aan toe: 'Als je wat nodig hebt, kom je naar mij, oké?'

Ik keek toe hoe hij door de draaideur ging en, te midden van wat plotselinge gilletjes van de fans, de koude lucht op het plaza in liep.

Het was begin februari 2017. McHugh en ik zaten diep weggestopt in vergaderingen met NBC's juridische en ethische afdelingen, die elk element van onze aankomende Hollywood-reportages onder de loep namen. De redactionele supervisie lag bij Richard Greenberg, een door de wol geverfde NBC'er die kort daarvoor was benoemd tot interimhoofd van NBC's onderzoeksafdeling. Greenberg droeg gekreukte tweed kleding en een leesbril. Hij werkte al bijna zeventien jaar bij het netwerk, waarvan tien als producer van nieuwsprogramma *Dateline*, en nog een aantal bij de ethische afdeling, waar hij reportages doorlichtte. Hij was stil en bureaucratisch. Maar hij had ook sterke morele overtuigingen. In zijn blog als *Dateline*-producer noemde hij plegers van seksueel misbruik 'perverselingen' en 'monsters'. Na een samenwerking met Chris Hansen, de presentator van realityprogramma *To Catch a Predator,* waarvoor ze een bezoek hadden gebracht aan een bordeel in Cambodja, schreef hij: 'Als ik 's nachts wakker lig, zie ik steeds weer de gezichten van de meisjes die we daar zagen, die niet zijn gered en nog steeds worden misbruikt.'[1] De advocaat die de serie juridisch doorlichtte, was Steve Chung, een Harvard Law-alumnus die angstvallig serieus was.

Die week in februari zaten McHugh en ik met Greenberg in zijn kantoor nabij de nieuwsredactie op de derde verdieping, en vatten ons draaischema voor de volgende week samen: bij sommige interviews moest de persoon in de schaduw worden gefilmd, zoals vaak voorkwam bij mijn onderzoeksverhalen en vele *Dateline*-verhalen waar Greenberg aan had gewerkt. Hij knikte goedkeurend. 'En je hebt dit allemaal doorgesproken met Chung?' vroeg hij. Dat had ik. Toen draaide Greenberg naar zijn computerscherm toe en opende een browser. 'Ik wil nog even iets dubbelchecken...'

In de zoekbalk typte hij de namen van allebei mijn ouders en van Weinstein. 'Goed idee,' zei ik. 'Had ik niet aan gedacht.' De zoekresultaten sloten aan bij onze verwachting: zoals de meeste studiobazen was Weinstein betrokken geweest bij films waar mijn ouders aan hadden gewerkt. In de jaren negentig had hij de distributie van enkele Woody Allen-films gedaan, en meer recent van een paar films waarin mijn moeder in de jaren 2000 had gespeeld. De wereld van de filmdistributie bevindt zich doorgaans op een zekere afstand van de rest van de industrie: geen van tweeën had Weinsteins naam ooit tegen me genoemd.

'Ziet er goed uit,' zei Greenberg terwijl hij door een aantal artikelen scrolde. 'Gewoon even dubbelchecken, om zeker te weten dat er geen geheime bijbedoelingen zijn. Duidelijk niet.'

'Behalve dat ik om het onderwerp geef, niet, nee,' zei ik. De enige keer dat ik Weinstein had ontmoet – bij een evenement dat werd gepresenteerd door Charlie Rose, een vaste presentator bij CBS News – vond ik hem wel aardig.

Een paar dagen later zat ik in een hotelkamer in Santa Monica. Dennis Rice, een doorgewinterde marketingdirecteur, zat flink te zweten. Studiolampen met kubusvormige kappen zorgden ervoor dat hij volledig in de schaduw zat. Aanvankelijk zouden we het alleen over de gemanipuleerde prijzencampagnes hebben. Toen ik hem had gevraagd naar zijn tijd als Harvey Weinsteins hoofd marketing bij Miramax eind jaren negentig en begin jaren 2000, was hij zenuwachtig geworden. 'Je hebt geen idee hoe zwaar het voor me wordt als ik iets zeg,' had hij tegen me gezegd. Maar Rice voelde dat er een kans lag om bij iets belangrijks te helpen, en had ermee ingestemd om nog een interview voor de felle lampen te doen.

'Er was geld beschikbaar voor als er onhebbelijkheden waren geweest die moesten worden afgehandeld,' zei hij over zijn tijd bij Miramax.

'Wat voor soort onhebbelijkheden?' vroeg ik.

'Pesterijen, lichamelijk geweld, ongewenste intimiteiten.'

Hij vertelde dat hij zelf had gezien hoe zijn vroegere baas jonge vrouwen 'ongepast aanraakte', en had er spijt van dat hij er niet meer over had gezegd. 'Ze werden afgekocht,' zei hij over de vrouwen. 'Ze moesten er maar geen punt van maken, werd ze verteld, want anders kon hun carrière wel eens afgelopen zijn.' Hij kende specifieke gevallen van vergelding, en toen de camera's uit waren, keek hij even om zich heen en zei: 'Zoek Rosanna Arquette.' De actrice had grote bekendheid gekregen met haar hoofdrol in *Desperately Seeking Susan*. In *Pulp Fiction*, die door Weinstein was gedistribueerd, had ze een kleine maar memorabele rol als de zwaar gepiercete vrouw van een drugsdealer. 'Ik weet het niet,' zei Rice, terwijl hij het zweet van zijn voorhoofd veegde. 'Misschien wil ze wel praten.'

Toen ik de opnames later terugkeek, spoelde ik een passage terug over de cultuur rondom Weinstein, en speelde die opnieuw af.

'En was er, van al die mensen om deze man heen, die zagen wat er gebeurde, ook maar iemand die er iets van zei?' vroeg ik.

'Nee,' antwoordde hij.

Die avond en de dagen erna klom ik in de telefoon. Ik stelde een lijst op van vrouwen – vaak actrices en modellen, maar soms ook producers of assistentes – van wie het gerucht ging dat ze over Weinstein hadden geklaagd, en die lijst werd steeds langer. Bepaalde namen bleven maar terugkomen, zoals die van McGowan, en van de Italiaanse actrice en regisseuse Asia Argento.

Ik belde opnieuw met Nickerson, de producer die eerder niet over Weinstein had willen praten.

'Ik ben wat er in deze industrie met vrouwen gebeurt zo beu. Ik wil wel helpen, echt waar,' zei ze. 'Ik heb dingen gezien. En toen hebben ze me afgekocht en heb ik een papiertje getekend.'

'Wat heeft u gezien?'

Het was even stil. 'Hij kon zich niet bedwingen. Zo zit hij in elkaar. Het is een roofdier.'

'En u kunt verklaren dat u daar getuige van bent geweest?'

'Ja.'

Ook zij ging akkoord met een interview voor de camera. Ik zocht haar op in het buitenhuis in Encino waar ze toen verbleef, en zittend in de schaduw vertelde ze daar, helemaal onafhankelijk, over een patroon van roofzuchtig gedrag dat griezelig veel leek op wat Rice had beschreven.

'Volgens mij gebeurde het heel vaak, dat betasten,' zei ze in het interview. 'Dit was niet iets eenmaligs. Dit was niet een bepaalde periode. Dit was voortdurend roofzuchtig gedrag naar vrouwen toe – of ze het nu toestonden of niet.' Ze noemde het bijna absurd hoezeer het ingebakken was in de bedrijfscultuur, en vertelde dat er in feite een pooier op de loonlijst stond met de magerst mogelijke functieomschrijving als dekmantel voor zijn rol als de man die de baas meisjes bezorgt.

'Was het algemeen bekend dat hij zich, om uw woorden te gebruiken, "roofzuchtig" naar vrouwen gedroeg?' vroeg ik.

'Absoluut,' zei ze. 'Iedereen wist ervan.'

'fyi, dat verhaal begint een behoorlijk serieus onderzoek naar hw te worden,' stuurde ik naar Oppenheim. 'De twee executives noemen zijn naam voor de camera, maar een van hen vraagt me om geen beeldmateriaal te gebruiken waarop hij de naam zegt,' schreef ik, verwijzend naar Rice. 'Mensen zijn doodsbang voor vergelding.' Oppenheim schreef terug: 'Kan ik me voorstellen.'

Hoe meer mensen ik belde, hoe meer bevestiging ik voor Rice' en Nickersons beweringen kreeg. Ik was ook op zoek naar verklaringen ter verdediging van Weinstein. Maar degene die ik vond, klonken hol. Nickerson had een producer genoemd van wie ze dacht dat het een slachtoffer was. Uiteindelijk spoorde ik haar op in Australië, waar ze een nieuw leven was begonnen. Toen ze me vertelde dat ze niets over Weinstein te zeggen had, klonken er spanning en verdriet in haar stem, die de indruk wekten dat ik haar in een moeilijke positie had geplaatst.

Een gesprek met Donna Gigliotti, de producer van *Shakespeare in Love*, verliep ongeveer hetzelfde.

'Ik bedoel, heb ik wel eens wat gehoord? Misschien. Maar heb ik ooit iets gezien?' vroeg ze.

'Wat heeft u gehoord?'

Ze zuchtte geërgerd, alsof de vragen bespottelijk waren.

'De man is geen heilige. Geloof me, we zijn echt geen vrienden van elkaar. Maar hij is niet schuldig aan iets ergers dan wat een miljoen andere mannen in ons vak ook doen.'

'Bedoelt u dat er geen verhaal in zit?'

'Wat ik bedóél,' zei Gigliotti, 'is dat je je tijd beter ergens anders aan kunt besteden. Andere mensen hebben hier ook naar gekeken, hoor. Het loopt telkens op niets uit.'

Ik wist dat niet. Maar al gauw kwam ik verwijzingen tegen naar andere media die achter het verhaal aan waren gegaan. Twee jaar eerder had Jennifer Senior, een schrijfster bij *New York Magazine*, getweet: 'Op een zeker moment zullen alle vrouwen die bang zijn geweest om iets over Harvey Weinstein te zeggen, elkaar een hand moeten geven en de sprong wagen.'[2] En even later: 'Het is een verachtelijk publiek geheim.' Haar opmerkingen hadden tot wat blogs geleid, en waren daarna weer verdwenen. Ik stuurde haar een bericht en vroeg of ze met me wilde praten. 'Ik was niet degene die daaraan werkte,' zei ze. 'David Carr, met wie ik bij *NYMag* nauw samenwerkte, was bezig met een groot artikel over hem,[3] en stuitte op het ene na het andere verhaal over wat een walgelijke figuur het was.' Carr, de essayist en mediaverslaggever die in 2015 was overleden, had anekdotes tegen Senior doorverteld over exhibitionistisch gedrag en betastingen door Weinstein, maar had nooit genoeg materiaal gehad om te kunnen publiceren. 'Er zijn al veel mensen achter dit verhaal aangegaan,' zei Senior tegen me, en ze wenste me succes, alsof ze Don Quichot aanmoedigde die een windmolen ging bestormen.

Ik belde andere mensen uit Carrs omgeving, en die voegden er nog iets anders aan toe: in de periode dat Carr aan het verhaal werkte, was hij paranoïde geworden. Zijn vrouw, Jill Rooney Carr, vertelde me dat haar man ervan overtuigd was dat hij in de gaten werd gehouden, hoewel hij niet wist door wie. 'Hij dacht dat hij werd gevolgd,' herinnerde ze zich. Verder leek het erop dat Carr zijn geheimen mee had genomen in het graf.

Na de interviews met Rice en Nickerson sprak ik af met een vriendin die als assistente werkte voor een prominent directielid van NBC-Universal, en die me contactinformatie doorgaf voor een nieuwe reeks potentiële bronnen. 'Wat ik me afvraag,' schreef ze me, 'zou *Today* zoiets als dit uitzenden? Lijkt me nogal zware stof voor ze.'

'Noah, de nieuwe baas van het programma,' schreef ik terug, 'die komt er wel voor op.'

Een week later, op de ochtend van 14 februari, zat Igor Ostrovskiy – de mollige Oekraïner die Roman Khaykin, de kale Rus, had ontmoet bij het Nargis Cafe – in een hotellobby in Midtown Manhattan. Khaykin had hem daarnaartoe gestuurd voor een van de klussen voor de geheimzinnige nieuwe cliënt. Ostrovskiy deed alsof hij verdiept was in zijn telefoon, terwijl hij discreet een filmpje maakte van een grijzende man van middelbare leeftijd met een regenjas, die de hand schudde van een lange, donkere man in een pak. Toen volgde hij de twee mannen naar het hotel-restaurant en ging zitten aan een tafeltje bij hen in de buurt.

De laatste paar dagen had hij het druk gehad met deze opdrachten in chique hotellobby's en restaurants, waar hij ontmoetingen observeerde tussen door de cliënt gestuurde privédetectives en ogenschijnlijk nietsvermoedende doelwitten. Ostrovskiy's opdracht was 'contraspionage': hij moest nagaan of de privédetectives van de cliënt niet gevolgd werden.

Die dag in het hotel-restaurant stuurde Ostrovskiy een foto van de gebeurtenissen naar Khaykin, en bestelde daarna een continentaal ontbijt. Het eten was een leuk extraatje bij de opdracht. 'Geniet ervan,' had zijn baas gezegd. 'Bestel maar wat lekkers.' Terwijl sap en broodjes arriveerden, probeerde Ostrovskiy het gesprek aan het tafeltje naast hem te horen. De mannen spraken met accenten die hij niet goed kon plaatsen. Oost-Europees, misschien. Hij ving snippers op van een gesprek over wijdverbreide locaties: Cyprus; een bank in Luxemburg; iets over mannen in Rusland.

Doorgaans vulde Ostrovskiy zijn dagen met het opsporen van mensen die ten onrechte een arbeidsongeschiktheidsuitkering inden, of probeerde hij van het pad af geraakte echtgenoten op schending van hun huwelijkse voorwaarden te betrappen. De keurig geklede privédetectives die bij deze nieuwe opdrachten betrokken waren – sommigen met een nogal militair voorkomen – waren van een andere orde. Hij bladerde door de opnames van de mannen en vroeg zich af wie hij observeerde, en voor wie.

7
PHANTOMS

Ik zat in een auto en baande me een weg door West-Hollywood, op naar mijn volgende interview, toen het nieuws bekend werd gemaakt dat Noah Oppenheim was bevorderd tot algemeen directeur van NBC News. Aan de zijde van zijn baas Andy Lack, die zowel NBC als MSNBC overzag, zou hij aan een rijtje cruciale projecten gaan werken. Het eerste punt op hun agenda was Megyn Kelly, de voormalige presentatrice van Fox News, die een nieuwe rol bij NBC moest krijgen. In verschillende positieve portretartikelen werden Oppenheims chique opleiding, carrière als scenarioschrijver en snelle klim door de meedogenloze televisiewereld uitgelicht. De directe voorgangers van Oppenheim en Lack waren allebei vrouwen geweest. Deborah Turness, Oppenheims voorgangster, werd in enigszins seksistische krantenprofielen omschreven als iemand met *rock-chick swagger*[1] – wat, voor zover ik kon zien, gewoon betekende dat ze er soms voor koos om een broek te dragen. Patricia Fili-Krushel, die door Lack werd vervangen, was een staflid met een achtergrond in hr en dagtelevisie. De bedrijfshiërarchie was nu volledig wit en volledig man: Noah Oppenheim, boven hem Andy Lack, en boven hem Steve Burke, de CEO van NBCUniversal, en Brian Roberts, de CEO van moederbedrijf Comcast. 'Dit vind ik heel, heel, heel tof nieuws. Gefeliciteerd, vriend!' schreef ik naar Oppenheim – misschien een beetje slijmerig, maar ook oprecht gemeend. 'Hah – dank je,' schreef hij terug.

Ik bladerde door mijn contactenlijst, bleef even hangen boven de naam van mijn zus Dylan, en belde haar – voor het eerst sinds maanden. 'Ik ben op weg naar een interview,' zei ik tegen haar. 'Met een bekende actrice. Ze beschuldigt een heel machtig persoon van een heel serieus vergrijp.'

Op familiefoto's staat Dylan, die tweeënhalf jaar ouder is dan ik, vaak achter mij verstopt. Daar zag je ons: in Huggies op de lelijke bruine bank in de woonkamer; voor mijn eerste voorstelling op de crèche, zij in een konijnenpak, terwijl ze met haar knokkels over mijn hoofd maait; voor allerlei toeristische attracties, lachend en vaak knuffelend.

Ik was verbaasd dat ze opnam. Ze hield haar mobiele telefoon meestal niet in de buurt. Op openhartige momenten had ze me verteld dat ze hartkloppingen kreeg van rinkelende telefoons. Vooral als er een mannenstem aan de andere kant van de lijn klonk, had ze het moeilijk. Ze had nooit lang een baan gehad waarbij veel moest worden getelefoneerd. Dylan was een getalenteerd schrijfster en beeldend kunstenares. Haar werk ging over werelden die zo ver mogelijk van deze af stonden. Toen we jong waren, hadden we een uitgebreid fantasierijk verzonnen, dat vol stond met tinnen beeldjes van draken en feeën. Fantasy bleef haar toevluchtsoord. Ze schreef honderden pagina's gedetailleerde fictie en schilderde verafgelegen landschappen. Deze bleven liggen in een lade. Als ik haar voorstelde om een portfolio samen te stellen of een manuscript in te sturen, verstarde ze, en schoot ze in de verdediging. Ik begreep het niet, zei ze dan.

Aan de telefoon op die februaridag was ze even stil. 'En je wilt mijn advies?' vroeg ze uiteindelijk. Haar beschuldiging, en de vraag die tussen ons in hing, of ik wel genoeg gedaan had, en gauw genoeg, om haar beschuldiging te erkennen, hadden een afstand tussen ons gecreëerd die er in de jeugdfoto's niet was.

'Ja, ik wil je advies,' zei ik.

'Goed. Dit is het moeilijkste deel. Het malen. Wachten tot het verhaal verschijnt. Maar als je je eenmaal hebt uitgesproken, wordt het een stuk makkelijker.' Ze zuchtte. 'Zeg maar dat ze zich taai moet houden. Het is alsof je een pleister lostrekt.' Ik bedankte haar. Weer was ze even stil. 'Als je dit te pakken krijgt,' zei ze, 'niet loslaten, oké?'

Rose McGowan woonde in een typisch filmsterrenhuis: een stapel lichtbruine, moderne blokken in jarenvijftigstijl, verscholen tussen een groepje cipressen hoog in de heuvels van Hollywood. Buiten was er een ruim terras met een hottub en uitzicht over een deel van Los Angeles. Binnen leek het op een appartement dat was ingericht voor verkoop: geen familiefoto's, alleen kunst. Bij de voordeur stond een tweedehands lichtbord in de vorm van een bolhoed met de tekst: 'THE DERBY: LADIES ENTRANCE.' Iets verder, bovenaan de trap naar de woonkamer, hing een schilderij van een vrouw in een kooi, omsloten door licht. Naast de witte bakstenen open haard in de woonkamer stond een bronzen beeld van McGowans personage uit *Planet Terror* dat haar machinegeweerbeen oprichtte.

De vrouw die tegenover me zat, was niet degene die ik zeven jaar eerder had ontmoet. McGowan oogde moe, met een harde spanning in haar gezicht. Ze droeg een losse beige trui en weinig make-up. Haar hoofd was kaalgeschoren, in militaire stijl. Ze had het acteren grotendeels opgegeven, en richtte zich op muziek, soms begeleid door surrealistische *performance art*-beelden van zichzelf. Ze had ook een korte film geregisseerd, *Dawn*, die in 2014 op het Sundance Film Festival was vertoond. In de film wordt een onderdrukt tienermeisje rond 1961 door twee jonge mannen naar een afgelegen plek gelokt, bekogeld met een steen, en daarna doodgeschoten.

McGowan had een zware jeugd gehad. Ze was opgegroeid op het Italiaanse platteland in de christelijke sekte Children of God,[2] waar de vrouwen hard waren, en de mannen meedogenloos – toen ze vier was, vertelde ze me later, had een van hen zonder waarschuwing een wrat van haar vinger afgesneden, en haar verbijsterd en bloedend achtergelaten. Als tiener was ze een tijdlang dakloos geweest. Toen ze succes kreeg in Hollywood, dacht ze dat ze niet langer bang hoefde te zijn voor uitbuiting. Kort voordat Weinstein haar misbruikte, tijdens het Sundance Film Festival in 1997, werd ze gevolgd door een cameraploeg, en had ze nog tegen die ploeg gezegd: 'Ik denk dat mijn leven eindelijk makkelijker begint te worden.'

In de woonkamer, toen de camera's draaiden, vertelde ze dat haar agent de zakelijke bijeenkomst waar het vermeende misbruik plaatsvond, had gepland, en hoe die plotseling was verplaatst van een hotel-restaurant naar een hotelsuite. Ze beschreef het routineuze eerste uur met de man die ze toen alleen als haar baas zag, en zijn lof voor haar rollen in *Scream*, een film waarvan hij producer was, en in *Phantoms*, een film waar ze nog mee bezig was. Toen herleefde ze het gedeelte dat haar nog steeds zichtbaar van streek maakte. 'Op weg naar buiten werd het iets anders dan een bespreking...' zei ze. 'Het gebeurt allemaal heel snel en heel langzaam. Ik denk dat elk slachtoffer je dat kan vertellen... plotseling gaat je leven negentig graden de andere kant op. Het is... het is een schok voor je systeem. En je hoofd probeert bij te houden wat er gebeurt. Ineens heb je geen kleren meer aan.' McGowan probeerde rustig te blijven. 'Ik begon te huilen. En ik wist niet wat er gebeurde,' zei ze. 'En ik ben maar heel klein. Deze persoon is heel groot. Dus reken maar uit.'

'Was dit seksueel geweld?' vroeg ik.

'Ja,' antwoordde ze eenvoudigweg.

'Was dit een verkrachting?'

'Ja.'

McGowan vertelde dat ze contact had opgenomen met een strafadvocaat en overwoog om een aanklacht in te dienen. De advocaat zei dat ze haar mond moest houden. 'Ik had een seksscène gedaan,' herinnerde ze zich de woorden van de advocaat. 'Niemand zou me ooit geloven.' McGowan besloot geen aanklacht in te dienen, en trof een financiële schikking, waarmee ze schriftelijk afstand deed van haar recht om Weinstein aan te klagen. 'Dat was heel pijnlijk,' zei ze. 'Ik dacht toen dat 100.000 dollar veel geld was, want ik was nog maar een kind.' Ze zag het als 'een schuldbekentenis' van zijn kant.

McGowan beschreef een systeem van assistenten, managers en *power brokers* in de filmwereld, dat ze woedend beschuldigde van medeplichtigheid. Ze vertelde dat medewerkers haar blik ontweken toen ze de bespreking inliep, en toen ze eruit liep. 'Ze keken me niet aan,' zei ze. 'Ze keken naar de grond, deze mannen. Ze wilden me niet in de ogen kijken.' En ze herinnerde zich dat Ben Affleck, haar tegenspeler in *Phantoms*, direct na het voorval had gezien dat ze overstuur was, en dat hij, toen ze vertelde waar ze vandaan kwam, had geantwoord: 'Verdomme, ik heb 'm nog gezegd dat-ie hiermee op moest houden.'

McGowan dacht dat ze na het voorval op een zwarte lijst was gezet. 'Daarna heb ik bijna nooit meer films gedaan. En ik was ontzettend goed op weg. En toen ik wél weer een film deed, werd die aan hem verkocht voor de distributie,' zei ze, verwijzend naar *Planet Terror*.

Voor alle slachtoffers geldt dat het trauma ze nog lang achtervolgt. Voor degenen met bekende daders is het extra moeilijk om aan de herinneringen te ontsnappen. 'Dan sloeg ik de krant open,' vertelde McGowan, 'en dan zag je Gwyneth Paltrow hem [een] prijs uitreiken. Hij was overal aanwezig.' En dan waren er nog de rode lopers en persbijeenkomsten waar ze glimlachend met hem moest poseren. 'Dan trad ik gewoon weer uit mijn lijf,' zei ze. 'Ik plakte de glimlach op mijn gezicht.' De eerste keer dat ze hem na het vermeende misbruik zag, had ze achteraf overgegeven in een prullenbak.

McGowan zei Weinsteins naam nog niet voor de camera. Ze was zich aan het wapenen, zich erop aan het voorbereiden. Maar tijdens het interview verwees ze keer op keer naar hem en moedigde de kijkers aan om 'het verband te leggen'.

'Heeft Harvey Weinstein je verkracht?' vroeg ik. Het werd zo stil dat je een speld had kunnen horen vallen. McGowan zweeg even.

'Ik heb dat nooit een prettige naam gevonden,' zei ze. 'Ik vind het moeilijk om hem uit te spreken.'

Buiten beeld had ze zijn naam wel tegen me genoemd. Dat was deels, had ze gezegd, omdat ze zeker wilde weten dat als zij het juridische risico nam, ze met een nieuwsorganisatie in zee ging die met dit verhaal tot het uiterste zou gaan. Ik was eerlijk tegen haar: dit zou een delicaat juridisch proces bij NBC gaan worden. Ik zou gewapend moeten zijn met elk detail dat ze me kon geven.

'Zorg maar dat de juristen erin duiken,' zei ze.

'O, dat zullen ze zeker doen,' zei ik met een grimmig lachje.

'Erin duiken,' zei ze terwijl ze in de camera keek, met tranen in haar ogen. 'Niet alleen erover lezen. En ik hoop dat zij ook dapper zijn. Want weet je? Het is ook hun dochter, hun moeder, hun zus overkomen.'

8
WAPEN

'Het interview met Rose is schokkend,' schreef ik naar Oppenheim.

'Wauw,' antwoordde hij.

'Het was alsof er een bom ontplofte. Plus twee Miramax-execs die
voor de camera vertellen dat er een patroon van ongewenste intimiteiten was. Dit wordt leuk voor onze juristen.'

'Jeetje,' schreef hij. 'Dat wordt het zeker.'

Terwijl we onze opnames voor de Hollywood-serie afrondden,
belden McHugh en ik met Greenberg, het hoofd van de onderzoeksafdeling, en Chung, de jurist. Intussen had ik met twee personen van
McGowans management gesproken, tegen wie ze direct na de bijeenkomst met Weinstein had verteld wat er was gebeurd. Als ze
loog, deed ze dat al sinds die dag in 1997.

'Ze klinkt wel een beetje... wispelturig,' zei Greenberg.

Het was een zonnige dag, en McHugh en ik zaten weer in hetzelfde hotel in Santa Monica, waar we later een Chinese filmmaker
zouden interviewen. 'Daarom zorgen we voor veel ondersteunend
bewijs,' zei ik tegen Greenberg. 'En ze zei dat ze ons het contract zal
geven dat ze met Weinstein heeft...'

'Voorzichtig daarmee,' zei Greenberg.

'Hoe bedoel je?' vroeg McHugh.

'Ik weet niet of we ons met contracten moeten bemoeien,' zei Greenberg. 'Laten we maar voorzichtig zijn als we die krijgen.'

McHugh keek gefrustreerd. 'We moeten dit uitbrengen,' zei hij. 'Het is explosief. Het is nieuws.'

'Ik denk gewoon niet dat het op tijd klaar is voor deze serie,' antwoordde Greenberg. Volgens de planning zouden de reportages een week later worden uitgezonden, kort voor de Oscars.

'Ik denk dat ik nog wel andere vrouwen zover krijg om te praten, op tijd voor de uitzending,' zei ik.

'Geef het de tijd die ervoor nodig is,' zei Greenberg. 'De andere verhalen kunnen nu vast gaan, en dan breid je je onderzoek hier verder uit.' Ik kon het prima vinden met de mensen van NBC's juridische en ethische afdelingen. Ik kwam weliswaar met het nodige temperament voor mijn verhalen op, maar ik was zelf jurist, en ik had bewondering voor de ouderwetse zorg die aan de productie van een stuk voor programma's als *Nightly News* werd besteed. NBC was een serieuze plek die de waarheid hoog in het vaandel had, een instituut dat de sprong had gemaakt van radio, naar omroep, naar kabeltelevisie, naar het internet. Dat deed ertoe, toen het een halve eeuw geleden een van de drie zenders was, en in onze verscheurde en onvoorspelbare tijd deed het er nog steeds toe. Zolang we de tijd gebruikten om de reportage sterker te maken, vond ik de vertraging niet erg.

'Oké,' zei ik. 'Dan wachten we ermee.'

Het onderzoek breidde zich uit als een inktvlek. De dag na het interview met McGowan waren we bij *The Hollywood Reporter* voor een interview over de filmprijzenkwestie met hun journalist Scott Feinberg. Ook in dat gesprek viel niet aan Harvey Weinstein te ontkomen: hij had de moderne Oscarcampagne min of meer uitgevonden. Weinstein voerde zijn campagnes als guerrillaoorlogen. Een persagent van Miramax had eens een lovend opiniestuk over hun film *Gangs of New York* geschreven, en het laten doorgaan voor het werk van Robert Wise, de regisseur van *The Sound of Music*, die op dat moment 88 was. Weinstein had een uitgebreide lastercampagne op touw gezet tegen een grote concurrent, *A Beautiful Mind*, waarbij er stiekem persstukken waren verspreid waarin werd beweerd dat het hoofdpersonage, de wiskundige John Nash, homoseksueel was (en toen dat niet werkte, dat hij een antisemiet was). Nadat *Pulp Fiction* de Oscar voor Beste Film had verloren van *Forrest Gump*, had hij publiekelijk gedreigd om naar het huis van regisseur Robert Zemeckis te komen en 'middeleeuws te gaan doen.'[1]

Voordat ik vertrok bij *The Hollywood Reporter*, sprak ik met hun nieuwe hoofdredacteur, Matt Belloni. Er gingen geruchten dat zijn voorgangster Janice Min – degene die mij had overgehaald om het opiniestuk te schrijven over de noodzaak van stevigere verslaggeving rondom beschuldigingen van seksueel misbruik – jarenlang achter de beschuldigingen tegen Weinstein aan had gezeten. Toen ik Belloni vroeg of de *Reporter* iets had gevonden, schudde hij zijn hoofd. 'Niemand wil praten.'

Maar hij had wel een idee wie er in de filmwereld misschien op de hoogte waren van andere vrouwen met verhalen. Hij raadde me aan om contact op te nemen met de voormalige agent en manager Gavin Polone, die door *Variety* was omschreven als 'een *mister ten percent* in een Ferrari'.[2] Inmiddels was hij een succesvolle producent, die gaandeweg een reputatie als onruststoker had gekregen. In 2014 had hij voor *The Hollywood Reporter* een column geschreven met als kop 'Bill Cosby en de cultuur van afkoping, verkrachting en geheimen in Hollywood'. Daarin verwees hij naar enkele beschuldigingen tegen een niet nader genoemde studiobaas 'die zijn macht en geld heeft gebruikt om het allemaal stil te houden'. Hij beschuldigde journalisten ervan het verhaal links te hebben laten liggen, omdat ze 'bang waren te worden aangeklaagd en nog banger om reclame-inkomsten te verliezen'.[3] Kennelijk had niemand die uitdaging aangenomen.

Polone was af en toe als commentator in mijn MSNBC-programma verschenen. Tegen het einde van de dag had ik hem aan de telefoon. 'Dit moet aan het licht worden gebracht,' zei hij tegen me. Hij had van een aantal beschuldigingen tegen Weinstein gehoord – sommige direct van de slachtoffers, sommige uit de tweede hand. 'Het monsterlijkste geval, de heilige graal van dit verhaal, is Annabella Sciorra,' zei hij. 'Dat was geen aanranding. Het was verkrachting.' Ik vroeg hem om te kijken of de vrouwen die hun verhaal aan hem hadden verteld, met mij zouden willen praten. Hij beloofde dat hij dat zou doen.

'Nog één ding,' zei hij nadat ik hem voor zijn tijd had bedankt. 'Pas goed op jezelf. Deze vent, de mensen die hem beschermen. Er staat veel voor ze op het spel.'

'Ik doe voorzichtig.'

'Je begrijpt me niet. Wees voorbereid, voor het geval dat. Zorg dat je een wapen hebt.'

Ik moest lachen. Hij niet.

Veel bronnen waren bang, en wilden niet met me praten. Maar er waren er ook die wel mee wilden werken. Ik sprak met de agent van een Engelse actrice die volgens McGowan en anderen misschien een verhaal had. 'Ze heeft het me in detail verteld zodra we samen begonnen te werken,' zei de agent. 'Tijdens de shoot haalde hij zijn penis tevoorschijn en rende rond een bureau achter haar aan. Hij sprong boven op haar, drukte haar tegen de grond, maar ze kon wegkomen.' Ik vroeg of de actrice erover zou willen praten. 'Ze was er destijds heel open over,' antwoordde de agent. 'Ik zou niet weten waarom niet.' Een dag later belde hij terug met haar telefoonnummer en e-mailadres: ze wilde met alle plezier praten over een mogelijk interview.

Een agent die met Rosanna Arquette had gewerkt, leek meteen te begrijpen waarom ik contact zocht. 'Moeilijk onderwerp voor haar,' zei de agent. 'Maar ik weet dat ze het onderwerp belangrijk vindt. Ze wil vast wel met je praten.'

Annabella Sciorra had ik via Twitter bereikt. Ik legde haar uit dat het over een gevoelige kwestie ging. Ze leek wat beducht, op haar hoede. Maar we spraken een moment af om te bellen.

Ook ging ik achter de enige beschuldiging tegen Weinstein aan die ooit in het strafrechtelijk systeem terecht was gekomen. In maart 2015 was Ambra Battilana Gutierrez, een Filipijns-Italiaans model dat ooit in de finale van de Miss Italië-verkiezing had gestaan, na een bespreking met Weinstein in zijn kantoorgebouw in Tribeca rechtstreeks naar de politie gegaan, en had verklaard dat ze was betast. De politie van New York had Weinstein naar het bureau gebracht voor verhoor. De roddelbladen deden koortsachtig verslag.

En toen was er iets merkwaardigs gebeurd: de stukken over Weinstein maakten plaats voor negatieve stukken over Gutierrez. De roddelbladen berichtten dat Gutierrez in 2010 als jonge Miss Italië-kandidate een 'bungabungafeestje'⁴ had bijgewoond van de toenmalige Italiaanse premier Silvio Berlusconi, waar hij seks met prostituees zou hebben gehad. In de artikelen werd beweerd dat Gutierrez zelf een hoer was, die in Italië rijke sugardaddy's had. De dag na het vermeende voorval was ze naar *Finding Neverland* geweest, een Broadwaymusical die Weinstein produceerde, had *The Daily Mail* toegevoegd. Later had ze volgens de showbizzpagina een filmrol geëist. Gutierrez liet weten dat ze nooit prostituee was geweest, dat ze uit professionele verplichting naar Berlusconi's feestje was gegaan en daar weer was vertrokken zodra ze de dubieuzere kanten had opgemerkt, en dat ze niet om een filmrol had gevraagd. Maar haar ontkenningen werden alleen kort onderaan de artikelen vermeld, of überhaupt niet. De begeleidende beelden werden ook anders: dag na dag zag je foto's waarop ze poseerde in lingerie of bikini. De roddelbladen leken steeds meer te suggereren dat zij het roofdier was dat Weinstein met haar sluwe vrouwelijke streken in de val had gelokt. En toen, heel plotseling, verdween de aanklacht. En Ambra Gutierrez ook.

Maar de naam van een advocaat die Gutierrez had vertegenwoordigd, stond in de openbare verslagen, en advocaten hebben telefoons. 'Het staat me niet vrij om daarover te praten,' zei hij tegen me. 'Oké,' zei ik. Ik had net genoeg opgelet tijdens mijn rechtenstudie, en meer dan genoeg in het echte leven, om het te herkennen wanneer iemand zinspeelt op een geheimhoudingsverklaring. 'Kunt u dan een boodschap doorgeven?'

Gutierrez stuurde me vrijwel meteen een bericht. 'Hallo, mijn advocaat zei dat u contact met me zocht. Wilde even vragen waar het over gaat,' schreef ze.

'Ik ben een journalist bij NBC News en dit gaat over een verhaal voor *The Today Show* waar ik aan werk. Ik denk dat het misschien het makkelijkst is om telefonisch verder te praten, als je je daar goed bij voelt,' antwoordde ik.

'Kunt u misschien wat preciezer vertellen wat het is "waar ik aan werk?"' schreef ze.

Het was meteen duidelijk dat Ambra Gutierrez niet dom was.

'Het heeft te maken met een bewering van iemand anders, en mogelijk van meerdere mensen, die misschien overeenkomsten bevat met de bewering die jij in 2015 in het NYPD-onderzoek hebt gedaan. Het zou anderen die beschuldigingen hebben geuit, erg kunnen helpen als ik met je zou kunnen praten.'

Ze vond het goed om de volgende dag af te spreken.

Voordat ik Gutierrez zou ontmoeten, begon ik systematisch alle mensen af te bellen die bij de zaak betrokken waren geweest. Een van mijn contactpersonen bij het kantoor van de officier van justitie vertelde dat hun staf Gutierrez destijds geloofwaardig vond. 'Er werden... bepaalde dingen over haar verleden voorgelegd,' zei de contactpersoon.

'Wat voor dingen?'

'Daar kan ik niet op ingaan. Maar er zat niets bij waardoor iemand hier dacht dat ze loog. En ik heb gehoord dat we bewijs hadden.'

'Wat voor soort bewijs?'

'Dat weet ik niet precies.'

'Kun je het nakijken?'

'Tuurlijk. En dan zal ik daarna maar meteen mijn ontslag indienen.'

9
MINIONS

Toen ik aankwam bij de Gramercy Tavern, zat Gutierrez al in een hoekje achterin te wachten – kaarsrecht en muisstil. 'Ik ben altijd te vroeg,' zei ze. Dat was nog maar het begin. Ik zou er later achter komen wat een ontzettend georganiseerde en strategische vrouw ze was. Gutierrez was geboren in Turijn. Ze had tijdens haar jeugd moeten toezien hoe haar Italiaanse vader, die ze beschreef als een 'soort Jekyll en Hyde', haar Filipijnse moeder sloeg. Als Gutierrez tussenbeide probeerde te komen, sloeg hij haar ook. Als tiener begon ze voor het gezin te zorgen: ze onderhield haar moeder en leidde haar jongere broer af van het geweld. Ze had iets van een personage uit een Japanse anime: een overdreven soort schoonheid, met een onvoorstelbaar rank figuur en onwaarschijnlijk grote ogen. Die dag in het restaurant kwam ze nerveus over. 'Ik wil graag helpen,' zei ze met een trilling in haar Italiaanse accent. 'Maar ik zit gewoon in een lastige situatie.' Pas toen ik zei dat er een andere vrouw was die voor de camera een klacht over Weinstein had geuit, en dat er nog meer waren die overwogen dat ook te doen, begon ze haar verhaal te vertellen.

In maart 2015 had Gutierrez' modellenagent haar uitgenodigd voor een receptie van *New York Spring Spectacular*, een voorstelling in Radio City Music Hall waarvan Weinstein de producer was. Zoals gewoonlijk had Weinstein zijn vrienden uit de entertainmentindustrie opgetrommeld om de voorstelling te steunen. Hij had contact gehad met Steve Burke, de CEO van NBCUniversal, en Burke had beloofd om voor kostuums te zorgen van de personages uit de alomtegenwoordige *Minions*-franchise. Tijdens de receptie stond Weinstein vanaf de andere kant van de zaal openlijk naar Gutierrez te staren. Hij kwam naar haar toe en begon een gesprek, en zei herhaaldelijk tegen haar en haar agent dat ze op de actrice Mila Kunis leek. Na het evenement kreeg Gutierrez een e-mail van haar modellenbureau waarin stond dat Weinstein zo gauw mogelijk een zakelijke bespreking met haar wilde inplannen.

Een dag later ging Gutierrez aan het begin van de avond met haar modellenportfolio naar Weinsteins kantoor in Tribeca. Terwijl ze met Weinstein op een bank zat en het portfolio doornam, begon hij naar haar borsten te staren, en vroeg of ze echt waren. Gutierrez zei dat Weinstein daarna naar haar toe dook, haar borsten greep en met een hand onder haar rok probeerde te komen terwijl ze protesteerde. Uiteindelijk hield hij op en zei dat zijn assistent haar kaartjes voor *Finding Neverland* zou geven, een voorstelling die later die avond zou plaatsvinden. Hij zei dat hij haar in het theater weer zou zien.

Gutierrez was toen tweeëntwintig. 'Vanwege traumatische ervaringen in mijn verleden,' zei ze, 'was het iets heel heftigs als er iemand aan me zat.' Ze wist nog hoe ze na de ontmoeting met Weinstein had getrild, en een toilet was binnengelopen, waar ze in tranen was uitgebarsten. Ze had een taxi genomen naar het kantoor van haar agent en had daar ook gehuild. Daarna waren zij en de agent naar het dichtstbijzijnde politiebureau gegaan. Toen ze daar aankwam en Weinsteins naam aan de politieagenten vertelde, had een van hen gezegd: 'Nog eens?'

Later die avond belde Weinstein haar op, geïrriteerd omdat ze niet naar de voorstelling was gekomen. Op het moment van dat telefoontje zat ze bij de rechercheurs van de Special Victims Division, een afdeling die met name seksuele misdrijven behandelt. De agenten luisterden mee en bedachten een plan: Gutierrez zou Weinstein beloven om een dag later alsnog naar de voorstelling te komen, en daarna zou ze hem ontmoeten. Ze zou een geheim microfoontje dragen en een bekentenis proberen te ontlokken.

'Het was natuurlijk een enge beslissing,' zei ze. 'En die nacht kon ik natuurlijk niet slapen.' Wie wordt gevraagd om iets riskants te doen zodat er iets belangrijks aan het licht kan worden gebracht, moet altijd een ingewikkelde mix van eigenbelang en altruïstische motieven afwegen. Soms overlappen die twee. Maar in dit geval was er voor Gutierrez bijna niets te winnen. Ze riskeerde juridische en professionele verwoesting. Maar ze wilde voorkomen dat Weinstein het nog eens zou kunnen doen. 'Iedereen zei tegen me dat die man alle deuren voor me kon sluiten,' zei ze. 'Ik wilde het risico nemen omdat hij dit nooit meer mocht doen, bij niemand niet.'

Gutierrez ontmoette Weinstein een dag later in de Church Bar van het Tribeca Grand Hotel, een chique ruimte waar de blauwgeverfde muren zijn bestempeld met gouden sterren en wolken. Een team van undercoveragenten hield alles in de gaten. Weinstein gaf haar allerlei complimenten, en bleef maar herhalen hoe mooi ze was. Hij zei dat als ze vrienden met hem zou worden, hij haar wel aan acteerwerk kon helpen, en hij noemde enkele andere bekende actrices voor wie hij dat ook zou hebben gedaan. Er moest natuurlijk iets aan het accent gebeuren, maar hij zei dat hij wel lessen voor haar kon regelen.

Weinstein excuseerde zich om naar het toilet te gaan, en toen hij terugkwam, drong hij er plotseling sterk op aan dat ze naar zijn penthouse-suite zouden gaan. Hij zei dat hij een douche wilde nemen. Gutierrez was bang dat hij haar opnieuw zou aanraken en erachter zou komen dat ze een microfoontje droeg, en stribbelde tegen. Hij liet zich niet ontmoedigen, en probeerde haar herhaaldelijk mee naar boven te nemen. De eerste keer gebruikte ze de tactiek die de agenten tegen haar hadden verteld: ze liet een jasje achter en drong erop aan dat ze het beneden gingen halen. De tweede keer werden ze onderschept door een van de undercoveragenten, die was vermomd als fotograaf van de roddelwebsite TMZ, en die Weinstein met vragen begon te bestoken. Daarna ging Weinstein zijn beklag doen bij het hotelpersoneel. Gutierrez bleef tevergeefs proberen om zich uit de situatie los te maken. Uiteindelijk wist Weinstein haar boven te krijgen, en leidde haar in de richting van zijn kamer. Inmiddels waren ze de undercoveragenten kwijtgeraakt, en ze had nog een probleem: de agenten hadden gezegd dat ze haar telefoon in haar tas aan moest laten staan en er een reserveopname mee moest maken, maar het toestel was bijna leeg.

Weinstein gebood haar op steeds agressievere toon om zijn kamer in te gaan. Gutierrez was doodsbang, en smeekte en probeerde hem te ontwijken. Tijdens dit alles gaf Weinstein toe dat hij haar de vorige dag had betast. Het was een volledige, dramatische bekentenis, die op de band was vastgelegd. Ze bleef maar smeken, en uiteindelijk gaf hij toe en gingen ze naar beneden. De agenten, die hun identiteit niet langer verborgen, benaderden Weinstein en zeiden dat de politie hem wilde spreken.

Als Weinstein was aangeklaagd, zou hem 'seksueel misbruik in de derde graad' ten laste kunnen zijn gelegd, een vergrijp waar een straf van maximaal drie maanden cel op staat. 'We hadden overal zo veel bewijs van,' zei Gutierrez. 'Iedereen zei tegen me: "Gefeliciteerd, we hebben een monster tegengehouden."' Maar toen kwamen de roddelbladen met hun verhalen over Gutierrez' zogenaamde verleden als prostituee. En het kantoor van Cyrus Vance Jr., de officier van justitie van Manhattan, begon dezelfde vragen op te werpen. Toen Martha Bashford, het hoofd van Vance' afdeling Seksuele misdrijven, Gutierrez ondervroeg, was het volgens twee bronnen bij de politie een uitzonderlijk vijandig kruisverhoor over Berlusconi en haar persoonlijke seksuele verleden. De persdienst van de officier van justitie zei later tegen *The New York Times* dat de ondervraging een 'normaal, typisch gesprek' was, bedoeld om te anticiperen op vragen die in een kruisverhoor voor zouden komen. De bronnen bij de politie waren het daar niet mee eens. 'Ze gingen tegen haar tekeer alsof het Weinsteins verdedigingsadvocaten waren,' zei een van hen. 'Het was vreemd,' zei Gutierrez over die ondervraging. 'Ik dacht: wat is het verband? Ik snap er niks van. Luister gewoon naar het bewijs.'

Op 10 april 2015, twee weken nadat Gutierrez bij de politie aangifte had gedaan, meldde het kantoor van de officier van justitie dat Weinstein niet vervolgd zou worden.[1] Er werd een korte verklaring gegeven: 'Deze zaak is vanaf het begin serieus genomen, met een grondig onderzoek door onze afdeling Seksuele misdrijven. Na analyse van het beschikbare bewijs, inclusief meerdere ondervragingen met beide partijen, is besloten dat er geen grond is voor vervolging voor een misdrijf.'

De politie van New York was woedend over deze beslissing – zozeer dat hun Special Victims Division een intern onderzoek begon naar de laatste tien aangiftes in Manhattan op basis van vergelijkbare beschuldigingen van betastingen of aanrandingen. 'Die hadden nog geen kwart van het bewijs dat wij hadden,' zei weer een andere bron bij de politie over die andere zaken. 'Daar waren geen gecontroleerde ontmoetingen bij, en nauwelijks gecontroleerde telefoongesprekken.' En toch, zei die bron, 'hadden ze allemaal tot arrestatie geleid.' De buitenwereld kwam er nooit achter welk vernietigend bewijs Vance in zijn bezit had.

Politiebeambten begonnen te fluisteren over vreemd gedrag bij het kantoor van de officier van justitie. De staf van Vance had regelmatig nieuwe informatie over Gutierrez' verleden gekregen, en niet bekendgemaakt waar die vandaan kwam. Het was, zo zei één functionaris, alsof Weinstein hoogstpersoonlijk het kantoor van Vance had geïnfiltreerd.

Ten tijde van het Gutierrez-voorval barstte Weinsteins juridische team van de politieke invloed. Rudolph Giuliani, de voormalige burgemeester van New York, was nauw bij de zaak betrokken. 'Rudy was altijd op kantoor na het Ambra-gebeuren,' herinnerde een medewerker van The Weinstein Company zich. 'In die tijd was hij nog bij zinnen.' Giuliani werkte zo veel uren aan de Gutierrez-kwestie dat er achteraf een ruzietje ontstond over de facturering. Dit soort aanvaringen over facturen waren een leidmotief in Weinsteins zakelijke betrekkingen.

Verschillende leden uit Weinsteins juridische team doneerden geld aan de campagnes van Vance. Eén advocaat, Elkan Abramowitz, was partner in de firma waar Vance had gewerkt, en had sinds 2008 26.450 dollar aan Vance' campagnes bijgedragen.[2] Ik herkende Abramowitz' naam. Toen mijn zus haar beschuldiging van seksueel misbruik jegens Woody Allen opnieuw had geuit, was Abramowitz door Allen naar de ochtendprogramma's gestuurd om innemend te glimlachen en te zeggen dat er niets van waar was. Toch werden mijn gevoelens over Abramowitz door die geschiedenis niet méér, maar minder persoonlijk. Dit ging niet om één slachtoffer in het bijzonder. Voor Abramowitz en vele andere advocaten was dit een heuse tak van sport.

Ook David Boies werkte aan het Gutierrez-schandaal, en onderhield ook nauwe banden met de officier van justitie van Manhattan. Hij was al lange tijd donateur. In de maanden na de beslissing om niet te vervolgen, zou hij 10.000 dollar aan Vance' herverkiezingscampagne geven.[3]

Na die beslissing was Gutierrez van slag, en begon zich zorgen te maken over de toekomst. 'Ik kon niet slapen, ik kon niet eten,' vertelde ze. Toen Weinstein op zijn contacten bij de roddelbladen leunde om Gutierrez af te schilderen als hoer, kreeg ze het gevoel dat de geschiedenis zich herhaalde. Ze was ervan overtuigd dat de verhalen uit Italië dat ze prostituee zou zijn geweest, het gevolg waren van haar getuigenis in het corruptieproces tegen Berlusconi. Ze vertelde dat hij zijn macht had gebruikt om haar in diskrediet te brengen. 'Ze zeiden dat ik een bungabungameisje was, en dat ik relaties met sugardaddy's had,' zei ze. 'Iedereen die me kent, weet dat die verhalen nergens op slaan.' Kennelijk was *slutshaming* een universele taal. Enkele redacteurs van roddelbladen hebben later tegen me gezegd dat ze spijt hadden van hun berichtgeving over Gutierrez, en dat ze zich ongemakkelijk voelden bij de vele transactionele banden die Weinstein in hun wereldje bleek te hebben.

Weinstein maakte vooral veel gebruik van zijn relatie met Pecker en Howard bij *The National Enquirer*. Weinsteins medewerkers merkten dat hij vaker naar Pecker belde. Howard vertelde zijn personeel dat ze het verhaal over Gutierrez' beschuldiging moesten laten vallen, en vroeg later juist weer naar de mogelijkheid om haar verhaal te kopen, om het te kunnen begraven. En uiteindelijk publiceerde de *Enquirer* een artikel waarin werd beweerd – kennelijk gebaseerd op hun eigen gesmeek bij Gutierrez – dat ze het verhaal op de vrije markt wilde verkopen.

Het leek wel 'alsof ik, omdat ik een lingeriemodel ben of zo, wel fout móést zitten,' zei Gutierrez. 'Sommige mensen zeiden tegen me: "Misschien lag het aan hoe je gekleed was."' (Naar de bespreking met Weinstein had ze zich zakelijk gekleed, met een dikke panty vanwege het koude weer.) Haar reputatie begon af te brokkelen. 'Mijn werk is afhankelijk van mijn imago, en mijn imago was verwoest,' zei ze. *Casting calls* voor modellenwerk verdampten. De paparazzi belegerden haar appartement. Haar broer belde vanuit Italië om te zeggen dat hij door journalisten op zijn werk was opgespoord.

De advocaten die Gutierrez had geraadpleegd, adviseerden haar om een schikking te accepteren. In eerste instantie weigerde ze. Maar haar vastberadenheid begon het te begeven. 'Ik wilde niet dat mijn familie het nog moeilijker zou krijgen,' zei ze. 'Ik was tweeëntwintig. Ik wist dat als hij de pers zo naar zijn hand kon zetten, ik niet tegen hem op kon.' Op de ochtend van 20 april 2015 zat Gutierrez in een advocatenpraktijk in Midtown Manhattan met een uitgebreide juridische overeenkomst en een pen voor haar neus. In ruil voor de som van een miljoen dollar verklaarde ze nooit meer in het openbaar over Weinstein te praten, of over de poging om hem aan te klagen. 'Ik begreep haast niet eens wat ik met al die papieren deed,' zei ze daarover. 'Ik was zeer gedesoriënteerd. Mijn Engels was heel slecht. Alle woorden in die overeenkomst waren supermoeilijk om te begrijpen. Zelfs nu begrijp ik het nog niet allemaal, denk ik.' Aan de andere kant van de tafel zat Daniel S. Connolly, Weinsteins advocaat bij Giuliani's bureau, en hij beefde zichtbaar toen ze de pen oppakte. 'Ik zag hoe hij trilde en ik besefte hoe groot dit was. Maar toen bedacht ik me dat ik mijn moeder en broer moest onderhouden en hoe mijn leven verwoest werd, en deed ik het,' vertelde ze.

'Zodra ik het deed, voelde ik echt dat het verkeerd was.' Ze wist dat mensen over haar zouden oordelen omdat ze geld had aangenomen. 'Veel mensen hebben geen empathie,' zei ze. 'Ze kunnen zich niet in de situatie verplaatsen.' Nadat het contract getekend was, raakte Gutierrez in een depressie en kreeg ze een eetstoornis. Uiteindelijk kwam haar broer, die zich zorgen maakte, naar de Verenigde Staten. 'Hij wist dat het heel slecht met me ging,' zei ze. Hij nam haar mee naar Italië en daarna naar de Filipijnen 'om opnieuw te beginnen'. Ze zei tegen me: 'Ik was totaal verwoest.'

10
MAMA

Gutierrez had haar ogen gesloten bij de herinneringen aan de gebeurtenissen van twee jaar eerder. 'Heb je dat document?' vroeg ik. Ze deed haar ogen open en staarde me aan. 'Ik beloof je,' zei ik, 'dat ik wat ik hier vandaag te weten kom, alleen gebruik op een manier waar jij mee op je gemak bent. Zelfs als het betekent dat ik het verhaal op moet geven.' Ze pakte een witte iPhone en begon te klikken en scrollen. Ze schoof de telefoon naar me toe en liet me de geheimhoudingsverklaring van een miljoen dollar lezen.

Het document was achttien pagina's lang. Op de laatste pagina was het ondertekend door Gutierrez en Weinstein. De advocaten die betrokken waren geweest bij het opstellen van de overeenkomst, moesten wel zo van de afdwingbaarheid overtuigd zijn geweest, dat ze er nooit aan hadden gedacht dat het document ooit zou kunnen opduiken. Er stond in dat alle kopieën van geluidsopnames waarop Weinstein toegeeft dat hij haar had betast, vernietigd moesten worden. Ook ging Gutierrez er in het contract mee akkoord om haar telefoon en alle andere apparaten die bewijs zouden kunnen bevatten, aan Kroll te geven, een beveiligingsbedrijf dat door Weinstein was ingehuurd. Daarnaast zou ze hun de wachtwoorden geven van haar e-mailaccounts en andere digitale communicatievormen waarmee ze kopieën had kunnen verdonkeremanen. 'De geheimhoudingsverklaring van Weinstein is misschien wel de meest woekerachtige die ik in tientallen jaren in het vak heb gezien,' zei een advocaat die Gutierrez vertegenwoordigde later tegen me. Er zat een beëdigde, reeds door Gutierrez getekende verklaring bij de overeenkomst, die in geval van contractbreuk zou worden vrijgegeven. Daar stond in dat het gedrag dat Weinstein op de opname toegaf, nooit gebeurd was.

Ik keek op van de overeenkomst en van het schrijfblok waarop ik zo snel als ik kon, notities had gemaakt. 'Ambra. Zijn alle kopieën van de opname vernietigd?'

Gutierrez vouwde haar handen in haar schoot en keek ernaar.

Even later liep ik snel het restaurant uit en naar de metro toe, en belde Rich McHugh. Ik vertelde hem het verhaal. 'Het is echt,' zei ik. 'En er is een geluidsopname waarop hij het toegeeft.'

Ik stuurde een bericht naar Noah Oppenheim. 'Ik heb nu contact met vijf vrouwen met HW-beschuldigingen, FYI. Ik heb net gesproken met een model dat in 2015 een microfoontje droeg voor een onderzoek van de politie van New York. Ze gaat me de opnames laten horen. Ze wil wel praten maar heeft een afkoopsom aangenomen met een geheimhoudingsverklaring – ze heeft me het document laten zien. Het is legitiem. Getekend door HW, een miljoen dollar.' Toen hij uren later antwoordde, vroeg hij alleen: 'Wie is je producer hierbij?' en bleef daarna stil.

Terug in Rockefeller Plaza 30 zaten McHugh en ik tegenover Rich Greenberg in zijn kantoor op de derde verdieping. 'Het is nogal een verhaal,' zei Greenberg, achteroverleunend in zijn mesh bureaustoel.

'Ik bedoel, het is gigantisch,' zei McHugh. 'Hij bekent een misdrijf.'

Greenberg draaide naar zijn beeldscherm toe.

'Eens even kijken...' zei hij. Hij typte Gutierrez' naam in Google en klikte op het tabblad Afbeeldingen. Hij scrolde door wat foto's waarop Gutierrez verleidelijk poseerde in lingerie, en zei: 'Niet slecht.'

'Dit is waanzinnig belangrijk bewijs, en we hebben het bijna te pakken,' zei ik ongeduldig. 'Ze zegt dat ze de opname voor me gaat afspelen.'

'Nou, dat zullen we wel zien,' zei Greenberg.

'En dan is er nog het contract,' voegde McHugh toe.

'Dat deel is ingewikkeld,' zei Greenberg. 'We kunnen haar niet aanzetten tot contractbreuk.'

'We zetten haar helemaal nergens toe aan,' antwoordde ik.

Later die middag belde ik met Chung, de jurist van NBC. 'In theorie zou iemand kunnen zeggen dat we haar hebben overgehaald om het contract te schenden. Maar dat is een rare aanklacht. Er zijn allerlei tegenstrijdige interpretaties van wat er nodig is om zoiets te bewijzen. Volgens sommige mensen moet je aantonen dat contractbreuk het enige doel van de verdachte was – wat duidelijk niet jouw bedoeling is,' zei hij. 'Ik denk dat Rich gewoon voorzichtig is.'

Ik had Jonathan die middag een paar keer geprobeerd te bellen, maar kwam er pas doorheen toen ik rond zonsondergang Rockefeller Plaza verliet. 'Zes telefoontjes!' zei hij. 'Ik dacht dat het een noodgeval was!' Hij liep een vergadering uit. 'Vijf!' sprak ik hem tegen. Kort nadat hij was gestopt als speechschrijver van de president, hadden wij elkaar ontmoet. In de jaren dat we samen waren, had hij wat gedwarreld – hij had een kortstondige sitcom geschreven en veel getweet. Een paar maanden geleden had hij met zijn vrienden een mediabedrijf opgezet dat zich richtte op podcasts aan de westkust van de vs. Niemand had kunnen voorspellen dat ze zo snel succes zouden hebben. Hij kwam steeds korter en minder vaak naar New York.

'Ik ga het checken, hoor,' zei hij.

'Doe maar,' antwoordde ik. Ik wachtte een halve minuut. 'Jonathan!'

'Sorry! Was vergeten dat je er nog was.' Dit gebeurde vaker dan je zou denken. In die dagen bestond onze relatie bijna uitsluitend uit eindeloze telefoontjes. Soms vergat hij even dat ik geen podcast was en probeerde hij me op pauze te zetten.

Mijn telefoon maakte een 'ping'-geluidje. Ik keek op het scherm en zag een lange reeks Instagram-meldingen: ik had twintig of dertig nieuwe berichten, van een account zonder profielfoto. Er stond telkens opnieuw in: 'Ik hou je in de gaten, ik hou je in de gaten, ik hou je in de gaten.' Ik veegde ze weg met mijn duim. Rare berichtjes hoorden erbij als je op televisie was.

'De gekkies zijn dol op me,' zei ik tegen Jonathan, en ik las hem voor wat er in de berichten stond.

'Hij denkt dat hij van je houdt, maar wacht maar tot-ie weet hoe het is om een relatie met je te hebben.'

'Wat betekent dat nou weer?'

'Het betekent dat ik van je hou?'

'Is dat zo?'

'Ben gewoon bezig met mijn geloften voor de ceremonie. Op de maan. Met onze verzwaarde laarzen.'

Dit was een terugkerend grapje. Jonathans moeder wilde kleinkinderen, en graag voordat er basiskampen op de maan stonden.

'Dít gesprek weer?' zei ik, het spelletje meespelend.

'Zorg nou maar dat iemand van NBC naar die dreigementen kijkt. Neem het alsjeblieft serieus.'

Na die eerste ontmoeting met Gutierrez ging ik weer achter mijn contactpersoon bij de officier van justitie aan. 'Het is vreemd,' zei de contactpersoon. 'De opname. Hij wordt genoemd in de dossiers. Maar ik denk niet dat we 'm hebben.' Dat leek me onwaarschijnlijk. Volgens de standaardprocedure zou het kantoor van de officier van justitie elk mogelijk bewijs moeten bewaren, voor als het onderzoek ooit zou worden heropend. Ik zei: 'Dank je wel', en besloot dat mijn contactpersoon gewoon niet goed genoeg had gezocht.

Een week na ons eerste gesprek sprak ik opnieuw af met Gutierrez, bij een noedelrestaurantje in een kelder dicht bij Union Square. Ze kwam recht van een casting call, uitgebreid gekapt en opgemaakt. Het was alsof ik een interview afnam in een shampooreclame. Ze vertelde over Berlusconi's corrupte media-imperium, en hoe ze de kracht bij elkaar had geraapt om hem te helpen ontmaskeren. Met elk gesprek dat we voerden, klonk het meer alsof ze er klaar voor was om het opnieuw te doen.

Eerder die dag had ze me een foto gestuurd van een oeroude Mac-Book, en uitgelegd dat ze het snoer van de oplader kwijt was. Ik had het juiste soort snoer gevonden en terwijl we praatten, lag de laptop te laden op een stoel vlakbij. Ik keek er steeds nerveus naar. Uiteindelijk vroeg ik, zo nonchalant mogelijk, of ze dacht dat hij genoeg stroom had. Het restaurant was rumoerig, dus we gingen weg en liepen de hoek om naar een filiaal van de boekenketen Barnes & Noble. Ze klapte de laptop weer open. Terwijl ze van de ene kant naar de andere kant keek, navigeerde ze door een reeks submappen, langs modellenfoto's en onschuldig ogende Word-bestanden.

'Voordat ik de opdracht kreeg om mijn telefoon en computer te geven,' zei ze, terwijl ze dieper in haar harde schijf spitte, 'had ik de opnames naar mezelf gestuurd, naar al mijn e-mailadressen.' Ze moest de wachtwoorden voor al die accounts aan Kroll geven, en wist dat ze die toch wel zouden vinden als zij ze niet gaf. Maar om wat tijd te winnen, had ze gezegd dat er één wachtwoord was dat ze zich niet kon herinneren. En terwijl Kroll haar accounts een voor een wiste, had ze ingelogd in de account waarvan ze zogenaamd het wachtwoord moest herstellen, had de opname naar een tijdelijk e-mailadres gestuurd, en vervolgens haar map met verzonden e-mails leeggemaakt. Uiteindelijk had ze de bestanden op deze oude laptop gedownload, die ze achter in een kast had verstopt. 'Ik wist niet zeker of het zou werken,' zei ze. 'Het was zo van...' Ze zoog haar longen vol en hield haar adem in, alsof ze zich op het ergste voorbereidde. Maar Kroll kwam niet aankloppen, en de laptop lag twee jaar lang, met een lege batterij, stof te verzamelen.

Op het scherm was Gutierrez aangekomen bij een map met de naam 'Mama.' Daarin zaten drie geluidsbestanden: Mama1, Mama2 en Mama3. Dit waren de opnames die ze tijdens de undercoperoperatie had gemaakt op haar telefoon, die ze, telkens als het toestel een melding over de leeglopende batterij gaf, in alle hectiek weer aan had moeten zetten. Ze gaf me een koptelefoon aan, en ik luisterde. Het was er allemaal: de beloftes dat hij haar zou helpen met haar carrière, de lijst van andere actrices die hij had geholpen, de ontmoeting met de agent waarvan Weinstein dacht dat het een TMZ-fotograaf was. Je kon duidelijk horen dat Gutierrez in paniek was. 'Ik wil niet,' zei ze toen ze in de gang buiten zijn kamer stond en weigerde om verder te gaan, terwijl Weinstein een dreigende toon aansloeg. 'Ik wil weg,' voegde ze toe. 'Ik wil naar beneden.' Op een zeker moment vroeg ze hem waarom hij de vorige dag haar borsten had betast.

'O, alsjeblieft, het spijt me, kom nou maar binnen,' antwoordde Weinstein. 'Dat doe ik altijd. Kom op. Alsjeblieft.'

'Dat doet u altijd?' vroeg Gutierrez vol ongeloof.

'Ja,' antwoordde Weinstein. Hij voegde eraan toe: 'Ik zal het niet meer doen.'

Na bijna twee minuten getouwtrek op de gang stemde hij eindelijk in om weer naar de bar te gaan.

Weinstein vleide en dreigde en intimideerde en accepteerde geen 'nee'. Maar bovendien was het een smoking gun. Het was onweerlegbaar. Hij bekende niet alleen een misdrijf maar ook een patroon. 'Dat doe ik altijd.'

'Ambra,' zei ik terwijl ik de koptelefoon afzette. 'We moeten dit openbaar maken.'

Ik haalde een USB-schijf uit mijn zak en schoof hem over de tafel naar haar toe.

'Ik kan je niet vertellen wat je moet doen,' zei ik. 'Het is jouw beslissing.'

'Dat weet ik,' antwoordde ze. Ze sloot haar ogen, leek even te wankelen. 'Ik ga het wel doen,' zei ze. 'Maar nu nog niet.'

11
BLOOM

Na die tweede ontmoeting met Gutierrez was ik te laat voor mijn afspraak om iets te gaan drinken met een voormalige assistente van Phil Griffin, mijn vorige baas bij MSNBC. 'Dit is het belangrijkste verhaal van mijn leven,' appte ik haar. 'Als ik te laat ben, had ik echt geen andere optie.' Naast de journalistiek had ik nog twee andere grote passies: drama en te laat komen.

'Geen probleem hoop dat het goed gaat,' antwoordde ze coulant.

Ik was me nog aan het verontschuldigen toen ik bij het Franse bistrootje aankwam waar we hadden afgesproken. Toen ik vroeg hoe het met Griffin ging, vond ze dat een grappig toeval: hij had namelijk ook naar mij geïnformeerd.

Griffin was degene die het met me had aangedurfd en me bij NBC had binnengehaald. Hij was een getalenteerd producer die zich via allerlei functies had opgewerkt, eerst bij CNN, en later bij *The Today Show* en *Nightly News*. Bij CNN had hij zich voornamelijk beziggehouden met sport. Hij was een hartstochtelijk honkbalfan, en bleef altijd vriendelijk als ik tijdens zijn gloedvolle monologen over dat onderwerp afhaakte. Hij droomde er al zijn leven lang van om voor de New York Mets te werken, en je kon je niet aan de indruk onttrekken dat dit niet alleen maar schertsend bedoeld was. Aan het roer bij MSNBC had hij de grootste succesperioden van het netwerk meegemaakt, en de ongenadigste dieptepunten overleefd. Griffin was de zoon van een topman van de warenhuisketen Macy's en groeide op in de rijke buitenwijken van New York en Toledo.[1] Met zijn goed verzorgde uiterlijk, kale hoofd en bevlogen karakter had hij het zorgeloze voorkomen van iemand die gewend was zijn zin te krijgen.

In de twee jaar nadat mijn programma van de buis was gehaald, was ons contact beperkt gebleven tot zo nu en dan een hartelijk praatje op kantoor. Ik vroeg me af of de voormalige assistente haar opmerking over dat Griffin naar mij gevraagd had, alleen maar uit beleefdheid had gemaakt, of dat ik echt bij hem in beeld was, en zo ja, waarom.

Sinds haar tweet de afgelopen herfst had Harvey Weinstein regelmatig over Rose McGowan gebeld met Boies, zijn advocaat. Maar pas dat voorjaar noemde Weinstein ook NBC.

'Ze schijnen met een verhaal bezig te zijn,' zei hij. Hij wilde weten of Boies iets gehoord had. Boies zei van niet. Binnen enkele dagen zat Weinstein alweer aan de telefoon om de vraag opnieuw te stellen.

In het tweede gesprek met Boies was Weinstein kennelijk niet tevreden over de antwoorden van zijn advocaat. 'Ik ken mensen bij NBC,' had Weinstein nog maar eens benadrukt. 'Ik kom er wel achter.'

Weinstein had in de loop van de jaren regelmatig ongerust met zijn advocaten gebeld over nieuwsmedia die achter lastige verhalen aan zaten. Maar deze keer was het anders: hij begon mensen om hem heen te vertellen dat zijn informatie rechtstreeks van NBC kwam. Binnen de kortste keren deed hij uitspraken over hoeveel NBC precies had – inclusief de naam van de verslaggever die aan het verhaal werkte.

In de weken erna ontmoette ik Gutierrez verschillende keren in de Barnes & Noble aan Union Square. Ze stemde in met een bijeenkomst met mij, Greenberg en de juridische afdeling van NBC om hun de geluidsopname te laten horen en het contract te laten inzien. Maar ze worstelde nog met de vraag of ze het bewijsmateriaal wel wilde afstaan.

Na een van onze afspraken belde ik na enige aarzeling opnieuw mijn zus Dylan. 'Zo, dus je hebt weer eens advies nodig,' zei ze met iets plagerigs in haar stem.

Ik legde haar de situatie voor: een bron, een opname, een contract. Iedereen die ik sprak, kon een potentiële informant zijn van Weinstein. Als ik ooit het volledige verhaal bij elkaar zou hebben, zou ik hem ermee confronteren en om commentaar vragen. Nu voelde ik me nog te kwetsbaar, en de constante waarschuwingen van bronnen over Weinsteins praktijken hadden me nerveus gemaakt. 'Wie kan ik hiervoor benaderen?' vroeg ik haar. 'Wie kan ik vertrouwen?'

Ze dacht een ogenblik na. 'Bel Lisa Bloom eens.'

Lisa Bloom was het soort advocaat dat ook graag de televisie bespeelde. Toch leek zij dit platform aan te wenden zowel voor de verdediging van haar cliënten, als voor haar ideaal om de slachtoffers van seksueel geweld te verdedigen die het opnamen tegen de rijken en machtigen der aarde. Ze had het als een van de weinigen meer dan eens, in woord en geschrift, opgenomen voor mijn zus. 'Jij, je zus en je moeder hebben je in de storm waardig staande weten te houden, als een toonbeeld van kracht voor overlevers van seksueel misbruik overal ter wereld,' had ze me ooit geschreven. 'Het allerminste wat ik kon doen, was me uitspreken over Dylans aperte geloofwaardigheid.'[2]

Bloom was vaak te gast geweest in mijn programma als vertegenwoordigster van degenen die Bill O'Reilly en Bill Cosby hadden aangeklaagd. 'De rijken en machtigen komen ermee weg. Ik kom dit elke dag tegen in mijn eigen praktijk,' zei ze in een item over Cosby.[3] 'Ik vertegenwoordig heel veel slachtoffers van vermogende en geslaagde seksueel-geweldplegers. Het eerste wat ze doen, is de aanval inzetten tegen het slachtoffer. Ze proberen iets uit haar verleden boven water te krijgen wat haar in verlegenheid kan brengen.' Ze had meegemaakt hoe 'vrouwen door het slijk worden gehaald, of met dat vooruitzicht bedreigd worden'.[4]

Toen Bloom opnam, vroeg ik of ze wilde dat ons gesprek off the record bleef. Daar wilde ze niets van weten. 'Geen sprake van,' zei ze. Ze had een warme stem met iets rasperigs erin. 'Ik wil juist altijd gráág commentaar leveren, dat weet je toch.'

'Bedankt,' zei ik. 'Maar ik zou jouw vertrouwelijkheid wel op prijs stellen.'

'Natuurlijk', zei ze.

'Ik weet dat de geheimhoudingsplicht in dit geval niet aan de orde is, maar als collega-jurist vertrouw ik je. Als ik je iets vraag over een gevoelige zaak, heb je er dan bezwaar tegen om het stil te houden tot het naar buiten komt?'

'Geen enkel,' zei ze.

Ik zei dat ik aan een stuk werkte waarin vérstrekkende geheimhoudingsverklaringen een rol speelden en vroeg haar mening over de afdwingbaarheid ervan. Ze zei dat er doorgaans geen speld tussen dit soort overeenkomsten te krijgen was, dat ze vaak als sanctie op nietnakoming een vaste schadevergoeding bedongen die een mens financieel te gronde kon richten, en arbitrageclausules bevatten waardoor ze in het geheim, zonder tussenkomst van een rechter, konden worden gehandhaafd. (Merkwaardig genoeg bevond zich onder alle draconische maatregelen uit Gutierrez' geheimhoudingsverklaring niet zo'n arbitragebeding.)

Sommige ondernemingen, zoals Fox News, waren sinds kort opgehouden de geheimhoudingsverklaringen af te dwingen die waren ondertekend door voormalige werknemers met klachten over seksuele intimidatie. Bloom zei dat het allemaal afhing van wie er op de naleving toezag.

'Het zou wel handig zijn als ik wist om wie het ging, Ronan.' Dit zei ze heel langzaam.

'En je geeft me je woord dat dit onder ons blijft?'

'Je hebt mijn woord,' zei ze.

'Het gaat over Harvey Weinstein.'

Ik stond in mijn appartement en keek naar buiten naar de muur van een gebouw aan de overkant met ramen die aan een pakhuis deden denken. Door een van die ramen was nog net een smal strookje van een balletstudio te zien. Een in tricot gehulde rug spande zich en verdween weer uit beeld.

'Als het zover komt, zal ik naar hem toe gaan en hem om commentaar vragen,' vervolgde ik. 'Maar tot die tijd is het voor die vrouwen belangrijk dat dit niet bij zijn mensen terechtkomt.'

Weer viel er een stilte. Toen zei Lisa Bloom: 'Ik begrijp het volledig.'

Gutierrez en McGowan hadden allebei aangegeven een advocaat te willen hebben. Als verslaggever moest ik afstand bewaren van de juridische beslommeringen van mijn bronnen. Ik had beiden gezegd dat ik geen juridisch advies kon geven of rechtstreeks een advocaat kon aanbevelen. Maar ik kon hen wel wijzen op openbaar toegankelijke informatie over deskundigen op dat terrein. Ik vroeg Bloom naar advocaten met ervaring met geheimhoudingsverklaringen. McGowan zou later een van hen benaderen.

Als Harvey Weinsteins iemand aan de telefoon wilde, blafte hij in de regel de naam van die persoon tegen de assistenten die hadden postgevat in de ruimte naast zijn kantoor. Niet lang na zijn telefoontjes met Boies over NBC brulde hij twee nieuwe namen: 'Ik moet Andy Lack hebben, nu! En Phil Griffin.'

Zodra Weinstein Lack te pakken had, wisselden het studiohoofd en de netwerkbaas eerst kort wat beleefdheden uit. Maar de nogal bezorgd klinkende Weinstein kwam snel ter zake. 'Zeg,' zei hij, 'die Ronan van jou is bezig met een stuk over mij. Over de jaren negentig en zo.'

Mijn naam leek Lack maar vaag bekend voor te komen. Hij stelde voor dat Weinstein misschien beter Griffin kon proberen, mijn oude chef bij MSNBC. Hierop begon Weinstein te beargumenteren dat hij onschuldig was en dat het verhaal allemaal onzin was.

'Andy, het waren de *nineties*. Snap je wat ik bedoel? Heb ik een of twee assistentes mee uit genomen, wat ik misschien beter niet had kunnen doen? Ben ik met een of twee van hen naar bed geweest? Vast wel.'

Lack zei niets.

'Het waren de nineties, Andy,' herhaalde Weinstein. Kennelijk was dat voor hem een belangrijk excuus. Waarop hij met een ietwat dreigende ondertoon zei: 'Dat deden we allemaal.'

Er viel even een stilte, waarna Andy Lack zei: 'Harvey, je hoeft niets meer te zeggen. We zullen ernaar kijken.'

Tegen de avond belde Bloom weer. Ik was op weg naar huis en kwam net de metro uit. 'Hoe gaat het?' vroeg ze. 'Ik zat even te denken. Weet je, ik ken David Boies dus een beetje. En... en Harvey ook een beetje.'

'Je hebt er toch tegen niemand iets over gezegd, hoop ik?' vroeg ik.

'Natuurlijk niet! Het is alleen dat ik dacht dat ik je misschien met hen in contact kon brengen.'

'Lisa, dit ligt allemaal heel gevoelig en het is te vroeg. Ik beloof je dat ik hem zal benaderen zodra de tijd er rijp voor is. Maar zeg alsjeblieft nu nog niks. Je hebt me je woord gegeven.'

'Maar je zou er eens over kunnen nadenken,' zei ze.

'Zodra er verdere ontwikkelingen zijn, laat ik het je weten,' antwoordde ik.

Ik passeerde de kerk van St. Paul de Apostel, het neogotische gebouw als een fort in de buurt van mijn appartement. Ik keek omhoog en haastte me uit de schaduw.

'Ik ben er voor je als je iets nodig hebt, oké?' zei Bloom. 'Maakt niet uit wat.'

12
GRAPPIG

Diezelfde week zaten McHugh en ik in Greenbergs kantoor om hem bij te praten over de gesprekken met Gutierrez. Ik vertelde hem dat ze bereid was met onze juridische afdeling te praten en hun het bewijs te laten zien. 'Laten we het in gang zetten, voordat ze zich bedenkt,' zei ik.

Greenberg hield nog een slag om de arm. Hij zei dat we de geluidsopname in handen moesten hebben, dat alleen ernaar mogen luisteren niet genoeg was. Daar was ik het mee eens, maar zei dat Gutierrez op het punt stond de opname te delen en voerde aan dat een afspraak met NBC haar misschien over de streep kon trekken. Greenberg wierp opnieuw het bezwaar op dat het inzien van de contracten juridisch riskant kon zijn. 'Dat moet je eerst allemaal maar eens met het juridische team overleggen,' zei hij. Al die tijd zat hij ongedurig met een pen op zijn bureau te tikken en te trommelen.

Ik was net bezig hem eraan te herinneren dat ik elke stap van het onderzoek met het juridische team had doorgenomen, toen de telefoon op zijn bureau overging. Hij keek wie er belde en talmde even.

'Het is Harvey Weinstein,' zei Greenberg. 'Hij heeft vandaag al eerder gebeld.' McHugh en ik keken elkaar aan. Dat was iets nieuws. Greenberg zei dat Weinstein op informatie had aangedrongen over ons verhaal. Eerst had hij het geprobeerd met vleien en gezegd dat hij

93

fan van me was, van mij en van de zender. Maar al snel was hij overgegaan op grover geschut.

'Hij zei dat hij een paar advocaten in de arm heeft genomen...' zei
Greenberg.

Hij bladerden door zijn aantekeningen vóór hem.

'David Boies?' vroeg ik.

'Hij noemde Boies, maar er was ook nog iemand anders. Hier heb
ik hem, Charles Harder.' Charles Harder was de pitbulladvocaat die
onlangs in een door de miljardair Peter Thiel gefinancierde privacy-
zaak tegen *Gawker* het voor elkaar had gekregen deze roddelnieuws-
site tot sluiten te dwingen.[1]

'Ik heb hem gezegd dat we natuurlijk niet op de details konden
ingaan,' vervolgde Greenberg. 'We doen dit volgens het boekje. Laat
hem maar bellen.'

Ons stuk stond op losse schroeven. Gutierrez was er nog steeds niet
uit of ze de geluidsopname wilde afstaan. De agent van Rosanna Arquette belde me niet meer terug. De Engelse actrice bevestigde het
verhaal dat ik van haar agent had gehoord, maar krabbelde toen terug
en liet niets meer van zich horen. Ashley Judd, in wiens opmerkingen over een niet nader genoemde studiobaas echo's hadden weer-
klonken van de beweringen van McGowan en Gutierrez (een ontmoeting die verplaatst werd van een hotel-restaurant naar een
hotelkamer, een verzoek om te kijken hoe hij aan het douchen was),
had niet op mijn vragen gereageerd.

Op een middag in maart vond ik een rustig rijtje afgeschermde
werkplekken die waren uitgeruimd voor een renovatie. Ik belde Annabella Sciorra. In de weken daarvoor had ik van verschillende anderen gehoord dat ze wellicht een verhaal had. Sciorra, die als dochter
van Italiaanse ouders in Brooklyn was opgegroeid, had naam gemaakt
in films als *The Hand That Rocks the Cradle* en ontving later een Em-
my-nominatie voor een gastrol in *The Sopranos*. Ze stond erom bekend ijskoude, keiharde personages neer te zetten, maar toen ze de

telefoon opnam, klonk haar stem klein en moe. 'Ik vond het zo gek om van je te horen,' zei ze, omdat ik haar op Twitter had benaderd, wat de aanleiding was voor dit telefoontje. 'Ik had geen idee waar het over ging. Maar ik kijk graag MSNBC, dus ik wilde best met je praten.'

Ik vertelde haar dat ik aan een stuk werkte over beschuldigingen van seksuele intimidatie tegen Harvey Weinstein, en dat ik van twee mensen had vernomen dat zij daar misschien wel iets over te zeggen had.

'O, dat,' zei ze en ze wist een schril lachje te produceren. 'Wat bizar, dat heb ik vaker gehoord. Wie heeft je dat verteld?'

Ik vertelde haar dat ik geen andere bronnen kon prijsgeven zonder hun toestemming. 'Je zou er heel wat mensen mee kunnen helpen als je iets weet,' zei ik. 'Ook als je alleen anoniem wilt praten.'

Aan de andere kant van de lijn stond Sciorra voor het raam in haar woonkamer en staarde over de East River. Ze aarzelde even en zei toen: 'Nee. Er is niets gebeurd.' Alweer dat schrille lachje. 'Ik weet het niet. Ik was zeker niet zijn type.' Ik bedankte haar en zei dat ze me kon bellen als ze zich iets herinnerde. 'Ik wou dat ik iets kon doen,' antwoordde ze. 'Het spijt me.'

Begin april zat ik aan mijn bureau een appje te lezen dat net was binnengekomen. 'Hallo...,' stond er. 'Matthew Hiltzik hier met een kort vraagje.' Hiltzik was een prominente publiciteitsagent. Hij was een betrouwbare optie voor allerlei nieuwscoryfeeën en had jarenlang de communicatie voor Katie Couric gedaan. Toen ik een paar jaar eerder wanhopig werd van de stortvloed aan artikelen in de boulevardbladen over mijn familie, had ik op aanraden van MSNBC kort van zijn diensten gebruikgemaakt, en hij was erg met me begaan geweest. Hiltzik was een spindoctor in gelijke kansen. Hij was nauw verstrengeld met zowel de Clintons als de familie Trump. Ivanka Trump was een klant van zijn bedrijf, en twee van zijn loopjongens, Hope Hicks en Josh Raffel, hadden een baantje in het Witte Huis gekregen.

Vrij vlot na zijn appje belde hij. 'Hé, hoe gaat het?' vroeg hij opgeruimd. Op de achtergrond klonk geroezemoes, alsof hij even was weggelopen uit een feestje. 'Ik ben op een evenement,' legde hij uit. 'Hillary houdt een speech.'

Hiltzik belde nooit zomaar. Ik bleef vaag over hoe het ging. 'Aan het goochelen met een paar opnames,' zei ik. 'Worstelen met de deadline voor een boek.' Ik was 's avonds als een gek bezig geweest met het samenstellen van een langgekoesterd boek over de afnemende rol van de diplomatie in het Amerikaanse buitenlandbeleid.

'Dus je andere klussen staan even in de ijskast,' zei Hiltzik. 'Zoals ik al zei, Hillary is hier, en Harvey ook. Daar heb ik veel mee samengewerkt de afgelopen jaren.'

Ik zei niets.

'Hij kwam toevallig net binnenlopen,' ging Hiltzik verder. 'Hij zei tegen me: "Wie is die Ronan eigenlijk? Hij loopt vragen over me te stellen? Hij is onderzoek naar me aan het doen?"'

'Vertegenwoordig jij hem?' vroeg ik.

'Niet echt. We kennen elkaar al lang. Hij weet dat ik jou ken, en ik zei dat ik dit wel even voor hem wilde doen. Ik zei: "Luister, Harvey, rustig maar, Ronan is oké." Ik heb hem gezegd dat ik wel even met je zou praten.'

'Ik onderzoek allerlei aanknopingspunten en ik kan echt nergens iets over zeggen zolang ze nog niet klaar zijn voor publicatie.'

'Is het voor NBC?' vroeg Hiltzik.

'Nou… ik bén onderzoeksjournalist voor NBC.'

'Gaat het over Rose McGowan?' drong hij aan. 'Want hij zegt dat hij dat kan ophelderen.'

Ik koos zorgvuldig mijn woorden en legde hem uit dat ik altijd openstond voor informatie. Er klonk gedempt geschreeuw op de achtergrond. 'Hij is zo grappig,' zei Hiltzik. 'Hij zegt...', hij wachtte even voor maximaal effect, 'de gráppigste dingen.'

Twee uur later kreeg ik weer een appje van Hiltzik: 'Hij is dus echt heel grappig. Heb je boodschap doorgegeven. Hij vroeg me je terug te bellen,' en de telefoon ging alweer. Hiltzik zei over Weinstein: 'Hij reageert niet altijd helemaal normaal,' en: 'Hij is geïrriteerd. Hij is uit zijn doen.'

'Wat vervelend,' zei ik.

'Soms voelt hij zich aangevallen door mensen die suggereren dat er wel iets in zit, in die verhalen. Hij zegt dat er steeds weer dezelfde verhalen opduiken, en uiteindelijk blijken ze altijd ongegrond te zijn, of in elk geval niet zo waar als mensen denken.' Hij zei nog dat *The New Yorker* en *New York Magazine* ook met het verhaal bezig waren geweest. Een van de verslaggevers had 'gewoon iedereen uit Harveys omgeving gebeld. Hij werd er bloednerveus van.' Harvey was 'er gevoeliger voor geworden'.

'Wat bedoel je met "gevoeliger"?' vroeg ik.

'Hij is alweer wat ouder. Hij is milder geworden. Ik denk niet dat hij meteen stappen zal gaan ondernemen, maar...'

'Stappen ondernemen?' vroeg ik.

'Luister, hij is niet achterlijk. Hij moet iets doen. Kijk, jij wilt je boek afmaken, toch? Dan kun je dit dus even in de ijskast zetten,' zei hij. Ik wierp een vluchtige blik op de aantekeningen die ik tijdens het gesprek had zitten te maken Mijn wenkbrauwen schoten omhoog toen ik het zag: Hiltzik had iets kleins maar waardevols losgelaten.

Aan Hiltziks kant van de lijn klonk applaus. 'Op wat voor evenement zijn jullie eigenlijk precies?' vroeg ik.

Hiltzik legde uit dat Hillary Clinton net een gesprekje achter de coulissen had afgerond met Weinstein, haar oude vriend en fondsenwerver, waarna ze het podium op stapte om een speech te geven voor 'Women in the World'.

Ik appte meteen Greenberg over Hiltzik. Greenberg belde de volgende dag. Hij begon geforceerd luchtig te praten over mijn boek over het buitenlandbeleid. Ik maakte eruit op dat hij ergens naartoe werkte. Toen zei hij: 'Trouwens, ik sprak Noah vandaag, en weet je... we hadden het over wel tien verschillende dingen, het was niet dat we bij elkaar waren gaan zitten om het specifiek hierover te hebben, maar hij vroeg me naar het verhaal waar je zo graag aan werkt.' Hij grinnikte. 'Ik heb hem gezegd dat er wel rook is, maar dat ik niet weet of er ook vuur is. We hebben geen keihard bewijs. Ik zei: "Noah, als je het mij vraagt, hebben we niet veel."'

Ik herinnerde hem eraan dat ik een opname had gehoord waarin Weinstein een aanranding toegeeft en dat ik zijn handtekening had gezien onder een afkoopsom voor een miljoen dollar. Ik vroeg nog maar eens of we nu die bijeenkomst konden inplannen tussen Gutierrez en onze advocaten. 'Het is niet in het nieuws. Volgens mij is er geen haast bij,' zei Greenberg. 'Zoals het er nu voor staat, moeten we het denk ik maar even laten rusten.'

'Wat betekent dat, "laten rusten"?' vroeg ik.

'Nou, gewoon... gewoon in de ijskast zetten,' zei Greenberg. Wéér die uitdrukking, dacht ik. 'Ronan, je hebt zoveel veelbelovende dingen lopen. Je werkt aan allerlei verhalen, de serie loopt goed. Weet je, je hoeft je niet per se hierop te focussen.'

Enkele minuten later zat ik aan de telefoon met McHugh. Hij stond net zo voor een raadsel als ik. 'Ik heb het gevoel dat iemand hen heeft gebeld,' zei hij. 'Eerst hoor je van Hiltzik en Harvey, en dan dit?' Dat lijkt mij geen toeval.'

'Ze zijn vast gebeld, maar ze laten heus niet over zich heen lopen. Noah gaat er zeker achter staan.'

'Alleen wil onze directe chef niet dat je ermee doorgaat. Je zult moeten beslissen of je je daarbij wilt neerleggen.'

'We zullen meer bewijs aanleveren, dan draaien ze wel bij,' zei ik.

Maar toen McHugh Greenberg meedeelde dat hij een middag uittrok om telefoontjes te plegen voor het Weinstein-verhaal, zei Greenberg doodleuk: 'Dat kan wel wachten, lijkt me.' De situatie begon een catch 22 te worden. We hadden meer bewijs nodig, maar openlijk doorgaan met het verzamelen ervan was ineens riskant geworden. 'En wat als we meer interviews moeten filmen?' vroeg McHugh.

'Het gaat perfect hier,' zei Alan Berger van Creative Artists Agency (CAA). De San Andreas-breuk kon opensplijten en Los Angeles kon zo de oceaan in schuiven, maar deze jongens zouden gewoon blijven rondrennen om hun klanten op het hart te drukken dat alles perfect in orde was. 'Je item in *Nightly* over die gevangenissen. Poeh!' vervolgde Berger. Hij had een warme, vaderlijke stem, met een accent dat verried dat hij geen onbekende was op Long Island. In de industrie werd hij beschouwd als een degelijke dealmaker.

'Je weet dat je contract dit najaar afloopt.'

'Dat weet ik,' zei ik. Ik was in mijn appartement. In de balletstudio aan de overkant was iemand de vloer aan het boenen. Hoe meer het stuk over Weinstein vorderde, hoe minder ruimte er was voor andere reportages of loopbaanoverwegingen. Ik had met mijn buitenlandbeleidboek al zoveel deadlines gemist, dat mijn uitgever het had opgegeven en het diezelfde week had afgeblazen.

'Ze zijn dol op je daar,' zei Berger over NBC. 'Noah is dol op je. Iedereen denkt dat er meer voor je weggelegd is.'

'Nou, ik werk momenteel aan een paar verhalen die alles een beetje...'

'Een beetje wat, Ronan?'

'Ik kan er niets over zeggen, Alan. Maar laat het me weten als er iets niet in de haak lijkt.'

'Ronan, doe me dat niet aan,' zei Berger lachend. 'Blijf alsjeblieft gewoon doen wat je aan het doen bent. En jaag vooral niemand tegen je in het harnas.'

13

DICK

Ik bladerde door mijn notities van het telefoontje met Hiltzik en zag zijn opmerking over *New York Magazine* en *The New Yorker*. Bij *New York Magazine* was Carr, met zijn vermoedens over heimelijke observatie en bangmakerij, achter het verhaal aangegaan, maar dat was in de eerste paar jaar na 2000 geweest. Iets in Hiltziks constatering over Weinsteins gevoeligheid deed me vermoeden dat iemand anders het onlangs ook nog had geprobeerd.

Ik stuurde opnieuw een bericht aan Jennifer Senior, de schrijfster die met Carr had samengewerkt. 'Kun je erachter komen of er iemand anders bij *New York Magazine* aan dat verhaal heeft gewerkt waar we het over hadden, misschien recenter dan David?' vroeg ik. 'Ik blijf signalen krijgen dat dat mogelijk het geval was.'

'Klopt,' schreef ze terug. 'Ik heb net mijn e-mail erop nagezocht. Maar in dit geval vind ik het lastig om te zeggen wie.' Het leek erop dat het verhaal in de kiem was gesmoord. Ik vroeg haar een boodschap aan die geheimzinnige auteur door te geven.

Bij *The New Yorker* had Ken Auletta, een schrijver die bekendstond om zijn gedegen kritieken van topmensen uit het zakenleven en de media, in 2002 een profiel over Weinstein geschreven. Het stuk heette 'Beauty and the Beast', het meisje en het monster. Er werd niet expliciet melding gemaakt van seksueel agressief gedrag, maar er

werd wel uitgebreid stilgestaan bij Weinsteins bruutheid. Hij was, schreef Auletta 'opvallend grof en zelfs bedreigend'. En er was een merkwaardige, nogal oververhitte passage waarin werd gesuggereerd dat er meer achter het verhaal zat. Auletta schreef dat Weinsteins partners 'zich "
enaaid"[1] voelen – een woord dat vaker valt als je mensen spreekt die met hem te maken hebben.' Ik stuurde een bericht aan een kennis die bij *The New Yorker* werkte en vroeg Auletta's e-mailadres.

Auletta was vijfenzeventig. Hij was opgegroeid op Coney Island en opgevoed door een Joodse moeder en een Italiaanse vader. Zijn voorkomen en manier van spreken hadden iets elegants en Europees. En hij was een zorgvuldige, ervaren verslaggever. 'Natuurlijk was er meer aan de hand dan we konden afdrukken,' vertelde hij toen ik hem belde vanuit een leeg kantoor in de buurt van de onderzoeksredactie. Destijds in 2002 was Auletta achter de beweringen aangegaan dat Weinstein voortdurend als een roofdier op vrouwen joeg en hij had zelfs naar de beschuldigingen geïnformeerd in een officieel interview. De twee hadden in het kantoor van Weinstein in Tribeca gezeten. Weinstein was met een rode kop opgestaan en had tegen Auletta geschreeuwd: 'Wil je verdomme dat mijn vrouw zich van me laat scheiden?' Auletta had zich ook opgericht, 'volledig bereid om hem lens te slaan'. Maar toen was Weinstein ingestort; hij ging weer zitten en begon te snotteren. 'Hij zei met zoveel woorden tegen me: "Luister, ik gedraag me niet altijd even netjes, maar ik hou van mijn vrouw."' Weinstein had de beweringen niet ontkend.

Auletta had geen officiële beschuldiging zoals van McGowan weten te bemachtigen, of een stuk hard bewijs zoals de geluidsopname en de overeenkomst van Gutierrez. Maar hij had wel Zelda Perkins gesproken, een van de twee oud-werkneemsters van Miramax in Londen die betrokken waren bij een gezamenlijke schikking wegens seksueel grensoverschrijdend gedrag van Weinstein. Ook al was Perkins te bang geweest om on the record te spreken, Auletta had haar relaas wel kunnen gebruiken om druk uit te oefenen, waardoor Weinstein zich genoodzaakt voelde toe te geven dat er een soort van regeling was getroffen met haar en de andere werkneemster in Londen. Weinstein had zelfs een afschrift van de cheque die bij de transactie was gebruikt aan *The New Yorker* overlegd, om aan te tonen dat deze niet was ondertekend door de moedermaatschappij van Miramax, Disney, maar betaald met privégeld van een rekening op naam van Weinsteins broer Bob.

Maar ze konden er officieel niets mee. Toen de broers samen met David Boies afspraken met Auletta en David Remnick, de redacteur van *The New Yorker*, had Weinstein niets losgelaten waar ze iets aan hadden om de beweringen publicabel te maken. Alleen verbeten ontkenningen en nauwelijks onder controle gehouden driftaanvallen had hij geproduceerd.

Jaren later lag Auletta's frustratie nog steeds dicht onder het oppervlak. Hij had wel iets van een rechercheur moordzaken die 's nachts wakker lag van een zaak die hij niet kon oplossen. 'Ik was totaal gefixeerd,' vertelde hij me. Tegen het einde van zijn onderzoek was 'ik ervan overtuigd geraakt dat hij een seksueel-geweldpleger is, een serieverkrachter. Hem ontmaskeren zag ik als een dienst aan de samenleving.' Hij had in de loop van de jaren twee keer geprobeerd het verhaal nieuw leven in te blazen, de laatste keer na het incident met Gutierrez. Maar het was hem niet gelukt. 'Als jij ergens een kans ziet het op te pakken waar ik het moest laten liggen,' zei hij, 'laat die dan niet lopen.'

Rose McGowan had contact gehouden en drong erop aan dat we meer moesten komen filmen. In onze gesprekken had ze laten vallen dat ze meer medestanders kreeg. Lacy Lynch, de literair agent die de vraag had doorgespeeld van Seth Freedman, de empathische voormalige schrijver voor *The Guardian*, stuurde ook nog andere solidariteitsbetuigingen door. De dag dat ik Auletta sprak, kwam er zo'n e-mail binnen, van Reuben Capital Partners, een in Londen gevestigde vermogensbeheerder, die McGowan wilde charteren voor het liefdadigheidsproject 'Women in Focus'.[2] Het bedrijf had aan het eind van het jaar een galadiner gepland en hoopte dat McGowan als keynotespreker wilde optreden: 'We hebben een levendige belangstelling opgevat voor het werk dat mevrouw McGowan doet voor de bevordering van vrouwenrechten en we zijn ervan overtuigd dat de idealen die ze nastreeft nauw aansluiten bij die van ons nieuwe initiatief.'

'Het klinkt goed,' schreef Lynch aan McGowan. 'Ik wil wel een telefoongesprek plannen om meer te weten te komen.'

De e-mail van Reuben Capital Partners was ondertekend door ene Diana Filip, plaatsvervangend hoofd duurzame en verantwoorde investeringen.[3]

De volgende ochtend verscheen er een e-mail, die ik vele maanden later in handen zou krijgen, in de Gmail-privéaccount van Harvey Weinstein. 'Betr. Info,' stond in de onderwerpregel. 'WETTELIJK VERTROUWELIJK'.

'Harvey,' stond er, 'bijgaand een globaal overzicht van de info die ik tot nu toe heb verzameld over Ronan Farrow.'[4] Bij de e-mail waren enkele tientallen documenten gevoegd. Onder het kopje 'Personen van belang die Farrow volgt' stond een lijst met enkele van de klaagsters die ik had gevonden, plus enkele die ik nog niet had gevonden. De e-mail vermeldde dat McHugh en ik rond de datum van ons interview 'zomaar uit het niets' een groepje mensen rond McGowan op de sociale media hadden gevolgd, en suggereerde dat ik haar aan het praten had gekregen. Er stond dat ik 'fan' was van Lisa Bloom, waarbij er een inschatting leek te worden gemaakt van de mate van toegang die zij tot mij had. En mijn pogingen werden beschreven om in contact te komen met Judd, Sciorra en Arquette. Voor elk van hen werd geanalyseerd hoe groot de kans was dat ze zouden praten. Elke keer dat de vrouwen in het openbaar gewag hadden gemaakt van seksueel geweld, was dit van een waarschuwingsteken voorzien.

Een hoofdstuk met de titel 'Farrow Werk' bevatte een uitputtende lijst met collega's die wellicht toegang of informatie konden verstrekken. Zo waren er de gebruikelijke onderzoeksjournalisten van tv met wie ik had gewerkt, zoals Cynthia McFadden en Stephanie Gosk. Maar de lijst bevatte ook collega's die niet zomaar iedereen kon kennen, zoals iemand die ooit stage liep bij NBC en aan het bureau naast mij zat.

In een biografisch hoofdstuk leek te worden gezocht naar gevoelige punten. Er werd melding gemaakt van wat werd beschreven als een 'familiedrama', dat was opgerakeld door 'zijn zus Dylan Farrow met haar beschuldigingen van verkrachting aan het adres van hun vader, Woody Allen.' Het onderwerp dat me al jaren achtervolgde, had me ingehaald.

De e-mail was verstuurd door Sara Ness, een privédetective bij PSOPS, een bedrijf dat gerund werd door Jack Palladino en Sandra Sutherland, man en vrouw. In een zeldzaam profiel van de twee in *People Magazine* werden ze vergeleken met Nick en Nora Charles, het detectivekoppel uit de film *The Thin Man*, maar dan zonder de glamour.[5] Tijdens zijn presidentscampagne van 1992 had Bill Clinton Palladino ingehuurd om vrouwen die 'beweerden iets met de gouverneur van Arkansas gehad te hebben, in diskrediet te brengen', aldus *The Washington Post*.[6] Eind jaren negentig had Palladino de bijnaam '*the President's Dick*' verworven[7] (wat niet alleen de 'speurneus' maar ook de 'jongeheer' van de president kan betekenen). Hij had naar eigen zeggen nooit de wet overtreden. Maar, zo meldde hij trots: 'Ik zoek wel de uiterste grenzen op.'[8]

'Jack is in het buitenland, maar ik heb hem bijgepraat over dit onderzoek en zal deze week met hem overleggen over de kwesties/ mogelijke strategieën die u en ik gisteren hebben besproken,' schreef Ness die dag in april aan Weinstein. Ze beloofde dat er een vollediger, formeler dossier aankwam. Uit dit bericht werden me twee dingen duidelijk: dat het onderzoek bedoeld was als aanvulling op een grotere klus, waar ook andere spelers buiten Palladino's bureau bij betrokken waren; en dat dit dossier slechts een openingsschot was.

Rich McHugh en ik bleven Greenberg duidelijk maken dat we verder wilden werken aan het Weinstein-verhaal, en Greenberg bleef ons vertellen dat we ons op andere zaken moesten richten. Greenberg was de baas. De gesprekken kregen iets ongemakkelijks. Maar na het telefoontje met Auletta was me duidelijk geworden dat we meer harde bewijzen dan wie dan ook in handen hadden over een verhaal dat al tientallen jaren toegedekt was gebleven.

'Wat doen we?' vroeg ik McHugh. We zaten dicht bij elkaar in een hoekje van de redactieruimte.

'Ik weet het niet,' antwoordde hij. 'Ik denk als je naar Greenberg gaat... hij heeft je gezegd het verhaal in de ijskast te stoppen.'

'Hij heeft ons niet opgedragen ermee op te houden,' zei ik mat. 'Hij zei dat we het er nog over konden hebben.'

'Oké,' zei McHugh sceptisch.

'Maar het is misschien wel tactisch om dan zo goed mogelijk beslagen ten ijs te komen,' gaf ik toe.

'Dat heeft ook mijn voorkeur,' zei hij. 'Laten we er maar mee doorgaan.'

We spraken af ons verhaal goed te onderbouwen. We zouden met onweerlegbaar bewijs voor de dag komen, en ons zo nodig verontschuldigen maar geen toestemming vragen. Bellen konden we ergens stilletjes doen. Maar hoe we onze interviews voor de camera moesten door laten gaan zonder in aanvaring te komen met Greenberg, was nog de vraag.

De volgende dag wenkte McHugh me naar zijn computer. 'We hebben groen licht voor het filmen van, wat, drie of vier verhalen?' We werkten aan verschillende stukken over verslaving, en dat verhaal over hoe Dow Chemical en Shell de landbouwgrond in Californië bezaaiden met giftig afval. 'Denk je dat je die Weinstein-interviews rond die opnames kunt inplannen?' vroeg hij.

'Eh, jawel. Maar ze zullen toch moeten worden opgevoerd als Weinstein-interviews.'

'Niet per se,' zei hij. 'We hebben toch wel vaker spontane interviews die we aan een bestaand reisbudget toevoegen? Die kunnen we opvoeren hoe we willen.'

We zouden nooit alles verborgen kunnen houden. Het onderwerp van nieuwe interviews zou toch moeten worden ingevuld in de gespecificeerde onkostendeclaraties. Maar we konden wel voorkomen dat de zaak bij het management in het oog liep.

Op zijn beeldscherm navigeerde McHugh intussen naar een netwerkstation op een NBC-server, en scrolde door een lijst met mappen die aan onze verhalen waren gewijd. Toen sleepte hij de Weinstein-bestanden uit een map met de titel MEDIAMAGNAAT en zette ze neer in een andere. Ik keek naar het scherm en schoot in de lach. De map die hij had gekozen was bestemd voor het afvalverhaal in Californië en heette GIFVALLEI.

DEEL II
WITTE WALVIS

14
GROENTJE

De mannen zaten achter in de Tribeca Grill aan Harvey Weinsteins vaste tafel bij de keuken. Het was 24 april. Weinstein was er en Dylan Howard van *The National Enquirer* en iemand van Black Cube. De agent zag er jong uit, had donker haar en een zwaar accent.

Lanny Davis kwam het restaurant binnen en overzag de ruimte. Davis was toen begin zeventig, een magere man met grijzend haar en wallen onder zijn ogen. Hij was opgegroeid in Jersey City, met een tandarts als vader en een moeder die de praktijk managede. Tijdens zijn rechtenstudie aan Yale was Davis bevriend geraakt met Hillary Rodham en later ook met Bill Clinton. Na een gestrande poging om een congreszetel te bemachtigen en een paar jaar een rechtspraktijk te hebben gerund, wist hij de vriendschap met de Clintons beroepsmatig te verzilveren en werd hij hun vurigste verdediger in tijden van schandalen en politiek onheil.[1]

Davis begon binnen te lopen.[2] Hij verwierf klussen die hem één miljoen dollar opleverden om mensenrechtenschendingen in Equatoriaal-Guinea weg te lobbyen of honderduizend dollar per maand om de berichten over de overduidelijk gemanipuleerde verkiezingsuitslagen in Ivoorkust af te zwakken. Als er een passagier van je cruiseschip verdween met achterlating van alleen een bloedveeg op het dek, of als de president kritiek had op de racistische naam van je voetbalteam, dan was Davis je man. Toen ik later Davis te pakken probeerde te krijgen, vroeg ik Jonathan: 'Wie zou het nummer van Lanny Davis hebben?', waarop hij antwoordde: 'Geen idee, Pol Pot?'

Weinstein – die Davis had leren kennen op een gelegenheid ter ere van Hillary Clinton en wist dat de crisismanager bekend was met de aanklachten wegens seksuele misdragingen tegen Bill Clinton – had dat voorjaar zijn hulp ingeroepen.

Die ochtend in de Tribeca Grill zei Davis dat ze niet konden praten waar de Black Cube-agent bij was als Weinstein de vertrouwelijkheid tussen advocaat en cliënt niet wilde schenden. 'Ik kan niets zeggen in het bijzijn van mensen die geen advocaat zijn,' zei Davis. 'Als ik word gedagvaard, moet ik vertellen of er iemand anders in de ruimte was.'

Dit leek Weinstein te ergeren.

'Je kunt best praten,' zei hij. 'De vertrouwelijkheid blijft intact als hij voor mij werkt.' Dit was een veel te simpele uitleg van de wet. Maar Weinstein dreef zijn zin door en Davis legde zich erbij neer.

Weinstein ging tekeer. McGowan, zei hij, was gek en ze loog. Alle vrouwen die kwamen met wat hij omschreef als valse aantijgingen tegen hem, moesten in diskrediet gebracht worden.

'Dat zou ik je afraden,' zei Davis tegen Weinstein. 'Zelfs als je vindt dat je gelijk hebt.'

Weinstein begon te bulderen: 'Hoezo? Hoezo? Hoezo? Hoezo?'

'Omdat het er lelijk uitziet,' zei Davis.

Dylan Howard grinnikte, wat hij vaak deed. De man van Black Cube niet. Een paar uur na de bijeenkomst in de Tribeca Grill stuurde dr. Avi Yanus, de directeur en CFO van Black Cube, een e-mail naar Weinsteins advocaten van Boies Schiller, waarin hij de bespreking 'productief' noemde. Hij schreef dat Weinstein had ingestemd met een verlenging van tien weken van de werkzaamheden van Black Cube voor hem. Er was een factuur bijgevoegd. De e-mail vervolgde: 'We streven er nog altijd onverminderd naar beslissende inlichtingen in deze zaak te verstrekken en alle hoofddoelen met goed gevolg te behalen.'³

Ik spitte Auletta's oude profiel van Weinstein door op bronnen die me naar de twee schikkingen in Londen konden leiden, en belde de een na de ander. Donna Gigliotti, de producer van de met een Oscar bekroonde film *Shakespeare in Love*, had me de eerste keer dat we elkaar spraken weinig hoop gegeven. Maar toen ik haar opnieuw belde, liet ze meer los. 'Er zijn wel ergens documenten,' zei ze. 'Hij geeft nergens toe schuldig te zijn, maar er zijn wel grote geldbedragen betaald. Je moet die documenten hebben. Alleen mogen de slachtoffers ze nooit houden.' Ik vroeg haar of ze bijvoorbeeld doelde op documenten met betrekking tot de twee vrouwen met een aanklacht in Londen. 'Als je ze vindt,' zei ze, 'dan wil ik misschien wel iets zeggen. Tot die tijd kan ik het niet, helaas.' Maar ze gaf me wel de namen van enkele andere voormaligw werknemers die in dezelfde periode daar in de Londense vestigingen hadden gewerkt en die misschien iets konden betekenen.

Ik bedankte haar. Ze was niet optimistisch. 'Harvey laat zich nergens door tegenhouden,' zei ze. 'Hij zal niets heel laten van dit verhaal.'

Beroemdheden haastten zich met gebogen hoofd tegen de stortregen hun SUV's uit, en schoven aan in de rij voor het jaarlijkse galadiner van *Time Magazine* ter ere van hun lijst met '100 meest invloedrijke personen'. Ik stond niet op de lijst. Maar ik was wel doorweekt.

'Ik ben een wandelend aquarium,' zie ik toen ik het Time Warner Center binnenliep. 'Ik ben het vleesgeworden verhaal van *China-town*.'

Mijn moeder haalde haar schouders op. 'Een natte look is altijd in. Het is tijdloos.'

De mensen van het televisienieuws waren die avond ruim vertegenwoordigd. Ik worstelde me door het ene na het andere ongemakkelijke gesprek. Megyn Kelly, die met al haar lovertjes zo chic en charismatisch was dat ze je het gevoel gaf dat je op dat moment de enige in de ruimte was, begon over haar aanstaande NBC-programma.

Ik feliciteerde haar en verontschuldigde me voor 'dat Twitter-ge-doe'. Op hetzelfde moment realiseerde ik me dat ik een blunder beging. Kelly was bij Fox News vertrokken met in haar kielzog een hele rits videocompilaties waarin ze zich, afhankelijk van wie je het vroeg, hetzij onhandig, hetzij opzettelijk kwaadaardig had uitgespro-ken over mensen van kleur. 'Dat Twitter-gedoe' was dat ik een op-merking van haar racistisch had genoemd. In Kelly's hals tekende zich een pees af. 'Toen ik op het punt in mijn carrière stond waar jij nu in de jouwe staat, maakte ik ook hartstikke veel fouten,' zei ze met een starre glimlach. 'Je bent nog een beetje een groentje in de journalistiek.'

Druipend ging ik op zoek naar een toilet of een borrel, alles beter dan meer van zulke gesprekken, maar stuitte op Andy Lack. Terwijl hij mijn hand schudde, bestudeerde hij me alsof hij iets stond te verwerken. Lack had plukken grijzend haar en een vriendelijke maar taxerende blik. Hij liep tegen de zeventig en had een bonte carrière achter de rug, waar als een rode draad zijn creatieve gevoel voor theater doorheen liep. Net als Oppenheim had hij gedroomd van Hollywood. Hij had toneel gestudeerd aan de Boston Univer-sity en na zijn afstuderen een rol in de wacht gesleept in een Broad-way-uitvoering van *Inquest*, een stuk over Julius en Ethel Rosen-berg. Ook had hij in een paar reclames gespeeld.[4] 'Hij was charmant en charismatisch,' vertelde iemand uit zijn nabije omgeving me la-ter. 'Door zijn achtergrond in het theater is hij een unieke creatieve geest.' In de jaren tachtig was zijn belangrijkste wapenfeit bij CBS News *West 57th* geweest, een scherpe en stijlvolle variatie op het format van de traditionele nieuwsrubriek. Tijdens zijn eerste job als directeur bij NBC News in de jaren negentig had hij in tijden van chaos en teruglopende kijkcijfers het tij weten te keren.[5] Daarna had hij nog functies bekleed bij Sony Music en Bloomberg Television. In 2015 had NBC hem opnieuw binnengehaald om het schip weer op koers te brengen.

Lack keek me nog steeds onderzoekend aan.

'Ronan,' zei ik snel.

'Ja,' zei hij uiteindelijk, alsof hij iets heel zwaars van de bodem van een peilloze watermassa had moeten opdiepen. 'Ja, natuurlijk.'

Hij zei dat Oppenheim het veel over me had. Ik bedankte hem dat hij achter de onderzoeksjournalistieke verhalen was gaan staan. Ik probeerde op het persoonlijke vlak een connectie te vinden. Mijn broer had onlangs Lacks huis gekocht in Bronxville, New York.

'U schijnt een enorme kluis te hebben laten staan die ze nog altijd niet hebben opengebroken,' zei ik. Lack lachte. 'Inderdaad. Er staat daar een oude kluis.' Hij zei dat die kluis er al stond toen hij er kwam en dat hij hem ook nooit had opengemaakt. Hij haalde zijn schouders op. 'Soms is het beter om de dingen te laten voor wat ze zijn.'

De ruimte begon leeg te lopen en de gasten begaven zich geleidelijk aan naar het amfitheater ernaast voor het diner. Ik herenigde me met mijn moeder, die ook die kant op ging. Oppenheim kwam onze richting uit. 'Dat is Noah,' fluisterde ik tegen mijn moeder. 'Nu kun je hem zeggen hoe mooi je *Jackie* vond.'

'Maar ik vond *Jackie* helemaal niet mooi,' zei ze.

Ik wierp haar een vernietigende blik toe.

Ze zeiden elkaar gedag en Oppenheim nam me apart.

'Harvey is er ook,' zei hij. 'Hij zit naast me aan het diner.'

Ik staarde hem aan. Ik had hem voortdurend op de hoogte gehouden van elke ontwikkeling in ons verhaal. 'Je weet toch dat ik een opname heb gehoord waarin hij toegeeft iemand te hebben aangerand?' vroeg ik.

Oppenheim hief beide handen in een verdedigend gebaar in de lucht. 'Ik geloof je!' zei hij.

'Het gaat er niet om of je het gelóóft...' Ik maakte mijn zin niet af. 'Heb het er maar niet over.'

'Natuurlijk niet', zei hij.

Even later zag ik hoe Oppenheim bij de entree naar het amfitheater stond te praten met een grote, logge figuur in een ruimvallende zwarte smoking. Harvey Weinstein was herstellende van een knie-operatie en leunde op een wandelstok.

In de eerste week van mei belde Black Cube Weinstein met een veelbelovend nieuwtje. 'We hebben de cliënt geïnformeerd dat we na intensieve inspanningen onzerzijds volgende week een bijeenkomst hebben kunnen plannen in LA, die naar wij aannemen harde bewijzen en inlichtingen van hoge kwaliteit zal opleveren in het kader van het doel van onze werkzaamheden,'[6] schreef Yanus, het hoofd van Black Cube, aan de advocaten van Weinstein bij Boies Schiller. Deze nieuwe fase van het project zou ook een nieuwe financiële injectie vragen. Enkele dagen later, op 12 mei, zag Christopher Boies, de zoon van David Boies en partner bij het kantoor, erop toe dat er nog eens 50.000 dollar aan Black Cube werd overgemaakt.

In de voorafgaande dagen had Lynch, de agent van Rose McGowan, geregeld dat McGowan werd voorgesteld aan Diana Filip van Reuben Capital Partners, die McGowan graag in haar campagne 'Women in Focus' wilde betrekken.

'Rose, ik ben heel blij kennis met je te kunnen maken,' schreef Filip.

'Ik ben ook blij kennis met je te maken,' antwoordde McGowan.

De dag dat de laatste betaling van Boies Schiller op de rekening van Black Cube werd bijgeschreven, ontmoetten Filip en McGowan elkaar eindelijk persoonlijk in het Belvedere, het open, pastelkleurige mediterraanse restaurant van het Peninsula-hotel in Beverly Hills. Filip had hoge jukbeenderen, een prominente neus en vaalblond haar. Ze had een elegant accent dat McGowan niet kon thuisbrengen. McGowan keek bij vreemden altijd eerst de kat uit de boom. Maar Filip leek wel alles van haar te weten, en sterker nog, haar te begrijpen. De actrice was iets minder op haar hoede dan normaal.

15

GEDOE

Jennifer Senior kwam haar belofte na en introduceerde me bij Ben Wallace, de schrijver van *New York Magazine* die de meest recente poging van het blad ondernam om het Weinstein-verhaal rond te krijgen. Op een middag in mei belde ik hem toen ik van Rockefeller Plaza op weg naar huis ging. Wallace vertelde me hoe frustrerend de opdracht was geweest. Alles wat hij te weten kwam leek onmiddellijk op onverklaarbare wijze bij Weinstein terecht te komen. 'Iedereen was een dubbelagent,' vertelde Wallace me.

Dit leek in het bijzonder te gelden voor bepaalde bronnen die hun hulp hadden aangeboden. Hij vermoedde dat Anna, de Europese vrouw die hem verteld had dat ze een verhaal over Weinstein had, iets had achtergehouden. Haar vragen hadden hem soms vreemd in de oren geklonken. Anna wilde niet alleen weten met hoeveel andere bronnen hij werkte, maar ook wie ze waren. De informatie die ze van hem probeerde los te peuteren, stond niet in verhouding tot wat ze verstrekte. Soms leek ze hem dingen in de mond te willen leggen. In de hotelbar, toen ze op het laatst was ingestort en uitvoerig haar relaas over Weinstein had gedaan, bleek ze een zwak en vaag verhaal te hebben. Weinstein en zij hadden een affaire gehad die niet goed was afgelopen. Ze zon op wraak. De hele opvoering had iets melodramatisch gehad. En toen ze haar pols voor zijn gezicht liet bungelen, kreeg Wallace zelfs het pijnlijke vermoeden dat ze heimelijk hun gesprek zat op te nemen. Hij had gezegd dat hij met haar meevoelde, maar dat affaires met wederzijdse instemming Harvey Weinsteins eigen zaken waren. Toen had hij de hotelbar verlaten en haar telefoontjes niet meer beantwoord.

Wallace had opnieuw het gevoel gekregen dat er iets niet in de haak was toen hij een e-mail ontving van Seth Freedman, de voormalige journalist van *The Guardian*, die hem zijn hulp aanbood. Freedman schreef dat hij met een groep internationale journalisten werkte 'aan een groot stuk over de filmindustrie, dat een beeld schetst van de hedendaagse cultuur van Hollywood en andere filmhoofdsteden.' Hij claimde dat hij 'heel wat informatie in handen had gekregen die we niet in ons stuk kunnen opnemen, maar die misschien wel voor u van nut kan zijn. Als u daar belangstelling voor hebt, zou ik die informatie graag met u delen.'[1] Maar na verschillende gesprekken met Freedman had Wallace nog niets van betekenis uit hem gekregen. 'Hij hoorde me uit over wat ik wist,' herinnerde Wallace zich. Achterdochtig verbrak hij ook hier het contact.

Weinsteins medewerkers begonnen *New York Magazine* te bellen en dreigden soms niet nader genoemde persoonlijk informatie over Wallace openbaar te maken. Weinstein eiste een bijeenkomst met zijn juridische team, de detectives van Kroll en het blad. Wallace vermoedde dat de bedoeling hiervan was om 'met dossiers te komen waarin verschillende vrouwen en ik werden afgebrand'. Het blad was er niet op ingegaan. In januari 2017 besloten Wallace en zijn redacteur, Adam Moss, na drie maanden onderzoek de handdoek in de ring te gooien. 'Op een gegeven moment,' vertelde Wallace, 'kon het tijdschrift het zich niet meer permitteren om er onbeperkt tijd in te blijven steken.'

Maar de ervaring was hem niet in de koude kleren gaan zitten. Toen Weinstein en zijn team *New York Magazine* begonnen te bellen en een onverklaarbare kennis van zijn leads bleken te hebben, had Wallace een shredder gekocht en zijn aantekeningen versnipperd. 'Ik was nog nooit zo achterdochtig geweest,' vertelde hij. 'Er was rond dit verhaal veel meer onrust en gedoe dan ik ooit had meegemaakt.'

Het was Wallace niet gelukt bronnen te laten praten, of beslissende documenten of opnames op te sporen. Maar hij had wel een lijst aangelegd met vrouwen die beschuldigingen hadden geuit. Hij somde een aantal namen op die ik zelf ook had gehoord, waaronder die van Asia Argento, de Italiaanse actrice op wie verschillende voormalige collega's van Weinstein me ook al hadden gewezen. Er was bovendien een aantal personen die hij als geheime bronnen op de achtergrond aan het praten had gekregen en die het hele verhaal hadden verteld terwijl hun identiteit verborgen bleef. Onder hen was een voormalige assistente die door Weinstein was lastiggevallen en zich bij de afdeling hr van zijn bedrijf had beklaagd.

'Toe,' vroeg ik, 'wil je haar niet vragen of ze wil praten?'

In het glas dat de kantoortuin scheidde van de onderzoeksredactie op de derde verdieping van de studio, ving ik soms een glimp op van mijn eigen spiegelbeeld. Dat voorjaar was ik wat aangekomen en had zelfs een kleurtje gekregen na al dat filmen in Los Angeles. McHugh en ik hadden met ons onderzoeksserietje momentum gekregen. We kregen ineens allerlei tv-journalistieke prijzen waar niemand anders ooit van gehoord heeft en enthousiaste waarderingen in de media. In mijn tijd bij het ministerie van Buitenlandse Zaken had het hoofd communicatie van NBC News, Mark Kornblau, daar ook gewerkt. Toen ik van MSNBC overstapte naar mijn nieuwe baan bij de zender hadden we wel eens koffie gedronken en ook daarna had hij me altijd aangemoedigd. Kornblau cultiveerde met zijn team een positieve berichtgeving, gaf interviews en stimuleerde mij dat ook te doen.

Die sfeer leek ook over te slaan op anderen. Een NBC-oudgediende, David Corvo, sprak me aan op de gang. Corvo was de uitvoerend producent van *Dateline*. Hij was een klein, energiek mannetje met een ruige baard, en werkte al sinds midden jaren negentig bij NBC.

Hij was close met Lack. 'Laten we eens praten,' stelde Corvo voor. 'Jij doet precies het soort verhalen waar wij om zitten te springen.'

Het was vroeg in de avond toen Ambra Gutierrez en ik bij elkaar kwamen in Brazil Brazil, een rustig restaurant in het theaterdistrict. De vorige maand had ik me zitten afvragen of er nog een andere manier was om aan de opname te komen. Bronnen bij de politie hadden me verteld dat ze Gutierrez geloofden. Ze waren ervan overtuigd dat ze over de benodigde bewijzen beschikten om Weinstein in staat van beschuldiging te stellen, ondanks de beslissing van de officier van justitie om de zaak niet te vervolgen. Maar geen van die gesprekken had me dichter bij de opname gebracht.

Met Gutierrez had ik van alles geprobeerd om haar zover te krijgen mij haar exemplaar te geven. Stel nou dat zij gewoon even naar de wc zou gaan en ik toevallig even in haar computer keek? Nee, zei ze. Ze had te veel te verliezen. Ze maakte zich zorgen om haar broer. 'Ik moet hem hiernaartoe zien te halen, uit de Filipijnen,' zei ze. Gutierrez had steeds schichtiger geklonken.

Het was Jonathan die de vorige avond een ander trucje had geopperd om de 'geloofwaardige ontkenbaarheid' te kunnen garanderen.

'En als je nou haar opname opneemt? Een microfoon bij de speaker houdt? Dan maak je iets nieuws. En hoeft zij niets te overhandigen.'

'En dan?'

'Er zit een extra stap tussen, er verwisselen geen bestanden van eigenaar. Ach, laat maar zitten ook. Het was een stom idee.'

'Wacht, misschien zit er wel wat in.'

'Er zit heel veel in.'

Ik lachte.

Trouwens, ik wist niets beters. Ik boog naar voren en deed Gutierrez mijn ultieme voorstel. 'Er is geen digitaal spoor. Er is geen USB-stickje dat kan opduiken. En ik heb dan wel een bestand dat niet van jouw harde schijf afkomstig is.'

Ze ademde diep in. Ik leunde achterover, observeerde haar, en bedacht dat dit never nooit zou gaan werken.

'Misschien,' zei ze. Ze viste de oude MacBook uit haar tas. 'Oké, wie weet is het het proberen waard.'

Ik voelde een stoot adrenaline door mijn lijf schieten. We wisten allebei dat het maar een flinterdunne dekmantel was. Ze nam een risico.

Ik bedankte haar. Ze knikte en opende haar laptop. Ik pakte mijn telefoon.

'Wacht even,' zei ze. 'We hebben een probleem.'

Op de oude MacBook bleken de speakers niet meer te werken. Ik boog me weer naar haar toe en sprak snel. 'Ambra, als ik een losse speaker ga halen, ben je er straks dan nog?'

Ze keek vlug om zich heen en wierp me een onzekere blik toe.

'Geef me twintig minuutjes,' zei ik.

Ik sprintte het restaurant uit en de theaterspits op West Forty-Sixth Street in. Waar moest ik heen? Hier op Broadway tussen al die toeristenwinkeltjes met 'I Love New York'-petjes zou vast wel ergens een elektronicazaakje zitten, maar ik wist niet zo goed waar ik moest zoeken. Ik pakte mijn telefoon en zocht de dichtstbijzijnde megastore. Het was wel wat verder weg, maar zekerder. Ik wrong me door de uitgaansmassa heen, bereikte de straathoek en zwaaide verwoed naar voorbijkomende taxi's.

Tegen de tijd dat ik de winkel binnenstrompelde, was ik doornat van het zweet. Ik sjeesde een roltrap af en kwam bij wijze van spreken met piepende remmen tot stilstand voor een schap met voor mijn gevoel wel duizenden speakers.

'Goeiemiddag, kan ik u helpen?' vroeg een winkelmedewerker.

'Ik moet een speaker hebben,' hijgde ik.

'Nou, meneer, dan bent u aan het juiste adres,' zei hij opgewekt. 'We hebben bluetooth, wifi, USB. Zoekt u er een met Alexa? Deze heeft een led-lichtshowtje.' Ik staarde hem als een idioot aan. Een kwartier later rende ik het restaurant weer in met vier verschillende, veel te dure, tegen elkaar aan rammelende speakers. Gutierrez zat er nog. Ze wierp me een zenuwachtig glimlachje toe.

In de tuin achter het restaurant haalde ik een van de speakers uit de doos. Gelukkig werkte bluetooth nog wel op de oude Mac. We spraken af dat zij het tweede van de drie bestanden zou afspelen: als de onderbrekingen tussen de verschillende delen te horen zouden zijn, zou dat er meteen op wijzen dat de opname afkomstig was van haar telefoon en niet van het niet-opgeknipte bestand van de politietap. Ze haalde diep adem en zei: 'Ik hoop dat de andere meiden hun recht kunnen halen.' We bogen ons over de laptop. Ze drukte op de afspeelknop en ik nam twee minuten op van een doodsbange vrouw die uit alle macht bij een hotelkamer probeerde weg te komen, en een niets ontziende man die geen nee wilde horen. 'Kom nou maar binnen,' hoorde ik hem opnieuw zeggen. En: 'Dat doe ik altijd.'

Ik had advies nodig. De volgende dag klopte ik op de deur van Tom Brokaws kantoor op de vierde verdieping op Rock 30. Tijdens mijn allereerste maanden bij NBC had Brokaw me aangesproken toen we in de rij stonden bij een koffietentje in de hal van de kelderverdieping van het gebouw. Hij had mijn show gezien, zei hij. Hij vond dat ik iets probeerde neer te zetten wat intelligenter was dan hij gewend was bij dit format.

'Dank u wel,' had ik gezegd. 'Dat betekent veel uit uw mond.'

'Zeg maar Tom,' had hij gereageerd. 'We zijn niet de bovenmeester en het braafste jongetje van de klas.'

Vaker dan hij zou moeten nam hij mijn uitnodigingen aan om in mijn programma aan te schuiven, en hij was altijd welbespraakt en zat vol historische kennis.

Brokaw was toen al ver in de zeventig. Een paar jaar eerder was er bloedkanker bij hem gediagnosticeerd. Die dag in mei scharrelde hij rond in zijn kantoor, liet me foto's zien van Meredith, met wie hij al meer dan vijftig jaar getrouwd was, en vertelde me een paar verhalen over het Hollywood van vroeger.

'En, wat kan ik voor je doen?' vroeg hij ten slotte.

Ik vertelde hem dat ik aan een gevoelig verhaal werkte, en dat ik bang was dat het niet werd opgepakt zoals zou moeten. Ik refereerde aan Greenbergs opmerkingen over de 'ijskast'.

'Ik weet dat Noah er wel achter gaat staan,' zei ik. 'Maar ik maak me zorgen dat er iets tussen komt voordat het uitkomt.'

'Je moet gewoon voet bij stuk houden, Ronan,' zei hij. 'Als je terugkrabbelt, is je geloofwaardigheid naar de kloten.' Ik lachte. Brokaw zei dat hij het een goed idee vond om zoveel mogelijk extra aanknopingspunten te verzamelen voordat ik ermee naar de bovenbazen ging. Hij zei dat hij Andy Lack en Noah Oppenheim zou bellen als het zover was.

'Over wie gaat het eigenlijk?' vroeg hij ten slotte.

Ik aarzelde even en zei toen dat het Weinstein was. Alle warmte vloeide meteen uit de kamer weg. 'Juist,' zei hij. 'Je moet weten, Ronan, dat Harvey Weinstein een vriend van me is.'

De twee waren met elkaar in contact gekomen toen Brokaw advies zocht over een documentaire over veteranen, zei hij. Weinstein had hem goed geholpen.

Shit, dacht ik. Is er nog iemand met wie die kerel niet bevriend is?

'Ik neem aan dat ik nog steeds op je vertrouwelijkheid kan rekenen,' zei ik tegen Brokaw.

'Jawel,' zei hij. Hij liet me uit en leek bezorgd.

Toen ik naar buiten liep, ging mijn telefoon. Het was Lisa Bloom. 'Hai!' zei ze vrolijk en begon vervolgens te babbelen over een model dat ze verdedigde, iemand die het slachtoffer was van wraakporno. 'We moeten eens afspreken,' zei Bloom. 'Ik kan wel een interview met haar voor je regelen.'

'Graag,' zei ik, maar ik had mijn hoofd er niet bij.

'Werk je trouwens nog aan dat verhaal over die geheimhoudingsverklaringen?'

Bloom had gezegd dat ze een kennis was van Weinstein en zijn team, en natuurlijk was ze niet vies van zelfpromotie en schuwde ze ook een persconferentie niet, maar ik had het gevoel dat het met haar normbesef wel goed zat. Bovendien was ze jurist. Geheimen bewaren was het fundament van ons beroep.

'Ja,' zei ik na een korte stilte.

'Dus er zit schot in,' zei ze.

'Ik... ik werk eraan.'

'Heb je nog geheimhoudingsovereenkomsten te zien gekregen?'

Ik wachtte opnieuw even. 'Ik weet dat er bepaalde regelingen zijn getroffen, ja.'

'Met hoeveel vrouwen praat je? Kun je me vertellen wie het zijn?' vroeg ze. 'Ik kan je misschien aan informatie helpen, als je me vertelt met wie je praat,' drong ze aan.

'Ik kan niets zeggen over specifieke bronnen,' zei ik. 'Maar het is een groep, en die wordt steeds groter. En als je me kunt adviseren over wat ik moet doen om hen tegen aansprakelijkheidsclaims te beschermen, dan hoor ik dat graag.'

'Natuurlijk,' zei ze.

Toen ik na ons gesprek op mijn telefoon keek, zag ik dat ik alweer een hele lawine aan Instagram-berichten had gemist van die geheimzinnige afzender. Dit keer was het laatste bericht een foto van een pistool. Een van de boodschappen luidde: 'Soms moet je pijn doen wat je liefhebt.' Ik maakte een stuk of wat screenshots en herinnerde mezelf eraan uit te zoeken wie er bij NBC over de beveiliging ging.

16

VVH

Toen mijn telefoon opnieuw overging, was het gelukkig met vrolijker berichten. Ben Wallace, van *New York Magazine*, kwam met iets nieuws. De voormalige assistente die hijzelf niet echt tot officiële uitspraken had kunnen verleiden, was nu bereid met me te praten.

De week erop, het was inmiddels eind mei, liep ik de lobby in van een hotel in Beverly Hills. Ik had niet van tevoren opgezocht hoe ze eruitzag, maar ik herkende haar snel. Ze was tenger en blond en opvallend mooi. Ze toverde een nerveuze lach op haar gezicht. 'Hai!' zei ze. 'Ik ben Emily.'

Emily Nestor was achter in de twintig en was afgestudeerd in de rechten en bedrijfskunde aan Pepperdine. Ze werkte voor een start-up in de technologiesector maar leek op zoek naar meer verdieping. Ze had het erover dat ze wel wilde werken in het onderwijs, iets met kansarme kinderen of zo. Een paar jaar eerder had ze filmambities gehad en de hoop gekoesterd te gaan produceren, en misschien ooit wel een eigen studio te runnen. Maar door een ervaring die ze als tijdelijk assistente had gehad, was ze snel genezen. De terloopse, routineuze aard van de ongewenste intimiteiten had haar doen vrezen dat het stelselmatig gebeurde. En de reactie toen ze er melding van had gemaakt, had haar ontgoocheld.

Ik zette uiteen wat we hadden: McGowan en Gutierrez die in het verhaal werden genoemd, de geluidsopname, en het groeiende aantal leidinggevenden die hun zegje deden voor de camera. Ik zei ook eerlijk hoe hachelijk het allemaal was.

Nestor keek nog steeds bang toen ze me zei dat ze erover zou nadenken. Ze vreesde voor vergelding. Maar ik had wel door dat ze te fel in haar overtuiging was om zich te laten afschrikken.

Een paar dagen later was ze om. Ze wilde spreken voor de camera, maar dan wel anoniem en om te beginnen in de schaduw. Daarna zou ze zien of ze verder wilde gaan. En ze beschikte over bewijsmateriaal: berichten van Irwin Reiter, een hogere leidinggevende die al bijna dertig jaar voor Weinstein had gewerkt, en die het incident bevestigde en erop zinspeelde dat het deel uitmaakte van een patroon van seksueel-geweldpleging binnen het bedrijf. Een derde vrouw, en meer harde bewijzen: dit voelde alsof we eindelijk de laatste drempel over waren.

'Zodra we hem dit voorleggen,' zei ik tegen McHugh, 'zorgt Noah er zeker voor dat het uitgezonden wordt. Dat kan niet anders.'

Intussen zat in New York de New Yorkse media-elite aan bij een galadiner in het Museum of the Moving Image, ter ere van Lester Holt en Roy Price, het hoofd van Amazon Studios. Jeffrey Tambor, de acteur, die destijds in de Amazon-serie *Transparent* zat, bracht een toost uit op Price. Noah Oppenheim nam de honneurs waar voor Holt, en prees zijn onversaagde verslaggeving over lastige thema's. Vervolgens keerde hij terug naar zijn plaats aan de NBC-tafel naast David Corvo, de producer van *Dateline*. Aan de naburige Amazon-tafel werd geapplaudisseerd door Harvey Weinstein.[1]

Niet lang daarna zaten Nestor, McHugh en ik in een hotelkamer met uitzicht op een schitterende jachthaven in Santa Monica. We liepen nog altijd op onze tenen bij het maken van opnames voor het verhaal, want we wilden aan alle kanten ingedekt zijn voordat we het gesprek aangingen met onze bazen. We hadden de datum voor het interview met Nestor geprikt vlak voor onze reis naar Californië voor het verhaal over de milieuverontreiniging in Central Valley.

Terwijl we haar in het tegenlicht zetten zodat haar gezicht schuilging in een diepe schaduw, zei Nestor dat ze rekening hield met een 'persoonlijke en wraakzuchtige' reactie van Weinstein zodra hij het verhaal onder ogen kreeg. In december 2014, toen ze vijfentwintig was, had Nestor als invalkracht gewerkt aan de receptie bij The Weinstein Company in Los Angeles. Ze was te hoog opgeleid voor het baantje, maar had het in een opwelling aangenomen om uit de eerste hand een inkijkje te krijgen in de entertainmentindustrie. Op haar eerste werkdag hadden twee collega's haar verteld dat ze qua uiterlijk Weinsteins 'type' was. Toen Weinstein op kantoor kwam, maakte hij opmerkingen over haar verschijning en noemde haar 'het mooie meisje'. Hij vroeg haar hoe oud ze was, stuurde zijn assistenten de kamer uit en liet haar haar telefoonnummer opschrijven.

Weinstein vroeg haar die avond iets met hem te gaan drinken. Nestor verzon een smoes. Toen hij bleef aandringen, stelde ze voor om dan de volgende ochtend vroeg een kop koffie te gaan drinken, in de hoop dat hij daar niet op in zou gaan. Hij zei dat ze naar het Peninsula-hotel moest komen, een van zijn favoriete tenten. Vrienden uit de entertainmentbusiness en collega's bij het bedrijf hadden haar al gewaarschuwd voor Weinsteins reputatie. 'Ik had me expres heel suf aangekleed,' herinnerde ze zich.

Tijdens hun afspraak had Weinstein eerst aangeboden haar vooruit te helpen in haar carrière en was vervolgens begonnen op te scheppen over zijn seksuele betrekkingen met andere vrouwen, onder wie een aantal beroemde actrices. 'Hij zei: "Weet je, jij en ik kunnen het heel leuk hebben samen,"' herinnerde Nestor zich. '"Ik zou je in mijn kantoor in Londen kunnen zetten, dan kun je daar werken en mijn vriendin worden."' Ze wees het aanbod af. Hij vroeg of hij haar hand mocht vasthouden. Ze zei nee. Ze herinnerde zich Weinsteins opmerking: 'O, alle meisjes zeggen altijd nee. Zo van: "Nee, nee." En dan drinken ze een biertje of twee en zijn ze niet van me af te slaan.' Op een toon die Nestor omschreef als 'met een heel gek soort trots', had Weinstein eraan toegevoegd 'dat hij nooit zoiets had hoeven te doen als Bill Cosby.' Ze nam aan dat hij daarmee bedoelde dat hij nog nooit een vrouw had bedwelmd met drugs. 'Een schoolvoorbeeld van seksuele intimidatie', was hoe Nestor Weinsteins gedrag beschreef. Ze herinnerde zich dat ze zijn avances wel een keer of tien heeft afgeslagen. 'Nee betekende voor hem geen nee,' zei ze.

Tijdens de bijeenkomst onderbrak Weinstein voortdurend hun gesprek om in zijn telefoon te schreeuwen. Hij was nota bene woedend op het management van *The Today Show* omdat ze een stuk hadden geschrapt met Amy Adams, een ster in de Weinstein-film *Big Eyes*, toen ze weigerde vragen te beantwoorden over een hack die onlangs de Sony-directie had getroffen. Daarna zei Weinstein dat Nestor het nieuws in de gaten moest houden, omdat hij er niet aan twijfelde dat het ten gunste van hem en ten nadele van NBC zou uitpakken. Diezelfde dag nog verschenen er inderdaad, zoals voorspeld, items die de rol van NBC in de onenigheid in een negatief daglicht plaatsten. Weinstein kwam later die dag bij Nestors bureau langs om zich ervan te verzekeren dat ze ze gezien had.

De felheid waarmee Weinstein handelde om een nieuwsorganisatie te intimideren vond Nestor verontrustend. Tegen die tijd, herinnerde ze zich, 'was ik heel bang van hem. En ik wist dat hij overal vriendjes had. En dat ik, als ik hem tegen me had, mijn carrière in die business wel kon vergeten.' Toch vertelde ze het incident aan een vriend, en hij bracht de afdeling human resources van het bedrijf op de hoogte. Nestor had een gesprek met het management over de kwestie, maar besloot er verder geen werk van te maken nadat haar was verteld dat Weinstein zou worden geïnformeerd over alles wat zij hun vertelde. Later zou de ene na de andere werknemer me vertellen dat de afdeling human resources van het bedrijf een komedie was, een plek waar klachten heen gingen om in de doofpot te worden gestopt.

Irwin Reiter, de vicedirecteur accounting en financiële verslaglegging bij de Weinstein Company, had contact met Nestor gezocht via LinkedIn. 'We nemen dit heel ernstig op en het spijt mij persoonlijk enorm dat je eerste dag zo is verlopen,' schreef Reiter. 'En als er nog verdere ongewenste toenaderingen zijn, laat het ons dan weten.'[2] Eind 2016, vlak voor de presidentiële verkiezingen, schreef hij haar opnieuw: 'Al dat gedoe met die Trump doet me aan jou denken.' Hij omschreef Nestors ervaring als een staaltje van Weinsteins seriële wangedrag. 'Drie weken voor het incident met jou heb ik het al met hem aan de stok gehad over zijn kwalijke praktijken jegens vrouwen. Ik heb hem zelf een e-mail geschreven, waarna hij me bestempelde als de sekspolitie,' schreef hij. 'Ik heb knallende ruzie met hem gehad over jou. Ik zei hem dat als je mijn dochter was, hij er niet zo goed vanaf gekomen was.'[3] Nestor gaf me de berichten en uiteindelijk ook toestemming om ze uit te zenden.

Zodra haar tijdelijke baantje afgelopen was, vertrok Nestor getraumatiseerd. 'Dit incident was de reden dat ik besloot niet in de entertainmentbusiness te gaan werken,' vertelde ze me. Achter haar ging de zon boven de jachthaven onder. 'Is dit hoe de wereld werkt?' vroeg ze zich af. 'Komen mannen hier gewoon mee weg?'

Terwijl McHugh en ik ons zwetend door de interviews heen werkten met toxicologen, plaatselijke autoriteiten en inwoners die aan giftig afval waren blootgesteld in Central Valley, begon het aantal bronnen bij Miramax en The Weinstein Company dat bereid was te praten, te groeien. In een bar in West Hollywood sprak ik af met één oud-werkneemster die nauw met Weinstein had samengewerkt. Ze zei dat het jagen op vrouwen geheel verweven was geraakt met Weinsteins professionele leven. Hij vroeg haar geregeld het begin van afspraken met jonge vrouwen bij te wonen. Vaak waren deze afspraken al van de dag naar de avond verschoven en van hotellobby's naar hotelkamers. Ze zei dat Weinsteins gedrag schaamteloos was. Tijdens een ontmoeting met een model had hij geëist: 'Zeg haar wat een goeie minnaar ik ben.' Ze zei dat als ze weigerde bij die afspraken met vrouwen te komen zitten, Weinstein soms furieus kon worden.

Eén keer zaten ze in een limousine toen hij met een knalrood verwrongen gezicht een paar keer achter elkaar de deur opende en weer dichtsloeg, en brulde: 'Fuck you! Jij was mijn alibi!'

Weinstein liet zijn assistenten bijhouden wie deze vrouwen waren. De voormalige werkneemster had ze allemaal in haar telefoon opgeslagen onder dezelfde titel: VVH, 'Vriendin van Harvey'. 'Hij doet dit al een hele tijd systematisch,' vertelde ze.

Zij pakte haar iPhone en zocht naar een zin die ze een paar jaar eerder in haar Notities had opgeslagen. Het was iets wat Weinstein soms fluisterde – tegen zichzelf, voor zover ze kon opmaken – nadat hij weer eens flink tekeer was gegaan. Het verontrustte haar zo dat ze haar telefoon had gepakte en het woord voor woord noteerde: 'Ik heb dingen gedaan waar niemand iets van weet.'

Die ex-werkneemster zette me weer op het spoor van een aantal anderen. Juni werd juli en we kregen hen langzaam maar zeker voor de camera. 'Dit soort afspraken die Harvey had met ambitieuze actrices en modellen waren aan de orde van de dag,' vertelde het voormalige directielid Abby Ex in een hotelkamer in Beverly Hills voor de draaiende camera's, haar gezicht in de schaduw. 'Hij nodigde hen 's avonds laat uit, meestal in hotelbars of hotelkamers. En om deze vrouwen op hun gemak te stellen, vroeg hij een vrouwelijke manager of assistent om aan het begin van de bijeenkomst erbij te komen zitten.' Ze zei dat ze had geweigerd in te gaan op Weinsteins vraag om bij dat soort afspraken aanwezig te zijn, maar dat ze wel soms de gevolgen ervan had gezien, en getuige was geweest van een breder patroon van fysiek en verbaal geweld.

Ex vertelde me dat haar advocaat haar erop had gewezen dat ze voor honderden duizenden dollars aan schadevergoeding aansprakelijk kon worden gesteld omdat ze de geheimhoudingsverklaring had geschonden die deel uitmaakte van haar arbeidsovereenkomst. 'Maar,' zei ze, 'dit lijkt me belangrijker dan me aan een geheimhoudingsovereenkomst houden.'

Na de interviews keerde ik terug naar Jonathans huis, waar ik aan de keukentafel transcripties ging zitten doornemen. Hij kwam binnen gedrenteld in een T-shirt met een astronaut erop.

'Heb je al gegeten?' vroeg hij.

'Nee,' antwoordde ik met mijn blik op het scherm.

'Laten we iets gezonds of iets smerigs gaan eten.'

'Gaat niet,' zei ik. Ik besefte dat het best wel een tijdje geleden was sinds we samen iets hadden gedaan. Ik zette mijn bril af en wreef in mijn ogen. 'Sorry. Ik ben niet echt makkelijk momenteel, ik weet het.'

Hij kwam naast me zitten aan tafel. 'Ja, en al onze gesprekken gaan tegenwoordig over ongewenste intimiteiten. Super.'

Mijn telefoon pingelde. Het was een sms-melding. Typ 'Ja' om weerberichten te ontvangen, stond er. Ik staarde er beduusd naar. Dit was Los Angeles, hier hadden we geen weer.

'Je zit te appen!' zei Jonathan. 'Hopelijk is hij het waard! Hopelijk is hij het waard om dit allemaal op te geven!'

'Absoluut,' zei ik en veegde het bericht weg.

17

666

Terwijl Harvey Weinsteins voormalige werknemers met mij spraken, sprak Harvey Weinstein met Black Cube. Op 6 juni ontmoetten Black Cube-agenten Weinstein en zijn advocaten bij Boies Schiller in New York, en presenteerden ze een overdreven uitgebreide update. Na de vergadering nam Yanus, de directeur, contact op met Christopher Boies. 'Het was me een waar genoegen vandaag ons uiteindelijke rapport aan u en uw cliënt te hebben kunnen aanbieden,' schreef Yanus. 'We hebben de doelstellingen van het project tot een goed einde weten te brengen en aan alle drie de succesprovisieclausules voldaan… waarvan de belangrijkste was uit te zoeken wie achter de negatieve campagne tegen cliënt zit.' Hij voegde een factuur bij voor 600.000 dollar.[1] Het contract met Black Cube bepaalde dat de 'succesprovisie' die Yanus aanhaalde, diende te worden betaald indien Weinstein de vruchten van de arbeid van Black Cube in een rechtszaak of in de media zou gebruiken; of indien Black Cube 'erin slaagt de negatieve campagne te stoppen'; of indien hun detectives de 'persoon of organisatie achter' die campagne opspoorden.

Een week later nam Yanus opnieuw contact op: 'Goedemorgen, Chris, ik vroeg me af of je ons kunt vertellen wat de status van de betaling is.'[2] Hierop kwam ook geen reactie. Op 18 juni zag Weinstein Black Cube in Londen, waar hij, volgens de beschrijving van Yanus in een nogal chagrijnig e-mailtje aan Boies kort daarop, 'opnieuw onze bevindingen grondig bestudeerde en mogelijke toekomstige stappen besprak ter onderbouwing van de zaak van cliënt, die wederom hoog opgaf van ons werk.'[3]

Hoe langer Weinstein de factuur liet liggen, hoe meer zijn verhouding met Black Cube onder druk kwam te staan. Yanus belde dan en zei fijntjes: 'Je hebt nog niet betaald.' Als hij een goede dag had, deed Weinstein of zijn neus bloedde en belde met de juridische afdeling van The Weinstein Company. 'Daar wist ik niets van,' schreeuwde hij dan tegen de bedrijfsjurist. 'Betaal die rekening!' Maar meestal schreeuwde Weinstein gewoon tegen Black Cube. 'Waarom zou ik jullie betalen? Jullie hadden hier bovenop moeten zitten!'

Eind juni werd de zaak op de spits gedreven. Weinstein vroeg zich af of Black Cube met hun werk mogelijk de wet had overtreden, waardoor hij later in de problemen zou kunnen komen. Hij volhardde dat 'zijn probleem nog niet helemaal was opgelost,'[4] zoals bleek uit een samenvattende e-mail die was verzonden door de projectmanager onder Yanus. Weinstein herinnerde Black Cube eraan dat er ook 'andere inlichtingenbureaus betrokken zijn bij het oplossen van deze crisis, en dat BC slechts een klein stukje is van een veel grotere puzzel...'

Ten slotte tekenden Boies en Black Cube begin juli een herziene overeenkomst. Weinstein kwam overeen 190.000 dollar te betalen ter vereffening van het gedoe rond de succesprovisie. En Black Cube verbond zich aan een nieuwe opdracht die tot eind november van dat jaar liep, met nieuwe, meer gerichte doelstellingen.

Intern gaf de projectmanager voor zichzelf toe dat zijn detectives 'op bepaalde vlakken tekortgeschoten waren'. In de netelige gesprekken met Weinstein beloofden ze meer te doen. Ze konden het probleem nog steeds oplossen. Ze moesten er alleen meer bovenop zitten.

Steeds als McHugh en ik aan onze bazen bij NBC toegaven dat we het verhaal van Weinstein nog niet uit het oog waren verloren, kregen we weer een hele reeks waarschuwingen om onze oren over ons gebrek aan productiviteit op andere fronten. Ineens kreeg McHugh allerlei andere klussen toegeschoven met andere correspondenten. Steve Chung belde. Dit was de jurist van NBC die iets van Greenbergs aarzelingen over het inzien van de geheimhoudingsverklaringen had weten weg te nemen met de erkenning dat er nog grijze gebieden in de wet bestonden waardoor het voor een nieuwszender toegestaan was dit te doen. Hij kondigde zijn vertrek bij de organisatie aan. 'Je zult bij de rest van het team in goede handen zijn,' zei hij.

Er waren signalen dat iemand anders met onze primeur aan de haal zou gaan. Ik ondernam een laatste wanhopige poging om Ashley Judd te pakken te krijgen en belde de columnist Nicholas Kristof van *The New York Times*, die met mij en Judd aan een documentaire had gewerkt. Ik had enorm veel respect voor Kristof, die over ingewikkelde mensenrechtenzaken schreef. Als iemand in staat was om Judd te overtuigen met me te praten, dan was hij het wel, dacht ik.

Toen ik hem vertelde dat ik aan een verhaal werkte over het soort vrouwenrechten- en mensenrechtenzaken waar Judd zich druk over maakte, zei hij meteen: 'Deze persoon over wie dat verhaal gaat, begint zijn naam met een H?' Toen ik ja zei, was Kristof even stil en antwoordde toen langzaam: 'Het staat me niet vrij om dit gesprek voort te zetten.' Hij hing snel op.

De enige mogelijk verklaring die McHugh en ik konden bedenken was dat *The New York Times* ook met een verhaal bezig was. Ik was blij dat we niet alleen stonden, maar wilde nu wel dolgraag snel door. Toen we dit tegen Greenberg zeiden, leek hij ook verheugd, maar om heel andere redenen. 'Soms,' zei hij, 'kun je beter iemand anders voor laten gaan.'

Er waren tekenen dat niet al ons werk onbeperkt houdbaar was. Maandenlang had Rose McGowan haar volledige medewerking verleend. In berichtjes sinds ons interview had ze geschreven: 'Ik kan je nog meer geven,' en 'Dit moet een speciale avonduitzending worden. Of een lang stuk voor de ochtenduitzending. Ik denk dat je meer moet komen filmen.'

Maar die juli leek er een eind te komen aan haar geduld. 'Ik heb erover nagedacht en heb besloten dat ik niet verder wil met het stuk voor NBC,' vertelde ze me. Mijn maag keerde zich bijna om. Ze was niet de enige vrouw die in het verhaal werd genoemd, maar haar interview was wel substantieel. Ik vroeg haar in elk geval nog aan te horen wat ik ontdekt had voordat ze een besluit nam. We maakten een nieuwe afspraak.

Ik maakte opnieuw de reis naar haar huis in de Hollywood Hills. Ze deed open in een T-shirt en was onopgemaakt. Ze zag er moe uit. Terwijl ze in haar keuken koffie zette, vertelde McGowan me dat ze al de nadelige gevolgen begon te ondervinden van het feit dat ze zich uitgesproken had. Ze zei dat ze Price, het hoofd van Amazon Studios, had verteld dat Weinstein haar had verkracht. Niet lang daarna werd haar contract met de studio beëindigd.

Intussen kreeg ze het gevoel dat ze gevolgd werd. Ze wist niet meer wie ze nog kon vertrouwen. Ik vroeg of ze op vrienden of familie kon terugvallen. McGowan haalde haar schouders op. Ze zei dat ze wel wat steun kreeg. Zij en Diana Filip, de vermogensbeheerder met het vrouwenrechtenproject, waren bevriend geraakt. En er waren andere journalisten die haar steunden, zoals Freedman, de voormalige schrijver voor *The Guardian*.

McGowan zei me dat ze NBC was begonnen te wantrouwen, dat het voortdurende uitstel haar niet lekker zat, en dat ze zich zorgen maakte over – hier zweeg ze even – dingen die ze had gehoord over die lui daar. Ik vroeg haar wat ze bedoelde, maar ze schudde haar hoofd en zei alleen maar: 'Ik heb gewoon geen zin om te eindigen als itempje op ontbijt-tv.' Ik zei dat we dat niet van plan waren; dat ik ook stukken maakte voor *Nightly News*, en dat dit een verhaal was dat we overal konden plaatsen, niet alleen in de ochtend.

Ik vertelde McGowan dat er goeie mensen zaten bij NBC, zoals Oppenheim, die een carrière had gehad als scenarioschrijver en niet de traditionele terughoudendheid had die nieuwszenders kenmerkte. Maar ik zei dat ik hem wel alles moest voorleggen, en zo goed mogelijk onderbouwd, en dat ik haar daarvoor nodig had. Toen vertelde ik McGowan wat we hadden. Ik zei dat ik anderen had gevonden met verhalen over Weinstein – niet alleen geruchten of insinuaties – en dat zij hadden toegezegd te praten, deels ook omdat ze wisten dat zij zich ook uitgesproken had. Toen ik dit zei, sprongen de tranen in haar ogen. 'Ik voel me al zo lang alleen,' zei ze.

McGowan zei dat ze veel had nagedacht, liedjes had geschreven. De eerste keer dat we elkaar hadden ontmoet, was er tussen haar en mij een klik geweest omdat we allebei liedjes schreven. We lieten elkaar die dag in haar huis een paar demo's horen. Toen er een nummer van haar, 'Lonely House', voorbijkwam, sloot ze haar ogen en luisterde ze hoe ze zong:

> I stand for mind
> For women who can't
> And man too scared
> To beat that beast
> To watch him drown

McGowan kreeg weer nieuwe moed. Ze zei dat we het interview mochten uitzenden. Ze zei dat ze nog eens voor de camera wilde verschijnen om Weinstein uitdrukkelijker te noemen. En ze stelde voor om daarvoor de juridische afdeling van NBC te bellen en hun duidelijk te maken dat zij Weinstein expliciet en on the record had genoemd.

Een paar minuten later zat ik aan de telefoon met Oppenheims assistente. Ik zei haar dat ik een doorbraak in mijn verhaal had, een nachtvlucht terug zou nemen en hem de volgende dag wilde spreken. Ik nam genoegen met elk gaatje in zijn agenda.

'We hebben het,' zei McHugh. 'De klok tikt.'

De volgende ochtend daalde ik in New York een wenteltrap af naar de kelderverdieping onder een filiaal van de Bank of America. Het was een zeldzame ouderwetse brandkast, met een ronde deur met grendels aan de buitenkant en binnenin een gang met kluisjes. Een bankmanager trok een ondiep metalen kistje naar buiten. Het had een nummer: '666'.

We staarden even naar de cijfers.

'Weet u wat?' vroeg hij, 'Ik ga even kijken of we iets anders hebben.'

In een minder onheilspellend kistje legde ik een lijst met onze tientallen bronnen, de transcripties van de gesprekken met hen, en een beschrijving van de patronen van seksueel geweld en de bijbehorende afkoopregelingen. Ook voegde ik er een USB-stick aan toe met de geluidsopname van de undercoveroperatie met de politie. Erbovenop legde ik een briefje van iemand die moe was en oprecht niet meer wist wat paranoïde was en wat verstandig, maar afijn, hier is het:

Als u dit leest, is dat omdat ik deze informatie niet zelf openbaar kan maken. Dit is de blauwdruk voor een verhaal om iemand die zich veelvuldig schuldig heeft gemaakt aan seksueel-geweldpleging voor de rechter te brengen. Diverse verslaggevers die hebben geprobeerd dit verhaal in de openbaarheid te krijgen, hebben te maken gekregen met intimidatie en dreigementen. Ik heb al dreigtelefoontjes gekregen van tussenpersonen. Noah Oppenheim van NBC News heeft als het goed is toegang tot het bijbehorende beeldmateriaal. Mocht mij iets overkomen, zorg dan dat deze informatie naar buiten wordt gebracht.

18

ZWERKBAL

Noah Oppenheim leek wel sprakeloos. Ik had hem een geprinte lijst met de reportage-elementen overhandigd. 'Wauw,' zei hij. 'Dit moet ik even in me opnemen.' Het was 12 juli. Door het raam van Oppenheims kantoor zag ik hoe het zonlicht op Rockefeller Plaza viel. Ik legde uit dat we stapels harde bewijzen en geloofwaardige bronnen hadden. Sommigen kenden Oppenheim zelfs. Abby Ex, een van de voormalige leidinggevenden die voor de camera was verschenen, had hem ooit ingehuurd om het script op te peppen voor een vehikel voor Ryan Reynolds, met de titel *Self/less*, waar weinig eer aan te behalen viel.

'We gaan ermee naar Greenberg, zullen de gebruikelijke wegen bewandelen,' zei ik snel. 'Ik wilde alleen dat je ervan afwist.'

Hij pakte het bovenste vel opnieuw op en keek naar de bladzijde eronder. 'Ik zal me natuurlijk voegen naar Rich, maar...' Hij legde het papier in zijn schoot en zuchtte. 'We zullen een paar beslissingen moeten nemen.'

'Beslissingen?' vroeg ik.

'Zoals, is dit het echt wel waard?'

Hij zat op een beige bank. Op de wand naast hem flikkerde een rij schermen. De nieuwsberichten joegen achter elkaar aan. Daar vlakbij hing een ingelijst tweeluik van een potje Zwerkbal, uitgevoerd in bruine en groene markeerstift en getekend door Oppenheims achtjarige zoontje.

'Het is een groot verhaal,' zei ik. 'Het is een prominent iemand die op band serieuze misdragingen toegeeft.'

'Goed, ten eerste,' zei hij, 'weet ik niet of het wel om een vergrijp gaat.'

'Het is een misdrijf,' zei ik. 'Goed voor maanden gevangenisstraf, in theorie.'

'Oké, oké,' zei hij. 'Maar we moeten bedenken of het nieuwswaardig is.'

Ik staarde hem aan.

'Kijk,' zei hij, 'jij weet wie Harvey Weinstein is. Ik weet wie Harvey Weinstein is. Maar ik zit in de business. Ik weet niet hoe dat met gewone Amerikanen zit.'

'Roger Ailes was ook niet bepaald een begrip,' betoogde ik. 'Weinstein is veel bekender dan hij. En het is stelselmatig, snap je – het is groter dan hij alleen.'

'Dat begrijp ik wel,' zei hij. 'Ik bedoel alleen maar dat we de juristen zullen moeten overtuigen dat deze zaak de moeite waard is. We zullen heel wat over ons heen krijgen als we dit doorzetten.' Van de paranoïde overpeinzingen van Wallace wist ik inmiddels hoe waar dat was.

Op mijn weg naar buiten bedankte ik hem en zei: 'En mocht ik een "ongeluk" krijgen...'

Hij lachte en klopte op de papieren die ik hem gegeven had. 'Ik zorg dat het naar buiten komt,' zei hij.

'Bedankt,' zei ik. 'O, en laat je niet in met *Self/less 2*.'

'Dat kan ik niet beloven,' zei hij met een uitgestreken gezicht. 'Misschien is het handig om nog wat carrièreopties te hebben, hierna.'

Die middag kreeg ik alweer een hele stroom vreemde Instagramberichten, met opnieuw een plaatje van een vuurwapen. Ik stuurde een appje naar Oppenheims assistente, Anna. 'Hoi, hier hoef ik Noah verder niet mee lastig te vallen,' schreef ik, 'maar hebben we bij NBC een goed beveiligingsiemand met wie ik kan praten?' Ik had wat 'probleempjes met een stalker'. Dingen die 'wat verontrustender waren dan normaal'.

Ze zei dat ze erachteraan ging.

Een paar uur later kreeg ik weer een telefoontje van Matthew Hiltzik, de pr-man. 'Eventjes met iedereen bijpraten,' zei hij opgewekt. 'Jij stond op mijn lijstje.' Hiltzik had me sinds zijn laatste belletje een paar keer geappt, voorgesteld om eens te gaan eten, gevraagd of er nieuws was. Zoveel belangstelling was ik niet van hem gewend. Ik zei hem dat ik nog steeds naar de deadline van mijn boek toewerkte en met verschillende verhalen bezig was voor NBC.

'Dus je werkt ook nog aan dat verhaal over Harvey?'

Ik keek bij de studio naar binnen. Achter het glas met matte pauwenlogo's kwam uit de mond van een middagpresentator geluidloos het laatste nieuws. 'Ik werk aan een aantal verhalen,' herhaalde ik.

'Prima,' zei hij met een klein lachje. 'Als je informatie nodig hebt, dan weet je me te vinden. En volgens mij is het heel goed dat je met andere dingen bezig bent.'

Ik kwam die avond ietwat gespannen thuis en schrok toen de buurman met het jongensachtige uiterlijk die volgens de conciërge wel wat op mij leek, me groette in de lift. Een tijdje later belde Jonathan vanuit een filiaal van de Bank of America aan de westkust, waar hij het papierwerk in orde aan het maken was om mede-eigenaar te worden van het kluisje dat ik die dag in gebruik had genomen. 'Verlies. De sleutel. Niet,' zei ik. Tijdens ons gesprek klonk er een zacht pingeltje: weer zo'n automatisch weerbericht. Ik veegde het weg.

Toen ik in bed stapte, kwam er een appje van Lisa Bloom binnen. 'Hé Ronan schrijf je nog over die geheimhoudingsverklaringen? Ik heb nu iets lopen in mijn Kardashian-zaak (je weet wel dat ik Blac Chyna vertegenwoordig en familie K begint erover). Trouwens, ik kom morgen naar NY voor *The View*. Koffie/lunch donderdag of vrijdag?'[1]

Ik duwde de telefoon van me af en kwam niet in slaap.

McHugh en ik zouden om half negen 's morgens bij Greenberg zijn. Ik zat doodop achter mijn bureau toen McHugh binnenkwam.

'Wat zie jij eruit,' zei hij.

'Bedankt, ook leuk jou te zien.'

Een paar minuten later zaten we bij Greenberg in zijn krap bemeten kantoor. 'Jullie hebben heel wat,' zei hij, terwijl hij door de geprinte lijst met reportage-elementen heen bladerde die ik de vorige dag aan Oppenheim had gegeven. Toen keek hij op en vroeg: 'Kan ik de opname horen?'

Ik schoof mijn telefoon over het bureau naar hem toe, drukte op de afspeeltoets, en we hoorden Weinstein opnieuw zeggen dat hij dat altijd deed.

Onder het luisteren tekende er zich een vastberaden glimlach af om zijn lippen. 'Fuck it, dan klaagt hij ons maar aan,' zei hij toen de opname afgelopen was. 'Als dit uitkomt, is hij er geweest.'

We zeiden dat we eerst nog een paar interviews voor de camera zouden houden met bronnen uit Weinsteins bedrijf, en dan een script en een artikel voor op het internet zouden opstellen. Greenberg, die er nog steeds tamelijk opgewonden bij zat, vroeg of we ons wilden voorbereiden op een gesprek met de juridische afdeling de week erop. McHugh en ik verlieten Greenbergs kantoor in triomfantelijke stemming.

Later kwam Anna, Oppenheims assistente, terug op mijn vraag over de stalkers. 'Ik speel dit door aan hr, zij doen dit voor onze sterren,' schreef ze. 'Helaas komen dit soort dingen vaker voor dan je denkt.' Hr had me weer in contact gebracht met Thomas McFadden, een grijze ex-politieagent. 'Het gebruikelijke,' zei hij terwijl hij door mijn telefoon heen scrolde in zijn piepkleine kantoortje. 'Heb ik al zo vaak gezien.'

'Dat zal best,' zei ik.

'We zullen ernaar kijken,' zei hij. 'We zoeken uit wie je lastigvallen, geven ze een telefoontje, en dan stoppen ze er meestal wel mee. Een doodenkele keer bellen we onze vrienden van de politie.'

'Bedankt,' zei ik. 'Ik heb de indruk dat er hier meer aan de hand is dan gewoon een gekkie. Bizarre spamberichten, het gevoel alsof...'

'Alsof je gevolgd wordt?'

Ik lachte. 'Nou eh...,' zei ik.

Hij leunde achterover en leek hierover na te denken. Toen keek hij me meelevend aan. 'Je staat onder druk. Laat het maar aan mij over en probeer een beetje uit te rusten.'

Die hele maand deden McGowan en haar nieuwe vriendin, Diana Filip van Reuben Capital Partners, niets anders dan elkaar e-mailen en bellen. Of McGowan nu aan de oost- of aan de westkust was, Filip leek altijd in de buurt te zijn. Een paar dagen na mijn gesprek met Oppenheim gingen ze samen een avondje uit, naar de Peninsula in New York. Op de subtiele vragen van Filip antwoordde McGowan vrij openhartig over haar pogingen om de openbaarheid te zoeken met haar verkrachtingszaak. Ze onthulde zelfs dat ze met een verslaggever van NBC News had gesproken. Filip zat de hele tijd dicht bij haar, ingespannen luisterend, met een meelevende blik op haar gezicht.

Diezelfde dag stuurde Sara Ness, de onderzoekster van Jack Palladino's bedrijfje in San Francisco, opnieuw een e-mail naar Harvey Weinstein. Deze bevatte een nieuw, verder uitgewerkt dossier.[2] Vijftien bladzijden lang waren de detectives grondig mijn stappen van de afgelopen maanden nagegaan, en hadden veel van mijn bronnen achterhaald. Het dossier besloot met de constatering dat ik contact had gehad met Sciorra, die 'volgens HW een potentieel vijandige bron' was.

Ook de lijst met verslaggevers was langer geworden: het dossier vermeldde Kim Masters, de strijdlustige schrijver van *The Hollywood*

Reporter, en Nicholas Kristof en Ben Wallace. Het dossier concludeerde dat Wallace 'Farrow mogelijk aanwijzingen gaf'. En ten slotte was er ook een heel nieuw aandachtsgebied: een schrijfster voor *The New York Times*, Jodi Kantor.

Het dossier noemde verschillende dubbelagenten van Weinstein die met mij hadden gesproken en vervolgens de informatie over mijn activiteiten aan hem hadden doorgebriefd. De producer in Australië die zo gespannen geklonken had, was een van hen. Ze had volgens het document 'HW gewezen op het contact met Farrow'. 'Heb geen negatieve info over HW aan Farrow verschaft.'

En er waren nog andere, meer verhulde verwijzingen naar informanten. Het dossier vermeldde dat iemand die slechts werd aangeduid als 'LB' betrokken was geweest bij Weinsteins pogingen om informatie los te peuteren. Deze persoon had heimelijk gepraat met ten minste één advocaat die een klaagster had geraadpleegd.

'Het onderzoek wordt vervolgd,' sloot het dossier af.

We bleven op bronnen stuiten die ons op een dwaalspoor stuurden of informatie terugspeelden naar Weinstein. Maar we vonden er ook steeds meer die het wel tegen hem op durfden te nemen. Een voormalige assistente die parttime aan Weinstein was toegewezen tijdens zijn reisjes naar Londen en die me had verteld dat hij haar seksueel had geïntimideerd, was in eerste instantie te bang geweest voor vergelding om te praten. En haar vrees nam toe toen Weinsteins medewerkers haar ineens, na twintig jaar radiostilte, 'behoorlijk opdringerig begonnen te bellen'. 'Het brengt me aardig van mijn stuk,' zei ze. 'Hij is je op het spoor.' Paradoxaal genoeg hadden de telefoontjes haar er juist toe aangezet te willen helpen. 'Ik wilde niet praten,' zei ze. 'Maar toen hij van zich liet horen, werd ik boos. Boos dat hij nog steeds denkt dat hij mensen het zwijgen kan opleggen.'

De parttime assistente wist ook van Zelda Perkins, de vrouw die met Auletta had gesproken, en van de gezamenlijke schikking wegens seksuele intimidatie die Perkins en een andere collega hadden onderhandeld. Dat gold ook voor Katrina Wolfe, een voormalige assistente bij Miramax die later een leidinggevende functie kreeg. We filmden Wolfe die maand met haar gezicht in de schaduw. 'Toen ik bij Miramax kwam te werken, kreeg ik direct te maken met twee werkneemsters die Harvey Weinstein hadden beschuldigd van aanranding, zaken die met een schikking werden afgedaan,' vertelde Wolfe me. Dat had ze niet van horen zeggen: ze was rechtstreeks getuige geweest van het plannen en uitvoeren van de transactie.

Op een avond in 1998 was Harvey Weinstein het kantoor binnengestormd. Hij was op zoek naar Steve Hutensky, een jurist van Miramax, die Weinsteins ondergeschikten 'De Opruimer' hadden gedoopt. Drie kwartier lang hadden de twee mannen bij elkaar gezeten en Weinsteins ongeruste stem was voor medewerkers in de buurt hoorbaar geweest. Daarna had Hutensky de persoonsdossiers opgevraagd van twee werkneemsters, onder wie Perkins, die toen werkte als assistente van Donna Gigliotti, de producer van *Shakespeare in Love*.

In de dagen en weken daarop werd er tussen Weinstein en zijn adviseurs, onder wie de New Yorkse eliteadvocaat Herb Wachtell, koortsachtig getelefoneerd. (Toen ik nog rechten studeerde, was het advocatenkantoor van Wachtell de heilige graal geweest voor een zomerstage. Toen ik werd afgewezen, was ik er kapot van, zoals je alleen als student kan zijn. Ik schopte het niet verder dan Davis Polk en voelde me net een ambulancejager of president Grover Cleveland.) Wachtell en Hutensky hadden een Engelse advocaat gezocht voor Weinstein – 'de beste strafadvocaat in Engeland' had Hutensky geëist – waarna Weinstein op een Concorde naar Londen was gestapt om het probleem persoonlijk af te handelen. Nog maar even en ik had de Londense schikkingen gereed voor publicatie.

De cirkel van interviews voor de camera breidde zich almaar uit. Een paar dagen na het interview met Wolfe nam ik een ander interview af met een voormalige assistent en producer bij The Weinstein

Company. Hij liet er geen twijfel over bestaan dat het patroon van klachten over intimidatie na de jaren negentig niet was gestopt. Hij had destijds de taak gehad om jonge vrouwen naar die 'lokaas'-besprekingen te brengen die de andere oud-werknemers ook al hadden genoemd. Enkele vrouwen leken 'zich niet bewust van de aard van die bijeenkomsten' en 'waren echt bang', zei hij.

Ook zat de nasleep van dergelijke bijeenkomsten hem vaak dwars. 'Je zag die vrouwen die kamer uitkomen en dan was er plotseling een enorme behoefte om... ik wil niet zeggen de situatie af te handelen, maar wel om ervoor te zorgen dat ze werden gecompenseerd of schadeloosgesteld voor wat ze zojuist was overkomen,' herinnerde hij zich. 'En die vrouwen leken behoorlijk van streek.' Weinstein vertoonde volgen hem 'roofzuchtig gedrag' en 'stond boven de wet die voor de meesten van ons geldt, en voor ons allemaal zou moeten gelden.'

Dit interview filmden McHugh, ik en een freelancecameraman die Jean-Bernard Rutagarama heette, met al onze lampen, statieven en camera's opgepropt in een kamertje in het Four Seasons-hotel in Beverly Hills.

Die maand liet Black Cube de nieuwste versie van een namenlijst rondgaan. Een projectmanager bekeek de lijst in een vestiging van Black Cube in Londen: een halve verdieping in een glazen toren aan Ropemaker Street, met kunst aan de wanden waarop agenten als silhouetten onheilspellend te midden van het drukke stadsgewoel stonden. De projectmanager stuurde de lijst op zijn beurt weer door naar een netwerk van contacten over de hele wereld.

De lijst bevatte veel dezelfde namen – en in sommige gevallen ook dezelfde bewoordingen – uit de dossiers die waren opgesteld door Jack Palladino's bedrijf. Maar er was ook dieper gegraven. Secundaire bronnen die McGowans, Nestors of Gutierrez' verhaal hadden ondersteund, waren nu ook doelwit geworden.

Naarmate de zomer verstreek, groeide de lijst met eerst gele en dan rode markeringen om de mate van urgentie aan te geven. Enkele van de namen waren uitgewerkt in aparte profielen. Kort na het interview in het Four Seasons belandde één zo'n profiel, met de titel 'JB Rutagarama', in dezelfde inboxen. Het onderschrift was: 'Relevantie: cameraman die werkt met Ronan Farrow en Rich McHugh aan de HW-reportage.'[3] Het profiel behandelde Rutagarama's jeugd in Rwanda en ging in op 'manieren om hem te benaderen'. Het had een aparte opmaak, met blauwe cursieve koppen in Times New Roman en bevatte formuleringen in steenkolenengels, waaruit bleek dat het niet door een moedertaalspreker was geschreven.

Onder de contacten aan wie de Black Cube-projectmanager de lijst en het profiel van Rutagarama had gestuurd, bevond zich Seth Freedman, de voormalige schrijver voor *The Guardian*.

17
NOTITIES

Die juli belde ik Auletta terug en vertelde hem dat ik meer informatie had over de afkoopregelingen in Londen. Ik vroeg of er nog iets anders was wat hij me kon laten zien om mijn verhaal te schragen. Tot mijn verrassing zei hij: 'Jawel.' Hij had al zijn notitieboekjes, geprinte documenten en tapes afgestaan aan de openbare bibliotheek van New York. De collectie was niet voor het publiek toegankelijk. Maar hij zei dat ik hem kon inzien.

De Auletta-archieven waren ondergebracht in de leeszaal voor zeldzame boeken en manuscripten, achter de grote zaal. Het was een schaars verlicht vertrek met afgesloten glazen kasten en rijen lage bureaus die glansden in het licht van leeslampjes. Alles bij elkaar beschikte de bibliotheek over meer dan zestig grote kartonnen dozen met Auletta's papieren. McHugh en ik meldden ons en een bibliotheekmedewerker haalde de dozen tevoorschijn.

McHugh en ik namen elk een doos en begonnen de inhoud door te werken. Auletta had lang niet zoveel als wij. Maar hij had wel een aantal belangrijke puzzelstukjes te pakken. Het was gek om die vijftien jaar oude aantekeningen onder ogen te krijgen, die zoveel op hetzelfde onderwerp betrekking hadden. Ook toen al was Auletta op gestrande reportagepogingen gestuit. Op een pagina met aantekeningen had hij met blauwe inkt in een onleesbaar cursief

doktershandschrift gekrabbeld: 'David Carr: gelooft seksuele intimidatie.'

In Auletta's notitieboekjes vond ik aanwijzingen die weer andere
aanknopingspunten opleverden, en die het plaatje inkleurden dat ik
voor ogen had van wat er was gebeurd tussen Weinstein en de twee
assistentes in Londen.

Eind jaren negentig was Perkins als assistente gaan werken voor
Gigliotti. In de praktijk hield dit in dat ze veel voor Weinstein werkte. 'Vanaf de allereerste keer dat ik met Harvey alleen was,' vertelde
ze me later, 'moest ik me laten welgevallen dat hij ofwel in zijn on-
derbroek ofwel geheel naakt was.'[1] Hij had geprobeerd haar in bed
te trekken. Perkins was tenger en blond en zag er jonger uit dan ze
was. Maar ze had tevens een scherpzinnige persoonlijkheid en was
ook toen al op een rebelse manier assertief. Weinstein had bij haar
nooit succes gehad met zijn fysieke toenaderingen. Maar zijn
eindeloze pogingen matten haar af. En snel daarna begon hij haar ook
op andere manieren uit te putten. Evenals zoveel andere voormalige
werkneemsters van Weinstein zag ze zichzelf ineens in de rol van
faciliteerster van seksuele betrekkingen met actrices en modellen in
de dop. 'We moesten meisjes naar hem toe brengen,' zei ze. 'Ik was
me er eerst niet van bewust, maar ik bleek het lokaas te zijn.'
Weinstein vroeg haar condooms voor hem te kopen en na zijn
hotelkamersessies met de jonge vrouwen de boel op te ruimen.

Het was 1998 toen Perkins groen licht kreeg om zelf een assistent
aan te nemen, wat naar ze hoopte wat afstand tussen haar en Weinstein zou creëren. Kandidaten voor de functie waarschuwde ze dat
Weinstein seksuele avances zou maken. Ze wees zelfs 'opvallend aan-
trekkelijke' sollicitanten af, 'omdat ik wist dat hij hen nooit met rust
zou laten. Het zou nooit ophouden.' Ten slotte koos ze een 'buitengewoon slim' iemand die aan Oxford was afgestudeerd en nog altijd
zo voor represailles vreesde dat ze nog steeds, tientallen jaren later,
anoniem wilde blijven.

Tijdens het filmfestival van Venetië in september 1998 kwam de assistente trillend en huilend de kamer van Weinstein in het Hotel Excelsior uit nadat ze voor het eerst met hem alleen was geweest. Ze zei dat hij haar had aangerand. Perkins sprak Weinstein erop aan. Daarvoor moest ze een lunchbespreking met een prominente regisseur op het terras van het hotel onderbreken. 'Hij stond daar maar te liegen,' herinnerde Perkins zich. 'Ik zei: "Harvey, je liegt" en hij zei: "Ik lieg niet; ik zweer het op het hoofd van mijn kinderen."'

De assistente was, zei Perkins, 'in shock en getraumatiseerd', en te bang om naar de politie te gaan. Het doen van aangifte werd bemoeilijkt door de locatie waar ze zich destijds bevonden: het Lido-eiland in Venetië. 'Ik wist niet tot wie ik me kon wenden,' herinnerde Perkins zich. 'Iemand van de hotelbeveiliging?'

Perkins deed wat ze kon om zich ervan te verzekeren dat de nieuwe assistente de rest van de reis bij Weinstein uit de buurt gehouden werd. Bij thuiskomst in Engeland bracht ze Gigliotti op de hoogte, die haar doorverwees naar een arbeidsrechtadvocaat. Uiteindelijk dienden zij en de assistente schriftelijk hun ontslag bij Miramax in met de mededeling dat ze gerechtelijke stappen zouden ondernemen.

Hun vertrek bij het bedrijf had al die koortsachtige vergaderingen bij Miramax in gang gezet die Wolfe me had beschreven. Weinstein en de andere directieleden belden Perkins en de nieuwe assistent aan één stuk door. De avond dat ze ontslag nam, had Perkins zeventien telefoontjes van hen gekregen die 'steeds wanhopiger' hadden geklonken. In de boodschappen klonk Weinstein afwisselend smekend en dreigend. 'Alsjeblieft, alsjeblieft, alsjeblieft, alsjeblieft, alsjeblieft, alsjeblieft, bel me. Ik smeek je,' zei hij in een van de voicemails.

Perkins en de assistente huurden advocaten in van het Londense kantoor Simons Muirhead & Burton. Perkins verzette zich in eerste instantie tegen het aannemen van wat zij 'bloedgeld' noemde. Ze vroeg of ze niet beter naar de politie kon gaan of naar Disney, de moedermaatschappij van Miramax. Maar de advocaten stuurden aan op geen andere uitkomst dan een schikking en een geheimhoudingsverklaring.

Aan het eind hadden zij en de nieuwe assistente een schikking geaccepteerd van 250.000 pond, gelijkelijk over hun tweeën verdeeld. Weinsteins broer, Bob, schreef de cheque uit op naam van het advocatenkantoor van beide vrouwen, zodat de transactie voor Disney verhuld bleef en Harvey erbuiten werd gehouden.

Na een vier dagen durend, uitputtend onderhandelingsproces was het Perkins gelukt bepalingen in het contract te laten opnemen waarvan ze hoopte dat Weinstein er zijn gedrag door zou veranderen. De overeenkomst vereiste dat er drie 'afhandelaars' werden aangewezen, waarvan één advocaat, die zich bezig moesten houden met de aanklachten wegens seksuele intimidatie bij Miramax. De onderneming was verplicht bewijs te overleggen dat Weinstein drie jaar lang of 'zo lang als zijn therapeut nodig acht' therapie zou krijgen. De overeenkomst bepaalde ook dat Miramax Weinsteins gedrag bij Disney zou aankaarten en hem zou ontslaan als er in de komende twee jaar een nieuwe schikking voor seksuele intimidatie werd getroffen.

Het bedrijf voerde de veranderingen op het vlak van human resources door, maar andere delen van de overeenkomst werden niet gehandhaafd. Perkins drong maandenlang aan, maar gaf het toen op. 'Ik was bekaf. Ik was vernederd. Ik kon in het VK niet in de business blijven werken; de verhalen die rondgingen over wat er gebeurd was, hadden dat onmogelijk gemaakt,' herinnerde ze zich. Uiteindelijk verhuisde ze naar Midden-Amerika. Ze had er genoeg van. 'Geld en macht hebben het gefaciliteerd, het rechtssysteem heeft het gefaciliteerd,' zei ze me. 'De reden waarom Harvey Weinstein het pad heeft bewandeld zoals hij dat gedaan heeft, is omdat het kon, en dat is onze schuld. Onze cultuur is hier schuldig aan.'

Auletta had het verhaal niet in al zijn bijzonderheden weten te vatten, maar in essentie klopte het. Ik keek naar zijn nauwgezet geordende aantekeningen en werd even een beetje emotioneel bij het aanzien van die stoffige dozen en de oude geheimen die ze bevatten. Ik wilde zo graag geloven dat nieuws nooit echt verdwijnt, ook al was het zoveel jaren de kop ingedrukt.

Terwijl ik de laatste hand legde aan zowel ons reportagescript als aan een zesduizend woorden tellend verhaal voor de NBC News-website, leken de spoken van vroegere, misgelopen artikelen zich samen te drommen. Toen ik eind juli ten slotte Janice Min belde, oud-hoofdredacteur van *The Hollywood Reporter*, gaf ze vurig blijk zowel van haar overtuiging dat dit verhaal klopte als van haar twijfels of het ooit gepubliceerd zou worden. Voordat Min bij *The Hollywood Reporter* kwam, werkte ze bij *Us Weekly*. Toch was ze ooit begonnen als misdaadverslaggeefster voor *The Reporter Dispatch* in New York. 'We wisten allemaal dat het waar was,' zei ze me. 'Maar we kregen het verhaal niet rond. Iedereen schrok er steeds voor terug om te praten.' Ze zei dat ze me in contact zou brengen met Kim Masters, de journaliste die aan het verhaal werkte tijdens Mins jaren bij het blad.

Aan het eind van ons telefoongesprek zei Min nog: 'Het is een onmogelijk verhaal. Het is de witte walvis, de Moby Dick van de journalistiek.'

'Witte walvis', appte McHugh later die dag. 'Fijne titel hoor.'

Masters werd steevast getypeerd als een gelouterde entertainment- en mediajournalist – wat, zo schertste ze, een eufemistische manier was om haar oud te noemen. Ze werkte als redacteur voor *The Washington Post* en schreef als freelancer stukken voor *Vanity Fair*, *Time* en *Esquire*. Ze vertelde me dat ze 'eeuwen geleden' al geruchten over Weinstein opving. Jaren eerder had ze hem er zelfs mee geconfronteerd.

'Waarom schrijf je dit soort shit over mij?' loeide hij tegen haar, tijdens een lunch in het Peninsula Hotel in Beverly Hills. 'Hoezo noem je mij intimiderend?'

'Omdat ik heb gehoord dat je vrouwen verkracht, Harvey,' zei Masters.

'Soms heb je seks met een vrouw die niet je echtgenote is en ontstaat er een meningsverschil over wat er is gebeurd. Dan schrijf je een cheque om het uit de wereld te helpen,' reageerde Weinstein kalm.

Hiltzik, de pr-man, zat er bij. Masters herinnerde zich dat hij geschokt leek. Later ontkende hij dat hij Masters het woord 'verkrachten' had horen gebruiken.

Masters was er allerminst van overtuigd dat er iets was veranderd, ook niet na al die jaren. Een paar maanden eerder had ze gewerkt aan een stuk over een beschuldiging van seksuele intimidatie aan het adres van Roy Price, het hoofd van Amazons net opgerichte film- en televisiestudio dat McGowans deal van tafel had geveegd. Al langere tijd zongen dergelijke geruchten over hem rond. Maar *The Hollywood Reporter*, waar Masters al zeven jaar artikelen voor schreef, had het niet willen afdrukken. Die zomer was ze nog altijd bezig het verhaal ergens onder te brengen.[2] Ze bood het aan bij *Buzzfeed* en daarna bij *The Daily Beast*. Price had Charles Harder in de arm genomen om de bladen te benaderen, dezelfde advocaat die *Gawker* de nek omdraaide en die ook voor Weinstein werkte. 'Het kan niet anders,' zei Masters mat, 'of een dezer dagen komt er een dijkdoorbraak.'

Ik nam opnieuw contact op met Ken Auletta en vroeg hem of hij een interview wilde geven. We lieten regelmatig journalisten van de schrijvende pers voor de camera hun verhaal vertellen. Voor Auletta voelde het echter als een enorme stap om deze oude journalistieke kwestie weer op te rakelen. Maar toen ik hem vertelde wat we hadden, inclusief die geluidsopname van Weinsteins bekentenis, verklaarde hij zich bereid een uitzondering te maken. Midden in een flinke hoosbui kwamen we aan bij Auletta's huis op Long Island. In de regen sleepten we de apparatuur naar binnen. Hij bevestigde dat hij het bewijs achter de Londense schikkingen had gezien. Net als wij had hij vastgesteld dat Weinstein stelselmatig vrouwen stil hield door ze geld te betalen. Ook vertelde hij dat hij in de loop van de decennia telkens weer bij het onderwerp terugkeerde, als ware het zijn windmolengevechten. Het was belangrijk dit verhaal naar buiten te krijgen, zei hij, 'omdat zo misschien wordt voorkomen dat hij het nog een keer doet'.

Ineens keek Auletta, uit eigen beweging, recht in de camera: 'Zeg tegen Andy Lack, een vriend van mij, dat hij dit verhaal openbaar moet maken. Dat zal hij doen.'

'Oké,' zei ik.

'Het wordt een schandaal als NBC met dit bewijs het verhaal niet naar buiten brengt.' Onze cameraman wisselde een nerveuze blik met McHugh. Ik zei tegen Auletta dat ik ervan overtuigd was dat NBC dat zou doen. 'Sowieso kun je maar beter opschieten,' zei hij ten slotte. 'Als *The Times* ermee bezig is...'

'Ik weet het,' zei ik. Vanuit zijn woonkamer in Long Island keken we toe hoe buiten de storm raasde.

Nog diezelfde dag nam Diana Filip weer contact op met Rose Mc-Gowan. 'Ik ben weer thuis en wilde je gewoon nog even bedanken voor de heerlijke avond!' schreef ze. 'Het is altijd fijn je te zien en tijd met je door te brengen. :) Ik hoop echt dat ik snel terug ben en dat we dan meer tijd hebben!'

Toen kwam ze ter zake: 'Ik heb nog nagedacht over Ronan Farrow, wiens naam jij liet vallen. Ik blijf zijn gezicht maar voor me zien. Hij lijkt echt een bijzondere en lieve man. Ik heb wat over hem zitten lezen en was onder de indruk van het werk dat hij heeft gedaan, ondanks die problematische familieconnectie... Ik zat te denken dat iemand zoals hij een boeiende en waardevolle meerwaarde voor ons project zou zijn (dan niet voor de conferentie, maar voor de activiteiten in de loop van 2018). Vooral omdat hij een feministische man is,' ging Filip door. 'Kun je ons misschien aan elkaar voorstellen, zodat ik deze mogelijkheid verder kan verkennen?'[3]

20
SEKTE

Het door ons in de laatste juliweken uitgewerkte script was sec en spaarzaam. Het bevatte de geluidsopname, waarin Gutierrez' naam viel (met haar goedkeuring); het opgenomen on the record-interview met McGowan; en het interview met Nestor met haar gezicht in de schaduw, gelardeerd met de door haar van Irwin Reiter ontvangen berichten die aangaven dat Weinsteins gedrag binnen het bedrijf als een aanhoudend probleem werd gezien. Ook namen we de door ons ontdekte bewijzen op over de twee schikkingen uit Londen, waarbij we ons baseerden op meerdere getuigenissen uit de eerste hand over de onderhandelingen en op de cheque van Bob Weinsteins rekening. Daarnaast waren er de soundbites van de vier oud-medewerkers die voor de camera waren verschenen.

In diezelfde periode was McHugh op een tweede, ondergeschikte verhaallijn gestuit. Bij een ijshockeywedstrijd – hij was een fervent ijshockeyer: geregeld hinkte hij het kantoor binnen, dan had hij op het ijs weer eens een mysterieuze blessure opgelopen – was hij een vriend tegengekomen die werkzaam was in de filmindustrie. Deze tipte hem dat er in het bestuur van amfAR, de American Foundation for Aids Research, met groeiende argwaan naar Weinsteins functioneren werd gekeken. Bestuursleden verdachten Weinstein van verduistering van fondsen van de liefdadigheidsorganisatie. Op zijn beurt probeerde Weinstein bestuursleden geheimhoudingsverklaringen te laten ondertekenen.

'Voelt als minder belangrijk nieuws,' schreef McHugh me, 'maar misschien loont het voortvarend te zijn?'

'Ik ga er onopvallend achteraan,' zei ik. 'Wil niets uitlokken dat afbreuk aan het eerste verhaal doet.'

Nadat McHugh me zijn commentaar op het script had gestuurd, appte hij: 'Tijd voor een serieus gesprek tussen jou, de juridische afdeling, Rich en mijzelf, om eens te zien wat de ware aard van deze nieuwsorganisatie is.'

'Jep,' antwoordde ik.

'We vormen een merkwaardig effectief combo,' schreef McHugh daarna. 'Niet per se vanwege het werk, maar omdat het een frustrerend karwei moet zijn om te proberen ons door het slijk te halen of ons individueel te belasteren.' We hadden er geen idee van dat McHughs naam, en zelfs de namen van onze crewmedewerkers, op dat moment in dossiers stonden die stilletjes hun weg over de wereld vonden.

Toen we het verhaal afrondden, wisten we allebei dat er aanvallen zouden volgen. Alleen wisten we niet welke vorm die zouden aannemen. 'Hij staat met de rug tegen de muur en heeft veel te verliezen,' merkte McHugh op. 'Dit wordt oorlog.'

In de laatste week van juli zaten Susan Weiner, plaatsvervangend hoofd van de juridische afdeling van NBC News, Rich Greenberg, McHugh en ikzelf in Greenbergs kantoor. Pagina voor pagina namen we het script en de lijst reportage-elementen door. Zelf had ik al eerder met Weiner gewerkt aan onderzoeken die moeilijkheden konden veroorzaken of allicht juridisch zouden worden aangevochten. Ik vond haar een uitstekende advocate met een goede intuïtie. Ze had mijn journalistieke werk steeds verdedigd, zelfs wanneer ik onderwerpen zoals een proceszieke Koreaanse apocalyptische sekte uitkoos. Vóór haar meer dan twintig jaar bij NBC was Weiner plaatsvervangend hoofd van de juridische afdeling geweest bij de New York Metropolitan Transportation Authority (MTA). Ze was mager en bleek en had een grote bos kroeshaar. Nu tuurde ze over haar brillenglazen en tuitte ze haar lippen. 'Jullie hebben een heleboel,' zei ze.

'Spelen jullie de opname voor haar af?' zei Greenberg met onverholen opwinding. Hij had het script al gelezen – en dat was hem bevallen. Tijdens een bijeenkomst eerder die dag had McHugh met succes gepleit voor een script dat langer was dan normaal, zodat we ook een onverkorte reportage op de website konden zetten. Het was een koud kunstje om er vervolgens kortere versies voor *The Today Show* en *Nightly News* uit te snijden.

Toen de opname was afgespeeld, ging Weiners strakke gelaatsuitdrukking over in een half glimlachje. 'Wauw,' zei ze.

'Bovendien is de bron bereid jou te ontmoeten, of iemand anders van de juridische afdeling, om je het contract met Weinsteins handtekening te laten zien,' zei ik.

Ik vroeg haar of ze juridische problemen voorzag, afgaand op het materiaal dat ze tot nu toe had gezien. Ze zei van niet. 'Ik denk dat onze volgende stap moet zijn om wederhoor toe te passen,' zei ze. McHugh wierp me een opgeluchte blik toe. Nu hadden zowel de hoogste advocaat van de nieuwsafdeling als Greenberg, de door de wol geverfde waakhond van de *standards and practices*-afdeling van de omroep, hun fiat gegeven. Greenberg knikte tegen Weiner: 'Maar voordat we dat doen, wil ik het Noah laten weten.'

Toen Greenberg, Weiner, McHugh en ik later die dag in Oppenheims kantoor bijeenkwamen, was Greenberg nog altijd opgewonden; hij kon een glimlach nauwelijks onderdrukken. Oppenheim bladerde door het script, het geschreven artikel en de lijst reportage-elementen. De groef tussen zijn wenkbrauwen werd dieper.

'Het is pas een conceptversie,' zei ik snel. 'We gaan het nog strak trekken.'

'Oké,' zei hij vlak.

'We vonden dat je de geluidsopname moest horen,' zei Greenberg. Hij leek uit het veld geslagen door dit gebrek aan enthousiasme. 'Die is nogal krachtig.'

Oppenheim knikte. Zijn blik was nog altijd op de pagina's gericht. Hij maakte geen oogcontact. Greenberg knikte naar mij. Ik drukte op Play en hield mijn telefoon naar voren.

'Nee,' zei Ambra Gutierrez, op een toon waarin angst doorklonk. 'Dit vind ik niet prettig.'

'Dat doe ik altijd,' zei Harvey Weinstein opnieuw.

Oppenheim zakte dieper weg in zijn stoel, alsof hij zich in zichzelf terugtrok.

Nadat de opname afgelopen was, viel er een diepe stilte. Toen Oppenheim leek te beseffen dat we allemaal op hem wachtten om iets te zeggen, bracht hij een geluid voort dat het midden hield tussen een vermoeide zucht en een apathisch 'eh'. Hij haalde zijn schouders op. '*Maar…*' zei hij, waarbij hij dat woord rekte, 'ik weet niet wat dit bewijst.'

'Hij geeft toe dat hij haar betastte,' zei ik.

'Hij probeert van haar af te komen. Mensen zeggen van alles om van zo'n meisje af te komen.'

Ik staarde hem aan. Greenberg en Weiner deden hetzelfde.

'Moet je luisteren,' zei hij, terwijl er ergernis in zijn stem sloop. 'Dit is natuurlijk weerzinwekkend, maar ik ben er nog steeds niet van overtuigd dat dit nieuws is.'

'We hebben een opname waarop een prominent persoon ernstig wangedrag toegeeft,' zei ik. 'We hebben door meerdere bronnen onderbouwde verhalen van vijf gevallen van wangedrag; en twee vrouwen die bereid zijn publiekelijk hun naam daaraan te verbinden. We hebben verklaringen van verschillende oud-medewerkers die aangeven dat dit een patroon was. En we hebben zijn handtekening onder een contract voor een schikking van een miljoen dollar…'

Hij wuifde met zijn hand naar me. 'Ik weet niet of we contracten kunnen laten zien,' zei hij. 'McHugh en ik wisselden een vlugge blik.

Het was ons een raadsel waarom een nieuwsorganisatie die regelmatig op basis van contractueel beschermde informatie verhalen maakte over bedrijven en nationale veiligheidskwesties, zich ineens niet wilde branden aan schikkingen in verband met seksuele intimidatie.

'We baseren ons natuurlijk niet alleen op contracten,' zei ik. 'Maar een patroon van schikkingen is nieuwswaardig. Kijk naar het Fox-verhaal...'

'Dit is Fox niet,' zei hij. 'Ik blijf met de gedachte zitten dat de kijkers van *The Today Show* de naam Harvey Weinstein niet kennen.' Hij keek weer naar de pagina's. 'Waar zouden we dit trouwens moeten uitzenden? Het ziet er lang uit.'

'We hebben in *Today* al eerder reportages van zeven minuten uitgezonden. Tot die lengte kan ik het terugknippen.'

'Misschien in Megyns show, maar die stopt nu net,' zei hij, terwijl hij mijn woorden leek te negeren. Megyn Kelly had er net een korte periode als presentator van een nieuwsprogramma op de zondagavond op zitten.

'We kunnen het op de website plaatsen,' opperde McHugh.

Ik knikte. 'En ook de geschreven versie kan online worden gezet.'

Oppenheim wendde zich tot Greenberg. 'Wat stel je voor?'

'We zouden graag Harvey Weinstein om een reactie vragen,' zei Greenberg. Oppenheim keek naar Weiner. Ze knikte: 'Ik denk dat we daarvoor genoeg hebben.'

Oppenheim keek naar de pagina's voor hem.

'Nee, nee,' zei hij. Hem ontsnapte een nerveus giechellachje. 'We kunnen Harvey niet bellen. Ik moet dit aan Andy laten zien.'

Met de papieren in zijn hand stond hij op. De bijeenkomst was voorbij.

'Dank je wel. Ik denk dat het een grote impact zal maken, op welk platform we het ook brengen,' kletste ik terwijl Oppenheim me zijn kantoor uit leidde.

McHugh zond me een blik van verbijstering. Op deze reactie konden we geen van beiden peil trekken.

De eerste maanden van dat jaar werden overheerst door het soort doelwitten waar Ostrovskiy, de Oekraïense privédetective, aan gewend was: dan achtervolgde hij vier uur lang een echtgenoot die vreemdging, dan weer schaduwde hij zes uur de onberekenbare tienerzoon van een ongeruste moeder. Khaykin, de kale Rus, stuurde hem als beloning de overeengekomen 35 dollar per uur, exclusief onkosten. Naarmate de zomer vorderde, begon Khaykin hem echter opdrachten te geven die anders aanvoelden. Deze klusjes deden Ostrovskiy aarzelen. Ze wakkerden zijn onrustbarende neiging aan om vragen te stellen.

Op 27 juli, nog voor zonsopkomst, was Ostrovskiy opnieuw naar zo'n klus onderweg. Toen hij aankwam bij wat eruitzag als een woonadres, ontdekte hij Khaykins auto, een zilveren Nissan Pathfinder. Ze spraken af op te splitsen: Ostrovskiy moest het huis van het doelwit in het oog houden, Khaykin stond klaar om het doelwit naar zijn werk te volgen.

Over deze nieuwe opdrachten liet Khaykin weinig los. Telkens stuurde hij alleen een reeks screenshots door, afkomstig uit wat leek op een dossier van zijn cliënt. Die screenshots toonden adressen, telefoonnummers, de geboortedata en andere biografische informatie. Ze stelden de identiteit van partners en familieleden vast. Ostrovskiy vermoedde eerst nog dat ze bezig waren met een ruzie over voogdij, maar gaandeweg de zomer hield die uitleg steeds minder steek.

Ostrovskiy bladerde door de screenshots terwijl hij vooroverboog om het adres te kunnen zien. De opmaak was dezelfde als van de documenten die hij via het kantoor in Ropemaker Street in Londen had gekregen, met gammel Engels en schuingedrukte blauwe Times New Roman-kopjes. Terwijl hij de informatie doorlas, bekroop hem een vreemd gevoel. Journalisten volgen was hij niet gewend.

21
SCHANDAAL

Op een benauwde ochtend niet lang na de bijeenkomst met Oppenheim baande ik me een weg door zwetende mensenmenigten en langs de hellende kubus op Astor Place, richting de East Village. Ik had McGowan geappt en ze had ingestemd met een afspraak. In pyjama deed ze de deur open van de Airbnb waar ze verbleef; onder elk oog zat een halvemaanvormige siliconenpad. Ze gebaarde naar de absurde, prinsessen-roze kamer vol fluffy kussens. 'Ik heb het niet ingericht,' spotte ze met uitgestreken gezicht. Ze was nerveus, afgetobd, nog gestrester dan tijdens onze vorige ontmoeting. Ik vertelde dat we inmiddels nog sterker bewijs hadden, maar dat haar getuigenis van groot belang bleef. Ik wilde haar aan haar aanbod houden om zowel meer opnames te maken als om Weinstein in het bijzijn van de NBC-advocaten bij naam te noemen.

'Ik vertrouw NBC niet,' zei ze.

'Ze zijn...' ik zocht even naar het juiste woord... 'voorzichtig. Maar ze zijn oké en zullen het verhaal recht doen.'

Ze ademde diep in en leek zichzelf te vermannen. 'Goed dan,' zei ze. 'Ik doe het.'

Ze stemde ermee in om een paar dagen later een vervolginterview op te nemen. Eerst moest ze Val Kilmer op de Tampa Bay Comic Con vervangen. 'Dat klinkt leuk,' zei ik, toen ik de hitte weer in stapte. 'Is het niet,' antwoordde ze.'

Ik was inmiddels terug op werk, en in de kantine, toen mijn telefoon ging. Het was Greenberg.

'Goed nieuws,' zei ik. 'Ik heb Rose gesproken, en...'

Hij onderbrak me: 'Kunnen we praten?'

Ik zei dat ik naar beneden kwam.

In zijn nauwe kantoortje liet Greenberg mij eerst uitbabbelen over McGowan.

'Ik weet dat je om een update hebt gevraagd,' begon hij. In de twee dagen na de bijeenkomst met Oppenheim had ik inderdaad driemaal bij Greenberg aangeklopt met de vraag of hij al nieuws van Lack had.

Greenberg haalde diep adem. Het leek of hij zich schrap zette. 'Het verhaal wordt nu *doorgelicht door* NBC *Universal.*' Die laatste woorden kwamen vreemd zijn mond uit, alsof hij een songtekst in een andere taal citeerde. *Domo arigato, mr. Roboto.*

'NBCUniversal,' zei ik, 'niet NBC News.'

'Het is naar boven gegaan,' zei hij. 'Dat kan betekenen dat Brian Roberts of Steve Burke erbij betrokken is,' verwees hij naar de twee topmannen van NBCUniversal en het moederbedrijf, Comcast. 'Hoe dan ook buigen de juristen zich er nu over.' Greenberg deed zenuwachtig, wiebelde onder het bureau met zijn knie.

'Misschien een keer eerder, toen we op het punt stonden een heftig verhaal uit te zenden, heb ik meegemaakt dat er een juridische check op het hoogste niveau plaatsvond. Maar dit is echt uitzonderlijk.'

'Wat onderzoeken ze dan precies?' Niemand had ons om extra kopieën van het onderzoeksmateriaal gevraagd, noch om de geluidsopname.

'Weet ik niet,' zei hij afwezig.

Een juridische check van NBCUniversal zou uitgevoerd worden door Kim Harris, hoofd van de juridische afdeling van NBCUniversal. Ze had in het voorgaande jaar samen met Weiner toegezien op alle consternatie rondom de '*Grab 'em by the pussy*'-opname. Daarnaast had Harris mij jaren daarvoor aangenomen als zomermedewerker bij advocatenkantoor Davis Polk.

'Ik ben meer dan bereid Kim al het materiaal te sturen,' stelde ik voor. 'En ik kan de opname voor haar afspelen.'

'Jeetje, nee!' riep Greenberg, met opengesperde ogen. Hij klonk diep gekrenkt, alsof ik een orgie met zijn grootouders had voorgesteld. 'Nee, nee! Laten we... We moeten het proces respecteren en gepaste afstand houden. Ik zorg ervoor dat Susan ze alles stuurt wat ze nodig hebben.'

Ik vroeg me af welke logica in vredesnaam voorschreef dat we 'gepaste afstand' van onze eigen advocaten moesten houden. Maar ik zei wat anders: 'Oké. Als dat enigszins kan, zou ik graag horen wat er speelt. En ik houd je op de hoogte van mijn vervolginterview met Rose.'

Hij schrok. 'We dienen het hele onderzoek op pauze te zetten.'

'Luister, Rich. Het was al lastig genoeg om Rose aan boord te houden. En nu ze ons verder wil helpen, vraag je ons om haar te zeggen dat we bij nader inzien alles afblazen?'

'Niet afzeggen,' zei hij. 'Op pauze zetten.'

'We hebben al een datum geprikt. Dat zou dus afzeggen zijn.'

Ik vroeg hem hoelang de bewuste 'pauze' moest duren.

'Ik... Ik zou er maar op rekenen dat het eventjes duurt,' stamelde hij. 'Eigenlijk heb ik geen idee hoe ze dit aanpakken. Maar dit kan wel eens meer dan een paar dagen in beslag nemen.'

'Ik denk niet, Rich, dat iemand in onze hiërarchische structuur – letterlijk – te boek wil komen te staan als degene die tijdens een juridische doorlichting van het moederbedrijf met hard werk geproduceerde verhalen annuleerde.'

'Nou ja, dingen worden geannuleerd om allerlei redenen. Buiten de organisatie hoeft niemand te weten waarom.'

'Als jij ze vertelt wat je mij en Rich vertelde, heeft dat invloed op wat er met het verhaal gebeurt.' Ik doelde op zijn 'fuck it, dan klaagt hij ons maar aan' en zijn besluit om Weinstein om een reactie te vragen. Het was lastig die man met deze man te rijmen.

'Het is aan Steve Burke om te beslissen. Het is aan Andy,' antwoordde hij. Hij ontweek mijn blik. 'Wat ik zeg, speelt geen rol.' Ik geloofde Rich Greenberg wanneer hij zei dat hij echt gaf om de journalistiek. En ik geloofde dat als dit alles niet zoveel frictie had opgeleverd, hij ons onderzoek zou hebben gesteund en het interview met McGowan zou hebben toegejuicht. Maar zoals ook verschillende collega's aangaven, schrok hij terug voor lastige confrontaties. 'Hij is echt een goeie, zolang hij maar niet voor de troepen uit hoeft te marcheren,' zei een doorgewinterde correspondent me later. 'Hij beschikt niet over het karakter voor het soort onderzoeksjournalistiek dat mensen tegen de haren in strijkt.' Maar weinig verhalen streken mensen harder tegen de haren in dan dit verhaal. Ik weet nog dat me die dag in Greenbergs kantoor opviel hoe klein hij leek: niet in de zin van verslagen, maar van op z'n gemak binnen de beperkte ruimte van wat hij wel en niet kon doen in de organisatie waaraan hij zich zeventien jaar van zijn leven had gewijd.

Geprikkeld zei ik: 'Luister, zeer recent zei Ken Auletta recht in de camera: "Andy Lack, het wordt een schandaal als jullie dit nieuws niet brengen."'

Plots flikkerde er iets op in Greenbergs ogen. 'Hebben we dat? Staat dat in het script?'

Verbaasd keek ik hem aan. 'Dat staat in het transcript.'

'Stuur dat even naar me,' zei hij.

Ik begaf me door de achteruitgang van Rock 30 de zomerhitte in. McHugh en ik overlegden per app over wat nu. In de hogere echelons van het bedrijf leek niemand geïnteresseerd in het beluisteren van de geluidsopname of überhaupt in welk ander onderzoeksmateriaal dan ook. De enige die wellicht op de hoogte was van wat er zich afspeelde en met wie Greenberg het contact niet had afgeraden, was Weiner, die als hoogste jurist van de nieuwstak verantwoording aan Harris aflegde. Daarom probeerde ik haar direct na het gesprek met Greenberg te bereiken. Een assistente vertelde me niet langs te komen. Na nog een salvo telefoontjes e-mailde Weiner met de mededeling dat ze het druk had en daarna een lang weekend weg zou zijn.

Daarnaast zaten we met het dilemma over wat we met het interview met Rose aan moesten. 'We laten de opname met Rose doorgaan. Die gaan we niet afzeggen,' appte McHugh. Allebei beseften we dat uitstel van het interview afstel kon betekenen. Aan de andere kant was het wel zo dat als we Greenbergs instructie het interview te annuleren in de wind sloegen, we daarmee de binnen de omroep toch al afkalvende steun voor het verhaal verder op het spel zouden zetten.

Nu de juridische afdeling onze telefoontjes niet beantwoordde, worstelde ik met de vraag wie dan te benaderen. Terug in mijn appartement besloot ik het erop te wagen en Tom Brokaw te bellen. 'Tom, ik wil je vragen je aan je belofte te houden,' zei ik. 'Over dat je niets zegt tegen het onderwerp van het verhaal waar we het over hadden.'

'Je hebt mijn woord,' zei Brokaw.

Ik vertelde hem over de inmenging van de moederorganisatie en somde de interviews en het bewijs voor hem op.

'Dit is fout,' zei hij. Hij maande me aan contact op te nemen met de directie van de omroep. 'Je moet naar Andy stappen. Ga naar hem toe en speel die opname voor hem af.'

Zoals Greenberg had gevraagd, stuurde ik hem het transcript van het interview met Auletta. Ik had daarin de opmerking gemarkeerd over hoe schandalig het was als NBC de opname niet uitzond. Vervolgens forwardde ik de e-mail naar Oppenheim.

Een paar uur later ging de telefoon.

'Ik heb je e-mail ontvangen. Dusss…' Als een tiener rekte hij dat woord. '…ik hoop dat je weet, op basis van onze samenwerking van, wat zal het zijn, tweeëneenhalf jaar, dat je ervan op aan kunt dat ik dit goed afhandel. Het is dus niet "Andy wil dit niet doen", of "Ik wil dit niet doen". Als we kunnen aantonen dat hij een… een roofdier is, om jouw term te gebruiken…'

'Voor de duidelijkheid, die term komt niet van mij. We beschikken over documenten en bronnen uit zijn bedrijf waarin dat wordt beweerd.'

'Oké, oké,' zei hij. 'Ik hoor wat je zegt. Als we kunnen aantonen dat hij wat dan ook is, dan spreekt het vanzelf dat we dat nieuws willen brengen. Alleen moeten we het eerst helemaal doorpluizen. Kim, van wie ik weet dat je haar al sinds je zestiende kent, gaat dat doen. Zij gaat ons vertellen wat we risicoloos kunnen beweren; wat we in de rechtszaal staande kunnen houden.'

Ik zei dat dat allemaal prima was, zolang het onderzoek maar niet hoefde te worden stilgelegd. Daarna begon ik over het geplande interview met McGowan.

'Dat gaat gewoon niet, Ronan,' antwoordde hij. 'Als Kim aangeeft dat we ons zorgen moeten maken over onrechtmatige inmenging of het aanzetten tot contractbreuk, kunnen we niet overhaast een interview laten doorgaan. We moeten wachten op haar conclusie.'

'Maar zo werkt dat niet,' hield ik hem voor. 'We kunnen zorgen het op band te hebben en dan later beslissen wat ermee te doen. Pas als we het uitzenden, kunnen ze ons erom aanklagen.'

'Daar weet ik niets van,' zei hij afwerend. 'Ik ben geen jurist. Als ze waarschuwen voor onrechtmatige inmenging, dan heb ik daarnaar te luisteren.'

'Maar ík ben wel een jurist, Noah. Dit is juridisch gewoon niet houdbaar. De helft van onze politieke verslaggeving zou onmogelijk zijn als we niet zouden praten met bronnen die contracten braken.' Wat ik zei klopte: er bestonden nauwelijks rechtszaken waarin nieuwsorganisatie, die te goeder trouw handelen, in vergelijkbare situaties aansprakelijk werden gesteld.

'Je moet het me maar vergeven dat ik Kims juridische advies boven het jouwe verkies,' zei hij bits.

Ik probeerde te bedenken hoe ik mijn punt kracht kon bijzetten en toch kon blijven overkomen als een teamspeler. 'Mijn gevoel zegt dat dit naar buiten zal komen,' zei ik. 'Dus wordt de grote vraag of het naar buiten komt terwijl we al dit bewijs wel of niet onder de pet houden.'

Het bleef lang stil. Ten slotte zei hij: 'Je kunt maar beter oppassen. Want ik weet dat je dit niet als dreigement bedoelt, maar anderen zouden kunnen denken dat je dreigde het openbaar te maken.' Ik snapte wat hij bedoelde, maar zijn woordkeuze vond ik vrij merkwaardig. Het was toch ons werk om dingen openbaar te maken?

'Maar dat is het nu precies,' zei ik. 'Ik denk inderdaad dat Ken Auletta een dreigement uitte. En dat Rich me daarom vroeg hem dat citaat te sturen. En waarom ik het naar jou forwardde. Veel mensen weten wat wij in handen hebben.'

'Goed,' zei hij. 'Alleen "houden we het niet onder de pet", maar lichten we het zorgvuldig door.'

Hij matigde zijn toon en probeerde het op een andere manier. 'Je weet zelf toch, Ronan, dat in de jaren dat ik achter je stond, we een reeks verhalen publiceerden waarvoor we aanklachten aan onze broek konden krijgen. Toch bleven we achter die verhalen staan.'

'Ik vertrouw erop dat je het goede doet,' zei ik. 'Ik pikte alleen wat verwarrende signalen op.'

'We zetten het alleen even op pauze, zodat we het helemaal kunnen uitpluizen,' zei hij. 'Een pauze is alles wat ik van je vraag.' Op een bepaald niveau had ik wel door dat al deze eufemismen – die 'pauzes', dat 'uitpluizen' – allemaal betekenisloos geklets was. Een interview annuleren was een interview annuleren. Het *newspeak*-woord 'dubbelplusongoed' schoot door mijn hoofd. Maar ik had Oppenheims steun nodig om dit verhaal over de eindstreep te trekken.

Ik keek uit het raam. Aan de overkant van de straat waren de lichten al uit; de dansstudio was in het duister gehuld. 'Ik vond het fijn dat je belde,' zei ik. 'Nogmaals: ik heb vertrouwen in je.'

'Hou gewoon even vol. Eventjes geen nieuw onderzoek.'

22

PATHFINDER

'We hadden groot gelijk niets te zeggen,' appte McHugh vanaf zijn vlucht. We stelden vast dat we Oppenheim niet nog meer onder druk konden zetten. 'Ik zou afwachten en met mensen in contact blijven, maar laat het NBC-team zijn gang aan. Je hebt gezegd wat je te zeggen had.' Dan restte nog de netelige kwestie van het interview met McGowan en de opdracht dat te annuleren.

'Zei Noah "niet doen"?' schreef McHugh.

'Ja.'

'Dilemma.'

'Het gemakkelijkste is om het uit te stellen en dan maar het risico te lopen haar te verliezen,' antwoordde ik. 'Om een conflict met Noah te voorkomen. Denk je dat ik dit openlijk met Greenberg kan bespreken?'

'Ben ik nu niet meer zo zeker van,' schreef hij.

Het besef daagde dat we het risico moesten nemen om de afspraak met McGowan te verzetten. 'Ik weet niet of nog een interview met Rose van wezenlijk belang voor ons verhaal is. Dat NBC ons steunt is dat wel,' schreef McHugh. 'Ik denk nu hardop: misschien is er een manier om het naar LA te verplaatsen, zodat we tijd winnen.'

Ik vermande mezelf en belde McGowan. 'We zitten eraan te denken het interview op een latere datum te doen,' tastte ik af. 'Dan kunnen we een interview met jou in Los Angeles opnemen. Opnieuw in jouw huis.'

Aan de andere kant van de lijn klonk haar stem zacht. 'Ik weet niet zeker of ik dit kan doen,' zei ze. 'Er komt zo veel op me af.'

'Hou... Hou nog even vol,' zei ik. 'Alsjeblieft. Ook voor de anderen die praten. Ik beloof dat het niet lang meer duurt.'

'Ik wist wel dat NBC dit niet serieus zou nemen.'

'Ze nemen het wel serieus. Ik neem het serieus.'

'Ik had aangeboden de advocaten te bellen.'

'Ze... We gaan dat ook doen, alleen zijn ze nu alles aan het doorlichten,' zei ik. Ze reageerde niet. 'Als jij alleen deze dinsdag kan, dan doen we het dinsdag,' zei ik vlug. 'Geen probleem.'

Ze antwoordde dat we andere mogelijkheden konden bespreken. Maar ik hoorde de onzekerheid in haar stem sluipen.

Een paar minuten later belde Jonathan geagiteerd op vanuit Los Angeles. Volgens hem moest ik Greenbergs orders in de wind slaan en Kim Harris bellen. Hij stond sceptisch tegenover Oppenheims juridische argumenten. Waarschijnlijk dacht elke juridische leek met een vage notie van het begrip 'onrechtmatige inmenging' aan de misleidende logica die het moederbedrijf van CBS News gebruikte om het onderzoek naar de tabaksindustrie door die omroep de nek om te draaien. Die dag trokken McHugh en Jonathan dezelfde vergelijking: 'Heeft dan echt *niemand* in deze organisatie *The Insider* gezien?' vroeg Jonathan geïrriteerd.

De volgende ochtend probeerde ik herhaalde malen vergeefs het kantoor van Kim Harris bellen. Ten slotte reageerde ze per e-mail. Harris schreef dat ze een paar dagen de stad uit was en dat we – misschien – volgende week konden afspreken. Dat zou echter te laat zijn voor het McGowan-interview. Ik drong aan: 'Nu annuleren betekent dat we dit interview mislopen.' Ik bood aan van tevoren het interview met haar door te nemen en haar mijn opstelling te laten bepalen, net zoals ik voor de eerste interviews met Chung had gedaan. Daarna belde ik Weiner en sprak ik een voicemail in waarin ik op het drammerige af al die punten opnieuw aanstipte: 'Feit is, Susan, dat ik geen interviews en dergelijke wil afzeggen. Ik weet dat jullie beiden niet op kantoor zijn, maar wil je alsjeblieft reageren?'

Toen ik ophing, wenkte Greenberg me naar zijn kantoor te komen. 'Dus,' zei hij. 'Ik heb Harvey teruggebeld.'

'Wat heb je gezegd?' vroeg ik.

'Ik zei dat de juristen het aan het doorlichten zijn en dat er nu nog niets wordt gepubliceerd.' Hij zei dat Weinstein aangaf een brief naar de juridische afdeling van NBC te willen sturen. Greenberg had Weinstein naar Susan Weiner doorverwezen. 'Misschien dat hij je aanklaagt, omdat je hem in gesprekken hebt belasterd.'

Ik glimlachte, maar Greenberg bleef ernstig kijken. 'Natuurlijk heb ik enorm opgepast niets anders dan neutrale vragen te stellen en hem niet te belasteren,' zei ik. 'Ik sta achter alles wat ik heb gezegd of geschreven.'

'Wees in ieder geval voorzichtig,' zei Greenberg.

Ik vroeg hem of hij al meer wist over het McGowan-interview. Hij zei dat de juridische afdeling nog niet had besloten of dat doorgang kon vinden. Door mijn hoofd spookte McGowans afbladderende standvastigheid, haar schroomreactie op mijn verzoek tot uitstel.

Kort daarna kreeg ik antwoord. Mijn smeekbeden sorteerden effect. De juridische afdeling gaf toestemming het interview volgende week door te laten gaan. Maar de onzekerheid eiste haar tol. Terwijl de beraadslagingen bezig waren, kreeg ik bericht van McGowan: 'Ik kan niet voor de camera verschijnen,' schreef ze, 'of een interview geven. Dat spijt me enorm. Ik voel me belaagd door de advocaten en ik kan geen kant op.'

In de uren daarna liepen al mijn pogingen haar terug te winnen op niets uit. 'Ik zit klem,' zei ze ten slotte. 'Ik kan niet praten.'

Ik liep Greenbergs kantoor in en vertelde hem het nieuws. 'Ik zal proberen haar terug aan boord te krijgen,' zei ik. Hij dacht kort na en haalde toen zijn schouders op. 'Om eerlijk te zijn zou het me opluchten als ze niet in het script zit,' zei hij. 'Ze klonk altijd een beetje… nou ja, je weet wel.'

'Emily Nestor leek bijna bereid herkenbaar in beeld te komen. Ik zou haar weer kunnen benaderen.'

'Wacht nou nog even,' zei hij.

'Dan heet het een al bestaande bron.'

'Laten we nu gewoon even de regeltjes volgen. Voorlopig geen nieuw onderzoek,' zei hij, net als Oppenheim eerder.

Toen ik thuiskwam van werk, pingde mijn telefoon: weer een bericht dat vroeg of ik me wilde aanmelden voor weerupdates. Ik swipete het weg. Toen ging mijn telefoon opnieuw: een oude schoolvriendin belde. Ik kneep mijn ogen dicht. 'Ik kan nu niet uitgaan, Erin,' zei ik. Erin Fitzgerald had zo'n hoge consultancybaan waarvan je ook na herhaaldelijke uitleg nog altijd weinig chocola kon maken.

'Niemand heeft jou gezien in iets van zes maanden,' zei ze, terwijl op de achtergrond het geroezemoes van *cocktail hour* klonk. 'Waar ben je mee bezig?'

'O, je weet wel. Een groot verhaal.'

'Wat dat dan ook moge betekenen.'

'Tja,' zei ik.

'In ieder geval kom je vanavond.' Ze accepteerde geen nee. En dus zat ik weldra met haar en een andere vriendin op een druk dakterras in Brooklyn over de stad uit te kijken. Ik besefte dat ik die zomer nauwelijks mijn appartement uit was geweest. 'Ik ben bezig met een project waarin het voelt alsof ik een voor een mijn schepen achter me verbrand,' zei ik. Ze haalde haar schouders op. 'Kom hier!' zei ze, en ze trok me richting de balustrade. Voor de glinsterende skyline van Manhattan poseerden we voor een foto.

De volgende dag begon Ostrovskiy een inspectierondje langs zowel mijn socialemedia-accounts als die van vrienden en familieleden. Toen hij aankwam bij een Instagram-post waarop ik samen met een mooie jonge vrouw tegen de achtergrond van Manhattans skyline stond, bleef hij even hangen. Eventjes voelde hij opluchting. Ik was dus toch in de stad.

Tegen die tijd waren hij en Khaykin aan hun laatste opdracht begonnen. Overigens zonder veel succes. Ze brachten een paar uur in rekening voor het schaduwen van de vrouw van *The New York Times* en namen een paar foto's van haar in de metro. Ze lieten het erbij zitten nadat ze in het gebouw van *The Times* verdwenen was. Hun cliënt verschoof algauw zijn aandacht naar de televisiejournalist met het verhaal dat constant aan veranderingen onderhevig leek.

Ook dit bleek echter nog niet zo eenvoudig. Toen Ostrovskiy en Khaykin ontdekten dat ik in de ochtendshow *Today* zou verschijnen, steggelden ze over hoe deze kans aan te grijpen.

'Hey, hij zit in de show,' zei Ostrovskiy.

'Heeft het zin ernaartoe te gaan? Om te zien of hij naar buiten komt?' vroeg Khaykin.

Ostrovskiy dacht hierover na. De situatie die hij zich voorstelde, maakte hem ongemakkelijk. 'Rockefeller Center is een druk gebied,' merkte hij op. 'Daar kunnen we per auto niet komen. En we hebben niet genoeg mankracht om alle in- en uitgangen te overzien.'

Niet lang daarna, toen een snikhete julimaand was overgegaan in nog hetere augustusdagen, ging ik 's ochtends vroeg de deur uit. Ik liep vlak langs de zilveren Nissan Pathfinder, die op straat pal tegenover mijn appartement geparkeerd stond. In de auto zag ik twee mannen zitten, maar dat registreerde ik pas later: de een was dun en kaal, de ander was zwaargebouwd en had donkere krullen.

Gedurende die lente en zomer kwam de stroom berichten over seksuele intimidatie en seksueel geweld op gang: een ronde nieuwe verhalen over Fox News, meer kritiek op president Trump. Daarnaast kreeg ik verzoeken van vrouwenrechtenactivisten die mijn verhalen over genderdiscriminatie toejuichten. Een van die berichten verscheen in mijn inbox op hetzelfde moment dat de Oekraïner en de

Rus erover soebatten of Rockefeller Plaza 30 een geschikte plek was om mijn spoor op te pikken. De e-mail repte van een ondersteuningsprogramma voor vrouwen dat werd geleid door een vermogensbeheerder. De afzendster wilde graag de volgende week afspreken. Ik scande de e-mail en ging zonder te antwoorden verder waar ik mee bezig was. 'Ik ben erg onder de indruk van je werk als mannelijk pleitbezorger van gendergelijkheid, en geloof dat je van onschatbare waarde voor onze activiteiten zou zijn,'[1] schreef Diana Filip van Reuben Capital Partners.

23

CANDY

In de eerste week van augustus liep ik naar het kantoor van Harris, een in buitenlicht badende kantoorsuite hoog in het gebouw. Toen ik er arriveerde, drukte ik een oproep van mijn moeder weg. Ik appte haar: 'Heb nu afspraak met advocaat moederorganisatie. Duim voor me.' Ik had me niet aan de hiërarchische structuur gehouden door contact met Harris op te nemen. Op haar beurt had zij niemand aan onze e-mailwisseling toegevoegd. Toch kwam een paar minuten later Greenberg binnen, gevolgd door Weiner.

Het verschil tussen de twee vrouwen in de kamer was als dag en nacht. Waar Weiner stil en bureaucratisch was, bezat Harris een gigantische uitstraling. Ze had gestudeerd aan de beste Ivy League-universiteiten, en dan ook nog eens in de geijkte volgorde om maximaal prestige te verwerven. Ze had onder Obama in het Witte Huis gewerkt en was partner geweest bij een hoog aangeschreven advocatenkantoor. In vergelijking met de bedrijfsveteranen in de ruimte was ze sneller van geest en minder gehecht aan vormen. Ze had expressieve, sympathieke trekken en een ontwapenende glimlach. Ze was het dodelijkst soort advocate: zo geraffineerd dat je niet eens doorhad dat ze haar werk deed.

Ze haalde het script tevoorschijn en plaatste een paar kanttekeningen bij het taalgebruik. Toen kwam het: 'Ook denk ik dat we kwetsbaar zijn voor een aanklacht van onrechtmatige inmenging.' Ik hield mijn gezicht in de plooi. Ik wilde niet de degens kruisen met de hoofdadvocate van het bedrijf op het gebied van jurisprudentie, maar ik wist dat dit klinkklare nonsens was.

Toch stelde het gesprek met Harris me al bij al gerust. Uit juridische hoek waren we niet teruggefloten – al stond dat los van de beslissing over uitzending van de nieuwsafdeling. Ze wilde een nieuw script waarin de besproken aanpassingen waren verwerkt.

Toen ik een paar uur later het kantoor verliet, liep ik Weiner tegen het lijf. Ondertussen striemde de regen de draaideuren. Tot mijn verbazing keek ze me indringend aan en zei ze: 'Ga zo door.'

Doordat het Weinstein-verhaal gestaag uitdijde en meer en meer van zowel mijn als McHughs dagen en nachten opslokte, had ik moeite om mijn gecancelde internationale-betrekkingenboek in leven te houden en een nieuwe uitgever te vinden. Alle nog levende oud-ministers van Buitenlandse Zaken hadden toegezegd voor dit project om on the record met me te praten. Aldus haastte ik me tijdens de zomer heen en weer tussen onze opnames en mijn interviews met de oud-ministers. Hillary Clinton wist al geruime tijd van het boek, aangezien ik haar erover had verteld in de periode dat ik onder haar op het ministerie van Buitenlandse Zaken werkte. Al in een vroeg stadium beloofde ze me enthousiast een interview. In juli schreef ze me: 'Dank je wel voor je bericht, goede vriend. Het is goed van je te horen en het verheugt me dat je op het punt staat je boek te voltooien.'[1] De brief was afgedrukt in een krullerig art-decofont op gegaufreerd papier. Het had wel wat weg van een kop in *The New Yorker* of het uiterlijk van de game *Bioshock*. Buitengewoon lieftallig allemaal, maar niet hetgeen waarmee je in verkiezingen *swing state* Wisconsin wint. Daarna volgden meerdere telefoontjes en e-mails over en weer. Er werd een interviewafspraak voor diezelfde maand toegezegd, nog voordat de promotietoer voor Clintons laatste memoir van start ging.

De middag na mijn bijeenkomst met Harris belde Nick Merril, Clintons persman. Ik had net door een hoosbui de voordeur van mijn appartementencomplex bereikt. We praatten eventjes over het boek. Toen zei hij: 'We weten trouwens van het grote verhaal waar je mee bezig bent.'

Ik ging zitten in een van de stoelen in de hal van het gebouw. 'Meestal ben ik met veel verhalen tegelijkertijd bezig, Nick.'

'Je weet wel wat ik bedoel,' zei hij.

'Ik kan er echt niets over zeggen.'

'Weet je, voor ons is dit een bron van *zorg*.'

Ik voelde een straaltje regen langs mijn nek lopen. 'Mag ik vragen wie jou hierover heeft verteld?'

'Misschien off the record tijdens een drankje,' zei hij. 'Laten we het er voor nu op houden dat er mensen zijn die praten.'

Toen ik het gesprek terugstuurde naar het interview met Clinton, zei hij dat ze 'écht heel druk was met de boekpromotie'. Ik wees erop dat dat precies de reden is waarom we het interview vóór haar boektoer hadden gepland. 'Zoals ik al zei,' herhaalde hij alsof hij mij niet had gehoord. 'Écht heel druk.' In de daaropvolgende weken stuitte elke poging een interviewdatum af te spreken op de beknopte mededeling dat ze plotseling verhinderd was. Want ze had een voetblessure. Of ze was te moe. Wat niet wegnam dat Clinton ondertussen een van de makkelijkst te interviewen personen in de hele politiek werd.

Later zou Merrill bij hoog en laag zweren dat Clintons plotselinge terughoudendheid volstrekt toevallig was. Wat de ware reden ook was, dit voelde als een dreigend voorteken: opnieuw een schroef die werd aangedraaid, een nieuw teken van hoe mijn leven buiten dit verhaal zich vernauwde. Er tekende zich onmiskenbaar een patroon af: elke keer dat we nieuwe bevindingen aan onze bazen lieten zien, leek het verhaal breder bekend te raken. McHugh en ik piekerden erover hoe we onze bronnen konden beschermen.

'Als iemand al aan Clinton lekt, wat wordt er dan aan Harvey gelekt?' vroeg McHugh zich af.

'Shit,' zei ik. 'Je denkt toch niet dat ze...'

'Ik heb geen idee,' zei hij. 'Dat is juist het probleem.'

Naarmate de druk op het verhaal toenam, begon ook de samenwerking tussen McHugh en mij scheurtjes te vertonen. We deden kortaf tegen elkaar. Na de bijeenkomst met Harris was hij gepikeerd dat ik hem er niet bij had gevraagd. 'Vreemd dat je dat op eigen houtje deed,' zei hij. Ik probeerde uit te leggen dat ik had gehoopt op een openhartig gesprek onder vier ogen en niet wist dat Greenberg zich bij ons zou voegen. 'Ik wil gewoon niet dat ze ons uit elkaar spelen,' zei McHugh peinzend.

Op een dag begin augustus kwam ik vroeg thuis van werk, toen de conciërge me aanschoot onder de luifel van het gebouw. Hij was gedrongen, had brede kaken en zijn haar grijsde. En er zat hem iets goed dwars. 'Ken jij die mannen die vandaag hierbuiten waren?' vroeg hij in zijn Albanese accent.

'Welke mannen?'

'Eh, twee mannen. In een auto. Rokend bij de auto. De hele tijd.'

Ik wierp een blik de straat in. Die was grotendeels leeg. 'Waarom denk je dat ze hier voor mij waren?'

Hij rolde met zijn ogen. 'Ronan. Jij bent het altijd. Jij trekt hierin, laat je adres overal achter en nu heb ik geen rust meer.'

Ik zei dat ik zeker wist dat het gewoon roddelverslaggevers waren die een dag weinig omhanden hadden. 'Als ze terugkomen, breng ik ze een kop koffie en vraag ik of ze vertrekken,' zei ik. Hij schudde zijn hoofd en keek me zorgelijk aan.

Het was duidelijk dat we meer materiaal konden binnenbrengen als NBC dat maar wilde. 'Ik weet dat je hebt nagedacht over die laatste stap. Om een interview met je gezicht in beeld te geven,' zei ik over de telefoon tegen Nestor ten tijde van de doorlichting. 'Ik vind het vervelend je dit te moeten vragen, maar het kan belangrijk zijn dat je dit toch doet.'

'Ik weet het niet, hoor. Ik ben net op zoek naar nieuwe klussen,' zei ze.

'Ik zou het niet vragen als ik niet dacht dat dit het verschil kon maken.' Ze dacht even na. 'Als het echt zo belangrijk blijkt te zijn, dan sta ik ervoor open,' zei ze ten slotte. 'Dan zal ik het doen.'

McHugh en ik werkten stug door, welke vreemde signalen onze bazen ook afgaven. Hij hielp me met het onderzoek, klikte snel andere browservensters aan wanneer Greenberg langsliep. Ik bleef tot laat op en belde de over de wereld uitgewaaierde oud-medewerkers van Weinstein. Ik was op zoek naar een grote vondst die de blokkade van het onderzoek zou doorbreken.

Toen ik op een ochtend mijn appartement verliet, ving ik iets op wat me abrupt deed stilstaan: een zilveren Nissan Pathfinder. Ik was ervan overtuigd dat ik hem eerder op precies diezelfde plek had gezien. Andere bewoners liepen het zonlicht in. De buurman die wel wat van me weg had, glimlachte terwijl hij langsliep. Ik stond me belachelijk te voelen. Je kunt een miljoen redenen bedenken waarom twee mannen een paar keer per week vlak bij Columbus Circle parkeren, zo hield ik mezelf voor. Maar ik bedacht dat ik ook meer privacy had als ik thuis werkte, en dus liep ik terug naar boven.

Een minuut na twaalf uur 's middags belde Greenberg.

'Hoe staat het met het script?' vroeg hij. Ik was bezig het script aan de hand van Harris' aanwijzingen aan te passen.

'Waterdicht,' zei ik. 'En natuurlijk blijven we ook relevante telefoontjes van bronnen afhandelen.'

'De juridische afdeling belde. Ze willen dat jullie het onderzoek op pauze zetten,' zei hij.

Daar gaan we weer, dacht ik.

'Waarom?' vroeg ik. 'Aangezien ze ons groen licht voor het interview met Rose gaven, ging ik ervan uit…'

'Nee, voorlopig staat het op pauze. Hoe is het met je boek? Gaan de interviews goed?'

Greenberg had nooit eerder belangstelling voor mijn boek getoond. We praatten een paar minuten over Condoleezza Rice, voordat ik zei: 'Maar, Rich, over het gepauzeerde onderzoek...'

'Ik moet ophangen,' onderbrak hij me. 'Ik neem het vliegtuig om mijn vader te bezoeken. Ik ben het hele weekend weg. Volgende week kunnen we praten.'

En toen was hij weg.

'Greenberg belde,' appte ik McHugh. 'De juridische afdeling wil dat we stoppen nieuwe bronnen te bellen. Dus wees discreet.'

'O shit,' schreef hij terug. 'Waarom?'

Dit sloeg nergens op. Ontmoedigen was een ding, maar er was geen journalistieke of juridische reden om het onderzoek stop te zetten. Dus belde ik Greenberg terug.

'Sorry dat ik je opnieuw stoor, Rich. Ik moet alleen even iets opgehelderd hebben. Wat heeft "de juridische afdeling" precies gezegd? Wie zei dat? En waarom?'

'Weet ik niet, ik ben geen advocaat. Ik moet nu echt mijn vlucht halen,' zei hij gehaast. En alsof hij de boodschap wilde verzachten, voegde hij nog toe: 'Sorry, man.'

Ik was iets aan het terugzeggen toen hij ophing. Het telefoontje had exact zevenendertig seconden in beslag genomen.

Ik ijsbeerde door mijn appartement. Ik belde Harris' kantoor en zei dat het dringend was, maar ik werd niet teruggebeld. Mijn telefoon pingde: opnieuw een bericht van Diana Filip van Reuben Capital Partners, die bijna smeekte om een afspraak over mijn stukken over genderkwesties.

Toen ik die middag mijn appartement uitkwam, schuifelde ik eerst richting de voordeur, waar ik de auto had gezien. Maar niets. *Je lijkt wel een idioot*, zei ik tegen mezelf. Ik nam inmiddels voorzorgsmaatregelen. Gevoelige informatie schreef ik alleen op papier uit. Nieuwe documenten bewaarde ik in een kluis. En ten slotte zocht ik contact met John Tye, een voormalige klokkenluider over surveillancepraktijken van de overheid, die een non-profit-advocatenkantoor had opgericht: Whistleblower Aid. Hij regelde een iPod Touch voor me, waarop niets meer dan een berichtenapp met encryptie was geïnstalleerd, die via een anonieme, met contanten betaalde WiFi-hotspot verbinding met internet maakte. Het nummer stond geregistreerd onder een valse naam. De mijne was 'Candy'.

'Dat meen je toch niet,' zei ik ongelovig.

'Ik kies de namen niet,' zei Tye doodserieus.

'Ik klink als een naïef meisje uit het Middenwesten dat niet naar LA had moeten verhuizen.'

'Nogmaals: ik kies de namen niet.'

24
PAUZE

'Ik zat op dit telefoontje te wachten,' zei een stem met een duidelijk Engels accent. Ally Canosa was in 2010 voor Weinstein gaan werken. Vrijwel meteen tijdens ons telefoongesprek bevestigde ze dat ze op de hoogte was van het patroon van 'lokaasbijeenkomsten'. En er was meer: 'Ik ben verkracht door Harvey Weinstein,' zei ze, terwijl haar stem brak. 'Meermaals.' Daarop nam ik een risico, legde mijn kaarten op tafel en vertelde ik Canosa precies wat ik had.

'O god,' zei ze terwijl ze begon te huilen. 'Eindelijk komt het naar buiten.'

Toen ik vroeg of ze voor de camera haar verhaal zou willen doen, reageerde ze angstig maar niet afwijzend. 'Ik wil helpen,' zei ze. 'Laten we praten.' Ze stemde ermee in om me persoonlijk in Los Angeles te ontmoeten. Dat weekend had ze tijd. Wanneer een bron je zo'n buitenkansje biedt, laat je dat natuurlijk niet lopen.

Ik begon een vliegticket te boeken, maar riep mezelf tot de orde. Het was donderdagmiddag. Om Canosa dit weekend te kunnen zien, moest ik al snel op het vliegtuig stappen. Maar Greenberg had net opnieuw opgedragen het onderzoek te staken, ditmaal onder verwijzing naar de juridische afdeling.

Opnieuw stelde McHugh voor om voor vergeving in plaats van toestemming te gaan. 'Als je niemand iets uitlegt, stel je deze afspraak veilig. Dan kun je dit weekend met haar gaan praten en haar wellicht overtuigen voor de camera te verschijnen,' ging McHugh door. 'Als je het ze wel vertelt, dan laat je mensen die hierin veel machtiger zijn dan wij bepalen wat er gebeurt.' In de lente waren we onder de radar gebleven door onze bestanden te verbergen – maar om werkelijk op de solotoer te gaan was een brug te ver. Daarom belde ik Weiner. Ik vertelde haar dat het interview belangrijk was. Vervolgens stuurde ik een e-mail waarin ik dringend verzocht om toestemming het onderzoek voort te zetten.

Niemand reageerde. 'Waarschijnlijk zijn ze in overleg,' appte McHugh. 'Probeer er even niet aan te denken.'

Ik wachtte een dag. Toen boekte ik alsnog een vliegticket naar LA.

De volgende ochtend regende het opnieuw, een beklemmende grauwe miezer. Vroeg in de ochtend belde McHugh vanaf kantoor, terwijl ik kleren onopgevouwen in een koffer mikte. 'Had jij niet gezegd dat Greenberg gisteren een vliegtuig moest halen?' vroeg McHugh op fluistertoon.

'Klopt,' zei ik. 'Hij had haast.'

'Merkwaardig,' zei hij. 'Want hij is hier.'

'Misschien is zijn vlucht geannuleerd.'

'Misschien.'

Ik legde mijn bagage in de kofferbak van een sedan, toen Greenberg me probeerde te bereiken. Daarna appte hij: 'Bel me z.s.m.'

'Hai,' zei ik. 'Ik ben onderweg naar het vliegveld.'

'Wat?!' riep hij. Hij klonk alsof hij op de rand van een zenuwinzinking zat. 'Ik moet Susan in dit gesprek betrekken.' Vlak daarna mengde ze zich in het telefoongesprek. Ze sprak langzaam en zorgvuldig. 'We hebben je e-mail over de afspraak dit weekend besproken. De organisatie wil het hele onderzoek en al het contact met bronnen onderbreken.'

'Ál het contact met bronnen?' vroeg ik verbijsterd. Deze gesprekken hadden iets gewichtigs gekregen. Mij bekroop het bevreemdende gevoel dat we ons niet alleen tot elkaar richtten, maar in zekere zin ook tot het publiek dat op een goede dag onze beslissingen tegen het licht zou houden. Misschien, dacht ik, maakte ik mezelf belangrijker dan ik was. Tegelijkertijd ontleende ik aan dit gevoel een vreemd soort gezag, dat me de moed gaf hen te pushen uit te spreken wat ze liever ongezegd lieten.

'Dat begrijp ik niet,' ging ik door. 'Heeft iemand op enig moment een probleem gemaakt van dit onderzoek of mijn optreden daarin?'

'Nee, nee,' zei Greenberg.

'Is er dan misschien discussie over de *nieuwswaarde* van een vrouw die een serieuze beschuldiging van seksueel misbruik door een prominent persoon wil toelichten?'

'Daar, nu ja… daar ga ik niet over,' bracht hij uit.

'Oké, maar wie zit hier dan achter? Komt dit van de juridische afdeling?' vroeg ik.

De stilte die volgde leek eindeloos te duren.

'Het is niet…' begon Weiner.

'Je moet weten dat dit rechtstreeks van Noah komt,' zei Greenberg snel.

'Dus de juridische afdeling heeft helemaal niet bepaald dat ik het onderzoek moet staken?'

'Het is *Noahs* beslissing om het onderzoek en het contact met bronnen te onderbreken.'

'Ik heb nog van niemand een goede reden gehoord waarom we risico's lopen als we het onderzoek doorzetten, mits we dat voorzichtig en in samenspraak met de juridische afdeling doen. Gaf hij argumenten?'

'Nou, als ik… als ik moest gissen, voor zover ik dat kan overzien,' stamelde Weiner, 'denk ik dat we de doorlichting eerst moeten afmaken, om, uh, te zien wat we hebben, voordat we met iets nieuws doorgaan.' Ze reeg deze zinsdelen aaneen alsof ze de karakters in spijkerschrift oplas van een zojuist opgegraven kleitablet. Wat was er aan de hand, vroeg ik me af, als het hoofd van de juridische afdeling van een onderneming 'moest gissen' naar wat zich binnen die onderneming afspeelde.

'Dit is niet nieuw,' zei ik weerspannig. Ik doelde op de bijeenkomst met Canosa. 'Dit stond al gepland.'

Mijn telefoon trilde: McHugh belde. Ik drukte hem weg en appte: 'In gesprek met Greenberg en Weiner.'

'Zal ik me erin mengen?' vroeg hij. Het leek wel een reddingsoperatie.

'Steek even je hoofd om de deur,' schreef ik.

'In het licht van wat Noah besloot, lijkt het ons beter dat je geen bronnen ontmoet,' zei Greenberg.

McHugh appte terug dat Greenberg hem wegwuifde toen hij diens kantoor wilde binnenlopen. Geen hoop op redding.

'Ik kan niet voorkomen dat bronnen contact met me opnemen,' zei ik Greenberg.

'Dat begrijpen we,' zei hij.

Ik zei niet of ik daadwerkelijk gehoor zou geven aan de opdracht de afspraak te annuleren. In plaats daarvan zegde ik toe hen op de hoogte te houden van wat Canosa me vertelde áls we contact hadden. Dit was compleet nieuw voor mij: doen alsof ik geen contact met bronnen zou leggen en veinzen dat ik terughoudend zou zijn, mochten bronnen me terugbellen.

'Ik denk dat de kans groot is dat ze instemt om voor de camera te verschijnen,' zei ik. 'En als ze dat doet, lijkt het mij een goed idee door te zetten.'

'Dat... dat zouden we aan Noah moeten voorleggen,' zei Greenberg.

Toen ik ophing, voelde ik me verward. Ik belde Jonathan.

'Dit is gestoord,' zei hij.

'Ik denk niet dat ik het risico kan nemen nog een interview af te zeggen,' zei ik.

'Jij en Rich McHugh moeten elkaar memo's gaan schrijven. Gedetailleerde transcripten van dit soort gesprekken, die je elkaar direct stuurt. Ze zeggen dingen die belastend zijn.'

Ik keek uit het raam van de auto naar de drommen auto's die bumper aan bumper richting JFK opschoven. 'Heel goed van jullie,' zei Jonathan. 'Zolang jullie maar doorgaan met het onderzoek. Zolang jullie maar doorgaan.'

'Jij hebt makkelijk praten,' antwoordde ik. 'Ik zit ze flink dwars met dit gedonder. Nog even en ik ben mijn baan kwijt.'

'Nou en?! Kijk wat er gebeurt! Tijdens die telefoongesprekken wil niemand iets voor zijn of haar rekening nemen, omdat het zo overduidelijk verkeerd is! Het is *Murder on the Orient Express*, maar dan omgedraaid. Iedereen wil het verhaal dood hebben, niemand wil de moordenaar zijn!'

Ondertussen hing McHugh op Rockefeller Plaza 30 nog altijd rond bij Greenbergs kantoor. Hij klopte nogmaals op de deur.

'Wat is er aan de hand?' vroeg hij.

'Noah heeft ons gevraagd het onderzoek op een laag pitje te zetten, terwijl we bekijken wat we precies hebben en de juridische doorlichting wordt afgerond,' zei Greenberg.

'Dat begrijp ik dus helemaal niet,' zei McHugh.

Mij had Greenberg aan de telefoon geen uitleg gegeven. Tegenover McHugh deed hij dat al evenmin. Hij dreunde een lijstje van Weinsteins advocaten op: Charles Harder, David Boies en een nieuwe naam die McHugh in verband met Weinstein nog niet eerder had gehoord, Lanny Davis. 'Niet dat we bang voor ze zijn,' voegde Greenberg toe. 'Maar voorlopig is het beter dat je hierover even geen telefoontjes meer pleegt.' Daarop zei McHugh, net zoals ik had gedaan, dat hij binnenkomende telefoontjes niet kon voorkomen. Daar liet hij het bij.

Toen ik op JFK aankwam, belde Canosa. Ze klonk zenuwachtig. 'Je komt nog steeds deze kant op?' vroeg ze. Ik hield even in. Om me heen zeulden ongeruste reizigers met zware bagage. Ik bedacht hoe gemakkelijk het zou zijn om 'nee' tegen haar te zeggen, de orders van onze bazen te volgen en mijn goede verhouding met Greenberg en Oppenheim veilig te stellen.

'Ronan?' vroeg ze opnieuw.

'Ja, ik kom eraan.'

In het vliegtuig legde ik de laatste hand aan het script. Ik wisselde van gedachten met McHugh over woordkeuzes in de verhaallijn en kleine aanpassingen in soundbites. Zelfs wanneer het verhaal was teruggesnoeid tot de onderdelen waar de juridische afdeling mee had ingestemd, bleef het explosief. 'Dat doe ik altijd,' zei Weinstein in het begin, terwijl Gutierrez in paniek probeerde weg te komen. 'NBC NEWS BEMACHTIGDE EEN EXCLUSIEVE AUDIO-OPNAME UIT EEN NYPD-AFLUISTEROPERATIE,' vertelde ik. Gutierrez werd bij naam genoemd. Haar verhaal werd tot in detail verteld. Daarna volgde een samenvattende passage: 'NBC NEWS SPRAK MET VIER VROUWEN DIE VOOR WEINSTEIN HEBBEN GEWERKT EN DIE HEM BESCHULDIGEN VAN SEKSUEEL WANGEDRAG... DE FEITEN WAAR ZE HEM VAN BETICHTEN ZOUDEN HEBBEN PLAATSGEHAD TUSSEN EIND JAREN NEGENTIG TOT DRIE JAAR GELEDEN.' Ook Nestors interview zat erin, evenals de berichten van Reiter die haar bewering ondersteunden en soundbites van drie leidinggevenden die als getuige vertelden over het wangedrag.

Ik voegde een notitie bij het script waarvan ik hoopte dat die de aandacht van onze NBC-bazen op Canosa zou vestigen:

Rich,

Bijgevoegd vind je het script. Het is herzien aan de hand van zowel de opgesomde punten van Kim en Susan als jouw verdere suggesties. Ik heb elke aanwijzing nauwgezet gevolgd.

Houd er wél rekening mee dat nog een oud-medewerker een geloofwaardige beschuldiging van verkrachting heeft geuit en tevens beweert dat ze voor ons onderzoek relevante documentatie bezit. Ook maakte ze kenbaar dat ze aan dit verhaal wil meewerken; ze beraadt zich nog over hoe ze dat wil doen.

Ronan

Nadat ik de e-mail naar Greenberg en Weiner had verstuurd, voelde ik me ongedurig. Ik speelde met de knop van de stoel en testte een paar keer hoe ver de rugleuning terugzakte. Het gevoel bekroop me dat wij stilstonden, terwijl de rest van de wereld in een hogere versnelling schakelde. Terwijl ik in het vliegtuig zat, publiceerde *Huff-Post* een verhaal waarin stond dat Fox News-presentator Eric Bolling schunnige berichten naar medewerkers zou hebben gestuurd.[1] Het artikel steunde louter op anonieme bronnen – wat in geen enkele conceptversie van ons verhaal het geval was geweest. Diezelfde middag kondigde *The Hollywood Reporter* aan dat Harvey Weinstein voor zijn 'bijdrage aan het publieke discours en de culturele verrijking van de samenleving', de LA Press Clubs eerste 'Truthteller Award' in ontvangst mocht nemen.[2]

25

PUNDIT

Ik trof Ally Canosa in een restaurant aan het oostelijke uiteinde van Sunset Boulevard. Ze zat kaarsrecht overeind, met elke spier in haar lichaam aangespannen. Zoals zoveel bronnen in het Weinstein-verhaal bezat ze een schoonheid die bijna overal zou opvallen, maar die in Hollywood slechts een basisvoorwaarde was voor werk.

Canosa wist niet goed wat te doen. Toen ze de baan bij Weinstein aannam, had ze een geheimhoudingsverklaring moeten ondertekenen. Ze streefde nog altijd een carrière als producent na, en net als de anderen was ze doodsbang voor Weinsteins wraak. Weinstein kon ervoor zorgen dat ze nergens meer aan de bak kwam. Daarnaast kende ze de aarzelingen waar elk slachtoffer van seksueel geweld mee kampt. Ze had haar wonden oppervlakkig laten dichtgroeien en geleerd om door te gaan. Tegen haar vader en vriendje had ze niets gezegd. 'Ik wil hier niet nog meer onder hoeven lijden. Snap je?' zei ze me. Eenmaal had ze al haar moed bijeengeraapt om het aan haar therapeut te vertellen. 'Ik zag haar tijdens een première van een film van Weinstein,' vertelde Canosa. 'Toen ontdekte ik dat ze een producent van een van Harveys films was.'

Canosa had Weinstein een kleine tien jaar eerder ontmoet. Indertijd werkte ze als eventplanner bij een filiaal van de besloten club Soho House in West Hollywood. Toen ze een evenement voor The

Weinstein Company organiseerde, kreeg hij haar in het oog. Hij gaapte haar aan en gaf haar zijn visitekaartje. In het begin stalkte Weinstein haar bijna. Hij bleef maar zeuren om een nieuwe afspraak met Canosa. Toen ze daar 'de kriebels van kreeg' en niet meer antwoordde, stelde hij haar voor het blok. Onder het voorwendsel van een bespreking voor een nieuw evenement belegde hij via het Soho House een formele bijeenkomst met haar.

Hun middagafspraak in het hotel Montage werd ten slotte naar een hotelkamer verplaatst. Weinstein ging haar te lijf met zijn inmiddels welbekende combinatie van beloften van carrièremogelijkheden gevolgd door seksuele avances. Ze herinnerde zich dat hij zei: 'Je zou een actrice moeten zijn. Je hebt er het gezicht voor.' Toen hij vroeg: 'Krijg ik soms geen kus?' zei ze nee en vertrok ze in verwarring.

Opnieuw probeerde ze hem te negeren, maar hij bleef aandringen. Ze vreesde voor de gevolgen voor haar carrière als ze de boot afhield. Dus sprak ze weer met hem af. Tijdens een maaltijd in een hotel-restaurant dreven de klanken van Eva Cassidy's cover van 'Autumn Leaves' door de restaurantzaal. Canosa begon over Cassidy's levensverhaal. Daarop opperde Weinstein de mogelijkheid om met Canosa's hulp een biopic over Cassidy te ontwikkelen. Na het eten pakte hij haar buiten bij de arm, drukte hij haar tegen de trapleuning en kuste hij haar ruw. Ze was ontzet.

Vervolgens maakte Weinstein echter 'flink werk van zijn excuses', zo zei ze. 'We kunnen gewoon vrienden zijn,' zei hij tegen haar. 'Ik wil oprecht graag deze film met je maken.' Hij haalde er een ervaren producent bij. Weldra kwamen ze samen met rechthebbenden en wisselden ze scriptaantekeningen uit.

'Ik belde mijn ouders en zei iets van "O god, je zult niet geloven wat er zojuist is gebeurd. Harvey Weinstein wil me helpen om op basis van een van mijn ideeën een film te produceren",' herinnerde ze zich. 'Zo naïef. Alleen al erover praten vind ik beschamend, maar indertijd had ik het gevoel dat mijn grote droom uitkwam.'

Canosa had tijd nodig om haar verhaal te vertellen. Na onze afspraak in het restaurant gaf ze aan dat ze het prettiger zou vinden op een niet-openbare plek af te spreken. Daarom kwam ze de volgende keer naar Jonathans appartement in West Hollywood. Dit zette een trend in gang waarin er steeds vaker benauwde vrouwen bij hem naar binnen stapten. Terwijl Canosa de rest van haar verhaal deed, nestelde Pundit, de golden doodle die mijn moeder aan Jonathan had gegeven, zich naast haar op de bank.

In dat eerste jaar van hun samenwerking probeerde Canosa Weinstein herhaaldelijk af te poeieren. Tijdens een bijeenkomst over Cassidy's film zei hij terloops dat hij iets in zijn hotelkamer moest ophalen. 'Dit was halverwege de middag. Daarom dacht ik er verder niets bij,' zei ze. In de hotelkamer zei hij dat hij een douche ging nemen. 'Wil je bij me in de douche komen?' vroeg hij.

'Nee,' zei Canosa.

'Kom gewoon bij me in de douche. Ik hoef niet eens... Ik wil geen seks met je. Ik wil gewoon dat je bij me in de douche bent.'

'Nee,' herhaalde ze. Ze liep naar het zitgedeelte. Weinstein zei dat hij hoe dan ook ging masturberen. Dat deed hij terwijl hij in de deuropening stond. Zij wendde haar blik af. Overstuur verliet ze Weinsteins hotelkamer.

Een andere keer vergat Weinstein na een van hun bijeenkomsten zijn jasje. Hij vroeg haar erop te passen. In een jaszak vond ze een pakje injectiespuiten, die, zo ontdekte ze al googelend, een mysterieuze behandeling voor erectieproblemen boden. Ze huiverde bij de gedachte dat hij zich voorafgaand aan hun bijeenkomsten op seks voorbereidde.

Tegen die tijd werkte ze al voor Weinstein aan de film. Haar hele professionele leven draaide om hem. Daarnaast ontwikkelde zich een echte vriendschap tussen hen. Al was die vriendschap dan misvormd door een ongelijke machtsbalans en Weinsteins avances. Tijdens een werketentje met enkele collega's huilde hij bijvoorbeeld over het nieuws dat Disney Miramax ging verkopen. Opnieuw vroeg hij haar mee te gaan naar zijn hotelkamer. Toen ze weigerde, viel hij tegen haar uit. 'Je moet me godverdomme niet afwimpelen als ik in tranen ben,' brulde hij. Ze liet zich overhalen, en er gebeurde niets. Hij zat alleen te snikken. 'Ik heb in mijn leven geen moment stilgestaan,' zei hij. 'Ik jaag maar door. Ik ben nooit gelukkig geweest,' zo herinnerde ze zich dat hij zei. 'Je bent een van mijn beste vrienden. Je bent zo trouw.' Ze hoopte dat deze vriendschapsbetuiging betekende dat hij haar grenzen erkende. Dat was niet zo.

'Bij de volgende afspraak,' zei ze, terwijl ze begon te huilen, 'verkrachtte hij me.' De eerste keer vond plaats na een nieuwe bijeenkomst in een hotel. Ze bespraken het Cassidy-project, toen hij zei dat een van de scènes in het script hem aan een filmklassieker deed denken. Hij vroeg of ze mee naar boven wilde komen om een clip te kijken. Inmiddels had Weinstein zich uitvoerig voor zijn toenaderingspogingen verontschuldigd. En uiteindelijk was hij wel haar baas. 'Ik dacht dat ik mezelf wel kon redden,' zei ze. De enige tv stond voor Weinsteins bed. Dus ging ze op het bed zitten. Ongemakkelijk keek ze naar de scène. 'Hij maakte toenadering en ik zei "nee". Hij maakte opnieuw toenadering en ik zei weer "nee",' herinnerde ze zich. Weinstein werd kwaad en agressief. 'Doe toch niet zo idioot,' zei hij. 'Doe toch niet zo idioot.' Hij vertrok naar de badkamer en keerde een paar minuten later terug, slechts gekleed in een ochtendjas. Toen duwde hij haar op het bed. 'Ik zei meermaals "nee", maar hij drong zichzelf aan me op,' zei ze. 'Niet dat ik schreeuwde. Maar ik maakte absoluut duidelijk dat ik dit niet wilde. En hij lag met zijn volle lichaamsgewicht boven op me.'

Canosa stond vooral stil bij wat ze anders had kunnen doen. 'Destijds vond ik dat ik me niet genoeg had verzet.' Uiteindelijk stopte Canosa met 'nee' zeggen. 'Ik was simpelweg verlamd. Ik huilde ook niet. Ik staarde gewoon naar het plafond.' De tranen kwamen pas nadat ze was weggegaan. En toen kon ze niet meer stoppen met huilen. Weinstein had geen voorbehoedsmiddel gebruikt. Maanden eerder had ze Weinstein opgelaten moeten aanhoren dat hij een vasectomie had ondergaan. Nu was ze bang dat hij haar een soa had gegeven. Ze overwoog het aan haar vriendje te vertellen, maar haar schaamte was te groot. 'Als ik het over kon doen, zou ik mezelf bij de haren naar het politiebureau slepen.'

Toen ze tijdens het vertellen begon te huilen, sprong Pundit op haar schoot. Bezorgd probeerde ze Canosa's gezicht te likken. Ze lachte, opgelucht dat de spanning van het moment werd gebroken. 'Dit is de liefste hond die ik ooit heb gezien,' zei ze.

Canosa bleef voor Weinstein werken. 'Ik bevond me in een kwetsbare positie en had mijn baan nodig.' Toen ze haar baan bij het productiebedrijf verloor, tekende ze formeel een contract bij The Weinstein Company. Daar werkte ze aan filmprijzenlobby's voor *The Artist* en *The Iron Lady*.

Weinsteins wangedrag stopte niet. Zo beval hij haar een keer mee te gaan naar zijn afspraak met de osteopaat en erbij te blijven terwijl hij zich uitkleedde om zich te laten behandelen voor zijn verergerende ischias. Toen die aandoening op een ander moment oplaaide, vroeg hij haar zijn dijen te masseren. Ze herinnerde zich hoe hij na haar weigering tegen haar schreeuwde: 'Godverdomme. Waarom wil je dat niet? Waarom niet?'

'Omdat ik me daar niet prettig bij voel,' antwoordde ze. 'Ik werk voor je.'

'Verdomme, Ally!' brulde hij. 'Verdomme, je kunt toch wel mijn dijen masseren!'

'Dat ga ik niet doen.'

'Flikker dan ook maar op! Godverdomme! Verdomme! Verdomme!'

Toen ze bezig was met de productie van de Netflix-serie *Marco Polo*, arriveerde Weinstein op de set in Maleisië en stuurde hij er alles in het honderd. Tijdens een etentje voor de regisseurs en producenten eiste hij ten overstaande van haar collega's dat ze meeging naar zijn hotelkamer. Toen ze daarentegen naar haar eigen kamer probeerde te gaan, moest ze een spervuur van berichtjes van zijn assistenten verduren: 'Harvey wil je zien. Harvey wil je zien.' Soms mislukten haar pogingen hem te ontlopen. Er volgden meer verkrachtingen. Later werden in rechtbankverslagen specifieke aantijgingen opgesomd, waaronder 'handelingen van orale seks en anale seks met eiser onder lichamelijke dwang en/of wanneer eiser niet in staat was instemming te geven of fysiek machteloos was'.

Om haar heen ving Canosa voldoende signalen op om te snappen dat ze niet de enige was. Tijdens datzelfde bezoek aan de set van *Marco Polo* verdween Weinstein een kwartier in de kleedkamer van een actrice, 'waarna ze een week lang geen schim van zichzelf was'. Canosa voelde een morele plicht iets te doen, maar die werd de kop ingedrukt door de vele tekenen van Weinsteins wraakzucht. 'Ik heb zo vaak meegemaakt dat de levens, echtgenotes of reputaties van mensen bedreigd werden,' zei ze hoofdschuddend.

Ik probeerde tegen Canosa open kaart te spelen over het zorgwekkende karakter van het verhaal. En daarmee over het belang van haar deelname voor het lot ervan. Ik zei, zoals ik die zomer zo vaak had gedaan, dat het haar beslissing was; dat ik alleen kon aangeven dat ik oprecht geloofde dat haar getuigenis voor veel mensen een groot verschil zou maken. Na deze gesprekken leek ze op het punt te staan in te stemmen om voor de camera te verschijnen.

26
KNUL

Aan het begin van de avond lengden de schaduwen in Harvey Weinsteins kantoor op Greenwich Street, toen er een telefoontje binnenkwam. 'Kun je Ha rvey geven?' vroeg George Pataki, voormalig gouverneur van New York. Hij werd direct doorverbonden. 'Hey, Harvey, George hier. Ik wil je alleen even laten weten dat Ronan Farrow nog altijd aan het verhaal werkt.'

'Dat is niet wat ik heb gehoord,' zei Weinstein.

Pataki hield vol dat meerdere vrouwen tegen mij praatten. 'Hij heeft alles klaar staan. Het staat op de rol om uitgezonden te worden...'

'Wanneer?' vroeg Weinstein. 'Wanneer zal het uitgezonden worden?'

'In twee tot drie weken,' zei Pataki.

'Weinstein zweeg even. Toen bracht hij uit: 'Wauw.'

Nergens was Weinstein dieper verstrengeld met de politiek dan in New York. Tussen 1999 en de zomer van 2017 hadden hij en zijn bedrijf politieke donaties gegeven aan ten minste dertien New Yorkse politici of hun PACs. Hij had zichzelf goed ingedekt: voornamelijk bij Democraten, maar tevens bij een aantal Republikeinen, waaronder Pataki. Hij had gul geschonken aan senator Kirsten Gillibrand, procureur-generaal Eric Schneiderman en gouverneur Andrew Cuomo.[1]

Voor het duo Weinstein en Pataki gold hetzelfde als voor zijn relatie met Hillary Clinton: campagnedonaties hadden de grond vruchtbaar gemaakt voor vriendschap. Veelvuldig werd de oud-gouverneur gefotografeerd op evenementen van de filmbons. Weinstein promootte de boeken van Pataki's dochter Allison, een schrijfster van historische romans. Zo had hij een jaar voor Pataki's telefoontje een feestje ter ere van een van haar boeken op touw gezet.[2] En toen haar man een jaar weer daarvoor een beroerte kreeg, had Weinstein de beste artsen ingeschakeld. Allison Pataki's literair agente, Lacy Lynch, was tevens de vertegenwoordiger van Rose McGowan. In de loop van die zomer verscheen Lynch' naam steeds vaker op de lijsten van Weinsteins uitgaande e-mails en telefoontjes.

Af en aan nam Weinstein telefonisch contact op met Boies over het NBC-probleem. Na zijn gesprek met Lack hield hij contact met de NBC-bazen. Tegen mensen om hem heen zei hij zelfverzekerd dat het verhaal dood was. Toch klonk hij minder overtuigd toen hij Boies weldra terugbelde. 'Ik denk dat NBC nog steeds met het verhaal bezig is,' zei hij. Hij klonk boos. 'Ik ga dit grondig uitzoeken.'

Na het telefoongesprek met Pataki maakte Weinstein opnieuw een belrondje langs Andy Lack, Phil Griffin en Noah Oppenheim. Hij blafte deze namen zo vaak – 'verbind me door met Phil, met Andy, met Noah' – dat zijn assistenten hen het 'triumviraat' noemden. Tegen augustus verschoof Weinsteins focus steeds meer naar Oppenheim. Maar met Griffin was zijn band het best, zo vertelde hij zijn medewerkers. Griffin bleef een van zijn steunpilaren.

Griffin was een charmant man, niet in de laatste plaats vanwege zijn nonchalance. Toch hadden zijn collega's ook wel eens last van zijn karakter. Griffin was opvliegend en kon vloeken als een zeeman. Berucht was zijn drankgebruik na het werk. In de jaren negentig was hij een senior producer bij *Nightly News*. Toen begaf hij zich eens, gewoongetrouw, naar Hurley's, een café in het centrum. Na een paar drankjes vertelde hij de drie vrouwelijke producers in zijn gezelschap dat hij naar Times Square wilde.

'Ik wil de lichten op Times Square zien! Ik wil dolgraag die lichten zien!' zo herinnerde een van die vrouwen zich dat Griffin zei.

Op Griffins initiatief verplaatste het drinkgelag zich naar een hotel aan Times Square. Daarna stommelde de groep richting Eighth Avenue, waar Griffin er bij de vrouwen op aandrong met hem mee te gaan naar een peepshow. Twee van hen wisselden een ongemakkelijke blik uit. Hij zei dat ze niet zo moeilijk moesten doen. Dus zij naar binnen. Ze kwamen in een kring donkere cabines bovenin. Een raam ging open. Een naakte vrouw op hakken hurkte voor hen. Ze vroeg Griffin geld om de show te beginnen.

Griffin keek naar de vrouw met wat iemand uit hun groep beschreef als 'een flakkering van gêne'. Hij vertelde de stripper 'nee dank je wel'. Het raam ging dicht, waarna iedereen naar buiten liep en elkaar opgelaten gedag zei. Voor de vrouwen uit het gezelschap was het incident vulgair, maar niet opzienbarend: elk van hen had tijdens haar carrière meegemaakt dat mannen zich zo gedroegen.

Vier collega's zeiden dat Griffin bekendstond om de obscene en grove opmerkingen die hij in werk-e-mails maakte. Zelf had ik bij een vergadering gezeten rond de tijd dat televisiepersoonlijkheid Maria Menounos een ongelukkige keuze voor een badpak had gemaakt en haar vagina was gefotografeerd. Griffin zwaaide grijnzend met een uitgeprinte foto die daarop inzoomde. 'Kijk toch eens!' zei hij, terwijl hij hard uitademde. 'Niet slecht, niet slecht.' Op een bank vlakbij rolde een medewerkster met haar ogen.

Griffin leek het nieuws puur als bedrijfstak te zien. Voor journalistiek toonde hij bij lange na niet dezelfde geestdrift als voor sport. Wanneer de wind gunstig stond voor polarisatie, vroeg hij zijn presentatoren om stevige meningen; raakte partijdigheid uit de mode, dan was hij de eerste die de ommezwaai naar feitelijk nieuws maakte. En probeerde je een inhoudelijk gesprek over de journalistiek met hem aan te gaan, dan knipperde hij met zijn ogen en leek hij in de war.

Griffin werd echter enthousiast zodra er een zakelijk belang mee was gemoeid was. Zo was ik eens gastheer tijdens het liefdadigheidsconcert dat de naam Global Citizen Festival droeg – een soort groot, eerlijk en goedkoop Live Aid. Ik interviewde er de hoofdact, No Doubt. Een van de festivaldoelen dat jaar was het promoten van vaccinatie, ook al was dit de tijd dat de antivaxers in de Verenigde Staten rap zieltjes wonnen en aldus verantwoordelijk waren voor nieuwe uitbraken van mazelen. Ik vroeg zangeres Gwen Stefani of zij haar kinderen inentte, en wat ze vond van de antivaxers. Ze zei dat ze voor vaccinatie was en mensen zou willen aanraden met hun huisarts te overleggen. Inderdaad geen hemelbestormend interview. Toen ik terug op Rockefeller Plaza het filmpje monteerde, werd ik gebeld door een MSNBC-producer die aan het concert werkte.

'Stefani's mensen hebben het transcript doorgenomen en willen graag wat aanpassingen,' zei ze.

'Wie heeft ze het transcript gestuurd?'

'Dat… dat weet ik niet.'

In mijn inbox bevond zich een script met rode markeringen. Stefani's soundbites waren dusdanig herschikt en aangepast, dat het leek of ze ambivalent of zelfs negatief stond tegenover inentingen. Ik zei de producer dat ik dit niet ging uitzenden.

Weldra bevond ik me in Griffins kantoor met hem en een andere medewerkster uit zijn team. 'What the fuck?' vroeg hij geïrriteerd.

Ik keek naar het scriptconcept voor me.

'Ik ga de soundbites niet zo aanpassen dat hun betekenis verandert, Phil.'

'Hoezo niet?!' zei hij alsof dit het krankzinnigste was dat hij ooit had gehoord.

'Omdat het ethisch niet oké is?' probeerde ik. In de hoop dat Griffins vraag retorisch was, bracht ik dit meer als herinnering dan als stelling.

Maar hij leunde naar achteren in zijn stoel en wierp zijn collega een 'Heer sta me bij'-blik toe.

Zij probeerde het op een vriendelijker toon: 'We weten allemaal dat je veel geeft om…' Ze weifelde even en leek oprecht op zoek naar een aardige manier om dit te verwoorden. '…*journalistiek met een hoofdletter J*, maar dit is geen politiek gevoelig verhaal.'

'Het is gewoon een opvulstukje,' viel Griffin in. 'Kom nou toch. Verdomme zeg.'

'Er gaan letterlijk kinderen dood aan deze kwestie. Ze is een beroemdheid. Sinds wanneer sturen we trouwens interviewtranscripten naar mensen buiten dit gebouw?'

'We weten niet hoe dat kon…' begon zijn collega.

'Wat maakt het uit?' kwam Griffin ongeduldig tussenbeide. 'Weet je wat er gebeurt als we zulke aanpassingen niet maken? Dan dreigt Stefani zich terug te trekken. Dat komt rechtstreeks van haar manager.'

'Maakte híj deze aanpassingen?'

Griffin negeerde deze vraag. 'Het punt is dat als zij zich terugtrekt, sponsoren zich terugtrekken en de omroep kwaad wordt…' Zoals Griffin al vaker had gezegd, fungeerde de samenwerking van de omroep met het Global Citizen Festival als lokkertje om bedrijfssponsors binnen te halen. Wekenlang zonden we doelgroepreclames van Unilever of Caterpillar uit.

'Laten we het dan niet uitzenden,' zei ik.

'Maar je moet het uitzenden,' zei Griffin.

'Waarom?'

'Dat is onderdeel van de deal met de sponsoren, met haar entourage…'

'We hebben dit met de top besproken,' zo verwees zijn collega naar de directie van de nieuwsgroep. 'En je zorgen worden niet gedeeld.'

Griffin zei dat hij me hetzelfde ging vertellen als hij had verteld aan een andere presentator die een serieuze reportage over netneutraliteit wilde uitzenden – het principe dat internetproviders niet verschillende tarieven voor verschillende soorten internetdata horen te rekenen, waar onze moederorganisatie overigens tegen lobbyde. 'Wil je werken voor PBS, onbeperkte vrijheid genieten en honderdduizend dollar per jaar verdienen? Ga je gang,' zo zei hij. 'Of wil je de strijd met me aangaan over wat moreel goed is? Dan lek ik met alle plezier je salaris naar de pers.'

Ik overwoog op te stappen. Ik belde Tom Brokaw. Die zei dat ik hoe dan ook geen misleidend aangepaste soundbites moest uitzenden. Hij gaf me dezelfde waarschuwing over het verkloten van mijn geloofwaardigheid die hij me later gedurende het Weinstein-onderzoek zou geven. Daarna belde ik Savannah Guthrie, die de gave bezat om in een keer alle onzin opzij te schuiven. 'Als je nou eens alleen dat deel van het interview niet uitzendt,' opperde ze.

'Maar het was wel het grootste deel van het interview,' zei ik.

'Zoek gewoon iets anders om uit te zenden,'

Achteraf lag dat eenvoudige advies voor de hand: zend het bedrieglijke deel niet uit, maar offer jezelf ook niet op voor een backstage-interview met een zangeres. Ik bleef hardleers in het uitkiezen van de juiste gevechten. Ten slotte zat ik achter mijn presentatorbureau en zond ik een kletserig vijfminutenclipje met No Doubt uit. Ik voelde me noch *hella good* noch *hella bad*.

Twee jaar later belde Weinstein nog altijd geregeld het triumviraat van de omroep. Nu kreeg hij Griffin aan de lijn.

'Ik dacht dat dit wel klaar was,' zei Weinstein.

'Dat is het ook, Harvey,' antwoordde Griffin.

'Je moet die knul van je in het gelid krijgen,' zei hij. Hij klonk boos.

'Maar, Harvey,' verdedigde Griffin zich, 'hij brengt het bij ons niet naar buiten.' Later zou Griffin met klem ontkennen ooit te hebben toegezegd dat het verhaal de nek zou worden omgedraaid.

Dit was, zo schatten meerdere medewerkers van Weinsteins kantoor, een van ten minste vijftien telefoongesprekken tussen Weinstein en de drie NBC-bazen. Tegen het einde van de zomer was Weinsteins humeur na zulke telefoontjes wederom triomfantelijk. Weinstein zei tegen een van zijn juridisch adviseurs dat hij de omroepbazen had gesproken, en dat 'zij me vertellen dat ze het verhaal niet brengen'.

27
ALTAAR

Aanvankelijk leken we goed nieuws uit de directiekamer van NBC Universal te krijgen. Vroeg in augustus belde Greenberg om me te laten weten dat de juridische afdeling haar fiat gaf voor de teruggesnoeide versie van het script. Vanuit het perspectief van de nieuwsafdeling zei hij: 'Naar mijn mening is het nieuwswaardig,' zei hij.

'Dan gaan we nu wederhoor plegen. En de montagekamer in,' zei ik.

'*Nieuwswaardig* wil nog niet zeggen dat we het gaan uitzenden. Nu gaat het naar Noah en Andy.'

'Maar als de juridische afdeling akkoord gaat en jij het nieuwswaardig vindt...'

'Daarvoor zit ik in een te lage salarisschaal,' zei hij. 'Er kunnen kwesties spelen die niets van doen hebben met of het nieuwswaardig is of niet. Misschien vragen ze zich af of het wel goede tv is,' ging Greenberg door. 'Je hebt een ongelooflijk artikel in handen, weet je. Een ongelooflijk verhaal voor *Vanity Fair*.'

'Ik... wat?' bracht ik uit.

'Nou, het zou een perfect *Vanity Fair*-verhaal zijn,' herhaalde hij.

Even later braken McHugh en ik in een vergaderzaaltje ons hoofd over deze opmerking. 'Misschien heeft hij gelijk,' zei hij ernstig. 'Misschien kun je dit verhaal redden door het ergens anders onder te brengen.'

'Maar, Rich, je weet dat jij in dat geval de dupe wordt,' zei ik. Hij had alles wat hij had gelegd in de productie van dit verhaal als tv-reportage. Op dit punt hadden we acht interviews op beeld staan. Die zouden allemaal sneuvelen in het scenario dat Greenberg zo terloops voorstelde. Al het beeldmateriaal was eigendom van NBC Universal en daarmee van de Comcast Corporation.

'We brengen het hier,' zei ik resoluut. 'En door jou geproduceerd.'

'Oké,' zei McHugh. Zelf klonk hij stukken minder overtuigd.

Die dag regende het onophoudelijk. In mijn inbox stapelden verzoeken over niet-Weinstein gerelateerde zaken zich op. Diana Filip, de investeerder met het vrouwenrechtenproject, had een nieuwe e-mail gestuurd, ditmaal via mijn agenten bij de CAA, de Creative Artists Agency. De berichten die te maken hadden met het verhaal baarden meer onrust. Zo was er deze korte, plompe e-mail van Ken Auletta:

Ronan,
Status Harvey?
Ken

Ik begaf me via de krochten van Rock 30 naar metrolijn D. Ondanks de regen was de metro vrij leeg. Toen zag ik iets, of dacht ik iets te zien, waarvan mijn hart even stilstond. Aan mijn kant achter in de coupé zag ik in profiel een kale man van wie ik zou zweren dat ik hem in de Nissan had zien zitten. Ik ontwaarde hetzelfde bleke gezicht en dezelfde mopsneus. Ik kon dit niet zeker weten. Mijn ratio probeerde me te vertellen: *je ziet dingen die er niet zijn.* Maar toen de metro stopte, voelde ik me vervelend genoeg om nog voor mijn halte uit te stappen. Terwijl ik het drukke perron opliep, keek ik over mijn schouder.

Buiten verkeerde New York in sprookjesachtige sferen. Als in een droomlandschap dreven straten, gebouwen en mensen in de mist. Ik liep snel, stopte nabij een apotheek en scande de omgeving om te zien of ik iemand uit de metro of van op het perron herkende. Buiten zakte de zon al. Ik kwam bij het vertrouwde beeld van de fortachtige bakstenen kerk nabij mijn appartement. Met snelle pas beklom ik de stenen trap. Ik ging de kerk in. Waar mijn vochtige overhemd niet aan mijn lijf plakte, voelde ik regendruppels over mijn onderrug, borst en armen rollen. Het kerkschip was smaller dan ik buiten had gedacht. Onder indrukwekkende glas-in-loodramen tekende zich een altaar af. Ik ging ervoor staan en voelde me niet op mijn plaats. Naast het altaar bevond zich een met marmer ingelegd zegel, dat een boek en zwaard afbeeldde boven een schematische voorstelling van de wereld: het wapenschild van Paulus. Het las: 'Praedicator Veritatis in Vniverso Mundo.' Later vertaalde Google voor me: 'Prediker van waarheid aan de hele wereld'.

'We hebben naar u gekeken,' zei naast me ineens een stem met een zwaar accent. Ik schrok op. Het bleek een oudere vrouw met donker haar. Naast haar stond een jongere vrouw. Mijn reactie leek hen te alarmeren. 'We hebben naar u gekeken,' herhaalde ze. 'Van begin af aan. Naar uw show. Mijn dochter is een groot fan.'

'O,' zei ik. 'Dank u.' Ik kreeg mijn zelfbeheersing terug, bracht een glimlach voort en wist een standaardgrapje over lage kijkcijfers te maken: 'U, mijn moeder en verder niemand.'

Ik was weer thuis toen Berger belde, mijn CAA-agent. 'Ronan!' toeterde hij. 'Hoe gaat het?'

'Prima, hoor,' zei ik.

'Beter dan prima, het gaat fantastisch met je,' zei hij. Om daarna rustiger over te gaan in kordate efficiëntie: 'Moet je luisteren, ik ken de details van dat grote verhaal natuurlijk niet...'

'Begon Noah daarover?' vroeg ik. Berger vertegenwoordigde ons allebei, maar zijn band met Oppenheim was hechter.

'Ik weet van niets, Ronan,' zei hij. Hij herinnerde me eraan dat mijn contract binnenkort moest worden verlengd. 'Het enige wat ik zeg is dat als dit je problemen bezorgt, houd je dan bezig met verhalen die kans van slagen hebben.'

Ik kauwde even op mijn lip. Vervolgens belde ik mijn zus.

'Hoe gaat het met het verhaal?' vroeg ze.

'Eerlijk gezegd weet ik niet zo goed hoe het gaat.'

'Maar je hebt toch een opname waarin hij woordelijk schuld bekent?'

'Jep,' zei ik.

'Dus...?'

'Het lijkt een gevecht tegen de bierkaai. Ik weet niet hoelang ik dat nog volhoud.'

'Dus je geeft het op?'

'Zo eenvoudig is het niet. Misschien moet ik me alleen even... even een tijdje richten op andere dingen, terwijl ik bedenk wat ik hiermee aan moet.'

'Ik weet wat het betekent als mensen niet meer voor je vechten,' zei ze zachtjes. Het bleef een poos stil. Daarna zeiden we elkaar gedag.

Inmiddels was het donker. Ik keek naar mijn telefoon en zag een bericht van Oppenheim: 'Laten we morgen praten. Wanneer schikt het?' Ik liep naar mijn laptop en klikte een Word-document open. 'ANDERE VERHALEN,' typte ik. Toen drukte ik een paar keer op de delete-toets en verving ik 'ANDERE' door 'LOPENDE'. Ik plaatste *bullet points* voor de twee verhalen waarvoor we aan het filmen waren, die over de toegankelijkheid van de gezondheidszorg en die over drugsverslaafde kinderen, evenals voor een handvol andere verhalen waar Oppenheim eerder zijn voorkeur voor had uitgesproken. Daaronder waren een VICE-achtig reisverhaal over Facebooks server in een boerderij diep in het Zweedse permafrost, in Luleå. 'Het ziet eruit als het schurkenhol uit een James Bond-film,' zo typeerde ik destijds de serverboerderij, om dit verder aan te dikken met andere escapistische tv-taal. In werkelijkheid is Luleå een van de drukste havensteden van Zweden en een druk centrum van de Zweedse staalindustrie, maar daarvan had ik geen idee. Ik stelde me een uitgestrekte, frisse en lege plek voor, waar een mens vrij ademde en het noorderlicht kon zien.

In Rock 30 stapte McHugh een lift in. Toen hij zich omdraaide, ontdekte hij Weiner naast zich. Hij glimlachte naar haar. Maar terwijl ze 'hallo' terug zei, schrok ze en richtte ze haar blik op haar voeten.

28
PAUWENSTAART

Tijdens mijn jaren in Rock 30 werd er in de directiekamers van de nieuwsafdeling op de tweede verdieping op ongezette tijden met het meubilair geschoven. Die augustus stond er een lage stoel en een tafeltje met van die onaangeraakte, maandenoude tijdschriften die tot de standaardoutillage van wachtkamers schijnen te behoren. Op een gitzwarte cover van *Time* loeiden bloedrode letters: 'Is de waarheid dood?' Dat was een eerbetoon aan de klassieke *Time*-omslag uit de jaren zestig waarop werd gevraagd: 'Is God dood?' Toch was deze cover minder goed. De taak was ook onmogelijk geweest: 'waarheid' paste domweg minder goed dan 'God', hoe dapper de spatiëringspogingen ook geweest waren. Ik keek ernaar en liep vervolgens naar Oppenheims assistente, Anna, om een praatje te maken. 'Volgens mij zijn jullie met iets groots bezig,' zei ze, en ze wierp me een samenzweerderige 'mondje dicht'-glimlach toe.

Toen ik Oppenheims kantoor binnenliep, stond hij niet zoals gewoonlijk op om zich naar de bank te verplaatsen. Hij maakte een nerveuze indruk. 'Dus wat denk je ervan?' vroeg ik. In mijn hand had ik een opgevouwen vel papier met daarop de lijst alternatieve verhaalopties. Misschien had Berger gelijk. Misschien was het inderdaad beter dat vreselijke onderwerp even terzijde te schuiven, alles te laten bezinken en me op andere dingen te richten. Oppenheim schoof in zijn stoel. 'Nou,' zei hij terwijl een uitdraai van het script oppakte. 'Er zitten hier een aantal anonieme bronnen in.'

'Onze centrale focus ligt op een vrouw die we bij naam noemen: we laten haar gezicht zien en haar stem horen,' verwees ik naar Gutierrez.

Hij liet een geïrriteerde zucht ontsnappen. 'Ik weet niet hoe geloofwaardig ze is. Ik bedoel dat de advocaten gaan zeggen: ze zijn in een openbare ruimte en er gebeurt eigenlijk niets...'

'Maar hij bekent schuld aan iets zeer specifieks en ernstigs dat eerder is gebeurd.'

'Hier hebben we het al over gehad. Hij probeert van haar af te komen. En trouwens, je zegt hier...' – hij bladerde naar een ander deel van het script – '...dat haar geloofwaardigheid niet boven alle twijfel verheven is.'

'Nee,' zei ik. 'We hebben bronnen bij de politie en in het kantoor van de officier van justitie die zeggen dat ze geloofwaardig is.'

'Maar het staat hier toch. In het goedgekeurde script!' zei hij.

'Ik heb het script geschreven, Noah. We beschrijven alleen de bak ellende die ze over zich heen kreeg. Maar de officier van justitie en de politie...'

'De officier van justitie heeft de zaak niet doorgezet! En hij gaat zeggen: "Ze is gewoon een hoertje..."'

'Oké, dan vertellen we dat allemaal en laten we de kijker zelf de conclusie trekken.'

Hij schudde zijn hoofd en keek opnieuw naar de pagina's.

'En het is... hoe serieus is dit allemaal nu eigenlijk?' vroeg hij, net zoals hij had gedaan tijdens elk van onze eerdere gesprekken over het verhaal.

Tijdens ons gesprek schoot me een herinnering te binnen aan een conversatie van een jaar eerder. Dit was tijdens de presidentscampagne geweest. In de NBC-kantine zat ik met een smoothie bij Oppenheim. Toen leunde Oppenheim naar voren. Op een nog wat sappigere roddeltoon dan normaal zei hij dat vrouwen aan NBC News hadden verteld over seksuele intimidatie door een betaalde Trump-medewerker tijdens campagnewerkzaamheden. 'Dat is een groot verhaal!' zei ik. 'We kunnen het niet brengen,' zei hij schouderophalend. 'Dat willen die vrouwen zelf niet, in elk geval.'

'Er moet toch een manier zijn om hierover verslag te doen, zonder hun vertrouwen te schenden...'

'Gaat gewoon niet gebeuren,' zei hij. Alsof hij 'zo is het leven' zei, met al die nonchalance en al dat zelfvertrouwen waarom ik hem indertijd zo bewonderde – in die mate dat ik verder niet nadacht over deze opmerkingen of over zijn mening over seksuele intimidatie in het algemeen.

In zijn jaren als redacteur van *The Harvard Crimson* had Oppenheim zichzelf vormgegeven als een provocateur. Zo deed hij zich tijdens bijeenkomsten van feministische groeperingen voor als oprecht geïnteresseerd, om vervolgens in *The Crimson* vurige columns te schrijven over de onzin die deze groepen naar zijn mening verkondigden. Met de kanttekening dat columnisten niet altijd hun eigen titels kiezen, hadden de stukjes van Oppenheim titels zoals 'Over het lezen van vaginanotities'[1] en 'transgender-absurditeiten'[2]. En die dekten de lading. 'Zonder twijfel zijn mijn grootste tegenstanders de leden van feministische groeperingen,' schreef hij eens.[3] 'Het venijn van hun retoriek kent zijn gelijke niet. Datzelfde geldt natuurlijk voor hun hypocrisie. Blijkbaar is het gemakkelijk het patriarchaat de schuld te geven van al je sores, en je tegenstanders de mond te snoeren met beschuldigingen van misogynie. Moeilijker lijkt het daarentegen om jezelf het plezier te ontzeggen van stoeipartijtjes met de knappe zonen van datzelfde patriarchaat. Ik zal nooit de noodlottige avond vergeten waarop ik de voorzitster van een prominente vrouwenorganisatie uit het voorvertrek van het Porcellian – een exclusief mannengenootschap – tevoorschijn zag komen. Het heeft er dus de schijn van dat politieke dogma's goed van pas komen, zolang ze evenwel niet botsen met je plannen voor zaterdagavond.'

Na het bijwonen van een bijeenkomst over de fusie van Radcliffe, Harvards voormalige vrouwencollege, met de *undergraduate school*, schreef de jonge Noah Oppenheim: 'Hoezo maken de bijeenkomsten van vrouwen meer aanspraak op een veilige ruimte dan die van anderen?'4 In een column waarin hij de goede oude tijd van niet-gemengde clubs in Harvard verheerlijkte, betoogde hij: 'Tegen de boze feministen zeg ik: er is niets mis met niet-gemengde instituten. Net als vrouwen hebben mannen een eigen plek nodig. Een plek waar we onze lagere instincten kunnen botvieren en zodoende even los kunnen breken uit het beschaafde keurslijf dat we ons aanmeten om de vrouwelijke fijngevoeligheid niet te schokken.'5 Hij voegde toe dat 'vrouwen die zich bedreigd voelen door de sfeer van deze clubs maar tammere oorden moeten opzoeken. Toch lijken vrouwen het wel degelijk fijn te vinden om ingeperkt, met alcohol volgegoten en achternagejaagd te worden. Dat maakt dat ze zich gewild voelen, niet vernederd.'

In de tussenliggende jaren was Noah Oppenheim volwassener geworden. Maar terwijl ik hem in 2017 ongemakkelijk heen en weer zag schuiven en zijn glazige blik naar beneden zag richten, begon het me te dagen waarom hij zoveel kritiek had op dit verhaal. Hij geloofde oprecht dat dit allemaal niet zoveel voorstelde: een Hollywood-bullebak, beroemd in Soho en Cannes, die een grens overging.

'Megyn Kelly deed dat verhaal over vrouwen in de tech-industrie. Toen hadden we een bank vol met vrouwen...' was hij me aan het vertellen.

'Als je bedoelt te zeggen dat je meer bewijslast wilt, dan kan dat,' zei ik. 'Er is meer waar we al snel mee aan de slag kunnen.'

Dit leek aan hem verloren te gaan. 'Die ene bron is onherkenbaar,' zei hij.

'Ze wil met haar gezicht in beeld komen. Ze zei dat ze dat zo nodig zou doen.'

Hij slikte moeizaam, lachte een beetje. 'Nou, dat weet ik niet,' bleef hij vaag. 'Hangt ervan af wat ze te zeggen heeft.'

'We weten wat ze te zeggen heeft. Ze heeft bewijs. Ze beschikt over berichten van een directielid van het bedrijf...'

'Ik weet alleen niet of we dat willen. Dat weet ik niet...'

'Zoals ik eerder zei, is er ook nog een derde vrouw, die hem beschuldigt van verkrachting. Ze is bereid dit voor de camera te zeggen, Noah. Als je bedoelt te zeggen dat we meer onderbouwing nodig hebben, dan zorg ik daarvoor.'

'Niet zo snel, want ik weet niet of... we zouden het moeten afstemmen met de juridische afdeling voordat we zoiets doen.' Hij leek gefrustreerd, alsof hij had verwacht dat dit makkelijker zou gaan. Zijn gezicht nam diezelfde kleur aan die het had gehad toen hij naar de opname luisterde: bleek en kalkachtig.

'Dat is het probleem, Noah. Elke keer als we meer proberen te krijgen, geven jullie tegengas.'

Dit leek hem boos te maken. 'Eigenlijk maakt dit allemaal niet uit,' zei hij. 'We hebben namelijk een veel groter probleem.' Hij kwakte een geprint stuk op het bureau en leunde naar achteren.

Ik pakte het op. Het was een artikel uit *The Los Angeles Times* van begin jaren negentig, waarin stond dat Weinstein Woody Allens films ging distribueren.

'Harvey zegt dat je een enorm belangenconflict hebt,' zei Oppenheim.

Ik keek op van het artikel: '*Harvey zegt?*'

Oppenheims blik vluchtte weer zijwaarts. 'Je snapt me wel,' zei hij. 'Harvey zei dit tegen Rich Greenberg. Ik heb Harvey nooit gesproken.'

'Maar dit wisten we,' zei ik verbaasd. 'Greenberg, McHugh en ik hadden al geconstateerd dat hij met allebei mijn ouders heeft gewerkt; hij heeft immers met iedereen in Hollywood gewerkt.'

'Hij werkte met Woody Allen toen die een paria was!' Hij verhief nu zijn stem.

'Er werkten zoveel distributeurs met hem.'

'Maakt niet uit. Het gaat niet alleen daarover. Het is.... Je zus werd misbruikt. En jij schreef vorig jaar dat geruchtmakende stuk in *The Hollywood Reporter* over seksueel geweld in Hollywood.'

'Waar wil je heen?' vroeg ik. 'Dat niemand met een familielid dat seksueel geweld heeft meegemaakt, verslag kan doen van kwesties die met seksueel geweld te maken hebben?'

Hij schudde met zijn hoofd. 'Nee,' zei hij. 'Dit is rechtstreeks terug te leiden tot jouw... jouw agenda.'

'Je denkt dat ik een agenda heb, Noah?' Ik kreeg hetzelfde gevoel als tijdens mijn gesprek met Greenberg: dat ik directe vragen moest stellen, omdat dat de enige manier was om de ruimte bloot te leggen tussen wat hij impliceerde en wat hij daadwerkelijk zei.

'Natuurlijk niet!' zei Oppenheim. 'Maar ik ken je. Daar gaat dit niet over. Dit gaat over het verhaal dat straks in de openbaarheid de ronde doet. Dat gaat zijn dat ik Ronan Farrow, die net op zo'n... zo'n *kruistocht tegen seksueel geweld* is getrokken, voortgekomen uit haat tegen zijn vader...'

'Dit was geen kruistocht, maar een opdracht. Een opdracht die jij me gaf!'

'Dat kan ik me niet herinneren,' zei hij. 'Ik kan me niet voorstellen dat ik dat heb gedaan.'

'Zo ging het anders wel. Dit was niet mijn idee. Bovendien heb ik er niet in mijn eentje verslag van gedaan. Jouw hele nieuwsorganisatie was hiermee bezig.' Ik schoof het artikel over het bureau naar hem terug. 'En we wisten toch dat hij me op de een of andere manier verdacht ging maken,' zei ik. 'Als dit het beste is wat hij heeft, dan ben ik eerlijk gezegd opgelucht. En dat zou jij ook moeten zijn.'

'Ik heb liever,' zei hij verhit, 'dat hij een video vindt waarop jij seks hebt in een openbaar toilet of zo.' In de vriendschap die we ooit hadden, kon ik deze homograp misschien afdoen door glimlachend met mijn ogen te rollen. Maar inmiddels was hij gewoon een omroepbaas en ergerde ik me aan deze nare kwinkslag.

'Krankzinnig!' zou Jonathan later tegen niemand in het bijzonder roepen. 'Het is krankzinnig dat hij serieus over dat artikel begint. Dat kan hij niet menen. Dat is geen echte tegenwerping. Het is gewoon absoluut walgelijk.' Later zou elke journalist die ik hierover sprak – Auletta, zelfs Brokaw – zeggen dat hier geen belangenconflict speelde, dat dit een non-issue was. Wat Oppenheim beschreef was een journalist die gaf om zijn onderwerp, niet een journalist die een conflict met een specifiek persoon had. Toch gaf ik aan dat ik meer dan bereid was een toelichting in het verhaal op te nemen.

Heel even nam Oppenheims gezicht een haast smekende uitdrukking aan. 'Ik beweer niet dat dit niet veel is. Dit is een ongelooflijk...' Hij zocht naar een manier om deze zin te beëindigen. '...een ongelooflijk stuk voor *New York Magazine*. En weet je, mocht je dit naar *New York Magazine* willen brengen, dan heb je mijn zegen. Mijn zegen heb je.' Als teken van overgave stak hij zijn handen in de lucht.

Ik staarde hem aan alsof hij tijdelijk ontoerekeningsvatbaar was. Toen vroeg ik simpelweg: 'Is dit verhaal dood of niet, Noah?' Hij blikte weer naar het script. Ik tuurde langs zijn schouder naar de artdecoarchitectuur van het historische Rockefeller Plaza.

Toen dacht ik aan mijn zus. Het was vijf jaar geleden dat ze ons gezin vertelde dat ze Woody Allen opnieuw van seksueel misbruik wilde beschuldigen. We stonden in de tv-kamer van ons huis in Connecticut, tussen stapels oude videobanden.

'Ik begrijp niet waarom je dit niet eindelijk eens van je afzet,' zei ik tegen haar.

'Jij had die keuze!' schreeuwde ze. 'Ik niet!'

'Elk van ons probeert dit al decennialang achter zich te laten. Ik probeer nu iets serieus op touw te zetten, met mensen die zich op het werk richten. En nu wil jij... de klok helemaal terugdraaien.'

'Dit gaat niet om jou,' zei ze. 'Begrijp je dat dan niet?'

'Nee, dit gaat om jou. Maar je bent slim en getalenteerd. Je zou zoveel andere dingen kunnen doen...' zei ik.

'Dat kan ik dus niet. Omdat ik dát altijd meedraag,' zei ze, waarna ze begon te huilen.

'Je hoeft dit niet te doen. Je verpest je leven als je het doet.'

'Rot toch op,' zei ze.

'Je weet dat ik je steun. Maar je moet echt… je moet echt hiermee stoppen.'

Oppenheim keek op van de pagina. 'Ik kan teruggaan naar de groep. Maar op dit moment kunnen we dit niet uitzenden.'

Alan Bergers krakerige stem zweemde door mijn hoofd. *'Houd je bezig met verhalen die kans van slagen hebben.'* Ik vroeg me af of ik daar eigenlijk toe in staat zou zijn. Nu ik terugkijk, lijkt de keuze evident. Maar op het moment zelf weet je niet hoe belangrijk een verhaal gaat zijn. Je weet niet of je de strijd aangaat omdat je gelijk hebt, of omdat je ego in het geding is, je wilt winnen en koste wat kost niet wilt bevestigen wat iedereen van je dacht – dat je jong en onervaren was en dat dit alles je ver boven het hoofd groeide.

Ik keek naar de lijst met verhalen op mijn schoot. Ik had het vel zo krampachtig vastgehad, dat het gekreukeld en nat van het zweet was. Er kwamen woorden tevoorschijn: *'Het ziet eruit als het schurkenhol uit een James Bond-film.'* Net buiten mijn gezichtsveld danste het noorderlicht.

Noah zat me onderzoekend aan te kijken. 'Ik kan het er niet bij hebben dat je contact legt met andere bronnen,' zei hij. 'In ieder geval niet in naam van NBC.'

Ik dacht aan McGowans betraande gezicht in het felle licht van de tv-lampen, toen ze zei: *'Ik hoop dat zij ook wat moed tonen.'* Aan Nestor, wiens gezicht verborgen was in de schaduw: *'Is dit hoe de wereld werkt?'* Aan Gutierrez, die met asgrauw gezicht luisterde hoe Harvey Weinstein zei: *'Dat doe ik altijd.'* En aan Annabella Sciorra, die tegen me zei: *'Het spijt me.'*

Ik keek Oppenheim strak aan. 'Nee,' zei ik.

Hij leek geërgerd.

'Pardon?'

'Nee,' herhaalde ik. 'Ik ga niet… dat wat je zei. Het contact met bronnen verbreken.' Ik verfrommelde de pagina in mijn hand tot een prop. 'Tal van vrouwen hebben veel op het spel gezet om dit naar buiten te brengen. En doen dat nog altijd...'

'Zie je, dat is nu het probleem,' zei hij opnieuw met stemverheffing. 'Je bent hier te nauw bij betrokken.'

Ik overwoog of daar misschien waarheid in school. Auletta had gezegd dat hij op het verhaal 'gefixeerd' was. Ik vermoedde dat hetzelfde voor mij opging. Maar ik had deze bronnen wel degelijk scherp ondervraagd. Ik bleef kritisch en was volledig bereid het bewijs te volgen naar waarheen het me maar leiden zou. Bovendien wilde ik maar wat graag Weinstein om een reactie vragen – maar dat was mij verboden.

'Oké, dan ben ik er nauw bij betrokken,' zei ik. 'Dan gaat dit me aan het hart. Maar wat dan nog? We hebben hard bewijs, Noah. En als ik de kans heb dit een halt toe te roepen voordat het opnieuw iemand overkomt, dan kan en mag ik niet stoppen.' Ik had gehoopt dat dit krachtdadig en resoluut klonk. Maar ik hoorde mijn stem overslaan. 'Als je me de laan uit stuurt, oké, dat is aan jou. Het is jouw omroep, jouw beslissing,' ging ik verder. 'Maar draai er niet omheen.'

'Ik stuur je niet de laan uit,' zei hij, terwijl hij opnieuw wegkeek. Na een korte stilte wierp hij me een flauw lachje toe. 'Dit was amusant. Konden we maar terug naar het gif in het Californische water, hè?'

'Tja,' zei ik. 'Kon dat maar.' Toen stond ik op en bedankte ik hem.

Ik liep Noah Oppenheims kantoor uit, richting de liften en langs de enorme, chromen uitvoering van de NBC-waaier: een pauw die zei: 'NBC is nu in kleur. Je kunt het in kleur bekijken. Is dat niet fantastisch?' Dat was het ook. Dat was het echt. Daarna bewoog ik me tussen de bureaus van de *Today Show*-redactie door naar de trappen, naar de derde verdieping. Ik proefde een smaak van batterijzuur in mijn mond. En in mijn handpalmen stonden rode halvemaantjes, daar waar ik mijn nagels in mijn huid had geplant.

DEEL III
SPIONNENLEGER

29
FAKAKTA

'Mijn zegen heb je,' had Oppenheim gezegd. En nog wel over *New York Magazine* (alleen in het mediawereldje van Manhattan stond de hemel gelijk aan een semi-intellectueel, tweewekelijks tijdschrift). Maar hoe gezegend was ik nu eigenlijk als de interviews op de NBC-servers stonden? Ik gebaarde McHugh naar een leeg kantoor te komen en vertelde hem wat ik net had meegemaakt met Oppenheim. 'Zo komt die kerel er dus steeds mee weg,' zei McHugh. 'Dus ze bedachten dit argument samen met Weinsteins advocaten, vertelden ons niets en wachten op het moment om dit over te brengen als een... als een nagel aan onze doodskist,' zo haalde hij metaforen door elkaar. 'Ze probeerden ons zover te krijgen het onderzoek helemaal te stoppen,' zei hij. 'Daarom interesseert het niemand dat we met een nieuw slachtoffer praten.' Ik keek naar hem, knikte. Dus dit was het dan. 'Wat een gelul allemaal,' zei hij. 'Wat binnen deze organisatie gebeurde. Het is een groot verhaal.'

'Al dat onderzoek,' zei ik mat. 'Het is allemaal van hen.'

Hij keek me indringend aan.

'Kom eens mee.'

Toen we terug waren op onze werkplek, keek McHugh even rond. Daarna bukte hij zich om een bureaula te openen.

'Stel,' zei hij, terwijl hij uit een berg audiovisuele accessoires een

213

zilveren rechthoek opduikelde, 'dat je de interviews wél had.' Hij schoof me over het bureau een USB-stick toe, waarop in een hoek met zwarte marker 'Gifvallei' stond geschreven.

'Rich…' zei ik.

Hij haalde zijn schouders op. 'Back-up.'

Ik lachte. 'Ze gaan je ontslaan.'

'Laten we onszelf niet voor de gek houden. Wanneer dit voorbij is, zitten we allebei zonder baan.'

Ik maakte aanstalten hem te omarmen, maar hij wuifde me weg. 'Het is al goed. Zorg er gewoon voor dat ze dit niet in een doofpot stoppen.'

Een paar minuten later was ik onderweg naar de kluis van de bank. Ik liep snel. Ik wilde Oppenheim niet de kans geven terug te komen op zijn voorstel het verhaal elders onder te brengen. Maar wie te bellen? Toen ik naar mijn telefoon keek, zag ik Auletta's e-mail van de vorige dag. Als er één medium bestond dat wist wat het was om het tegen Weinstein op te nemen, dan was het *The New Yorker* wel. Ik belde Auletta.

'Ze zenden het niet uit?! Met wat jij hebt? Met de opname?' vroeg hij. 'Dat is belachelijk.' Hij zei dat hij wat ging rondbellen en dan bij me terugkwam.

Al sinds de bijeenkomst met Oppenheim probeerde ik Jonathan te pakken te krijgen. 'Bel me,' schreef ik. En toen, kinderachtig: 'Ik zit midden in de belangrijkste gebeurtenis van mijn leven en je bent er niet voor mij. Ik neem cruciale beslissingen en doe dat zonder jou, en dat is klote. Ik loop voor jou weg bij opnames, maar jij doet niet hetzelfde voor mij.'

Toen hij dan eindelijk terugbelde, was hij geïrriteerd.

'Ik kan niet zomaar uit een vergadering stappen omdat jij me bombardeert met berichten. Dat is absurd,' zei hij.

'Ik moet nu gewoon van alles het hoofd bieden,' zei ik. 'En ik heb het gevoel dat ik er helemaal alleen voor sta.'

'Je staat er niet alleen voor.'

'Kom dan naar me toe.'

'Je weet dat dat niet gaat. Je lijkt dat niet te beseffen, maar we zijn hier een bedrijf aan het opstarten...'

'Er gebeuren rare dingen om me heen,' zei ik. 'Ik heb het gevoel dat ik gek word.' Toen we ophingen, waren we allebei gepikeerd. Inmiddels daalde ik al af in een ondergrondse bankkluis. Ik legde de harddrive in het kluisje en keek toe hoe hij met een nagels-op-een-schoolbord-geluid dichtschoof.

De dag erna stelde Auletta me voor aan David Remnick, redacteur van *The New Yorker*. Remnick en ik maakten een afspraak voor de volgende week. 'Het is een kwestie,' schreef hij, 'waar we enige ervaring mee hebben.'[1]

In Rock 30 waren de gesprekken tussen McHugh en mijzelf doortrokken van onrust. Greenberg leek gespannen. McHugh schoot hem aan en sprak zijn ongeloof uit over het argument van een belangenconflict. Hij herinnerde Greenberg eraan dat we wat betreft de connecties in de filmwereld tussen Weinstein en mijn familie al eerder hadden vastgesteld dat er geen sprake was van een belangenconflict.

Greenberg zei vaag dat ze wel een uitweg zouden vinden.

'Dus dit is niet het einde van het verhaal bij NBC?' vroeg McHugh.

'Luister, ik ga nu niet de discussie met je aan,' antwoordde Greenberg.

'Ik discussieer niet,' zei McHugh, 'maar ik wil wel aantekenen dat ik het hiermee oneens ben.'

Toen ik op mijn beurt Greenberg tegenkwam, had ik ook vragen voor hem. 'Over dit belangenconflict,' begon ik, 'Noah zei dat Harvey jou erover heeft verteld.'

Te midden van zijn paniek slaagde hij erin werkelijk stomverbaasd te kijken.

'Daarover heb ik het nooit met Harvey gehad,' zei hij.

Het was vroeg in de middag toen Oppenheim me appte. Hij vroeg of we elkaar konden treffen. 'Ik ben hier al de hele dag over bezig,' bitste hij toen ik zijn kantoor binnenliep. Hij zag eruit alsof hij niet had geslapen. 'We denken allemaal dat er een mogelijke...' – in reactie op het optimisme dat zich direct op mijn gezicht aftekende, herhaalde hij – '...mógelijke oplossing is.' Wie er dan ook had besloten dat het verhaal nu niet kon worden gebracht, had zich blijkbaar ook gerealiseerd dat het verhaal ook niet *niet* kon worden gebracht – of in ieder geval kon het niet worden afgesloten zoals Oppenheim de vorige dag had gedaan. 'We laten een van de meest ervaren producers die we hebben, iemand van *Dateline* die hier al twintig, dertig jaar werkt... We geven hun de opdracht al jouw stappen na te gaan en alles op te schonen.'

'Wie?' vroeg ik.

'Corvo, die een onberispelijke staat van dienst heeft, zal de leiding nemen. Hij kiest iemand uit.'

Corvo was een door de wol geverfde *Dateline*-journalist en trouwe NBC-man, maar ook iemand met principes, voor zover ik kon beoordelen.

'Als dit oprecht met de bedoeling gebeurt om het verhaal te brengen, dan ben ik helemaal voor. Licht alles zo goed mogelijk door. Het onderzoek zit goed in elkaar.'

'Het gaat niet alleen om die check,' zei Oppenheim. 'Het is mijn standpunt dat zowel de opname als het feit dat Harvey Weinstein een paar jaar geleden naar de borst van een vrouw grijpt, geen nationaal nieuws is.' Ik begon iets terug te zeggen en hij hield zijn hand op. 'Ergens anders is het wel nieuws. Breng het bij *The Hollywood Reporter*, uitstekend, daar is dit nieuws. Een filmproducent die een vrouw betast is voor de *Today Show* simpelweg geen nieuws.'

Hij zei dat ze meer wilden, en ik zei dat dat geen probleem was. Ik kon Gutierrez' aanbod aannemen en vragen langs te komen, het interview met Canosa maken of opnieuw een interview met Nestor schieten.

'Nee, nee,' zei hij. 'We laten een producer alles tegen het licht houden. Iedereen die we in gedachten hebben, is nog tot maandag op vakantie. Laten we tot dan even geduld hebben,' zei hij.

'Als je meer wilt, Noah, dan moet je me tijd en ruimte geven om daarvoor te zorgen.'

'Weet ik, weet ik,' zei hij. 'Alles wat ik vraag, is nog even geduld tot maandag.'

'Dit is *fakakt*,' zei McHugh.

'Alsjeblieft Rich, even geen Jiddisch meer. Het is trouwens *fakak-ta…*'

'Het zet mijn geloofwaardigheid op het spel, en dat vind ik verdomme…'

'Nee, dat doet het niet,' zei ik.

'Hoezo niet? Er wás een betrouwbare producer die elk element van dit verhaal tegen het licht hield. Ik was er de hele tijd bij…'

'O, sorry!' zei een jonge, opgewekte productieassistente van de *Today Show* toen ze de deur opende. We bevonden ons in de raamloze postkamer vlak bij de nieuwsredactie van de *Today Show*. Want overal was het vol. De productieassistente rommelde door een stapel post en lummelde wat met postformulieren.

We stonden er ietwat ongemakkelijk bij.

'Maar eh, alles goed?' bracht ik uit.

'Ja, hoor,' zei ze. 'Geweldig. Je weet wel. Jammer dat de zomer voorbij is.'

'Tja,' zei ik.

Toen de deur achter haar dichtviel, richtte ik me weer tot McHugh. 'Als ze je eraf halen, accepteer ik dat niet, Rich.'

'Maar dat is toch precies wat er nu gebeurt,' zei hij nog altijd op fluistertoon. 'Want wat is dit verdomme anders?'

'In feite gaat het om een soort speciale-aanklagersrol. Natuurlijk kunnen ze het allemaal stopzetten, maar dit is wel hoopgevend.'

Rich keek me aan alsof ik getikt was. 'Ze zeiden nee. Toen beseften ze dat dit een pr-schandaal wordt. Nu winnen ze tijd en proberen ze ons te putten. Maar straks is het maart en hebben we het hier nog steeds over. Steeds hetzelfde liedje: we hebben meer nodig, we hebben meer nodig; ze gaan niet recht in ons gezicht nee zeggen... Het is oké hoor, kom maar binnen.'

'Sorry!' piepte de productieassistente. Ze trippelde richting een document dat ze was vergeten.

Ik glimlachte gespannen en zei toen tegen McHugh: 'Doe je nu niet een beetje paranoïde? Misschien brengen ze het wel.'

'Het gaat hierom: het is een probleem als de directeur van NBC News rechtstreeks met Harvey praat en daar tegen ons over liegt.' Hij liep te pruilen. 'Wat ga je doen met je afspraak met Remnick volgende week?'

Daar dacht ik even over na. 'Ik laat hem staan, zodat we die optie achter de hand hebben. Misschien stel ik voor het verhaal voor beide media te doen. Ik weet het niet.'

'Wees wel voorzichtig,' zei McHugh. 'Want stel dat het via een andere publicatie naar buiten komt en NBC slecht wordt afgeschilderd, dan kunnen ze het ons betaald zetten...'

'Hallo!' zei een van de drie glimlachende stagiaires die net de deuren opendeden. 'Let maar niet op ons, hoor.'

Ondanks de scepsis van McHugh voelde ik me opgebeurd door een nieuw optimisme toen ik Rockefeller Plaza verliet en me een weg baande langs de felle neonlichten van Times Square. 'NBC is de vogel in je hand. Blijf bij hen, zolang ze je met het onderzoek laten doorgaan,' had Jonathan over de telefoon vanuit Los Angeles gezegd. 'Noah zit er tot over z'n oren in, maar hij bedoelt het niet kwaad.'

Mijn gevoel dat de hindernissen van de afgelopen maand deel uitmaakten van een koortsdroom die vanzelf voorbij zou gaan, werd versterkt toen Thomas McFadden, van de NBC-beveiliging, contact opnam met een update. Ze hadden uitgevogeld waar ten minste een aantal van de dreigberichten vandaan kwamen. Ik bleek inderdaad last te hebben van doodgewone stalkers met mentale problemen. Dus, zo hield ik mezelf voor, geen samenzweringen of mensen die buiten het appartement de wacht hielden.

Harvey Weinsteins stemming was eveneens omgeslagen. In gesprekken met mensen om hem beweerde hij niet langer triomfantelijk dat zijn contacten bij NBC hem hadden verzekerd dat het verhaal de nek was omgedraaid, maar gaf hij lucht aan zijn zorgen dat dit niet netjes was gebeurd of dat er zelfs nog aan het verhaal werd gewerkt. Weinstein wist dat Boies op goede voet stond met Lack. Daarom vroeg hij de advocaat contact met de omroepbaas op te nemen.

'Ik kan Andy wel bellen en kijken wat hij zegt,' was alles wat Boies beloofde.

Ik kreeg van meer bronnen te horen dat ze onrustbarende telefoontjes van Weinstein en diens partners kregen. Katrina Wolfe, die voor de camera had verklaard de onderhandelingen over de schikkingen in Londen te hebben meegemaakt, vertelde me nerveus dat ze was gebeld door een ervaren producer van Weinstein, Denise Doyle Chambers. Doyle Chambers zei op haar beurt dat zij en een andere producer, Pam Lubell, weer voor Weinstein aan de slag waren gegaan. Ze deden research voor een boek. Een 'vrolijk boek,' zou Lubell later zeggen, 'over de goede oude tijd van Miramax, de hoogtijdagen'. Weinstein had ze gevraagd namen van medewerkers die ze kenden op te schrijven en vervolgens contact met hen op te nemen. Later werd het voer voor publieke speculatie hoeveel de twee vrouwen werkelijk van dit dekmantelverhaaltje hadden geloofd. Lubell leek zichzelf van de waarheid ervan te hebben overtuigd: ze schreef zelfs een boekvoorstel. Op het zwart-witomslag een glimlachende Bob en Harvey Weinstein en erboven 'MIRAMAX: DAT WAREN NOG EENS TIJDEN. IK DACHT DAT DIE NOOIT VOORBIJ ZOUDEN GAAN.'

Dit verhaal, van meet af aan doorzichtig, rafelde al snel helemaal uiteen. Begin augustus vroeg Weinstein de twee vrouwen in zijn kantoor te komen. 'Weet je wat, we stellen het boek even uit,' zei hij. Hij vroeg Doyle Chambers en Lubell om 'jullie vrienden op de lijst te bellen en te vragen of de pers misschien contact met ze heeft gezocht'.

Aan de telefoon met Wolfe besteedde Doyle Chambers weinig tijd aan geklets over de goede oude tijd. Ze kwam direct ter zake. Weinstein wilde graag weten of journalisten contact met Wolfe hadden gezocht. Specifieker: of ze misschien van mij had gehoord. Daarnaast wilde hij kopieën van eventuele e-mails die ze had ontvangen of verzonden. Bang gemaakt stuurde Wolfde al mijn e-mails door naar Doyle Chambers. Wolfe zei dat ze er nooit op had gereageerd.

Dan was er nog iets: de namen die Doyle Chambers en Lubell verzamelden en belden, werden tevens toegevoegd aan een andere, langere lijst. Op die lijst prijkten maar weinig insiders uit de gouden jaren. Daarentegen wemelde het van vrouwen met wie Weinstein had gewerkt, én van hinderlijke journalisten. De namen hadden kleurcodes: sommige waren rood gemarkeerd. Dat wees op urgentie, in het bijzonder wanneer het de vrouwen betrof. Terwijl Doyle Chambers en Lubell de lijst op basis van hun telefoontjes updaten, wisten ze niet dat hun werk eerst werd doorgestuurd naar de kantoren van Black Cube in Tel Aviv en Londen en vervolgens naar andere medewerkers overal ter wereld. Daar diende het als basis voor Black Cube's toenemende werkzaamheden voor Weinstein.

Terzelfdertijd ontving John Ksar, een agent van het sprekersbureau Harry Walker met wie ik werkte, verzoeken van een rijke vermogensbeheerder uit Londen. De vertegenwoordigster van die firma, Diana Flip, zei dat ze een gala organiseerde ten bate van de belangenbehartiging van vrouwen op de werkvloer. Nu was ze op zoek naar een journalist met kennis over dat onderwerp om een of meerdere toespraken te geven.

Ksar liep al wat langer mee in deze bedrijfstak en was geoefend in het hengelen naar informatie. Filip had haar antwoorden echter paraat. Ze somde details op, waaronder welke investeerders aanwezig zouden zijn. Ze zei dat haar bedrijf nog geen definitief besluit had genomen. Eerst wilden ze mij ontmoeten. 'Ik hoop dat die bijeenkomst ergens in de komende weken kan worden georganiseerd. Volgende week ben ik in New York, dus het zou goed uitkomen als meneer Farrow dan tijd heeft,' scheef ze in een e-mail.[2] Dit was de eerste van een reeks berichten waarin ze aandrong op een afspraak op korte termijn; toen dat geen succes had, gaf ze aan dat een telefonisch gesprek met mij ook volstond. Gedurende meer dan een maand bleven de e-mails van Diana Filip binnenstromen. Ksar veronderstelde dat ze gewoon heel erg geïnteresseerd was in onderzoeksjournalistiek.

30
DE FLES

Rond het ochtendgloren na mijn laatste bijeenkomst met Oppenheim namen de privédetectives hun post buiten mijn voordeur in. Khaykin was al ter plaatse toen Ostrovskiy kwam aanslenteren vanaf de bagelzaak om de hoek. 'Wil je iets?' had Ostrovskiy geappt. 'Nee man, tnx,' antwoordde Khaykin. Een paar minuten later waren ze in positie. Vanaf de straat hielden ze de wacht.

Direct na de bijeenkomst met Oppenheim had ik per e-mail een afspraak met David Corvo gemaakt. In mijn appartement trok ik een wit buttondown-overhemd aan, propte mijn aantekeningen in een tas en stapte het zonlicht in.

Iets na half negen kregen de privédetectives een jonge, blonde man in een witte blouse en met rugzak in het zicht. Ze namen hem aandachtig op. Ze hadden foto's van mij gekregen. Bovendien hadden ze de dag ervoor nog extra in databases gezocht. Bij het surveilleren kwam het nodige giswerk kijken, maar dit leek hem toch echt te zijn. Ostrovskiy reed. Hij volgde het doelwit, sloeg de hoek om en richtte een Panasonic-camerarecorder op hem. Hij appte: 'Voorlopig rijd ik richting Rock 30.' Khaykin zette te voet de achtervolging in. Hij daalde af in station Colombus Circle en nam een metro naar het centrum.

Op deze lange surveillancedagen hadden de privédetectives vaak nauwelijks tijd voor een toiletpauze. 'Hoe ver weg zit je?' appte Ostrovskiy zijn baas later die dag, toen hij in zijn auto wachtte totdat het doelwit weer tevoorschijn kwam. 'Ik moet de fles gebruiken. Als je in de buurt bent, kan ik nog even wachten.' Khaykin bleek evenwel niet in de buurt. Ostrovskiy tuurde naar het frisdrankflesje dat hij eerder had leeggedronken, legde zich bij de feiten neer, pakte het flesje en deed wat hij moest doen.

'Oké, alles weer in orde,' appte hij zijn baas.

Tegen de tijd dat ik Rockefeller Plaza bereikte, was mijn overhemd nat van het zweet. Corvo zat in zijn kantoor vlak bij de rest van het *Dateline*-team. Hij glimlachte en vroeg: 'Hoe gaat het?'

'Ik begrijp dat we zullen samenwerken,' zei ik.

'O dat,' zei hij. 'Mij zijn alleen de grote lijnen verteld.'

Ik nam de belangrijkste aspecten met Corvo door: de geluidsopname; de talrijke beschuldigingen tegen Harvey Weinstein die na de juridische doorlichting in het script waren overgebleven; Gutierrez' onwrikbare bereidheid om bij naam en toenaam als hoofdgetuige te worden opgevoerd; Nestors bereidheid om als vervanging van McGowan herkenbaar in beeld te komen. Terwijl hij luisterde, knikte zijn hoofd vriendelijk mee. 'Fascinerend,' zei hij met een glimlach.

Corvo had al eerder met stevige verhalen over seksuele aantijgingen van doen gehad. In 1999, ten tijde van Andy Lacks eerdere periode bij NBC News, was Corvo verantwoordelijk geweest voor het interview met Juanita Broaddrick, die Bill Clinton ervan beschuldigde dat hij haar eenentwintig jaar eerder had verkracht. Na de opname had de omroep het interview meer dan een maand lang doorgelicht. Het werd pas uitgezonden nadat Broaddrick haar verhaal gefrustreerd had verteld aan *The Wall Street Journal, The Washington Post* en *The New York Times*. 'Volgens mij had NBC het nooit uitgezonden als Dorothy Rabinowitz me niet was komen interviewen,' verwees Broaddrick naar de verslaggeefster van *The Wall Street Journal* die het verhaal uiteindelijk als eerste bracht.[1] 'Ik had de hoop al opgegeven.'

Wat ik niet wist, was dat Corvo zelf ook een geschiedenis van seksuele intimidatie had. In 2007 leek hij geobsedeerd door een medewerkster. Hij stuurde haar een lawine van wellustige sms'jes. 'In het kader van ons nieuwe voornemen om misverstanden te voorkomen,' schreef hij, 'moeten we één "grondregel" glashelder hebben: elke keer dat je naar het zwembad gaat, moet je me dat laten weten. Ik hoef maar een glimp van grote afstand van je op te vangen, en ik ben al gelukkig.'[2] Op een warme zomerdag sms'te hij: 'Ik ben dol op warm weer, maar ga je echt in díe kleding naar een schoolevenement?'[3] Meermaals vond of creëerde hij een gelegenheid om met de vrouw alleen te zijn. Ten slotte diende ze een klacht bij het management in. Ze kreeg promotie en zou nog jaren voor de organisatie werken. Ondertussen klom Corvo ongehinderd op binnen de omroep.

Na de bijeenkomst met Corvo voelde ik me gerustgesteld. Waar ik geen weet van had, was dat NBC de dag erna een ontslagakkoord van bijna een miljoen dollar met Corvo's beschuldigster overeenkwam. Toen *The Daily Beast* later verslag deed van de aantijgingen, zei de omroep dat de betaling niets met haar klacht te maken had. Als onderdeel van de deal werd het haar verboden zich ooit negatief over haar tijd bij NBC uit te laten.

Een paar ochtenden later zaten de privédetectives weer op hun post in de Upper West Side. Ditmaal was Ostrovskiy achtervolger van dienst. 'Tot dusver heb ik hem niet gezien,' appte hij zijn baas. Toen kreeg hij de blonde jongeman weer in het oog. Ostrovskiy sprong uit zijn auto en volgde hem te voet. Hij kwam zo dichtbij dat hij hem kon aanraken. Toen fronste hij en toetste hij op zijn telefoon een nummer in.

Boven in mijn appartement nam ik op. 'Hallo?' zei ik. Ik hoorde een korte vloek in het Russisch en toen was de lijn dood. Vlak voor Ostrovskiy liep de buurman die enigszins op me leek gewoon door. Hij was zich zalig onbewust van dit alles en nam overduidelijk geen telefoon op.

'Lijkt ons doelwit niet,' appte Ostrovskiy Khaykin. 'Nu terug bij woonadres.' In zijn auto googelde hij naar betere foto's van mij. 'Heb nu een goede ID-foto,' schreef hij. Daarop stuurde hij zijn baas een foto van mij en mijn zus Dylan in de armen van onze ouders, toen we iets van vier en zes jaar moeten zijn geweest. 'Met deze foto zitten we goed.'

'LOL,' antwoordde Khaykin. Even later stuurde hij, voor het geval Ostrovskiy toch geen grap maakte, een screenshot met mijn geboortedatum van een van de dossiers met blauwe Times New Roman-kopjes.

De kantoren van *The New Yorker* lagen op de de 37ste verdieping van het One World Trade Center, als een ouroboros van nieuws, intellectuele kritieken en linnen tasjes. Het was er fris, open en modern. Mijn bijeenkomst met David Remnick vond 's middags plaats. Toen ik naar binnen liep, speelde mijn telefoon een scherzo af aan meldingen: een reeks nieuwe spamberichten, waarin ik ditmaal werd gevraagd om me aan of af te melden voor een of ander politiek onderzoek. Ik swipete ze weg terwijl een slungelige assistent me richting een vergaderzaaltje naast Remnicks kantoor loodste.

Op de dag dat Remnick honderd jaar wordt, zullen ze hem nog altijd een wonderkind noemen. Hij begon als sport- en misdaadverslaggever voor *The Washington Post*, voordat hij voor diezelfde krant correspondent in Moskou werd. Dat resulteerde in zowel een gevierd boek over Rusland als, toen hij in de dertig was, een Pulitzerprijs. Deze zomer was hij eind vijftig en kroop het grijs op naar zijn zwarte krullen. Toch had hij nog altijd iets jongensachtigs. Toen zijn echtgenote hem later lang zou noemen, keek ik daar gek genoeg van op. Hij was een van de zeldzame mannen van die statuur, fysiek en professioneel, bij wie je je niet klein voelde. Hij zat in spijkerbroek en colbertje in een van de kantoorstoelen aan de vergadertafel. Uit zijn lichaamstaal sprak ontspanning, maar ook nieuwsgierigheid.

Hij had een jonge redactrice meegenomen, Deirdre Foley-Mendelssohn. Zij was een jaar eerder, na periodes bij *Harper's* en *The Paris Review*, bij het tijdschrift komen werken. Foley-Mendelssohn was mager, stil en intens. De avond ervoor had Remnick in haar kantoor geopperd dat het goed zou zijn als ze Auletta's oude profielschets van Weinstein las. Daar liet ze het niet bij: ze had zich breed ingelezen.

Toen we allemaal zaten, schetste ik het onderzoek. Ik zag Remnick nadenken. 'En je denkt dat je meer kunt krijgen?' vroeg hij.

'Dat weet ik zeker,' zei ik. Ik vertelde hem over de aanknopingspunten waar ik van NBC niet verder mee mocht gaan.

Hij vroeg of hij de opname kon horen. Aldus legde ik voor de tweede keer die zomer tegenover een baas van een nieuwsorganisatie mijn telefoon op tafel. Ik drukte op Play.

Remnick en Foley-Mendelssohn luisterden. Hun reactie was het exacte tegenovergestelde van die van Oppenheim. Na afloop viel er een verbijsterde stilte. 'Het gaat niet alleen om de bekentenis,' zei Foley-Mendelssohn ten slotte. 'Het gaat ook om de toon, het geen genoegen met "nee" nemen.'

'En NBC laat je hiermee de deur uitlopen?' vroeg Remnick. 'Wie binnen NBC beslist dit? Oppenheim?'

'Oppenheim,' bevestigde ik.

'En je zei dat hij een scenarioschrijver is?'

'Hij schreef *Jackie*,' antwoordde ik.

'Dat,' zei Remnick ernstig, 'was een slechte film.'

Die ochtend maakten Ostrovskiy en een collega tevergeefs een laatste stop bij het gebouw van *The New York Times*. Toen belde Khaykin om een nieuwe opdracht met betrekking tot mij door te geven: '*Volg zijn telefoon.*' Ostrovskiy herinnerde zich nog hoe hij Khaykin de vorige herfst had horen opscheppen dat hij daartoe in staat was.

Vlak na het middaguur stuurde Khaykin screenshots van kaarten, met daarop punten die de precieze breedtegraad, hoogtegraad en hoogte van een bewegend doel aangaven. Misschien had Khaykin toch niet uit zijn nek zitten lullen: de aangegeven locaties kwamen exact overeen met de route die ik aflegde richting mijn afspraak met Remnick.

Tegenover de redacteuren van *The New Yorker* speelde ik open kaart over elk aspect van het onderzoek, waaronder mijn hoop dat het nog een toekomst bij NBC had. 'Ik heb werkelijk geen idee wat er daar aan de hand is,' zei ik. 'Maar ik ben daar in dienst. Dus stel dat deze laatste check toch oprecht is, dan moet ik het een kans geven. Dat ben ik mijn producer verschuldigd.'

Remnick maakte duidelijk dat hij geïnteresseerd was als NBC het verhaal opnieuw zou afschieten of niet van zins zou zijn het als eerste te brengen. Natuurlijk moest er nog werk worden verzet. Hoe meer bewijs ik vergaarde, hoe beter. Uit ervaring wist Remnick dat Weinstein en zijn juridische team klaar voor de strijd zouden zijn. Niettemin werd ik voor het eerst die zomer actief door een nieuwsorganisatie aangemoedigd. Remnick vroeg me om Foley-Mendelssohn op de hoogte te houden terwijl de nog af te handelen puzzelstukjes van het onderzoek, zoals het interview voor de camera dat Canosa overwoog, op hun plek vielen.

'Ik verwacht niet dat jullie direct iets toezeggen, maar ik denk dat ik genoeg heb om een substantieel stuk te publiceren,' zei ik.

Hij knikte. 'Daar kun je wel eens gelijk in hebben.'

Na de bijeenkomst ging Remnick terug naar zijn kantoor. Ik zei Foley-Mendelssohn gedag. 'Als ze je tegenhouden, om welke reden dan ook,' zei ze, 'bel me dan.'

Toen ik de hal in stapte, werd mijn telefoon overstroomt met misschien wel tweehonderd tekstberichten. '(Enquête) Moet Trump worden afgezet?' zo luidde het ene na het andere identieke bericht. 'Reageer om je mening te geven. Om je af te melden voor de mailinglist...' Elk bericht was afkomstig van een ander nummer. Ik stond stil en swipete de teksten weg. Ten slotte gaf ik dat op en probeerde ik me af te melden, maar dat leek niets uit te halen.

'Het is vlak bij het World Trade Center,' schreef Ostrovskiy aan Khaykin nadat hij de kaarten had ontvangen. 'Ben onderweg daarheen.' En vervolgens: 'Nog extra informatie over waar hij wellicht vandaan komt?' en 'Gebouwen op dat adres? Of is hij misschien al buiten?'

'Geen info,' antwoordde Khaykin.

'Oké, ik ga rondkijken.'

Tussen de vloedgolf aan enquêteberichten kwam een app van McHugh binnen, waarin hij vroeg hoe laat ik er dacht te zijn. Ik werd verwacht bij NBC. Ik begaf me al richting de metro toen ik me bedacht. Sinds de dag dat ik me afvroeg of ik niet werd gevolgd, voelde ik een merkwaardige onrust. Daarom liep ik richting de straat en hield ik een taxi aan. Op weg naar het centrum reed de taxi me pal langs de privédetectives.

Even later hadden McHugh en ik een overleg met de twee producers die door Corvo waren aangesteld om het onderzoek door te lichten. Weliswaar leken beiden oprecht geïnteresseerd, maar het was evengoed duidelijk dat de beslissing over het lot van het verhaal door mensen hoger in de hiërarchie werd genomen. De bijeenkomst was jachtig; voor de producers stond ze ingepland tussen screenings van *Dateline*-verhalen. McHugh en ik gaven hun al het onderzoeksmateriaal mee dat we zo snel konden uitprinten. We benadrukten dat er meer was, waaronder het gevoelige materiaal in de bankkluis. Ze vroegen niet of ze de opname konden horen. Sterker nog, daar zouden ze nooit om vragen.

Toen we de bijeenkomst uit liepen, zag McHugh dat hij was gebeld door een nummer dat hij niet herkende. Dat bleek Lanny Davis, de advocaat en pr-man.

'Ik begrijp dat je samen met Ronan Farrow aan een verhaal over Harvey werkt,' zei Davis. 'Klopt dat? Ben je nog steeds daarmee bezig? En wanneer ben je van plan het uit te zenden?'

McHugh antwoordde dat hij over lopende onderzoeken niets kon zeggen. Davis zei dat hij op vakantie was en gaf McHugh zijn mobiele nummer. 'Ik heb vele jaren gewerkt met de Clintons en nu werk ik met Harvey,' zei Davis. 'Ik sta klaar om je te helpen.' Haastig beëindigde McHugh het gesprek. De rest van de middag leek hij wat uit z'n doen.

Ik boekte een vlucht naar Los Angeles voor die avond. Ik hoopte Canosa eindelijk te kunnen overhalen om voor de camera te verschijnen. Bovendien had ook Nestor ingestemd met een afspraak: we zouden de mogelijkheid bespreken van een interview waarop ze met haar gezicht herkenbaar in beeld kwam.

Toen ik de vertrekterminal van JFK in stapte, belde Canosa. Ze klonk nerveus. 'Hij belt steeds,' zei ze. Weinstein leek bezig aan een charmeoffensief. Hij vertelde haar hoezeer hij haar loyaliteit op prijs stelde.

'Als je het gevoel hebt dat je dit niet aankunt...'

'Nee,' zei ze resoluut. Haar gezicht zou in de schaduw blijven, maar ze wilde het doen. 'Ik geef het interview.' We spraken een tijd af.

De meest recente reden die Oppenheim had gegeven om het onderzoek te staken – namelijk om te wachten totdat Corvo een producer had aangewezen – was inmiddels van tafel. McHugh en ik lieten NBC weten dat we het interview doorgang lieten vinden.

Nadat de privédetectives mij bij het World Trade Center maar net misgelopen hadden, draalden ze wat in de buurt. Khaykin raadpleegde kettingrokend zijn telefoon, in afwachting van nieuwe GPS-data die nooit kwamen. Die avond postte Ostrovskiy weer vruchteloos bij mijn appartement. 'Maak je geen zorgen over de tijd voor Ronan,' appte hij zijn baas. 'Ik begrijp de situatie volkomen en verwacht niet betaald te worden tenzij we hem daadwerkelijk vinden.'

31
DE SYZYGIE

O ok Harvey Weinstein voelde zich gefrustreerd over een gebrek aan updates. David Boies belde Andy Lack, zoals hij Weinstein had beloofd. Boies vroeg Lack of het onderzoek nog liep.

Lack betoonde zich redelijk en hartelijk. Tijdens het telefoongesprek hield hij zich op de vlakte. Dat had hij ook al tijdens een eerder gesprek met de studiobaas gedaan, toen die laatste aanvoerde dat het naar bed gaan met medewerksters een normale gang van zaken betrof. Tijdens zijn periode als uitvoerend producent van *West 57th*, eind jaren tachtig, joeg de destijds getrouwde Lack zelf ook seksuele relaties met ondergeschikten na. Jane Wallace, een van de correspondenten van dat nieuwsprogramma, zei dat Lack 'enorm vasthoudend' was. Toen ze net bij de show werkte, zo zei ze, vroeg Lack haar 'bijna elke dag gedurende een maand' of ze met hem uit eten wilde. Want hij wilde haar contract vieren. 'Als je baas dat vraagt, wat zeg je dan?' zei ze me later. 'Je weet immers dat als je antwoordt "Ik wil dat niet met jou vieren", je om problemen vraagt.' Wallace zei dat het 'uiteindelijk met wederzijdse instemming gebeurde, maar er werd niet alleen met me geflirt. Ik werd bewerkt.' Ten slotte werd de verhouding bitter. Ze vertelde dat Lack opvliegend begon te doen. Toen ze wegging bij het programma, riep hij haar toe: 'Je zult nooit erkenning krijgen.' Vervolgens hanteerde de omroep een tactiek waar het grote publiek indertijd nog niet of nauwelijks van had gehoord: haar werd een aanzienlijke geldsom aangeboden, in ruil voor het ondertekenen van een geheimhoudingsverklaring.[1] Wallace ging akkoord. 'Pas toen ik daar weg was, ervoer ik het volle gewicht ervan en hoezeer ik ervan walgde,' vertelde ze me. 'Als hij niet zo had gedaan, dan had ik die baan gehouden. Ik was dol op die baan.'

Verschillende oud-medewerkers van Lack herinnerden zich een andere relatie die hij had met een jonge assistent-producer die voor hem werkte: Jennifer Laird. Ze vertelden dat toen die relatie eindigde, Lack vijandig werd en maatregelen nam die in hun ogen bedoeld waren om haar te straffen. Toen Laird vroeg om een overplaatsing, stak Lack daar een stokje voor. Hij dwong haar lange uren te maken, ook in het weekend, en vroeg haar vakanties te annuleren. Bij monde van een woordvoerder ontkende Lack dat hij ooit wraakmaatregelen tegen Laird had genomen. Op haar beurt bevestigde Laird dat deze relatie inderdaad had bestaan en dat de nasleep 'zeer onprettig' was geweest. Ze vertelde me: 'Dit is waarom je je niet met je baas moet inlaten.' Lacks reputatie snelde hem vooruit toen hij zijn meest recente functie bij NBC kreeg aangeboden. 'Waarom zou je dat doen?' vroeg een bewindspersoon aan Steve Burke, nadat hij had gehoord dat Lack opnieuw werd aangesteld. 'Híj is de oorzaak van die cultuurproblemen waarmee je kampt!'

Die dag aan de telefoon met Boies was Lack openhartiger waar het aankwam op het lot van het verhaal bij NBC. 'We hebben Harvey gezegd dat we geen verhaal uitzenden,' zei Lack. 'Mochten we toch besluiten een verhaal te maken, dan hoort hij dat van ons.'

Terwijl ik de avond na de bijeenkomst bij *The New Yorker* naar Los Angeles vloog, belde Greenberg naar McHugh. Hij klonk overstuur. Hij zei dat Oppenheim hem had gezegd 'in deze kwestie op pauze te drukken'.

'Wat betekent dat ik geen verder onderzoek mag doen?' vroeg McHugh.

'Dit komt van onze baas,' antwoordde Greenberg. 'Dit is een bevel.'

De ochtend daarop belde Greenberg mij met dezelfde boodschap. 'Noahs opdracht is glashelder,' zei hij. 'We kunnen het interview niet opnemen. We onderbreken alles.'

Ik was in Jonathans appartement in West Hollywood. Hij kwam stomverbaasd naar me toe lopen. 'Dus voor de duidelijkheid: je gebiedt me het interview te annuleren,' zei ik tegen Greenberg.

Het bleef lang stil. 'Het staat op pauze,' zei hij.

'Het interview staat op de agenda. Je vraagt me het van de agenda te halen. Dat is dan toch zeker geen pauze?'

'Ronan,' zei hij op driftiger toon. 'Je moet het stoppen.'

'Weten we hoelang deze pauze gaat duren?' vroeg ik. 'En waarom precies gebiedt NBC News ons het onderzoek te stoppen?'

Hij leek uit het lood geslagen.

'Ik… hij… Harveys advocaten hebben betoogd dat elke medewerker gehouden is aan een geheimhoudingsverklaring,' zei hij. 'We kunnen hen niet zomaar aanmoedigen die te schenden.'

'Dat maakt ons nog niet juridisch aansprakelijk, Rich. Het *opnemen* van het interview is nog niet…'

'Dit is Noahs besluit,' zei hij. 'Ik snap dat het je niet bevalt, maar volgens mij zijn we geen van allen in de positie om dit aan te vechten.'

Ik ijsbeerde door het appartement en besprak de situatie met Jonathan. Oppenheims voorstel dat ik het verhaal zou meenemen naar een andere nieuwsorganisatie voelde risicovol. 'Hij weet toch dat het een schandaal wordt als het ergens anders naar buiten wordt gebracht?' merkte Jonathan op. Eigenlijk wilde ik het verbod op verder onderzoek blijven aanvechten. Maar als ik dat deed, zouden de verhoudingen wel eens helemaal kunnen verzuren. Misschien probeerde de omroep dan wel te voorkomen dat ik het materiaal elders mee naartoe nam.

Mijn volgende stap kwam uit Jonathans koker. Ik belde Noah Oppenheim en zei hem dat ik graag gebruik wilde maken van de 'zegen' die hij me gaf om het verhaal mee te nemen naar de schrijvende pers. Wel zorgde ik ervoor dat ik dit als iets onschuldigs presenteerde. Naar waarheid vertelde ik dat een hoofdredacteur al voorzichtig interesse had getoond. Ik zei niet welke. Ik stelde voor dat NBC verderging met de opnames van mijn interview en de uitzending van een reportage, nadat ik het geschreven verhaal had gepubliceerd.

'Ik wil je niet, zeg maar, verhinderen om met iets door te gaan. Mijn gevoel zegt me dat dit een redelijk voorstel is,' zei Oppenheim. Hij klonk ten diepste opgelucht. 'Geef me even tien minuten om hierover na te denken, dan kom ik daarna bij je terug.'

Zoals beloofd appte hij tien minuten later dat het prima klonk. Daarop vroeg ik of ik toch nog een NBC-crew naar het volgende interview – met Canosa – kon meenemen. Ik wees erop dat dit hem niet verplichtte iets uit te zenden, maar dat hij gewoon zijn opties openhield. 'Jammer genoeg,' antwoordde hij, 'kunnen we binnen NBC niet verdergaan met wat dan ook totdat de doorlichting voltooid is.'[2]

Binnen vierentwintig uur zou Oppenheim samenkomen met Corvo en de voor hem werkende producers: hij staakte de doorlichting. Een van de producers vertelde de groep dat Nestor 'niet klaar was om naar buiten te treden'. Nestor, die tegen mij had gezegd dat ze desnoods on the record wilde praten, ontkende dat ze iets dergelijks aan de producers had verteld. Op een gegeven moment betoogde Corvo dat het verhaal visueel niet sterk genoeg was en daarom geen goede televisie zou opleveren.

Tot slot verbood Greenberg McHugh nog langer telefoontjes aan te nemen die op dit onderzoek betrekking hadden. 'Je dient alles te staken,' zei hij. McHugh dacht aan al die eerdere keren dat Weinstein het verhaal de kop wist in te drukken. Hij antwoordde: 'We laten hem winnen.'

Nu er geen nieuwsorganisatie achter het verhaal stond, kon ik op niemand terugvallen voor beveiliging. En evenmin voor juridische bescherming, mocht Weinstein ertoe overgaan mij persoonlijk aan te klagen. Ik belde Foley-Mendelssohn. 'Het is zonneklaar dat hij tegen NBC dreigementen heeft geuit,' zei ik. 'Het verhaal is natuurlijk het allerbelangrijkste, maar ik probeer ook uit te vogelen welke risico's ik zelf loop.'

'Stuur me alles wat je hebt,' zei ze. 'Dan kunnen we het gesprek hierover aangaan.'

'Maar wat zegt je intuïtie: dat ik deze interviews moet blijven afnemen, ook zonder dat ik een organisatie achter me heb?'

Hier dacht ze even over na.

'Ik kan de specifieke juridische risico's niet overzien. Maar volgens mij moet je geen dingen annuleren. Ga te allen tijde door met het onderzoek.'

Foley-Mendelssohn bood aan me in contact te brengen met de advocaat van *The New Yorker*, Fabio Bertoni. Het geven van juridisch advies, zelfs al was het informeel, aan iemand die niet in dienst was van het tijdschrift, behoorde niet tot de gangbare procedure. Foley-Mendelssohn begreep echter hoezeer ik het gevoel had er alleen voor te staan.

Terwijl ik wachtte op nieuws van Remnick, stuurde ik Foley-Mendelssohn veel te veel zenuwachtige berichten. Ik liet haar weten dat ik voor het onderzoek telefoongesprekken bleef voeren en speurde in de koffiedrab van haar reacties naar het minste teken dat wees op verdere samenwerking.

Zoals toegezegd nam Fabio Bertoni contact met me op. Voorheen werkte hij voor HarperCollins en het tijdschrift *The American Lawyer*, waar hij precies zulke bedreigingen voor publicaties afweerde als waarmee ik nu te maken had. Toen ik toelichtte dat NBC volhield dat het onderzoek werd gestaakt vanwege zorgen over de juridische risico's, leek hij daar oprecht geen chocola van te kunnen maken.

'Dergelijke risico's ontstaan wanneer je het verhaal naar buiten brengt,' zei hij. 'Het zou hoogst bijzonder zijn wanneer er juridische stappen tegen een niet openbaar gemaakt verhaal werden gezet.' Toen ik hem vertelde dat de aangedragen reden onrechtmatige inmenging betrof, begreep hij er zo mogelijk nog minder van. Hij maakte hetzelfde punt als ikzelf had gemaakt in mijn gesprekken met de omroep: een groot deel van alle verslaggeving over de politiek en de bedrijfswereld zou onmogelijk worden als nieuwsorganisaties geen medewerkers met geheimhoudingsverklaringen als bronnen wilden inzetten. Kortom, je kon mijn eerste ervaringen bij *The New Yorker* vergelijken met die filmpjes waarin proefdieren uit het laboratorium voor het eerst het gras op lopen.

'Dus ik zet door, ook in het besef dat hij dreigementen spuit?' vroeg ik.

'De crux is het volgende,' zei Bertoni. 'Het is geen kunst om enge juridische dreigementen te uiten. Daar daadwerkelijk naar handelen is echt iets heel anders.'

Ik had Canosa beloofd haar interview te schieten en wilde haar niet afschrikken door aan dat plan te tornen. Daarom probeerde ik zelf een crew in te huren. McHugh had opdracht gekregen me niet bij de opname te helpen, maar aangezien hij was wie hij was, deed hij dat toch: hij stuurde me de ene naam naar de andere. De maandag in eind augustus die we voor het interview hadden uitgepikt, bleek samen te vallen met een zeldzame totale zonsverduistering. De meeste freelancecrews waar we contact mee opnamen, waren druk met het vastleggen van de eclips vanaf ideale uitkijkpunten, in plaatsen als Wyoming. Met de weinigen die nog in de stad waren, speelde een ander probleem: bijna iedereen had aan Weinstein-producties meegewerkt of stond op de rol dat weldra te doen. Ten slotte kwam ik uit bij cameraman Ulli Bonnekamp. Ofwel omdat hij wist dat ik het alleen deed ofwel omdat hij doorhad dat het een belangwekkend onderwerp betrof, rekende hij me een redelijk tarief.

Ik vroeg Canosa of ze het interview liever in een hotelkamer opnam. Ze antwoordde dat Jonathans appartement, waar ze al vriendjes met de hond was geworden, wat haar betreft prima was. Terwijl de syzygie begon en de maan voor de zon schoof, brachten de crew en ik alles in het huis in West Hollywood in gereedheid. We zeulden zandzakken en statieven naar binnen, plakten de ramen af met verduisterende stof en behandelden Jonathans meubilair in het algemeen niet met overdreven veel deernis.

Halverwege de middag ontving ik een bericht van Oppenheim. 'Gewoon om nog eenmaal in schrift te herhalen: al het verdere journalistieke werk dat je uitvoert, inclusief het interview van vandaag, vindt niet namens noch met de goedkeuring van NBC plaats.[3] Dat moet niet alleen duidelijk zijn voor jou, maar voor iedereen met wie je werkt.'

'Je kent mijn standpunt,' schreef ik terug. 'Maar ik begrijp en respecteer dit.'

Toen Canosa binnenkwam, vertelde ik haar openhartig over de onzekerheid die het verhaal omgaf. Ik zei dat het interview nog altijd waardevol was en dat ik tot het uiterste zou gaan om het ergens openbaar te maken. Ze maakte geen bezwaar. En dus begonnen we die avond met draaien. Het interview was onthutsend. 'Hij creëert een situatie waarin je er meer bij gebaat bent om te zwijgen dan om je uit te spreken,' zei Canosa over Weinstein.

'En wat zou je willen zeggen tegen een nieuwsmedium dat erover twijfelt of dit een belangrijk verhaal is en of jouw aantijging ernstig en geloofwaardig genoeg is?' vroeg ik.

'Als je dit niet openbaar maakt, als je dit niet doorzet en hem niet ontmaskert, dan zul je je terugvinden aan de verkeerde kant van de geschiedenis,' zei ze. 'Want hij zál ontmaskerd worden. Het is in je eigen voordeel dit openbaar te maken en juist niet te wachten totdat hij ontmaskerd is en iedereen weet dat je informatie onder de pet hield die kon voorkomen dat andere vrouwen hetzelfde moesten meemaken – en dat misschien nog wel jarenlang.'

32
ORKAAN

Gedurende die laatste augustusweken werd de Golf van Mexico geteisterd door wat uiteindelijk een grote, categorie 4-orkaan zou worden. Terwijl Emily Nestor en ik in een koffiebar in Brentwoord plaatsnamen, flakkerden op de tv in de hoek taferelen van verwoesting. Sinds het moment dat Nestor aangaf dat ze ervoor openstond om herkenbaar in beeld te komen als NBC dat wilde, had ze geen blijk van aarzelingen gegeven. Anderzijds had ik haar ook nog niet verteld dat de steun van de omroep voor dit verhaal was vervluchtigd, en dat on the record gaan nu betekende dat ze een factcheckproces van een printmedium moest doorstaan.

'Mijn vraag is dus of je nog steeds je naam hieraan wilt verbinden,' zei ik. Ik vertelde dat The New Yorker zijn beslissing bepaalde op basis van het concept dat ik hun zou toesturen. Ik zei dat elke naam nog altijd telde.

'Ik heb hier lang over kunnen nadenken,' zei ze. Ik keek onderzoekend naar het gezicht van de onbekende die ik eerst had gevraagd haar leven om te gooien en vervolgens maandenlang aan het lijntje had gehouden. Ze zweeg eventjes. Toen zei ze: 'Ik ga het doen.'

Ik haastte me het barretje uit om de laatste hand te leggen aan de conceptversie. Daarin stond het verhaal dat The New Yorker zou overwegen, en dat NBC News had afgewimpeld, als volgt beschreven:

In de loop van een onderzoek van negen maanden heb ik vijf vrouwen gesproken die tegenover mij Harvey Weinstein beschuldigden van verschillende vormen van seksuele intimidatie en seksueel geweld. Deze aantijgingen variëren van ongepaste seksuele voorstellen aan medewerkers, handtastelijkheden en betastingen van het soort dat hij toegeeft op de NYPD-opname, tot twee gevallen van verkrachting. De feiten waarvan hij wordt beschuldigd, strekken zich uit over een tijdspanne van bijna twintig jaar. Veel van deze vrouwen werkten voor Weinstein: in hun aantijgingen is steevast sprake van schijnbaar professionele afspraken, die Weinstein volgens hen gebruikte om hen naar hotels te lokken, waar hij de vrouwen tegen hun zin seksueel benaderde. Om openbaarmaking en politieonderzoek te voorkomen, nam Weinstein in ten minste drie gevallen zijn toevlucht tot aanzienlijke financiële schikkingen, die hij koppelde aan strikte geheimhoudingsverklaringen.

Deze beschuldigingen worden ondersteund door zestien (oud)-medewerkers van Weinsteins ondernemingen: zij geven aan getuige te zijn geweest van zowel ongewenste seksuele avances en ongepaste aanrakingen, als van een patroon waarin Weinstein financiële bedrijfsmiddelen inzette om seksuele contacten van het soort beschreven in de beschuldigingen te faciliteren.

Ik stuurde de conceptversie naar Foley-Mendelssohn. Op de op mute gezette tv in Jonathans woonkamer hield orkaan Harvey huis.

Ondertussen bleven er op Rockefeller Plaza 30 telefoontjes van Weinstein en zijn tussenpersonen binnenkomen. Op een middag kreeg Lanny Davis een verzoek van Weinstein dat overeenkwam met wat laatstgenoemde Boies meermaals had gevraagd. Even daarvoor bevond Davis zich in een bijeenkomst van Weinsteins team met *The New York Times*, die te maken had met de aantijging dat Weinstein ingezamelde fondsen voor amfAR, de American Foundation for Aids Research, had verduisterd.

Na afloop zei Weinstein tegen Davis: 'Ik sprak zojuist iemand van NBC. Zou je daarheen willen gaan om te zien wat de status van het verhaal is?'

'Ik heb je al gezegd, Harvey,' antwoordde Davis, 'dat ik niets te maken heb met deze kwestie omtrent de vrouwen.'

'Het enige wat ik van je vraag is om daarheen te gaan, iemand in de hal te ontmoeten en diegene te vragen naar de status van het verhaal,' zei Weinstein.

'Als ik dat doe, wil ik dat er iemand met me meekomt,' antwoordde Davis.

Dat maakte Weinstein nerveus. 'Waarom wil je dat?' vroeg hij.

'Omdat ik niet geacht word iets met deze kwestie te maken te hebben, en ik wil dat iemand de exacte woorden die ik heb geuit, kan bevestigen.'

Ietwat geïrriteerd stemde Weinstein daarmee in. Aldus begaf Davis zich, vergezeld van een medewerker van The Weinstein Company, naar Rock 30. Bij de marmeren receptiebalie gaf Davis aan dat hij voor Noah Oppenheim kwam.

'Meneer Oppenheim weet van deze afspraak,' zei hij tegen de receptiemedewerker. Later zou NBC beweren dat Oppenheim door Davis werd overvallen. Tegen mij zei Davis over die bewering, 'dat ik hiervoor mijn gebruikelijke terughoudendheid laat varen om de kwalificatie "leugen" te gebruiken. Ik ben ervan overtuigd dat iemand binnen NBC weet dat dit een bewuste verdraaiing van de feiten is.'

Waarover geen discussie bestaat, is dat Oppenheim een paar minuten later naar beneden kwam. De medewerker van The Weinstein Company die Davis had meegebracht, keek van een afstandje toe.

'Wat is de status van Ronan Farrows verhaal over Harvey?' vroeg Davis.

Oppenheim had zijn antwoord klaar. 'O, hij werkt niet langer aan het verhaal,' zei hij. 'Hij werkt niet voor ons.' Door de manier waarop hij dit zei, vroeg Davis zich af of ik nu ontslagen was of niet.

Het was 5 september en nog altijd warm toen ik me opnieuw richting *The New Yorker* begaf. In de lift naar boven sloeg ik haast onwillekeurig een kruisteken. Tegenover me aan de tafel in Remnicks vergaderzaal zaten Remnick en Foley-Mendelssohn samen met Bertoni, de advocaat, Dorothy Wickenden, een eindredacteur, en Natalie Raabe, hoofd communicatie van het tijdschrift. Ik had geen idee wat Remnick ging zeggen.

'Volgens mij kennen we allemaal in grote lijnen het verhaal wel,' zei hij. 'Maar misschien is het goed als je ons er nog even doorheen loopt.'

Daarop gaf ik min of meer de samenvatting die ook in de conceptversie stond en die eindigde met het goed verlopen interview met Canosa. Ik vertelde over de aanhoudende druk die op bronnen werd uitgeoefend en over de telefoontjes die ze kregen.

'Zijn deze bronnen bereid om wat ze jou hebben verteld in de rechtszaal te herhalen?' vroeg Bertoni. 'Zou je hun dat kunnen vragen?'

Ik vertelde Bertoni dat ik die vraag al aan verschillende belangrijke bronnen had gesteld en dat ze hadden gezegd dat ze dat wilden.

Er kwam vaart in de bijeenkomst: Remnick en Bertoni stelden beurtelings vragen over specifieke onderdelen van het onderzoek en het ondersteunende bewijs dat daarvoor was. Had ik de beschikking over de berichten van Reiter, de leidinggevende die tegenover Nestor erkende dat er een patroon van seksueel wangedrag bestond? Had ik. Wilde Gutierrez ons haar contract laten zien? Dat wilde ze. Foley-Mendelssohn, die in dit stadium al vertrouwd was met het bewijs, kwam zo nu en dan tussenbeide om te wijzen op bijvoorbeeld het bestaan van een document of een getuige uit de tweede hand.

Later grepen verschillende van de aanwezigen in die ruimte naar dezelfde typeringen om mij te beschrijven: treurig, wanhopig, telkens opnieuw pogend om mogelijke kritiek bij voorbaat te ontzenuwen. Het was net, zo zei een van hen, alsof ik mijn proefschrift verdedigde.

Ik dacht aan de bijeenkomst van enkele weken eerder, die waarin Oppenheim het verhaal voor het eerst blokkeerde. Ik speurde de gezichten af van de mensen tegenover me in een poging mijn kansen in te schatten. Wickenden, die decennia aan ervaring in de tijdschrift-business had, zei vriendelijk: 'Je werkt hier al heel lang aan, hè?'

Opnieuw dwaalden mijn gedachten af naar Sciorra's stem; naar Gutierrez' siddering toen de opname van Weinstein werd afgespeeld; naar het besluit van Nestor. 'Ik weet dat de kans bestaat dat dit juridisch wordt aangevochten,' zei ik. 'Ik weet ook dat als ik het verhaal naar jullie breng, dat meer doorlichtingen en meer factchecks betekent. Volgens mij is het echter genoeg om een kans te verdienen.'

Er viel een stilte in de kamer, er werden blikken gewisseld.

'Oké,' zei Remnick, zonder drama, als in een scène uit een andere film. 'Je werkt samen met Deirdre. En tot na de factcheck is er niets toegezegd.'

Remnick was een bedachtzaam, ingetogen man. Hij had Seymour Hersh' omstreden verslag over het werk van defensie en de inlichtingendiensten in Afghanistan en Pakistan uitgegeven, evenals Lawrence Wrights onderzoek naar de Church of Scientology. Dit verhaal bood echter weer een nieuwe, andersoortige uitdaging. 'We doen dit volgens het boekje,' zei hij. 'Puur de feiten.'

Niet lang daarna ontmoette Harvey Weinstein in het Loews Regency Hotel op Park Avenue een actrice, om zich vervolgens met een vertrouwde kompaan in een hoekje terug te trekken: dit was Dylan Howard van *The National Enquirer*. Tegen die tijd brachten Howard en Weinstein steeds meer tijd met elkaar door. Veelvuldig zei Howard tegen collega's die hem probeerden te bereiken: 'Ik ben met Harvey.' Howard haalde verschillende dikke dossiermappen tevoorschijn. Urenlang verdiepten hij en Weinstein zich in de papieren, waarbij ze hun hoofden naar elkaar toe bogen en op gedempte toon overlegden. Op een gegeven moment liep een van Weinsteins assistenten naar hun tafeltje om Weinstein te laten weten dat hij een telefoontje had. Weinstein repte zich de documenten aan het zicht te onttrekken. 'Wat doe je verdomme hier?' schreeuwde hij. Howard zond hem een meevoelend lachje. Later fluisterde hij de assistent toe: 'Ik benijd je niet.'

Howard richtte zijn pijlen nog altijd op Weinsteins tegenstanders. En tevens op Matt Lauer, iemand die *The Enquirer* al lange tijd in het vizier had. Sinds Howard de *kill file* van ongepubliceerde verhalen over Lauer had bekeken, had *The Enquirer* drie negatieve verhalen over de presentator van de *Today Show* afgedrukt. Vlak na deze bijeenkomst met Weinstein in het Loews Regency zou een vierde verschijnen. De verhalen richtten zich geheel en al op Lauers overspel, dat vooral plaatsvond op het werk. 'NBC geeft viespeuk Lauer een laatste kans,' luidde een kop.[1] 'Hey Matt, dat is je vrouw niet!' luidde een andere.[2]

33
GREY GOOSE-WODKA

In die periode was Weinstein al driftig in de weer: tegenover de media wendde hij zijn gebruikelijke tactiek van intimidatie en invloed aan. Howards baas, David Pecker van American Media Inc., was een oude medestander van Weinstein, maar de laatste tijd dook zijn naam steeds vaker op in Weinsteins inbox. 'Beste David, ik probeerde je daarnet te bereiken,' schreef Weinstein eind september. 'Kan ik je zo meteen even bellen?'[1] Daarop antwoordde Pecker: 'Ik ben voor zaken in Saoedi-Arabië.'[2] Later stelde Weinstein voor om in samenwerking het blad *Rolling Stone* voor Pecker te kopen, zodat die daarmee zijn media-imperium kon uitbreiden en er achter de schermen leiding aan kon geven.[3] Pecker weifelde aanvankelijk, maar ging overstag. 'Ik kan de kosten terugbrengen en de winst richting 10 miljoen stuwen... Als je wilt, krijg je voor 45 miljoen 52% in bezit. Ik ben bereid alle administratie voor je te doen en de verantwoordelijkheid op me te nemen voor de printversie en de digitale versie van het blad.'[4]

Weinstein voerde ook zijn contacten met NBC op. Zo waren er de e-mails en telefoontjes naar Deborah Turness, Oppenheims voorganger, die nu de leiding had over de internationale berichtgeving. Weinstein stelde Turness een deal voor omtrent een documentaireserie die hij over Clinton maakte. 'Jouw Hillary-docu klinkt schitterend,' schreef Turness. 'Ik ben vóór en wil me er sterk voor maken om onze zenders een aantal avonden tot exclusieve "Hillary-kanalen" om te toveren!'[5]

Aan het eind van die maand stuurde hij een e-mail naar Ron Meyer, de door de wol geverfde baas van Universal Studios en destijds ook nog altijd vicepresident van NBCUniversal. 'Beste Ron,' schreef hij. 'Ik wilde het met je hebben over de mogelijkheid dat Universal onze streamingdienst en vod [*video on demand*] doet – we zijn in gesprek met mensen van jullie, maar ik vind het altijd prettig ook iets uit de top te horen.'[6] Meyer antwoordde: 'Ik zou graag zien dat dit een succes wordt.'[7] Uit e-mails van David Glasser, operationeel directeur van The Weinstein Company, blijkt hoe de deal tot stand kwam: een *term sheet* werd opgesteld[8] en voor goedkeuring voorgelegd aan de directie van de onderneming. Glassers mensen bespraken de details met twee managers van NBCUniversal[9] die over de streamingdiensten gingen. 'Ik kijk ernaar uit om samen zaken te doen,' schreef Meyer kort daarna.[10] 'Zoals ik al zei: neem bij de minste kink in de kabel alsjeblieft contact met me op.' De deal zou niet doorgaan.

Weinstein leek opgelucht na zowel Lanny Davis' verslag van zijn ontmoeting met Oppenheim als Boies' update van diens telefoongesprek met Lack. Uit beide berichten maakte Weinstein op dat NBC het verhaal had laten vallen, en misschien mij ook wel. Maar hij wilde meer. Hij gebood zijn juridische team tot een nieuwe ronde aan telefoontjes richting NBC. Weldra kreeg Susan Weiner een van Davis' advocaten aan de lijn: ze zei hem dat ik niet langer werkzaam was voor NBC News.

Daar wist ik niets van. Mijn contract met NBC News liep nog altijd. Zover ik wist, kon dat contract nog altijd verlengd worden. Het schokte me dat het verhaal de nek was omgedraaid, maar ik bezat nog altijd vertrouwen in de omroep en in mijn bazen daar. Greenberg klonk enthousiast over het idee om de volgende jaren mijn onderzoekswerk uit te breiden. Don Nash, uitvoerend producent van *To-*

day, stelde voor dat ik bij zijn show een grotere rol als de voornaamste onderzoeksjournalist zou vervullen.

Toen McHugh en ik op 11 september terugkeerden van een van onze opnames – voor het verhaal over de gezondheidszorg – had ik een nieuwe bijeenkomst met Oppenheim. Eerst babbelden we kort over zijn Hollywood-projecten, waaronder een script over Harry Houdini waar hij al geruime tijd mee bezig was. Hij peinsde over acteurs voor de hoofdrollen. Ik opperde Michael Fassbender. Daarop antwoordde Oppenheim, als een door een scenarioschrijver bedachte karikatuur van een Hollywood-agent, dat die acteur geen film kon openen. Ik mompelde iets over *Assassin's Creed*, waarmee we het eindelijk eens leken te zijn over iets in Hollywood dat we allebei verwerpelijk vonden.

Ik vertelde Oppenheim waar ik op hoopte in de toekomst. Hij keek me vriendelijk aan en zei dat hij ernaar zou kijken. 'Het budget biedt gewoon geen ruimte meer voor jou.'

'O,' zei ik.

Hij zei dat de omroep me zo nu en dan misschien nog kon gebruiken voor eenmalige klusjes. 'We kunnen ons alleen niet vastleggen op iets regelmatigs,' zei hij. 'Dat spijt me. Ik heb mijn best gedaan.'

Na de bijeenkomst belde ik Jonathan met dit nieuws: 'Dus ik ben binnenkort werkloos. Het gaat er dus niet van komen: jij een mediamagnaat, ik in de show…'

'Je bent toch geen ochtendmens,' zei hij.

Toen ik weer bij Jonathan in Los Angeles was, werd ik gebeld door een Brits nummer dat ik niet kon thuisbrengen. De beller maakte zich bekend als Seth Freeman en zei dat hij geregeld voor *The Guardian* schreef. Hij zei dat hij 'in samenwerking met journalisten van andere kranten bezig was aan een human-intereststuk over het leven in de filmindustrie'. Er zat iets onechts, iets opvallends vaags aan zijn beschrijving. 'Tijdens ons onderzoek zijn we op zaken gestuit waar we eigenlijk niets mee kunnen,' vervolgde Freedman. 'Het komt erop neer dat ik me afvroeg of dat wat we hebben niet nuttig voor u zou kunnen zijn.'

Hij vroeg naar McGowan en zei dat 'ze voor het stuk waarmee we bezig zijn erg behulpzaam is geweest.' Daarna bood hij aan om me in contact te brengen met een andere prominente bron. Maar of ik hem eerst wat meer over mijn werk kon vertellen.

'Iemand met wie ik sprak, zei: "Meneer Farrow is wellicht bezig met iets dat hiermee verband houdt."'

'En wie was diegene die opperde dat dit interessant voor mij kon zijn?'

'Als u het niet erg vindt, zou ik dat liever niet zeggen. Ik wil niet onvriendelijk zijn, maar de persoon in kwestie die zei, "meneer Farrow is wellicht met zoiets bezig", wil hier persoonlijk liever niet bij betrokken raken.'

Ik zei Freedman dat ik altijd openstond voor nieuwe aanknopingspunten, maar dat ik hem niets kon vertellen. Ontevreden bleef hij even stil. 'Als iemand een beschuldiging uit, dan zijn de smaadwetten in het VK zeer streng. Niemand zou het afdrukken als je schreef, "Mevrouw X zegt dit over meneer Y", tenzij je dit met bewijs onderbouwt. Is dit anders in de VS? Kun je "deze persoon zegt dit over die persoon" publiceren, of zou je dat ook op de een of andere manier moeten onderbouwen?' Dit klonk als een waarschuwing. 'Zolang ik niet meer details van uw verhaal ken, kan ik u echt geen zinnig advies geven,' zei ik hem. Daarna rondde ik beleefd het gesprek af. Die maand zou Freedman meerdere van dit soort belletjes plegen. De instructies ervoor ontving hij via e-mail en WhatsApp van een projectmanager bij Black Cube.

Zo'n twee weken na mijn bijeenkomst met Oppenheim, belde Susan Weiner. 'De reden dat ik bel, is dat er tegen ons nog altijd zorgen worden geuit over het onderzoek naar meneer Weinstein,' zei ze. 'Volgens mij hadden we je toch duidelijk gemaakt dat NBC op geen enkele manier bij dit verhaal betrokken is.'

Ik vertelde Weiner dat Oppenheim weliswaar helder was geweest dat hij het niet als eerste wilde brengen, maar dat we nog altijd rekening hielden met de mogelijkheid om na publicatie van het printverhaal de tv-reportage nieuw leven in te blazen. Greenberg had meermaals tegen McHugh gezegd dat dit niet uitgesloten was.

'Ik kan niet voor Rich en Noah spreken, maar zoals ik het begrijp, is NBC niet van plan ooit nog iets met dit verhaal te doen,' zei ze. 'NBC wil er op geen enkele manier mee in verband worden gebracht. En we hebben begrepen dat jij jezelf kenbaar maakt als NBC-journalist.'

Tegen dat moment had Harvey Weinstein inmiddels een aanzienlijke collectie van mijn introductiemails aan bronnen aangelegd. Weiner begon een ervan voor te lezen. 'Zo lees ik hier dat je onderzoek voor NBC News hebt gedaan,' zei ze.

'Dat is natuurlijk ook zo,' antwoordde ik. Tegenover bronnen was ik openhartig geweest. Sinds het plan was dat het verhaal in print zou verschijnen, had ik op geen enkele manier doen voorkomen alsof NBC er nog bij betrokken was. Wel had ik mijn andere journalistieke werk bij de omroep als referentie opgegeven. Ook na het gesprek over het budget met Oppenheim koesterde ik nog altijd de hoop met dat werk te kunnen doorgaan, zelfs al bood hij me alleen maar kleine freelanceklusjes.

'Naar mijn beste weten is je contract beëindigd,' zei Weiner. 'Als je op welke manier dan ook suggereert dat NBC bij dit verhaal betrokken is, dan zien we ons gedwongen dat publiekelijk recht te zetten.'

'We hebben jaren samengewerkt, Susan,' zei ik. 'Je kunt Noah verzekeren dat ik niet zal zeggen dat NBC hieraan werkt, maar er is geen reden om...'

'Natuurlijk willen we niet in het openbaar over de status van je contract beginnen, maar dat is wel waartoe we ons genoodzaakt zien als we hierover meer klachten binnenkrijgen. Noah wil er absoluut zeker van zijn dat het woord NBC niet voorkomt in de communicatie over dit verhaal.'

In gesprekken die Weinstein met mensen om hem heen voerde, was hij extatisch. 'Hij bleef maar zeggen: als het me al lukt om een omroep een verhaal onder het tapijt te laten vegen, dan moet me dat toch zeker ook bij een krant lukken?' zo herinnerde een van hen zich. Hiermee leek Weinstein te verwijzen naar zijn problemen met *The Times*. 'Hij deed triomfantelijk,' vulde een hooggeplaatste medewerker van The Weinstein Company aan. 'Dat was een van die dingen die hij ons toeschreeuwde. Dan zei hij: "Ik heb ze zover gekregen dat ze het de nek omdraaiden. Ik ben de enige hier die iets voor elkaar krijgt."'

Ongeveer aan het eind van de dag – net voordat Weiner me belde – stuurde Weinstein de directeur van NBC New een hartelijk e-mailtje. De strijdbijl werd begraven.

Van: 'Kantoor, HW' <HW. ███████████
Datum: maandag, 25 september 2017 om 16:53
Aan: NBCUniversal <noah ███████████
Onderwerp: van Harvey Weinstein

Beste Noah,
We bevonden ons natuurlijk in verschillende kampen, maar vandaag keken mijn team en ik naar Megyn Kelly en we vonden haar fantastisch: gefeliciteerd. Om dat te vieren stuur ik je een bescheiden geschenk. Ook de formule zit uitstekend in elkaar. Als er iets is waarmee we kunnen helpen, we hebben een fraaie reeks films en tv-series gepland staan. Het *Will & Grace*-deel was prikkelend en hilarisch. Nogmaals, de formule is echt heel slim.
Alle goeds,
Harvey

Oppenheim reageerde hierop met: 'Dank, Harvey, ik waardeer de gelukwensen!'[11]

Kort daarna ontvingen Weinsteins medewerkers een standaardmelding bedoeld om hen op de hoogte te houden van verstuurde geschenken: 'UPDATE', las het. 'Noah Oppenheim heeft een fles Grey Goose-wodka ontvangen.'[12]

34
BRIEF

In september ontving ik het ene telefoontje na het andere van mijn vertegenwoordigers van de CAA. Eerst belden Alan Berger, mijn agent, en Bryan Lourd, diens baas en een van de directeuren van de CAA, om te zeggen dat Weinstein hen maar bleef lastigvallen. Ik vertelde beiden dat mocht er een verhaal over Weinstein aankomen, ik hem op een passend moment zou willen ontmoeten. Toen Lourd deze boodschap overbracht, accepteerde Weinstein dat niet. Zoals Lourd het verhaal vertelde, dook Weinstein op bij het CAA-kantoor in Los Angeles en liep hij vervolgens een uur lang te tieren.

'Hij zei dat hij allesbehalve perfect was en nu al een tijdlang bezig was zijn leven te beteren, maar het gevoel had dat hij werd aangepakt op zijn vroegere zelf,' zei Lourd. 'Ik bleef maar denken: hier heb ik niet voor getekend. Waarom moet dit juist nu gebeuren?' Weinstein zei dat hij een heleboel advocaten had ingehuurd. Dat hij me niet in de problemen wilde brengen. En dat hij direct een afspraak wilde.

De volgende dinsdag, dezelfde dag dat ik met Weiner belde, ontving Lourd een nieuwe e-mail van Weinstein waarin hij onmiddellijk een gesprek eiste. Lourd reageerde als volgt:[1]

Hij wil nu niet afspreken
Hij zei wel dat hij je binnenkort belt
Volgens mij werkt hij nog altijd aan het verhaal
B

Die vrijdag belde Weinstein herhaaldelijk naar Berger en Lourd. Weinstein vertelde Berger dat zijn juridische team paraat stond. Specifiek noemde hij Harder, Boies en Lisa Bloom – bij het horen van die laatste naam ging er een schok door me heen.

Een paar uur later kwam in verschillende kantoren van de CAA dezelfde brief binnen.[2] Het deed me denken aan die scène in de Harry Potter-film waarin de uitnodigingen voor de school Hogwarts via de schoorsteen, de brievenbus en de ramen binnen komen vliegen. Berger belde me om de brief voor te lezen. Maar dit betrof allerminst een uitnodiging voor Hogwarts. Charles Harder bracht in de brief Harvey Weinsteins dreigement over dat hij een aanklacht tegen me zou indienen, die gebaseerd was op een regeling die hij met NBC News beweerde te hebben getroffen.

Geachte heer Farrow,

Dit advocatenkantoor vertegenwoordigt The Weinstein Company.

We hebben begrepen dat u interviews hebt afgenomen bij mensen verbonden aan The Weinstein Company en/of zijn werknemers en directieleden (samen 'TWC'), en voor extra interviews toenadering hebt gezocht tot mensen verbonden aan TWC, telkens onder het voorwendsel dat u namens de NBC Universal News Group ('NBC') aan een verhaal werkt. NBC heeft ons schriftelijk geïnformeerd dat ze niet langer werken aan een verhaal over of gerelateerd aan TWC (en zijn werknemers en directieleden), en dat alle daarmee verband houdende werkzaamheden zijn beëindigd. Dienovereenkomstig:

I Alle interviews in verband met TWC (en zijn werknemers en directieleden) die u hebt afgenomen of waarbij u betrokken was, behoren niet aan u toe, maar zijn eigendom van NBC. Evenmin staat NBC u toe deze interviews te gebruiken.

2 U wordt hierbij gesommeerd al uw werk gerelateerd aan TWC (en zijn werknemers en directieleden) over te dragen aan Susan Weiner, LL.M., plaatsvervangend hoofd van de juridische afdeling NBCUniversal, Rockefeller Plaza 30, New York, NY 10112.

3 Mocht NBC u toestemming verlenen voor het gebruik van materiaal voor welk doeleinde dan ook, dan zal TWC NBC medeaansprakelijk stellen voor uw onwettige handelingen, waaronder smaad.

4 Vanaf nu zijn alle interviews in verband met TWC (en zijn werknemers en directieleden) die u hebt afgenomen of waarbij u betrokken was onbruikbaar, aangezien ze gebaseerd waren op de voorstelling van zaken dat ze plaatsvonden binnen het kader van een productie van NBC. NBC is hier niet langer bij betrokken. Om die reden hebt u niet langer het recht deze interviews voor welk doeleinde dan ook te gebruiken. Mocht u dat wel doen, dan maakt u zich schuldig aan zwendel, misleiding en/of fraude.

5 Mocht u momenteel voor uw onderzoek en verhaal over TWC (en zijn werknemers en directieleden) samenwerken met een ander nieuwsmedium, wilt u mij dan de naam en contactgegevens bezorgen van dat nieuwsmedium alsmede van de persoon of personen waarmee u binnen die organisatie contact hebt. Dit stelt ons bijgevolg in staat die organisatie op de hoogte te brengen van de juridische claims van mijn cliënt.

6 Mocht u van plan zijn welk verhaal of welke uitlatingen over TWC (en zijn werknemers en directieleden) te publiceren of anderszins te verspreiden, nu dan wel in de toekomst, dan vragen we u om mijn cliënt, via dit kantoor, een lijst te bezorgen van elke afzonderlijke bewering over TWC (en zijn werknemers en directieleden), inclusief alle beweringen van uzelf en van derden, die u van plan bent te publiceren of te verspreiden. Dat stelt mijn cliënt in staat u bericht te doen van elke onware en lasterlijke uitspraak, en van u te eisen dat u de publicatie en verspreiding van zulke beweringen staakt. Doet u dat niet, dan kunt u een aanklacht van miljoenen dollars aan schadevergoeding tegemoetzien. Ook dient u mijn cliënt ten minste vijftien (15) dagen de tijd te geven om een reactie te formuleren, voordat welk verhaal of welke bewering dan ook wordt gepubliceerd of anderszins verspreid.

7 U dient zich te onthouden van verdere communicatie met alle voormalige en huidige werknemers van TWC, inclusief werknemers in tijdelijke
dienst. Elk van hen heeft een geheimhoudingsverklaring ondertekend, en
alle toekomstige communicatie met hen vormt een bewuste schending
van de contractvoorwaarden.

Hierna volgden pagina's met eisen dat ik in afwachting van een mogelijke rechtszaak bepaalde documentatie bewaarde. Later zou NBC
ontkennen ooit met Weinstein tot een akkoord te zijn gekomen:
volgens hen gaf Harder een verkeerd beeld van hun onderlinge communicatie.

Ik stuurde de brief aan Bertoni door. 'Ik wil hem niet zomaar van
tafel vegen, maar ik vind hem op dit moment nogal dwaas overkomen,' zei hij. Hij meende dat een copyrightclaim van NBC op het
interviewmateriaal dubieus was. Hoe dan ook kon hij zich niet voorstellen dat de omroep dit dreigement zou waarmaken. Nochtans, zo
zei hij later, ervoer hij de zin over de schriftelijke garantie dat het
onderzoek was beëindigd 'als schokkend'.

De laatste keer dat ik die zomer een telefoontje aannam van Lisa
Bloom, gaf ik lucht aan mijn verbazing.

'Je hebt gezworen, Lisa, als advocate en als vriendin, dat je niets
tegen zijn mensen zou zeggen,' zei ik.

'Maar, Ronan,' antwoordde ze. 'Ik bén zijn mensen.'

Ik dacht aan haar telefoontjes, tekstberichten en voicemails waarin
ze me nadrukkelijk vroeg om informatie, cliënten als lokaas inzette
en me een ontmoeting met Blac Chyna voorspiegelde. Bloom herinnerde me eraan dat ze wel degelijk had gezegd dat ze Weinstein en
Boies kende. Maar dat was nadat ze had beloofd niets van wat ik haar
toevertrouwde door te vertellen. Ze had niet gezegd dat ze Weinstein daadwerkelijk *vertegenwoordigde* in precies de kwestie waarover
ze om informatie bleef vissen.

Bloom zei dat Weinstein een optie op haar boek had genomen en dat ze in een ongemakkelijke positie verkeerde. 'Je moet naar me toe komen, Ronan. Ik kan je helpen. Ik kan met David en Harvey praten. Ik kan dit gemakkelijker voor je maken.

'Dit is niet oké, Lisa,' zei ik.

'Ik weet niet met welke vrouwen je praat,' zei ze. 'Maar ik kan je informatie over hen geven. Gaat het bijvoorbeeld over Rose McGowan: we hebben een dossier over haar. Toen dit voor het eerst speelde, heb ik zelf nog onderzoek naar haar gedaan. Ze is *gestoord*.'

Ik beheerste mezelf en zei: 'Ik ben blij met alle informatie waarvan je denkt dat die relevant kan zijn voor een verhaal waaraan ik wellicht werk.' Vervolgens hing ik op. Bloom kwam er nooit toe om me de veronderstelde schadelijke informatie over McGowan te sturen.

35
MIMIC

Ik zwichtte niet voor Harders dreigement. Op Bertoni's advies reageerde ik er evenmin op. De rest van die maand werkte ik gewoon stug door aan het onderzoek. Eindelijk lukte het me Mira Sorvino aan de telefoon te krijgen. Sorvino was de in de jaren negentig beroemd geworden dochter van acteur Paul Sorvino. In 1995 had ze een Oscar gewonnen, voor *Mighty Aphrodite* – een van de door Weinstein gedistribueerde Woody Allen-films waar Weinstein gewag van maakte in zijn dreigement aan NBC. In de twee jaar daarna was ze een onvervalste filmster geweest, met als hoogtepunt een van de hoofdrollen in een andere film van Weinstein, *Mimic*. Daarna verdween ze goeddeels uit beeld.

Tijdens ons eerste telefoongesprek klonk Sorvino ontzet. 'Ik ben al zo'n groot deel van mijn carrière hieraan kwijtgeraakt,' vertelde ze me. 'Hieraan' was een patroon van seksuele intimidatie van Weinstein in de tijd dat ze samenwerkten. Toen ze in september 1995 op het Toronto International Film Festival *Mighty Aphrodite* promootte, vond ze zichzelf met Weinstein terug in een hotelkamer. 'Hij begon mijn schouders te masseren, waar ik me erg ongemakkelijk bij voelde. Daarna werd hij nog intiemer, en begon hij mij zo'n beetje achterna te jagen,' zei ze. Hij probeerde haar te kussen en zij probeerde hem te ontwijken. Ter plekke bedacht ze manieren om hem af te weren: ze zei dat omgang met getrouwde mannen tegen haar religieuze overtuiging indruiste. Vervolgens verliet ze de kamer.

Een paar weken later, terug in New York City, rinkelde haar telefoon na middernacht. Weinstein aan de lijn. Hij zei dat hij nieuwe marketingideeën voor *Mighty Aphrodite* had en vroeg of ze konden afspreken. Sorvino stelde voor om er op een avond tijdens het eten over te praten. Hij zei echter dat hij naar haar appartement kwam en hing toen abrupt op. 'Ik raakte in paniek,' zei ze. Ze belde een vriend en vroeg hem langs te komen en zich voor te doen als haar vriendje. Maar hij was er nog niet toen Weinstein aanbelde. 'Harvey was erin geslaagd langs de portier te glippen,' zei ze. 'Ik was doodsbenauwd toen ik opendeed. Alsof dat zou helpen, hield ik mijn tien kilo zware chihuahua-kruising voor mijn borst.' Toen ze Weinstein vertelde dat haar nieuwe vriendje onderweg was, leek hij ontmoedigd. Hij droop af.

Sorvino zei dat ze zich bang en geïntimideerd voelde; toen ze een medewerkster van Miramax over de intimidatie vertelde, was de reactie van de vrouw er een van 'afgrijzen omdat ik hierover begon'. Sorvino herinnerde zich 'de uitdrukking op haar gezicht, alsof ik plotseling radioactief besmet was'.

Sorvino was ervan overtuigd dat Weinstein, nadat ze hem had afgewezen, zich op haar had gewroken, haar op een zwarte lijst had gezet en haar carrière had geschaad. Ze erkende dat ze deze stelling niet kon hardmaken. Na *Mighty Aphrodite* maakte Sorvino nog in een paar Weinstein-films haar opwachting. Tijdens *Mimic* ontsloegen Weinstein en zijn broer Bob de regisseur, Guillermo del Toro, waarna ze de film tegen diens wens in opnieuw monteerden. Sorvino maakte bezwaar en nam het voor Del Toro op. 'Ik kan niet met zekerheid zeggen of het ging om de ruzie rondom *Mimic* of om zijn toenaderingspogingen,' zei ze tegen me, 'maar ik heb sterk het gevoel dat hij het op me voorzien had omdat ik hem afwees en daarna anderen vertelde over zijn intimiderende gedrag.' Later bleek dat haar vermoedens klopten: regisseur Peter Jackson gaf aan dat toen hij overwoog om Sorvino en Ashley Judd te casten voor *The Lord of the Rings*, Weinstein zich ermee bemoeide. 'Ik weet nog dat Miramax ons vertelde dat ze een nachtmerrie waren om mee te werken en dat we hen tegen elke prijs links moesten laten liggen,' vertelde Jackson later een verslaggever. 'Indertijd zagen we geen reden om de woorden van deze mensen in twijfel te trekken. Met de kennis van nu besef ik dat de lastermachine van Miramax daar hoogstwaarschijnlijk op volle toeren draaide.'[1]

Sorvino vertelde dat ze er jaren mee had geworsteld of ze haar verhaal publiek moest maken. Ze betoogde – tegen mij, maar volgens mij evengoed tegen zichzelf – dat dit misschien onnodig was omdat haar ervaring relatief weinig voorstelde. Toch was Sorvino's claim, net als de andere aantijgingen die alleen op ongewenste avances maar niet op aanranding of verkrachting betrekking hadden, cruciaal om Weinsteins werkwijze te kunnen vaststellen.

Sorvino betoonde zich formidabel. Ze was magna cum laude afgestudeerd aan Harvard. Ze had zich sterk gemaakt voor verschillende humanitaire kwesties die verband hielden met het misbruik van vrouwen, onder meer als goodwill-ambassadeur van de VN in de strijd tegen mensenhandel. Al meteen tijdens onze eerste gesprekken werd duidelijk dat haar verstrekkende ethische plichtsgevoel een grote rol speelde in de afgewogen analyse die ze maakte.

'Toen je me voor het eerst schreef,' zei ze, 'had ik een nachtmerrie waarin je opdook met een videocamera en vragen stelde over mijn samenwerking met Woody.' Het speet haar van mijn zus, zei ze. Ik zei ongemakkelijk – ik praatte te snel en veranderde van onderwerp – dat de helft van mijn vrienden in het filmwereldje met Allen hadden gewerkt en dat dat niets afdeed aan hun prestaties; en de kwestie van mijn zus was de hare en niet de mijne, dus daar hoefde ze zich geen zorgen om te maken. Toch zag ik dat ze erover inzat en zich wel degelijk bezorgd maakte.

Sorvino besloot dat ze wilde helpen. Na een reeks telefoongesprekken ging ze volledig on the record. Maar de angst in haar stem bleef. 'Niemand neemt het straffeloos op tegen de heersende macht,' zei ze. Ik besefte dat haar vrees niet alleen haar carrière betrof. Ze vroeg of ik beveiligd werd; of ik had nagedacht over de kans dat ik zou verdwijnen of betrokken raakte bij een 'ongeluk'. Ik antwoordde dat ik oké was en voorzorgsmaatregelen nam. Direct erna vroeg ik me echter af welke voorzorgsmaatregelen dat dan eigenlijk waren, behalve dat ik telkens weer over mijn schouder keek. 'Wees voorzichtig,' zei ze. 'Ik ben bang dat hij ook beschikt over connecties buiten professionele kringen, connecties die mensen geweld kunnen aandoen.'

Nieuwe stemmen lieten zich horen. Nadat Rosanna Arquettes agenten van de radar verdwenen, wist ik contact met haar zus te leggen. Zij beloofde mijn boodschap door te geven. Een paar dagen daarna had ik Arquette aan de telefoon. 'Ik wist dat deze dag zou komen,' zei ze. 'Ik voel me nu zo beklemd en angstig, dat is niet normaal meer.' Ze ging zitten, probeerde zichzelf weer onder controle te krijgen. 'Er gaat zo'n "gevaar, gevaar-alarm" in me af,' zei ze.

Arquette vertelde me dat ze begin jaren negentig inging op Weinsteins verzoek om tijdens een maaltijd in het Beverly Hills Hotel over het script voor een nieuwe film te praten. In het hotel werd haar verteld dat ze hem boven, in zijn kamer, kon vinden. Toen ze daar aankwam, herinnerde Arquette zich, deed Weinstein gekleed in een witte badjas de deur open. Hij zei dat hij last had van een zere nek en wel een massage kon gebruiken. Ze zei dat ze hem een goede masseuse kon aanbevelen. 'Toen greep hij mijn hand,' zei ze, 'en legde die op zijn nek.' Ze rukte haar hand weg, maar Weinstein trok die richting zijn ontblote penis – hij had zichtbaar een erectie. 'Mijn hart ging wild tekeer. Ik raakte in een vlucht-of-vechtmodus,' vertelde ze. Tegen Weinstein zei ze: 'Dat zou ik nooit doen.'

Weinstein zei dat ze een grote fout beging door hem af te wijzen. Hij noemde een actrice en een model die volgens hem hadden toegegeven aan zijn seksuele toenaderingen en wier carrières daar baat bij hadden gehad. Arquette zei dat ze daarop antwoordde: 'Zo'n vrouw ben ik niet.' Vervolgens vertrok ze.

Arquettes verhaal was belangrijk omdat het zich voegde in de mal van de andere verhalen die ik had gehoord: telkens een professioneel voorwendsel, een bijeenkomst die naar een hotelkamer wordt verplaatst, een verzoek om een massage en een badjas.

Net als Sorvino was Arquette ervan overtuigd dat haar carrière had geleden onder haar afwijzing van Weinstein. 'Jarenlang heeft hij alles erg lastig voor me gemaakt' zei ze. Weliswaar kreeg ze daarna nog haar bescheiden rol in *Pulp Fiction*, maar Arquette schreef dit toe aan de omvang van de rol en aan Weinsteins ontzag voor regisseur Quentin Tarantino. Ook dat was een leitmotiv: Sorvino vermoedde dat haar toenmalige romantische relatie met Tarantino haar beschermde tegen Weinsteins wraakzucht, en dat deze bescherming was weggevallen zodra ze uit elkaar gingen. Op zijn beurt zou Tarantino later publiekelijk aangeven dat hij meer had kunnen en moeten doen.[2]

Arquette had, wederom net als Sorvino, een achtergrond als pleitbezorger van kwetsbare en uitgebuite mensen. Ze had het grotere plaatje duidelijk voor ogen. Ze vertelde over een kabaal dat verder ging dan Weinstein en bovendien diepere wortels had. 'Dat is de *big boy's club*, de Hollywood-maffia,' zei ze. 'Ze houden elkaar de hand boven het hoofd.' Na verschillende gesprekken stemde ze ermee in om in het verhaal te worden opgevoerd.

Toen ik haar vertelde dat Weinstein al wist dat ik aan het verhaal werkte, zei Arquette: 'Hij zal ver gaan om mensen op te sporen en tot zwijgen te dwingen. Om mensen pijn te doen. Dat is wat hij doet.' Ze dacht dat het verhaal nooit naar buiten zou komen. 'Ze zullen elke vrouw die zich uitspreekt zwartmaken,' zei ze. 'Ze zullen het op de vrouwen gemunt hebben. En plotseling worden slachtoffers daders.'

Op dat moment had Black Cube al een ander profiel van Arquette in omloop gebracht.[3] Dat bevatte niet alleen een inschatting van de kans dat Arquette zou praten, maar informeerde ook over haar vriendschap met McGowan, haar sociale-mediaposts over seksueel wangedrag en zelfs over een familielid dat seksueel geweld had meegemaakt.

Op de dag van mijn eerste gesprek met Arquette stuurde Lacy Lynch, de literair agent van McGowan, een e-mail naar Harvey Weinstein met het voorstel om elkaar te ontmoeten. Een week daarna schoven Weinstein, Lynch en Jan Miller, de oprichtster van het bureau waar Lynch in dienst was, samen aan in The Lambs Club, een restaurant in Midtown Manhattan, ingericht met foto's van Old Broadway en Hollywood. Lynch en Miller pitchten bij Weinstein verschillende literaire werken waar ze de rechten van hadden verworven. 'Ik had net een etentje met Lacy Lynch en Jan,' schreef Weinstein na afloop aan Glasser, de operationeel directeur van zijn bedrijf. Vervolgens deed hij zijn favoriete pitch van hen uit de doeken, een verhaal afkomstig uit een onlangs door Lynch verkocht boek over politiegeweld. 'Dit zou geknipt zijn voor Jay Z,' schreef Weinstein.[4]

Lynch schuurde die zomer steeds dichter tegen Weinstein aan. Ze vreesde zijn vermogen om zich te wreken op cliënten van haar die ook een connectie met hem hadden. Later zou Lynch publiekelijk verklaren dat ze heus wel wist dat Weinstein enkel interesse in haar toonde vanwege haar link met McGowan en dat ze het spelletje slechts meespeelde.[5] Hoe dan ook, ze bereikte er niets mee. In The Lambs Club hadden Weinstein, Lynch en Miller het over zaken. Vervolgens gaf Weinstein de vrouwen kaartjes voor de Broadwayshow *Dear Evan Hansen*.

In de maanden nadat Lynch McGowan en Diana Filip aan elkaar had voorgesteld, brachten de twee vrouwen veel tijd samen door. Soms troffen ze elkaar in hotelbars in LA en New York. Andere keren maakten ze lange wandelingen. Eenmaal nam McGowan Filip mee naar de Venice Boardwalk. Tijdens hun wandeling aten ze een ijsje. De eventuele sprekersdeal was slechts het begin geweest. Zo begon

Filip in die herfst serieus over de mogelijkheid om in McGowans productiebedrijf te investeren.

In september kwamen de twee vrouwen in Los Angeles samen met een collega van Filip bij Reuben Capital Partners. Net als Filip was hij aantrekkelijk en bezat hij een verfijnd accent dat niet viel thuis te brengen. Hij stelde zichzelf voor als Paul Laurent. Hij betoonde zich net zo aandachtig en nieuwsgierig naar McGowan als Filip. De drie spraken over de mogelijkheid tot samenwerking en hun gezamenlijke geloof in verhalen die vrouwen verdedigden en sterker maakten.

McGowan zocht nog altijd naar de juiste manier om haar eigen verhaal te vertellen en Filip wilde haar daarbij helpen. De twee overlegden hoe en onder welke omstandigheden McGowan Weinstein met naam en toenaam zou noemen. Ze namen door wat McGowan in de pers had gezegd en wat ze in het boek schreef. Tijdens een van hun openhartige, emotionele gesprekken zei McGowan tegen Filip dat ze de enige ter wereld was die ze kon vertrouwen.

36

JAGER

Al maandenlang hoorde ik van bronnen dat Asia Argento, een Italiaanse actrice, een verhaal over Weinstein te vertellen had. Argento was de dochter van Dario Argento, een regisseur beroemd vanwege zijn horrorfilms. Asia Argento speelde een glamoureuze dievegge in een door Weinstein gedistribueerd misdaaddrama, *B. Monkey*. Algauw zag Hollywood in haar een exotisch femme-fatale-type, een rol die ze inderdaad met verve vertolkte in het op Vin Diesel toegesneden *XXX*. Toch bleek dit haar niet te passen. Argento bezat een gevaarlijk randje, een hint van iets duisters en misschien zelfs beschadigds.

Net als met zovele anderen liepen de gesprekken met haar agenten en managers op niets uit. Maar ik volgde Argento op sociale media, waar we elkaars foto's begonnen te 'liken'. Op de dag dat ik Arquette voor het eerst sprak, wisselden Argento en ik berichten uit. Weldra spraken we elkaar aan de telefoon.

Argento was doodsbenauwd. Haar stem klonk onvast. Tijdens een reeks lange, vaak emotioneel zware interviews vertelde ze me dat Weinstein haar in de tijd dat ze samenwerkten seksueel had aangevallen. In 1997 werd ze uitgenodigd tot wat ze dacht dat een Miramax-feestje was in het Hotel du Cap-Eden-Roc, aan de Franse Rivièra. De uitnodiging kwam van Fabrizio Lombardo, hoofd van Miramax in Italië – al vertelden verschillende executives en assistenten me dat Lombardo's functie een doorzichtige dekmantel was voor zijn werkelijke rol als Weinsteins 'pooier' in Europa. Lombardo zelf heeft dit altijd ontkend.

Hij ontkende tevens wat Argento me vervolgens vertelde: dat Lombardo haar niet naar een feestje, maar naar Weinsteins hotelkamer leidde. Ze herinnerde zich hoe Lombardo tegen haar zei: 'O, we zijn te vroeg', om haar vervolgens alleen te laten met Weinstein. Aanvankelijk was Weinstein vol aandacht. Hij prees haar werk. Daarna liep hij de kamer uit. Toen hij terugkwam, droeg hij een badjas en had hij een flesje lotion bij zich. 'Hij vroeg om een massage. Ik deed van, "Luister man, ik ben niet achterlijk",' vertelde Argento me. 'Maar nu ik terugkijk, was dat precies wat ik was.'

Nadat ze met tegenzin ermee ingestemd had om Weinstein te masseren, zo vertelde Argento, trok hij haar rok omhoog, duwde hij haar benen uit elkaar en begon hij orale seks uit te voeren. Herhaaldelijk zei ze dat hij moest stoppen. 'Het hield niet op,' zei ze. 'Het was een nachtmerrie.' Op een gegeven moment stopte ze met nee zeggen en veinsde ze dat ze het fijn vond, omdat ze dacht dat dit de enige manier was om de verkrachting te laten ophouden. 'Ik wilde dit niet,' zei ze. 'Ik zei "Nee, nee, nee…" Het is gestoord. Een grote, dikke man die jou wil beffen. Het is als een angstaanjagend sprookje.' Argento stond erop haar hele verhaal in al zijn complexiteit te vertellen. Dat ze hem niet fysiek had geprobeerd af te weren, had haar jarenlang schuldgevoelens bezorgd.

'Ik was een slachtoffer, maar voelde me ook verantwoordelijk,' vertelde ze. 'Want als ik een sterke vrouw was geweest, dan had ik hem tussen zijn benen geschopt en was ik ervandoor gegaan. Maar dat deed ik niet. En dus voelde ik me verantwoordelijk.' Ze beschreef het incident als een 'afgrijselijk trauma'. Na afloop, zei Argento, 'bleef hij maar contact zoeken'. Het was 'bijna stalken'. Gedurende enkele maanden leek Weinstein geobsedeerd. Hij gaf haar dure cadeaus. Wat bijdraagt aan de complexiteit van haar verhaal, zo gaf

Argento grif toe, is dat ze uiteindelijk zwichtte voor zijn toenaderingspogingen. 'Hij deed het voorkomen alsof hij mijn vriend was en werkelijk om me gaf.' In de loop van de daaropvolgende jaren had ze sporadisch seksueel contact met hem. De eerste keer vond plaats enkele maanden na de verkrachting waarvan Argento hem beschuldigde en vlak voor de première van B. Monkey. 'Ik had het gevoel dat ik wel moest,' zei ze. 'Omdat die film uitkwam en ik hem niet boos wilde maken.' Ze meende dat Weinstein haar carrière zou kapotmaken als ze niet meegaf. Toen ze jaren later als alleenstaande moeder kinderopvang nodig had, bood Weinstein aan een oppas te betalen. Ze zei dat ze zich 'verplicht' voelde om aan zijn seksuele avances toe te geven. Ze karakteriseerde deze contacten als eenzijdig en 'onanistisch'.

Dit was voor veel slachtoffers de complexe werkelijkheid van seksueel geweld: vaak werden deze misdaden begaan door bazen, familieleden of andere mensen die de slachtoffers naderhand niet uit de weg konden gaan. Argento vertelde me dat ze begreep dat het latere contact gebruikt zou worden om de geloofwaardigheid van haar aantijging te ondermijnen. Ze droeg tal van redenen aan waarom ze naar Weinstein was teruggekeerd. Ze voelde zich geïntimideerd en afgemat door zijn gestalk. Als gevolg van die eerste verkrachting voelde ze zich, ook jaren later nog, overweldigd bij elke volgende ontmoeting met Weinstein. 'Als ik hem zie, zorgt dat ervoor dat ik me klein, stom en zwak voel.' Terwijl ze dit probeerde uit leggen, brak ze in tranen uit. 'Na de verkrachting,' zei ze, 'had hij gewonnen.'

Nog meer dan de andere bronnen belichaamde Argento een onoverzichtelijk kluwen. Nadat ze had meegewerkt aan mijn onderzoek, trof ze een financiële schikking met acteur Jimmy Bennett.[1] Hij beweerde dat ze seks met hem had gehad toen hij zeventien was. Ze werd beschuldigd van kindermisbruik. Want in Californië, waar dit voorval volgens Bennett had plaatsgehad, betekende dit een illegaal seksueel contact van een meerderjarige met een minderjarige. Argento's advocaat betwistte Bennetts relaas en beschuldigde hem van het 'seksueel aanvallen' van Argento.[2] Tevens stelde hij dat de betaling weliswaar bedoeld was om hem af te kopen, maar dat het Bennett nog altijd vrijstond zijn verhaal te doen.

De pers dook evenwel gretig in op de hypocrisie van Argento's gebruikmaking van een geheimhoudingsverklaring, terwijl ze zelf ook beweerde het slachtoffer te zijn van iemand die regelmatig zijn toevlucht zocht tot geheimhoudingsverklaringen.

Die latere schikking doet echter niets af aan een onloochenbare waarheid: Argento's verhaal over Harvey Weinstein bleek te kloppen: het werd geschraagd door mensen die indertijd dingen hadden gezien of erover waren verteld. Plegers van seksueel geweld kunnen ook slachtoffer ervan zijn. Sterker nog, elke psycholoog die veel met zedendelinquenten te maken heeft, kan je vertellen dat dit vaak voorkomt. Dit idee kon echter niet op veel begrip rekenen in een omgeving waar slachtoffers geacht werden heiligen te zijn, en anders als zondaars werden afgeserveerd. De vrouwen die zich die zomer uitspraken, waren net mensen. Met de erkenning dat dit een moedige stap was – óók van Argento – praat je niet hun keuzes in de daaropvolgende jaren goed.

Ook voordat Argento's schandaal uitkwam, fungeerde ze als bliksemafleider. Waar elke bron in dit verhaal leed onder een pijnlijk sociaal stigma, daar was de culturele context in Italië, zoals ook Gutierrez' situatie aantoonde, op een wrede manier nog veel seksistischer. Na haar aantijging tegen Weinstein, werd Argento in de Italiaanse media gebrandmerkt als 'hoer'.

Tijdens onze telefoongesprekken van die herfst leek Argento zich ervan bewust dat ze vanwege haar ambigue reputatie en de ruwe Italiaanse context niet ongeschonden uit dit proces tevoorschijn kon komen. 'Ik geef geen moer om mijn reputatie. Die heb ik als gevolg van traumatische ervaringen, zoals deze, in de afgelopen jaren zelf al om zeep geholpen,' zei ze me. 'Dit zal alles verwoesten, mijn leven, mijn carrière, alles.' Ik zei dat het geheel aan haar was, maar dat ik geloofde dat ze de andere vrouwen kon helpen. Terwijl Argento worstelde met deze beslissing, bemoeide haar partner, tv-persoonlijkheid en kok Anthony Bourdain, zich er herhaaldelijk mee. Hij zei haar ermee door te gaan, benadrukte dat dit het waard was en dat het een verschil kon maken. Argento besloot zich on the record uit te spreken.

Het aantal getuigenissen nam exponentieel toe. Sorvino zette me op het spoor van Sophie Dix, een Engelse actrice die jaren daarvoor haar eigen horrorverhaal had verteld. Dix had in de jaren negentig nog haar opwachting gemaakt in de door Weinstein gedistribueerde Colin Firth-film *The Advocate*, om vervolgens uit de schijnwerpers te verdwijnen. Toen ik contact met haar legde, was Dix aanvankelijk ongerust. 'Ik ben doodsbenauwd dat hij achter me aan komt,' schreef ze op een zeker moment. 'Misschien moet ik niet naar voren treden.' Toch deed ze me uiteindelijk tijdens een half dozijn lange telefoongesprekken uit de doeken hoe Weinstein haar in zijn hotelkamer uitnodigde om materiaal uit hun film te bekijken, haar vervolgens op bed duwde en haar kleren losrukte. Ze vluchtte naar de badkamer en hield zich daar eventjes schuil. Toen ze de deur weer opendeed, zag ze Weinstein masturberen. Ze kon wegkomen doordat de roomservice op de deur klopte. Het was 'een klassiek geval' van 'iemand die het woord "nee" niet begrijpt,' zei ze tegen me. 'Ik moet dat wel duizend keer hebben herhaald.'

Net als in het geval van alle andere in het verhaal opgenomen aantijgingen, werd Dix' relaas ondersteund door, onder meer, de mensen die ze indertijd tot in detail had toevertrouwd wat er was gebeurd. Dix' vrienden en collega's leefden met haar mee, maar deden verder niets. Net als Tarantino zou Colin Firth zich later in de rangen scharen van mannen uit het filmwereldje die publiekelijk hun excuus aanboden omdat ze hoorden zonder werkelijk te luisteren.[3] Dix vertelde het aan zoveel mensen dat Weinstein haar later dat jaar opbelde en zei: 'Het spijt me, is er iets wat ik voor je kan doen?' Achter zijn excuses bespeurde ze een hint van dreiging. Ze beëindigde het gesprek zo snel mogelijk. In de nasleep hiervan voelde Dix zich teleurgesteld in de filmwereld. Beetje bij beetje nam ze afstand van het acteren. Tegen de tijd dat wij elkaar spraken, werkte ze als schrijfster en producer; ze maakte zich zorgen over negatieve reacties van haar collega's, van wie ze afhankelijk was om filmprojecten van de grond te krijgen. Actrice Rachel Weisz was onder het contingent vrienden dat haar ervan overtuigde dat dit het risico waard was. Dix noemde ook haar naam in haar getuigenis.

Op haar beurt bracht Argento me in contact met de Franse actrice Emma de Caunes. De Caunes vertelde me hoe ze Weinstein in 2010 had ontmoet tijdens een feestje rond het Filmfestival van Cannes. Een paar maanden daarna ontving ze een uitnodiging voor een lunchafspraak met hem in het Ritz in Parijs. Tijdens die lunch zei Weinstein tegen De Caunes dat hij een film met een gelauwerde regisseur ging produceren. Die film, die hij in Frankrijk wilde opnemen, bevatte een sterke vrouwelijke rol. Net als in de verhalen van Dix en Canosa had hij een excuus paraat waarom ze zich naar zijn hotelkamer moesten verplaatsen. Hij zei dat het project een adaptatie van een boek was. Daarvan kon hij haar de titel vertellen, als ze boven even het boek zouden opduikelen.

De Caunes antwoordde wijselijk dat ze weg moest, aangezien ze al aan de late kant was voor een tv-show die ze presenteerde. Weinstein drong echter net zo lang aan totdat ze overstag ging. Eenmaal in de kamer verdween hij in de badkamer. Hij liet de deur open. Ze nam aan dat hij zijn handen waste, totdat hij de douche opendraaide. 'Ik dacht, what the fuck doet hij nu? Neem hij echt een douche?'

Vervolgens stapte Weinstein naakt en met een erectie de badkamer uit. Hij vroeg haar op het bed te gaan liggen en zei erbij dat veel vrouwen dat al hadden gedaan. 'Ik was doodsbenauwd,' zei De Caunes. 'Maar dat wilde ik hem niet laten zien, omdat ik kon voelen dat zijn opwinding groeide naarmate mijn paniek toenam.' Ze voegde toe: 'Hij was als een jager tegenover een wild dier. De angst windt hem op.' De Caunes vertelde Weinstein dat ze nu echt vertrok. Toen deed hij hysterisch. 'We hebben niets gedaan!' riep hij. 'Het is net alsof we in een Walt Disney-film zitten!'

De Caunes vertelde me: 'Ik keek naar hem en zei, en dit vergde al mijn moed, maar ik zei het: "Ik heb altijd een grafhekel gehad aan Walt Disney-films." Daarop vertrok ik. En ik sloeg de deur hard dicht.' In de uren daarna bleef Weinstein maar bellen. Hij bood De Caunes cadeautjes en bleef herhalen dat er niets was gebeurd. Een regisseur met wie ze aan de tv-show werkte, bevestigde dat ze over-stuur aankwam en hem vertelde wat er had plaatsgevonden.

Indertijd was De Caunes een jonge dertiger en een actrice die al naam had gemaakt. Maar ze vroeg zich af hoe het in diezelfde situatie jonge, kwetsbaardere vrouwen zou vergaan. In hun belang besloot ze uiteindelijk om zich on the record uit te spreken. 'Ik weet wat ieder-een in Hollywood – en ik bedoel echt iedereen – weet wat er aan de gang is,' zei De Caunes. 'Hij verbergt het eigenlijk niet eens. Kijk naar hoe hij dat doet. Zo veel mensen zijn erbij betrokken en zien wat er gebeurt. Maar niemand durft wat te zeggen.'

37

COUP

Nagenoeg iedere dag volgde ik wel een spoor dat doodliep. Zo wilden sommige beschuldigers helemaal niets zeggen. De hele zomer lang probeerde ik Lauren O'Connor te spreken te krijgen. Voorheen speurde ze voor The Weinstein Company naar voor film-adaptatie geschikte boeken. In 2015 schreef ze een interne memo waarin ze haar beklag deed over Weinsteins gedragingen tegenover werknemers. Hij had zich tegen haar beledigend uitgelaten, en ze was op de hoogte van zijn seksuele roofzucht. Eenmaal bonsde er een jonge vrouw op de deur van haar hotelkamer: ze huilde, trilde en vertelde ten slotte een al te vertrouwd verhaal over hoe Weinstein haar om een massage had gevraagd. 'Ik ben een achtentwintigjarige vrouw die probeert haar brood te verdienen en een carrière op te bouwen,' schreef O'Connor in de memo. 'Harvey Weinstein is vier-enzestig, wereldberoemd, en dit is zijn bedrijf. De machtsbalans is duidelijk: ik 0, Harvey Weinstein 10.'[1] Maar O'Connor had een geheimhoudingsverklaring getekend en durfde nog altijd niet te praten. Eind september werd ik gebeld door een tussenpersoon, die me vertelde dat O'Connor advies bij een advocaat had ingewonnen en tot een definitieve beslissing was gekomen. 'Ze is doodsbang en wil zich nergens mee inlaten. Met niets of niemand,' zei de tussenpersoon. O'Connor wilde niet dat ik haar naam gebruikte.

Dat was een tegenvaller. Ik had O'Connors naam uit documenten. Maar de tussenpersoon beschreef O'Connors enorme angst. Ik was me er pijnlijk van bewust dat ik als man schreef over de instemming van vrouwen en me nu tegenover een vrouw bevond die aangaf dat ze hiervoor niet haar leven op de kop wilde zetten. Uiteindelijk zou ze haar verhaal publiek maken, maar op dat moment beloofde ik haar naam niet te zullen gebruiken.

Dan waren er nog de weifelaars. Actrice Claire Forlani plaatste later een open brief op sociale media, waarin ze beschreef hoe ze had geworsteld met de vraag of ze mij zou vertellen hoe Weinstein haar intimideerde. 'Ik besprak dit met enkele mannen uit mijn nabije omgeving, en elk van hen adviseerde me niets te zeggen,' zei ze. 'Ik had Ronan al verteld dat ik met hem zou praten. Maar op basis van al dat advies van naasten – opmerkelijk genoeg allemaal van mannen – heb ik hem uiteindelijk niet gebeld.'[2]

Ik speurde Hollywood af naar meer sporen en bronnen. Sommige van Weinsteins contacten leken zich oprecht niet of nauwelijks bewust van de beweringen die over hem de ronde deden. Zo had ik eind september contact met Meryl Streep, die in de loop der jaren een aantal films met Weinstein had gemaakt – waaronder *The Iron Lady*, de biopic over Margaret Thatcher die Streep haar meest recente Oscar had opgeleverd. Ten tijde van ons contact was Streep gastvrouw bij de vijftigste reünie van haar schoolvrienden. 'Ik speel gastvrouw, kook en trek me de haren uit het hoofd,' schreef Streep.[3]

'Klinkt alsof je je manhaftig weert,' zei ik over de telefoon. Ad rem reageerde ze: 'Vrouwhaftig.'

Opgewekt babbelde ze met me mee. Ze vroeg naar wie ik eigenlijk onderzoek deed.

Ik zei Harvey Weinstein. Streeps adem stokte even. 'Maar hij steunt *zulke goede doelen*,' zei ze. Rond haar had Weinstein zich altijd netjes gedragen. Streep was aanwezig geweest bij, en had soms ook deelgenomen aan, zijn geldinzamelingsbijeenkomsten voor de Democraten en goede doelen. Ze wist wel dat hij in de montagekamer een tiran kon zijn. Maar dat was het.

'Ik geloof haar,' zei ik later tegen Jonathan.

'Maar dat zou je hoe dan ook doen, toch?' antwoordde hij. Hij maakte er een gedachteoefening van.

'Ja, ik snap hem.'

'Omdat ze Meryl...'

'Omdat ze Meryl Streep is. Ik snap hem.'

Andere oudgedienden uit de filmindustrie sloegen een andere toon aan. Ze zeiden dat Weinsteins seksuele roofzucht een publiek geheim was. Ook wie er zelf geen getuige van was geweest, had wel het een en ander opgevangen. Susan Sarandon, het type principiële voorloper dat al jaren koppig weigerde te werken met mensen die beschuldigd werden van seksueel geweld, hielp mee door te brainstormen over mogelijke aanknopingspunten. Ze liet een kakellachje horen toen ik vertelde waar ik mee bezig was. 'O, Ronan,' zei ze met plagerig monotone stem – niet spottend, gewoon zich verlustigend over het drama dat zich weldra rond mij zou uitspinnen – 'daar ga je ellende mee krijgen.'

Weer anderen leken Weinstein op de hoogte te houden. Toen ik regisseur Brett Ratner aan de lijn had, verzocht ik hem met klem het gesprek tussen ons te houden. Ik zei dat als Weinstein geagiteerd raakte, vrouwen in kwetsbare posities er de dupe van konden worden. 'Ben je er oké mee om in hun belang niets van wat ik zeg door te vertellen?' vroeg ik. Dat beloofde Ratner. Hij zei dat hij wist van een vrouw die wellicht iets over Weinstein te vertellen had. Toch klonk hij nerveus. Enkele maanden later publiceerde The Los Angeles Times een artikel waarin zes vrouwen Ratner beschuldigden van seksuele intimidatie[4] – zelf ontkende hij een aantal van deze aantijgingen. Ratner bracht Weinstein bijna direct van mijn vragen op de hoogte. 'Harvey zei dat Brett Ratner hem heeft gebeld; hij is nu helemaal over de rooie,' zei Berger op zijn 'dit-wordt-nog-eensmijn-dood-toon' die hij intussen voor onze gesprekken reserveerde. Berger steunde dit verhaal, al baalde hij soms over het effect ervan op mijn carrièreperspectief. 'Het werpt veel te veel nieuwe hindernissen op,' zei hij. 'Publiceer het of ga verder met iets anders.'

Op zijn beurt was ook Weinstein aan het rondbellen. Terwijl september overging in oktober, richtte hij zich tot de persoon rond wie zijn claim dat ik een belangenconflict had, was opgebouwd. Weinstein liet zijn assistenten bellen. Op een filmset in Central Park bracht weer een andere assistent de telefoon naar Woody Allen.

Weinstein leek op zoek naar een strategisch draaiboek voor hoe je aantijgingen van seksueel geweld uit de weg ruimde en tevens voor hoe met mij om te gaan. 'Hoe pakte jij dit aan?' vroeg Weinstein op een zeker moment. Hij wilde weten of Allen ten voordele van hem kon bemiddelen. Allen veegde dat idee van tafel. Wel had hij informatie die Weinstein later van pas zou komen. Weinsteins creditcard-afschriften laten zien dat hij die week een boek kocht met interviews met Allen. Dat was geschreven door een diehardfan, die alle argumenten opsomde die Allen en zijn leger aan privédetectives hadden aangevoerd om twijfel te zaaien over de geloofwaardigheid van mijn zus, de openbaar aanklager en de rechter die stelde dat ze de waarheid vertelde.

'Jeetje, dat spijt me,' zei Allen aan de telefoon tegen Weinstein. 'Veel succes.'

Ook belde Weinstein mijn bronnen, wat sommigen van hen bang maakte. De dag nadat ik de juridische brief vol eisen van Harder en co. ontvangen had, belde Weinstein opnieuw naar Canosa. Het was Jom Kipoer, de joodse 'Grote Verzoendag' – maar dat had klaar—blijkelijk geen invloed op het karakter van dat telefoontje. Hij zei tegen Canosa dat hij wist dat mensen een boekje opendeden. 'Jij zou mij nooit zoiets aandoen,' zei hij. Ze was onzeker of dat nu een vraag of een dreigement was. Toen ze ophing, was ze van streek. Ik vertelde Remnick dat bronnen zenuwachtig werden, en dat Weinstein zijn inspanningen om mensen de mond te snoeren leek op te voeren. 'Ik vast en hij dreigt,' antwoordde Remnick. 'Het jodendom komt in vele gedaanten.'

Aan het eind van die maand kwamen Weinstein en zijn team opnieuw samen in de achterkamer van de Tribeca Grill. Zelf hield hij daar al een tijdje beraad met zijn advocaten over de laatste ontwikkelingen rondom de amfAR-kwestie. Toen volgde een wisseling van de wacht: teamleden die zich focusten op dat schandaal maakten plaats voor enkele medewerkers van Black Cube. Ze brachten juichend nieuws. 'We hebben iets goeds voor je,' zei een van hen glimlachend. Ze waren zich ervan bewust dat ze eerder tekort waren geschoten, maar ditmaal hadden ze een flinke slag geslagen. Ze hadden de hand weten te leggen op een cruciaal bewijsstuk waar Weinstein al de hele zomer naar op zoek was. Ze beschreven de coup die hierin had geresulteerd.

Die dag waren er drie mensen van Black Cube aanwezig: Yanus, de directeur, de projectmanager die onder hem werkte en, als derde, een gewone medewerkster die diep betrokken was bij deze operatie en in haar witte blouse en blazer kordate professionaliteit uitstraalde. Ze was blond en had hoge jukbeenderen, een sterke neus en een elegant, moeilijk te plaatsen accent. Tijdens de bijeenkomsten met Weinstein ging ze door voor Anna.

Anna toonde ontzag voor Yanus en hun collega. Ze liet hen het gesprek leiden. Toen ze zich tot haar wendden, legde ze geestdriftig uit hoe ze maandenlang bezig was geweest om het vertrouwen van een belangrijk doelwit te winnen. Ze had hun gesprekken opgenomen. Daarop mompelde Weinstein met wijd opengesperde ogen: 'O god, o god.' Vervolgens lazen de mensen van Black Cube hardop stukken tekst voor, die volgens hen de passages over Weinstein waren uit Rose McGowans verwachte boek.

38
BEROEMDHEID

Gedurende die septembermaand kwam het werk aan het verhaal bij *The New Yorker* in een bruisende stroomversnelling. Foley-Mendelssohn, Remnick en de rest van het team verdiepten zich in de bijeengebrachte informatie en plozen conceptversies uit. Vaak bleef ik tot laat in het World Trade Center om telefoongesprekken voor het onderzoek te voeren. Toen ik op een dag tegen het ochtendgloren thuiskwam, voelde ik een kil schokje van herkenning bij het zien van een op straat geparkeerde, zilveren Nissan Pathfinder. Ik bezat nog altijd geen bewijs dat ik werd gevolgd, maar bleef een zekere nerveuze achterdocht voelen.

Tijdens de zomer hadden een paar vrienden mij al aangeboden bij hen te logeren. Meestal maakte ik een eind aan deze gesprekken met een lach en de verzekering dat ik oké was. Een van die vrienden, Sophie, de dochter van een rijke directeur, drukte me op het hart mijn argwaan serieus te nemen. Zelf had ze ook met dreigementen te maken gehad. Ze zei dat ik haar moest bellen als ik een veilige logeerplek nodig had. Ten slotte deed ik dat.

Aan het eind van die maand pakte ik mijn boeltje en verhuisde ik naar wat mijn safehouse zou worden: een gedeelte van een gebouw in Chelsea, waarvan Sophies familie verschillende verdiepingen bezat. In deze ruimte kon je met gemak iedereen onderbrengen die je ooit had ontmoet. De kamers hadden de afmetingen van vliegtuig-hangars: indrukwekkend, schitterend en vol met rijkversierde banken waar je niet op durfde te gaan zitten en kunstvoorwerpen die je niet durfde aan te raken.

Deze woonruimte kwam je niet een-twee-drie binnen: daarvoor had je een kaart, sleutel en code nodig. Ik voelde me veiliger. Al behield ik de paranoïde indruk dat ik werd bekeken. '*Zorg dat je een wapen hebt,*' had Polone gezegd. En ik lachte het weg. Toen anderen later hetzelfde zeiden, begon ik het toch te overwegen. Aldus scherpte ik op een baan in New Jersey mijn schietkunsten met pistolen en revolvers aan. Puur ter ontspanning, hield ik mezelf voor. Maar terwijl ik het gewicht van een Glock 19 voelde, haar richtte en de trekker overhaalde, voelde ik me koelbloedig, opgewonden en niet bepaald als een man met een hobby.

Wat ook toenam waren de signalen dat The New York Times bezig was aan een inhaalslag. Ik hoorde dat twee onderzoeksjournalisten – Kantor, die genoemd werd in de dossiers die naar de privédetectives waren gestuurd, en Megan Twohey – met het verhaal bezig waren. Ze deden uitstekend werk; ze zaten even voortvarend achter bronnen aan als ik had gedaan. Nadat Arquette en Nestor telefoontjes ontvangen hadden, zei ik dat ze in zee moesten gaan met eenieder bij wie ze een goed gevoel hadden. 'Uiteindelijk is het in het voordeel van ons allemaal dat er meerdere mensen aan werken,' appte ik Nestor. Ik was oprecht blij dat The Times wat van de klappen zou opvangen en dat het verhaal sowieso naar buiten zou komen, hoe mijn eigen poging ook zou aflopen. Natuurlijk voelde ik ook ijverzucht, vermengd met een dosis zelfmedelijden. De enige steun die ik zes maanden lang had gehad, was van Noah Oppenheim – die zijn neus drukte en de journalistiek op afstand hield uit angst dat ze haar pijlen op hem zou richten. En nu ik eindelijk The New Yorker achter me had, was het misschien te laat. Ik had geen idee wat The Times bezat. Voor hetzelfde geld zou de krant als eerste publiceren en leverde ons werk bij het blad niets wezenlijks meer op. Deze nieuwswedloop zorgde voor extra druk; het versterkte mijn gevoel dat ik in een luchtsluis zat en het slechts een kwestie van tijd was voordat ik in het vacuüm werd geblazen.

McHugh appte me eind september dat hij van zijn bronnen had begrepen dat The Times op het punt stond iets te publiceren. Weliswaar had NBC hem verboden verdere belletjes over aantijgingen van seksueel geweld te plegen, maar hij werkte nog altijd aan het verhaal over amfAR, de stichting voor aidsonderzoek. Een bron had hem gewezen op een regel diep verborgen in de belastingaangifte van de liefdadigheidsinstelling. Daar stond dat 600.000 dollar was doorgesluisd naar het American Repertory Theater. Dat was het theater waarin Finding Neverland was ontwikkeld, de musical die Weinstein later op Broadway produceerde en waarvoor hij na hun eerste ontmoeting Gutierrez uitnodigde. McHugh had toestemming gevraagd hier verder in te duiken. Greenberg overlegde met Oppenheim, en leek vervolgens akkoord te gaan. Maar het verkrijgen van deze toestemming had wat voeten in de aarde gehad. McHugh kreeg het idee dat de omroep de zaak traineerde. 'Ze waren aan het lijntrekken,' klaagde hij naderhand. Hij twijfelde eraan of ze hem nu onderzoek wilden laten doen of vooral de indruk wilden vermijden dat ze zo snel na de vorige keer nog een tweede verhaal over Weinstein onder het tapijt schoven.

'Twohey heeft vandaag haar verhaal ingeleverd,' schreef McHugh me. We discussieerden over wat er in het Times-verhaal kon staan – of dit überhaupt hun grote verhaal over seksueel wangedrag zou zijn. 'Hoe dan ook,' schreef McHugh, 'is het weldra showtime voor Harvey.'

Die dag voerden Weinstein en Dylan Howard een vergelijkbaar gesprek. De band tussen beide mannen werd almaar hechter. 'Beste Dylan,' schreef Weinstein nadat Twohey haar verhaal had ingeleverd, 'ik wilde je laten weten dat The New York Times het artikel vandaag gaat brengen.'[1]

De volgende dag kwam *The New York Times* met *breaking news*-over Weinstein.[2] Ik klikte door. 'Het gaat alleen over amfAR,' appte McHugh. Het was vals alarm.

'Hoe snel kun je het naar buiten brengen?' vroeg McHugh. 'Breng Remnick op de hoogte van de nieuwsstroom rond Weinstein. Jij hebt het verhaal. Tijd om het naar buiten te brengen.' Auletta belde me ongerust met dezelfde, jachtige aansporing: 'Schiet op! Ga direct naar hem nu en zet het online!'

Ik drong aan bij eerst Foley-Mendelssohn en vervolgens Remnick. Hij was zeer competitief ingesteld, maar *The New Yorker* had omzichtigheid en accuratesse hoog in het vaandel. 'We gaan niet overhaast te werk om een ander af te troeven,' zei Remnick tegen me. Dit verhaal was af wanneer het af was – na een intensief factcheckproces. 'We zijn een oceaanstomer, geen speedboot. We hebben altijd rekening gehouden met de mogelijkheid dat *The Times* de scoop zou krijgen.'

Desalniettemin zette Remnick zijn tanden in het redigeerwerk. Hij vuurde de ene vraag na de andere op me af ('Waar zit de Weinstein Co? Waarom verblijft hij de hele tijd in hotels?'). Wanneer ik geen bronnen ontmoette of belde, zat ik bij Foley-Mendelssohn of Remnick de tekst van het artikel bij te schaven. We overlegden wanneer we Weinstein om commentaar zouden vragen. 'Hoe sneller we hem spreken, hoe beter,' schreef ik eind september aan de redacteuren.

Remnick besloot, zowel vanwege de zuiverheid als om een grens op te leggen aan Weinsteins vermogen de vrouwen lastig te vallen wier namen we tijdens ons reactieverzoek zouden onthullen, om het factcheckproces zo goed mogelijk af te ronden voordat we contact met Weinstein legden. Peter Canby, het doorgewinterde hoofd van de factcheckafdeling van het blad, wees in het belang van snelheid en extra controle twee factcheckers aan. Foley Mendelssohn raadde E. Tammy Kim aan, een voormalige advocate met een koele, ernstige manier van doen. Toen Kim werd benaderd voor de klus, sloeg ze haar armen over elkaar en zei ze met strak gezicht: 'Dit gaat zeker om een beroemdheid of zo iemand?' De andere factchecker werd Fergus McIntosh, een jonge Schot die na zijn studie aan Oxford twee jaar eerder bij het blad was komen werken. McIntosh was beleefd als een Brit en een tikje verlegen. Op 27 september bogen Kim en McIntosh zich voor het eerst over het verhaal. Ze maakten vaart, werkten slopende uren en belden bron na bron na bron.

3

RADIOACTIEVE NEERSLAG

D e broeierige hitte in New York City schommelde maar hield
aan. Zowel de bronnen als Weinsteins bemiddelaars die met
tussenpozen belden om verkapte dreigementen over te brengen, waren verspreid over tijdzones: Europa, Australië, China. Op elk uur
van de dag voelde mijn telefoon als een tikkende tijdbom. Slaap werd
een automatische reflex, een ogenblik waarin ik na een klik als van
een lichtschakelaar met mijn ogen knipperde en de schaduwen bleken veranderd: ik was een uur weggeweest en had de afdruk van het
bureau bij *The New Yorker* dat ik die avond had geleend in mijn gezicht staan. Ik hoopte maar dat Jeffrey Toobin of Dexter Filkins of
om het even welke andere journalist niet zou achterhalen wie er op
zijn mousepad had liggen kwijlen. Wanneer ik dan mijn bed in Chelsea bereikte, viel ik in een halfslachtige slaap. In de spiegels daar oogde ik afgemat, bleek en dunner dan aan het begin van die zomer, als
een aan tbc lijdend kind in een advertentie uit het victoriaanse
tijdperk, waarin een versterkend middeltje werd aangeprezen.

Terwijl de factcheckers meer bronnen belden, zette Weinstein zijn
dreigementen kracht bij. Op de eerste maandag van oktober stuurde
hij *The New Yorker* een eerste juridische brief. 'Dit advocatenkantoor
vertegenwoordigt in samenwerking met raadsman David Boise, partner van Boise Schiller Flexner LLP en Lisa Bloom, partner van The

Bloom Firm, The Weinstein Company,' schreef Charles Harder ditmaal. Het onderzoeksverhaal was 'lasterlijk', betoogde hij. 'We eisen dat u afziet van publicatie van dit verhaal; dat u TWC een lijst bezorgt met alle beweringen over TWC (en zijn werknemers en directieleden) die u van plan bent te publiceren.'[1] Zoals verwacht werd ook NBC erbij gehaald: 'Van belang is dat NBC News eerder samen met Ronan Farrow aan een mogelijk verhaal over TWC werkte. Echter, na doorlichting van dhr. Farrows werk heeft NBC News het verhaal afgewezen en het project beëindigd. Het zou verontrustend zijn als *The New Yorker* het resultaat van dhr. Farrows werk, dat is afgewezen door NBC News, wel zou aannemen en publiceren – daarmee zou *The New Yorker* juridisch aansprakelijk worden en in verband hiermee een enorme schadevergoeding tegemoet kunnen zien.'

Weinsteins recente gesprek met Woody Allen leek zijn weerslag in die brief te vinden. In een aantal pagina's zette Harder uiteen waarom het seksueel misbruik van mijn zus mij diskwalificeerde om onderzoek naar Weinstein te doen. 'Privématig heeft dhr. Farrow alle recht woede te voelen,' schreef Harder. 'Maar geen uitgever mag toestaan dat dergelijke vijandige gevoelens uitmonden in een ongefundeerd en lasterlijk verhaal.' Daarna citeerde hij uit het door Weinstein aangeschafte boek van een biograaf van Woody Allen en bauwde hij Allens argument na dat ik dusdanig gehersenspoeld was dat ik de bewering van mijn zus geloofwaardig vond.

Dat was niet het enige kleurrijke, op de man gespeelde argument. 'Om een tweede voorbeeld te geven: Ronan Farrows oom, John Charles Villers-Farrow, is aangeklaagd, schuldig bevonden en veroordeeld tot tien (10) jaar gevangenisstraf wegens het seksueel misbruiken van twee jongens. We zijn nog altijd niet op aanwijzingen gestuit dat Ronan Farrow zijn oom publiekelijk heeft aangevallen, en wellicht heeft hij hem zelfs publiekelijk gesteund. Hoe dan ook, en mede in het licht van dhr. Farrows uitgesproken kritiek op zijn van hem vervreemde vader, geven de handelingen van dhr. Farrow aanleiding te twijfelen aan zijn geloofwaardigheid en zienswijze als journalist.'

Voor zover ik me kan herinneren, heb ik de oom in kwestie nooit ontmoet. Naar mijn weten zat de aanklacht tegen hem goed in elkaar. Zowel mijn moeder als zijn dochter hebben hem uit hun leven gebannen. Bovendien is mij nooit gevraagd naar de familieleden die geen publieke figuren waren. Mocht dat wel zo zijn geweest, dan was ik het onderwerp niet uit de weg gegaan. Sowieso was het een raadsel wat dit met de aantijgingen tegen Weinstein te maken had.

Het viel me op hoezeer de argumenten in de brief overeenkwamen met de punten die Oppenheim in mijn gesprek met hem had opgesomd. Ook dacht ik aan de opiniestukken en televisieoptredens waarin Bloom het opnam voor de geloofwaardigheid van mijn zus en tevens haar eigen merk als advocate van vrouwenrechten oppoetste. Ik raakte inmiddels eraan gewend dat mensen hun lichaam verwrongen tot werktuigen binnen Harvey Weinsteins machinerie. Toch bleef ik verbaasd om onderaan de brief Blooms naam te zien staan naast die van Harder.

In de eerste week van oktober mailden Weinsteins assistenten aan Dylan Howard: 'We probeerden je net te bereiken. Harvey wilde weten of je hem als alternatief kunt treffen voor het *NY Times*-gebouw op 8th Avenue, nabij 43rd Street.[2] Hij is nu onderweg daarnaartoe, dus hij zou er in 30 minuten moeten zijn.' Eigenlijk had Weinstein zijn medewerkers gevraagd ervoor te zorgen dat Howard hem en Lisa Bloom vergezelde tijdens de rit van het kantoor van The Weinstein Company naar dat van *The Times*. Maar Bloom en Weinstein waren zonder Howard vertrokken, waardoor de redacteur van *The Enquirer* zelf een weg naar Uptown Manhattan moest zoeken. Hij had dossiermappen bij zich. Volgens een betrokkene bevatten die 'hoofdzakelijk vuiligheid' over Weinsteins beschuldigers. Later zou Howard ontkennen dat hij ooit naar het *Times*-gebouw was gegaan. Wat niet wordt betwist is dat Weinstein weldra in een bijeenkomst zat en hoorde dat *The Times* zich opmaakte om het verhaal over seksueel wangedrag te publiceren.

Toen bronnen met dezelfde boodschap contact met me zochten, zat ik een taxi. Herhaaldelijk probeerde ik Jonathan te bereiken. Hij had het steeds drukker, ik werd steeds behoeftiger en irritanter.

'Wát?' bitste hij toen hij eindelijk terugbelde. Hij stapte net een vergadering uit.

'*The Times* gaat publiceren,' zei ik.

'Oké,' zei hij, een tikje ongeduldig. 'Je wist dat dit kon gebeuren.'

'Het is goed dat het naar buiten komt,' zei ik. 'Het is alleen... al die maanden. Dit hele jaar. En nu ben ik nog werkloos ook.' Ik raakte van de leg en begon zelfs te huilen. 'Ik wilde te veel. Ik heb te veel op het spel gezet. Misschien heb ik aan het eind van het liedje niet eens een verhaal. En ik laat al die vrouwen in de steek...'

'Kalmeer even!' riep Jonathan. Dat trok me eruit. 'Op dit moment is er maar een ding aan de hand, en dat is dat je in geen twee weken geslapen of gegeten hebt.'

Buiten klonk een claxon.

'Zit je in een *taxi*?' vroeg hij.

'Jep,' snifte ik.

'O god. We zullen hierover praten, maar eerst geef je die taxichauffeur een heel goede fooi.'

Nadat de brief van Weinstein en Harder was binnengekomen, belde Remnick me met de vraag om in zijn kantoor langs te komen. Ook Bertoni en Foley-Mendelssohn waren aanwezig. Opgesomd in volgorde van toenemende absurditeit en afnemende ernst waren Weinsteins juridische argumenten dat elk negatief bericht over hem laster betrof; dat journalistiek onderzoek naar een bedrijf dat geheimhoudingsverklaringen gebruikte per definitie ontoelaatbaar was; dat hij een deal met NBC had gesloten; dat mijn zus slachtoffer van seksueel geweld was; en dat een familielid van mij een kindermisbruiker was. (Jonathan gierde van het lachen toen hij de brief las. 'Deze brief is *verrukkelijk*,' zei hij. 'Ik ben dol op deze brief.') Ik had echter al eerder meegemaakt hoe een nieuwsorganisatie met zwakke argumenten aan de haal ging. Toen ik Remnicks kantoor binnenliep, was een deel van mij nog altijd beducht op een overgave of plotselinge schuwheid. Maar hij zei simpelweg: 'Dit is de wanstaltigste brief die ik ooit over een artikel heb ontvangen.'

Toch nog ongerust wees ik Remnick erop dat Weinstein ook dreigde mij persoonlijk aan te klagen en dat ik niet over een advocaat beschikte. 'Daarover wil ik duidelijk zijn,' zei hij. 'We zullen je juridisch verdedigen, ongeacht hoever Harvey Weinstein gaat.' Bertoni schreef Harder een beknopte reactie: 'Wij zien geen enkele grond in de stellingen die u formuleert over de onafhankelijkheid en moraal van dhr. Farrow.'3

Toen ik die avond onderweg naar huis was, belde Remnick met de mededeling dat Asia Argento's partner, Anthony Bourdain, contact met hem had opgenomen. Weliswaar had Bourdain Argento eerder aangespoord te praten, maar toch zonk me de moed in de schoenen: de vrouwen die hun medewerking aan het verhaal introkken, deden dat keer op keer na tussenkomst van hun echtgenoot, vriendje of vader. Bemoeienis van een naaste betekende zelden goed nieuws. Toch blijkt er een uitzondering op elke regel: Bourdain zei dat Weinsteins seksuele roofzucht weerzinwekkend was en dat 'iedereen' er al veel te lang van wist. 'Ik ben geen religieus man,' schreef hij. 'Maar ik bid dat je de kracht vindt om dit verhaal te publiceren.'

Het team van *The New Yorker* schaarde zich achter het onderzoeksverhaal. Daarvan hield, zo stelden de factcheckers vast, de ene aantijging na de andere stand. Nog altijd wachtten we totdat alle beweringen uit-en-ter-na gecheckt waren, voordat we Weinstein om een reactie zouden vragen. Inmiddels hadden verschillende van Weinsteins tussenpersonen zelf al contact gezocht. Hun toon was niet strijdlustig, juist eerder gelaten. Eén lid van zijn juridische team zette zelfs de uitzonderlijke stap om vlak na Harders brief het tijdschrift op te bellen om aan te geven dat de daarin geuite dreigementen onjuist en onverstandig waren. 'Ik ga je niet vertellen dat je het fout ziet,' zei de advocaat, 'want de aantijgingen van grof, oneerbaar gedrag zijn in veel gevallen waar.'

De temperatuur steeg en veranderde Foley-Mendelssohns kantoor in een broeikas. Zij en ik bogen ons over geprinte conceptversies terwijl de zweetdruppeltjes op ons voorhoofd parelden. We voerden felle discussies over woordkeuzes, waarbij Remnick waar mogelijk tot voorzichtigheid aanmaande. Aanvankelijk schrapten we het woord 'verkrachting', uit angst dat dit afleidde of vooringenomen overkwam. Foley-Mendelssohn en Kim, de factchecker, gaven echter tegengas. Het woord niet gebruiken, zo betoogden ze, kwam neer op vergoelijking. Daar konden Remnick en Bertoni zich ten slotte in vinden: het woord bleef staan.

Op een van die dagen trotseerde ik de hitte om me naar Remnicks appartement in de Upper West Side te begeven. Aan de kalkstenen façade van het gebouw hing een tinnen uithangbord met het symbool voor een schuilkelder tegen radioactieve neerslag. Binnen was de woonkamer met zijn hoge plafond afgelijnd met boeken. Remnicks vrouw, de voormalige *Times*-journalist Esther Fein, verordonneerde me naar de keuken en stond erop dat ik iets at. Het stel had elkaar eind jaren tachtig leren kennen. Beiden werden vervolgens voor rivaliserende kranten correspondent in Washington – Remnick voor *The Washington Post*. Net zoals je in films ziet, hadden de Remnicks een stukje muur vrijgehouden waarop ze gedurende de jaren de lengtes van hun twee zoons en hun dochter hadden gemarkeerd. Vervolgens schaafden Remnick en ik in zijn nauwe werkkamer de conceptversie bij. Ik had een slaaptekort en was doodop – hij was grootmoedig, zelfs wanneer ik tijdens het redigeren de plank volledig missloeg.

Misschien kon dit doorgaan voor stilte, maar dan wel de stilte die voorafgaat aan een zware storm. In het begin van die eerste oktoberweek verscheen er een verhaal van Kim Masters in *The Hollywood Reporter*, met als kop 'Harvey Weinsteins advocaten in gevecht met *NY Times* en *New Yorker* over mogelijk explosieve verhalen'.[4] *Variety* volgde een paar minuten later met een eigen versie.[5] Op de grote nieuwszenders kwam de meningenstroom op gang. Het voordeel van deze ontwikkeling was dat het bronnen extra moed gaf. Diezelfde dag werd er contact met me gelegd door actrice Jessica Barth, die met Seth MacFarlane in de *Ted*-films had gespeeld. Ze vertelde dat Weinstein haar tijdens een hotelbijeenkomst seksueel had geïntimideerd – en dat verhaal bleek te kloppen. Tegelijkertijd voelde ik me door de nieuwe media-aandacht zichtbaarder, kwetsbaarder. Op hetgeen vervolgens gebeurde, scheen het licht van stadionlampen.

40
DINOSAURUS

Die oktober was Harvey Weinsteins wereld aan het veranderen. Hij oogde verwilderd. Woedeaanvallen behoorden tot zijn standaardrepertoire, maar die maand was er nog minder peil te trekken op zijn uitbarstingen dan anders. Zelfs binnen The Weinstein Company deed hij wantrouwig. Naderhand is bekend geworden dat hij meelas met de werkcommunicatie van Irwin Reiter, de man die Nestor meelevende berichten stuurde en die door Weinstein als 'de sekspolitie' werd aangeduid. Op 3 oktober liet Weinstein een IT'er een bestand met de naam 'vrienden HW' opzoeken en wissen. Dat bestand bevatte de locaties en contactgegevens van tientallen vrouwen in steden over de hele wereld.[1]

Op de ochtend van 5 oktober riep Weinstein een groot deel van zijn team bijeen in zijn kantoor aan Greenwich Street, waar in een artiestenfoyer een geïmproviseerde *war room* was ingericht. Bloom was er, evenals Howard, Pam Lubell en Denise Doyle Chambers, de oudgedienden die terug waren gehaald om de lijst met doelwitten samen te stellen – nu zonder enige illusie over de status van hun boekvoorstel. Davis en Harder belden in en werden door assistenten op de speaker gezet. Weinstein was buiten zinnen. Hij tierde. Het *Times*-verhaal was nog niet uitgekomen, maar naar hij had begrepen kon dat ieder moment gebeuren. Hij brulde naam na naam tegen

Lubell, Doyle Chambers en zijn assistenten: namen van bestuursleden en bondgenoten in de entertainmentindustrie van wie hij hoopte dat ze het na publicatie van de verhalen voor hem zouden opnemen. Bloom en anderen bogen zich over uitgeprinte en digitale foto's die moesten laten zien dat Weinstein duurzaam contact onderhield met vrouwen op de doelenlijsten: zoals McGowan en Judd, die beleefd glimlachend aan zijn arm hingen. 'Hij schreeuwde naar ons: "Stuur dit naar de bestuursleden,"' zou Lubell zich later herinneren. Dat deed ze plichtsgetrouw.

Meer richting het centrum ging ik op de *New Yorker*-redactie aan een leeg bureau zitten. Ik belde The Weinstein Company voor een reactie. De medewerker die ik aan de lijn kreeg, zei nerveus dat hij zou kijken of Weinstein beschikbaar was. Vervolgens hoorde ik Weinsteins schorre bariton. '*Wauw!*' bootste hij enthousiasme na. 'Waaraan heb ik deze eer te danken?' Het vele dat ervoor en erna over hem is geschreven, besteedde vrijwel nooit aandacht aan deze eigenschap: hij was best grappig. Anderzijds vergat je dat gemakkelijk wanneer zijn stemming omsloeg in woede. Die herfst zou Weinstein verschillende keren abrupt ophangen, óók tijdens dat eerste gesprek. Ik zei hem dat ik dit netjes wilde spelen, dat ik alles wilde weergeven wat hij te zeggen had en ik vroeg of hij het vervelend vond als ik het gesprek opnam. Hij leek in paniek te raken, en na een *klik* was hij weg. Ditzelfde patroon herhaalde zich die middag. Maar toen ik erin slaagde hem enige tijd te laten praten, liet hij zijn aanvankelijke voorzichtigheid varen. Hij vroeg niet of het gesprek off the record kon, maar bond fel de strijd aan.

'Hoe heb je jezelf geïntroduceerd bij al deze vrouwen?' vroeg hij op hoge toon.

Dit bracht me van mijn stuk.

'Ik noemde het nieuwsmedium waarvoor ik in de betreffende periode werkte.' Ik begon te zeggen dat dit geen reactie was op de aantijgingen, maar hij ging er alweer op door.

'O, echt? Zoals dat je een *journalist* van NBC bent. En wat zeggen je *vrienden* van NBC daar nu van?' Ik voelde het bloed naar mijn hoofd stijgen.

'Ik bel omdat ik wil horen wat je te zeggen hebt,' zei ik.

'Nee. Ik weet wat jij wilt. Ik weet dat je bang bent, en alleen, en dat je bazen je in de steek hebben gelaten, en dat je vader...'

Op dat moment stond Remnick buiten het kantoor. Hij tikte zachtjes op het glas, schudde zijn hoofd en gebaarde 'afkappen'.

'Ik ben bereid met jou of met iemand anders van je team te praten,' zei ik.

Weinstein lachte. 'Je kon degene van wie je hield niet redden, en nu denk je dat je de hele wereld kunt redden.' Dit zei hij echt. Je zou bijna gaan denken dat hij een detonator op superheld Aquaman richtte.

Weinstein zei dat ik al mijn vragen maar naar Lisa Bloom moest sturen. Aan het eind van die gesprekken zat hij alweer in charmeursmodus. Tot slot bedankte hij me beleefd.

Net na 14.00 uur pingden de telefoons. Een assistent liep met nieuws over *The Times* de artiestenfoyer van The Weinstein Company in. 'Het artikel staat online,' zei de assistent. 'O shit,' zei Dylan Howard. Hij vroeg of er voor iedereen een kopietje kon worden uitgedraaid. De teamleden lazen het stuk, en de stemming klaarde op. Weinstein voelde zich een ogenblik opgelucht. Het was goed nieuws, hield hij zijn verzamelde medewerkers voor, dat het verhaal uitkwam op een donderdag en niet op een zaterdag – want op die dag, zo veronderstelde hij, bracht *The Times* de grote verhalen het liefst. Daarna ging hij zijn vrouw zien, Georgina Chapman, die op dat moment bij een modeshow van haar kledingmerk Marchesa was. 'Ze zei "Ik blijf bij jou",' vertelde Weinstein aan verschillende teamleden. Meteen richtte hij zich op de verhalen die nog zouden volgen. Na het *New Yorker*-verhaal zou hij zachtjes zeggen: 'Ze gaat me verlaten.'

Foley-Mendelssohn en ik zaten tegenover Remnick in diens kantoor. Wij scrolden door het artikel op onze telefoons, hij las het op zijn beeldscherm. Het was een sterk verhaal. Ashley Judd plakte eindelijk de naam Weinstein op de producer waarover ze in het twee jaar eerder verschenen *Variety*-artikel had gezegd dat hij ongewenste seksuele avances maakte, wat tevens veel verklaarde over het vreemde telefoongesprek dat ik maanden ervoor met Nick Kristof had gevoerd. Ook bevatte het artikel de verhalen van O'Connor en Nestor over respectievelijk grof taalgebruik en oneerbare voorstellen op de werkvloer – al hadden beide vrouwen niet aan het stuk meegewerkt.

Het bevatte geen beschuldigingen van aanranding of verkrachting. Lisa Bloom bracht weldra een persbericht uit, waarin ze de aantijgingen afdeed als grotendeels een misverstand. 'Ik heb hem uitgelegd dat als gevolg van het machtsverschil tussen een belangrijke studiobaas zoals hij en de meeste anderen in de filmindustrie, sommige van zijn woorden en gedragingen, wat zijn motieven daarachter ook waren, als ongepast of zelfs intimiderend kunnen worden ervaren.' Ze betoogde dat Weinstein simpelweg een 'oude dinosaurus was, die zich nieuwe conventies eigen moest maken'[2]. Tegen het moment dat de ochtendshows van de volgende dag werden uitgezonden, deed Bloom haar uiterste best om de aantijgingen in *The Times* voor te stellen als lichte indiscreties. 'Jij gebruikt de juridische term *seksuele intimidatie*,' zei ze tegen *This Week*-presentator George Stephanopoulos. 'Ik gebruik liever het begrip *ongepast gedrag op de werkvloer*. Ik weet niet of het voor de meeste mensen veel verschil maakt, maar seksuele intimidatie is heftig en vergaand.' Ze zei dat ze Weinstein ten strengste had afgeraden op kantoor 'te praten zoals je met je mannelijke vrienden praat, je weet wel, wanneer je een biertje gaat drinken'.[3] In zijn eigen verklaringen zei Weinstein dat 'zijn carrière was begonnen in de jaren zestig en zeventig, toen er andere regels over gedrag op de werkvloer golden'. Hij beweerde dat hij op een 'reis' was om 'over mezelf te leren', waarbij 'Lisa Bloom me richting geeft'.[4] Weinstein beloofde dat hij zichzelf zou wijden aan de strijd tegen de National Rifle Association. Als Bloom en Weinstein het mochten zeggen, zou hij in therapie gaan en een fonds voor vrouwe-lijke regisseurs aan de University of Southern California opzetten. Daarmee moest de kous af zijn.

In Remnicks kantoor keek ik op van het *Times*-verhaal. Op het bureau trilde mijn telefoon: een berichtje van Jonathan. '*The Times* heeft gepubliceerd. Ze hebben intimidatie, geen verkrachting,' schreef hij. 'Schiet op nu.' Direct daarop volgde een appje van McHugh met dezelfde strekking. *The Times*, merkte hij op, had 'minder dan waarvoor wij gestopt werden'.

'Het is een goed stuk,' zei Remnick toen hij opkeek van het arti-kel.

'Maar ze hebben bij lange na niet wat wij hebben,' zei Foley-Mendelssohn met onverholen opluchting.

'Dus gaan we door,' waagde ik.

'Dat doen we,' zei Remnick.

41
GEMEEN

Nadat hij zijn opluchting had laten blijken over het *Times*-verhaal en de timing ervan, stuurde Weinstein zijn medewerkers een als motiverend bedoeld bericht. 'Stroop de mouwen op,' spoorde hij aan. 'We trekken ten strijde.' Een assistent antwoordde: 'Ik ben er klaar mee, Harvey,' en vertrok. Weinstein zei te wachten en bood aan een gloedvolle aanbevelingsbrief te schrijven. 'Ik keek hem aan van *ben je nu helemaal belazerd?*' herinnerde de assistent zich.

Die avond belegde het bestuur van The Weinstein Company met spoed een telefonische vergadering. Elk van de negen leden van het volledig mannelijke bestuur, Weinstein incluis, zou aan de lijn komen. Sinds een aantal jaar was de animositeit uitgediept tussen een klein aantal bestuursleden die Weinstein wilden wegwerken, en een groter aantal leden die Weinstein trouw bleven en hem onontbeerlijk achten voor het succes van het bedrijf. Met een schrikbarende regelmaat zijn verhalen over seksueel wangedrag van machtige mensen tevens verhalen over een falende bestuurscultuur. Weinstein en zijn broer Bob bezetten twee plekken in het bestuur, en de statuten stipuleerden dat ze een derde lid mochten aanwijzen. Bovendien was Weinstein er mettertijd in geslaagd ook loyalisten op de andere plekken te krijgen. Tegen 2015, toen Weinsteins contractverlenging aanstaande was, had hij de facto zes van de negen bestuurszetels in zijn zak. Die invloed wendde hij aan om geen verantwoording te hoeven afleggen. Toen een hem vijandig gezind bestuurslid, Lance Maerov, vroeg om Weinsteins persoonlijke dossier in te mogen zien, slaagden Boies en Weinstein er uiteindelijk in dit te voorkomen. In plaats daarvan trommelden ze een advocaat van buiten op die de inhoud ervan vaag en vluchtig samenvatte. Maerov zou later aan een redacteur van *Fortune* verklaren dat hier sprake was geweest van een doofpotaffaire.[1]

Op die avond begin oktober zat Weinstein aan de telefoon met het bestuur. Hij ontkende alles. Vervolgens betoogde hij dat het *Times*-verhaal zou overwaaien. De vergadering ontaardde in een bitter moddergevecht tussen beide facties en tussen de Weinstein-broers. 'Ik had nog nooit zo veel gemene mensen tegelijk meegemaakt,' vertelde Lubell. 'Bob zei: *"Ik ga je afmaken, Harvey, het is afgelopen met je!"* En Harvey: *"We gaan een boekje over jou opendoen!"'*

Vanaf de kleine uurtjes na de spoedvergadering tot aan de volgende ochtend bestookte Weinstein zijn medestanders met emotionele e-mails en belletjes. Onder hen waren verschillende leidinggevenden van NBC en Comcast. Meyer, vicepresident van NBCUniversal, belde om zijn solidariteit te betuigen. ('Beste Ron,' antwoordde Weinstein die ochtend. 'Ik heb zojuist je bericht ontvangen, en dank je wel – dat zal ik doen. Ik ben onderweg naar LA. Hartelijke groet, Harvey.' De mannen maakten een afspraak).

Op 6 oktober, om 01.44 uur, verzond Weinstein een e-mail naar Brian Roberts, de baas van Comcast, oftewel de baas van de baas van de baas van Noah Oppenheim. Hij vroeg om een gunst. 'Beste Brian,' schreef hij. 'In ieders leven komt er een moment waarop iemand iets nodig heeft, en nu kan ik wel enige steun gebruiken.'[2]

Tussen Auletta's bestanden vond ik een opgenomen interview met Roberts, waarin hij zich opwierp als een zeldzame verdediger van Weinstein tegen al diegenen die hem als een tiran afschilderden. 'Ik heb er veel vreugde aan beleefd,' zei Roberts over zijn vriendschap met Weinstein en de tijd die ze samen doorbrachten in New York en op Martha's Vineyard. 'Mij brengen al die Hollywood-streken niet van de wijs,' zei Roberts over Weinsteins persoonlijkheid. 'Als ik naar hem kijk, zie ik een kerel die een bedrijf heeft opgebouwd en grootse dingen voor elkaar bokst.' Roberts noemde Weinstein een goede vader en een goed mens. 'En eigenlijk,' vulde Roberts zichzelf aan, 'is hij net een teddybeer.'

De familieonderneming Comcast, het moederbedrijf van NBC, was ooit opgericht door Roberts' vader.[3] De oprichtingsstatuten van de naamloze vennootschap gaven Roberts een onaantastbare macht.[4] 'De voorzitter wordt dhr. Brian L. Roberts, als hij bereid en beschikbaar is (...) de CEO wordt dhr. Brian L. Roberts, als hij bereid en beschikbaar is.' Verschillende directieleden die nauw met Roberts hebben samengewerkt, noemden hem vriendelijk en zachtaardig. Hij was de enige persoon uit de hogere bedrijfsechelons die zich naderhand bij me verontschuldigde: hij zei dat hij dochters had en geloofde in mijn verhaal. De directieleden gaven echter ook aan dat hij conflicten meed. Inzake netelige kwesties 'staat hij niet op,' zei een van hen. 'Hij zal Steve niets in de weg leggen als die met smerige zaakjes bezig is' – Steve Burke werkte onder Roberts als CEO van NBC Universal. Ook Burke had een band met Weinstein. Een van Weinsteins oud-medewerkers – die verantwoordelijk was voor Burkes voorraad aan *Minions*-kostuums voor de door Weinstein geproduceerde show in de Radio City Music Hall, daar waar de studiobaas Ambra Gutierrez ontmoette – zei dat Weinstein Burke 'in zijn zak' had. Daarnaast zeiden de collega's van Roberts dat Burke evengoed conflicten uit de weg ging. Een van hen herinnerde zich nog een geval waarin een andere *power broker* uit Hollywood en zijn advocaat NBC News belden met de eis dat de omroep een interview niet uitzond. Het directielid herinnerde zich dat toen hij Burke vertelde dat de omroep vasthield aan het plan het verhaal uit te zenden, Burke antwoordde: 'Trek het in.' Hij voegde toe dat de *power broker* daarna 'zijn leven aan jou te danken zal hebben'.

'Maar god, Steve, zo helpen we de reputatie van NBC News om zeep,' herinnerde het directielid te hebben gezegd. Toen iemand anders uit Burkes team tussenbeide kwam om hetzelfde punt te maken, stemde Burke er toch mee in de reportage uit te zenden. Voor zijn tijd bij NBCUniversal werkte Burke bij Disney, waar hij goede resultaten boekte op het terrein van de retail en pretparken.⁵ Volgens zijn collega's had hij echter minder gevoel voor de nieuws—media. 'Ik denk ook niet dat het hem erom te doen is zijn vrienden de hand boven het hoofd te houden. Hij denkt simpelweg: "die kerel is machtig, hij belt mij en ik kan dit probleem niet gebruiken,"' zei hetzelfde directielid dat tegengas gaf toen Burke opperde het interview te annuleren. 'Hij ziet gewoon niet in dat het onethisch is.'

Bij NBC News wezen meer signalen op groeiende ongerustheid over Weinstein. Algauw nadat Twohey haar verhaal over het amfAR-schandaal gepubliceerd had, bracht McHugh alles in gereedheid om wat hij beschouwde als een belangrijke, op zijn eigen onderzoek gebaseerde follow-up naar buiten te brengen. Op het allerlaatste ogenblik stak het management daar een stokje voor. Greenberg had zich dagenlang in enthousiaste bewoordingen over McHughs onderzoek uitgelaten, maar veranderde nu van standpunt en zei dat het het verhaal te weinig vooruithielp. Pas nadat Janice Min, de oud-hoofdredacteur van *The Hollywood Reporter*, getwitterd had dat er bij NBC meer Weinstein-nieuws lag te verkommeren, kwam Greenberg terug bij McHugh met de vraag of hij zijn werk snel klaar kon zetten.

Oppenheim had aangegeven dat ik mijn lopende NBC-verhalen kon afmaken. Maar op de dag van uitzending van het eerste verhaal kreeg ik te horen dat de planning niet toeliet dat ik op de set verscheen. Het verhaal werd opnieuw ingepland, maar vervolgens werd me hetzelfde smoesje voorgehouden. 'Noah zegt dat Ronan de set niet mag betreden,' zei een hooggeplaatste producer tegen McHugh. 'Is er soms iets gebeurd?' Op de set werd mijn inleiding door Lauer voorgelezen.

De avond na publicatie van het *Times*-verhaal besteedden CBS News en ABC News in hun nieuwsprogramma's veel aandacht aan het uitdijende schandaal. Beide omroepen deden dat de volgende ochtend opnieuw, toen ze gedetailleerde reportages met nieuwe interviews uitzonden. Alleen NBC deed die avond geen verslag van het nieuws en alleen NBC had de volgende ochtend geen eigen verslag gereed. In plaats daarvan las Craig Melvin, die de honneurs voor Lauer waarnam, een tekst van nog geen minuut voor, waarin Weinsteins weerlegging van de aantijgingen overheerste.[6] Dit patroon herhaalde zich het weekend erop: in *Saturday Night Live*, dat geestdriftig was ingegaan op vergelijkbare verhalen over Bill O'Reilly, Roger Ailes en Donald Trump, werd Weinstein niet één keer genoemd.[7]

Desalniettemin gaf NBC News stilletjes vorm aan het publieke narratief rondom het verhaal. Oppenheim en Kornblau, het hoofd communicatie, begonnen met mediajournalisten te praten. De twee NBC-leidinggevenden deden het voorkomen alsof NBC slechts van een afstandje bij het verhaal betrokken was geweest. 'Oppenheim zei dat Ronan hem enkele maanden geleden benaderde omdat hij onderzoek wilde doen naar een geval van seksuele intimidatie, maar dat hij na twee à drie maanden nog altijd geen documenten op de kop had getikt noch vrouwen had weten te overtuigen voor de camera te verschijnen,' zo las een memorandum van een nieuwsmedium waarmee Oppenheim en Kornblau hadden gesproken. 'Hij had werkelijk niets,' zei Oppenheim tijdens een van die telefoongesprekken. 'Ik begrijp dat dit zeer persoonlijk en emotioneel voor hem is.' Gevraagd of hij enig contact met Weinstein had, lachte Oppenheim en zei hij: 'Dat zijn niet de kringen waarin ik me beweeg.'

Later vertelden verschillende betrokkenen me dat NBC, in die eerste dagen na publicatie van *The Times*, op last van Oppenheim berichtgeving over Weinstein uit de weg ging. 'Noah zei letterlijk tegen mensen: "Breng dit verhaal niet,"' zo herinnerde iemand zich Oppenheims toenmalige gesprekken met producers. Toen het verhaal aan het eind van die week in een stroomversnelling terechtkwam en Oppenheim en een groep hooggeplaatste medewerkers hun gebruikelijke programmavergadering hadden, vroeg een van de aanwezige producers: 'Moeten we hier niet iets mee doen?' Oppenheim schudde zijn hoofd. 'Hij redt zich wel,' zei hij over Weinstein. 'In achttien maanden is hij weer terug. Het is Hollywood.'

DEEL IV
SLEEPER

42
BIJLICHTEN

Er was nog één bron die zich bij ons aansloot na de publicatie in *The Times*. Een gemeenschappelijke vriend wees me op een beschuldiging van Lucia Evans, een marketingconsultant. In de zomer van 2004 had Weinstein Evans aangesproken bij Cipriani Upstairs, een club in Manhattan. Ze zou net aan haar laatste jaar aan Middlebury College beginnen en probeerde als actrice door te breken. Weinstein vroeg haar telefoonnummer en binnen de kortste keren begon hij haar 's avonds laat te bellen of liet hij een assistent bellen om een afspraak te maken. Ze wees de nachtelijke toenaderingen af maar zei dat ze overdag wel met iemand van de casting wilde afspreken.

Toen ze aankwam op de afspraak, was het gebouw vol mensen. Ze werd naar een kantoor gebracht waar fitnessapparaten stonden en op de vloer bakjes van afhaalmaaltijden lagen. Weinstein was er alleen. Evans zei dat ze hem eng vond. 'Alleen zijn aanwezigheid al was intimiderend,' vertelde ze. Tijdens de bijeenkomst, herinnerde Evans zich, 'begon hij me meteen afwisselend te vleien en af te kraken. Hij gaf me een slecht gevoel over mezelf.' Weinstein zei dat ze 'het fantastisch zou doen in *Project Runway*' – het programma waar Weinstein als medeproducer bij betrokken was en dat later dat jaar voor het eerst zou worden uitgezonden – maar dan moest ze wel eerst afvallen. Hij noemde ook nog twee scripts, een voor een horrorfilm en een voor een tienerliefdesverhaal, en zei dat een van zijn medewerkers die verder met haar zou bespreken.

'Daarna randde hij me aan,' zei Evans. 'Hij dwong me orale seks met hem te hebben.' Ze maakte bezwaar maar Weinstein haalde zijn penis uit zijn broek en trok haar hoofd omlaag. 'Ik zei de hele tijd: "Ik wil dit niet, stop, niet doen,"' herinnerde ze zich. 'Ik probeerde weg te komen, maar misschien probeerde ik het niet hard genoeg. Ik wilde hem niet schoppen of slaan.' Ten slotte zei ze: 'Het is een grote kerel. Hij overweldigde me.' Ze voegde eraan toe: 'Ik gaf het min of meer op. Dat is het ergste ervan, en daarom heeft hij dit al die tijd zoveel vrouwen kunnen aandoen: je geeft op en daarna voelt het alsof het je eigen schuld is.'

Ze vertelde me dat het hele verloop van de gebeurtenissen iets routinematigs had gehad. 'Het lijkt wel een heel gestroomlijnd proces,' zei ze. 'Vrouwelijke castingdirector, Harvey wil afspreken. Voordat het gebeurde, was alles erop gericht me op mijn gemak te stellen. En ook de schaamte voor wat er was gebeurd, was ingecalculeerd, want dan zou ik mijn mond wel houden.'

We hadden die vrijdag een uitgebreid memo naar Bloom gestuurd om de feiten na te lopen, en ze had beloofd te antwoorden. Toen we die zaterdag nog steeds niets hadden gehoord, belde ik. Ik kreeg haar voicemail en vervolgens een appje: 'Ik ben vandaag niet beschikbaar'. Toen ze uiteindelijk opnam, was ik bij Remnick. We zaten beiden over het concept en onze telefoon gebogen. Bloom klonk aangedaan. 'Wát?' snauwde ze. En toen ik haar eraan herinnerde dat Weinstein me had gevraagd met haar samen te werken: 'Ik kan niet praten! Ik kan hier niks op zeggen!' Ze zei me Harder te bellen, Boies, wie dan ook, maar niet haar.

Blooms stem kreeg iets beschuldigends en tegelijk klonk ze gekwetst. Ze herinnerde me eraan hoe ze me aanhoudend had proberen te bereiken. 'Maandenlang!' wierp ze me voor de voeten – alsof ik haar door haar van meer informatie te voorzien bij Weinstein weg had kunnen houden. Maar Bloom en ik hádden elkaar gesproken en voor zover ik wist, had ze van de gelegenheid gebruikgemaakt om me met negatieve informatie over de vrouwen te bestoken, niet om naar inlichtingen over haar klant te bedelen. Het was een drukke zomer geweest voor Bloom. Ze vertegenwoordigde nu ook Roy Price, de baas van Amazon Studios, nadat er aangifte tegen hem was gedaan wegens seksuele intimidatie – die herfst zou ze zijn verdediging na een storm van kritiek weer neerleggen. Veertig minuten nadat we hadden opgehangen, twitterde Bloom dat ze zich had teruggetrokken. Ze had verschillende e-mails naar de directie van The Weinstein Company gestuurd met haar plannen om de aanklaagsters tot op het laatst in diskrediet te brengen.[1]

Nu het team van Weinstein in duigen lag, besloten we ons maar weer tot de man zelf te wenden. In de loop van dat weekend en de week erop had ik eerst contact met hem voor een aantal minder formele gesprekken, en daarna voor lange sessies waarbij ik vergezeld werd door Remnick, Foley-Mendelssohn en Bertoni, en Weinstein door zijn advocaten en crisisadviseurs. Weinstein had het publicrelationsbureau Sitrick and Company aan zijn team toegevoegd, dat de opdracht doorspeelde aan de gelijkmoedige, voormalige verslaggeefster voor de *Los Angeles Times*, Sallie Hofmeister.

Hele stukken van de gesprekken met Weinstein mochten niet worden gebruikt. Maar er waren ook gesprekken waarvoor er niet van tevoren spelregels waren opgesteld, of die Weinstein juist uitdrukkelijk on the record wilde laten plaatsvinden. Nu en dan klonk hij verslagen. Het bescheiden 'Hoi, Ronan,' aan het begin van elk gesprek had soms zelfs een bijna jongensachtige charme. Maar vaker kwam de arrogante Harvey Weinstein weer bovendrijven, die als vanouds tekeerging. 'Laat me je bíjlichten,' zei hij dan. 'Ik zal je wat ínzichten verschaffen.'

Weinstein deed het herhaaldelijk voorkomen alsof er geen sprake van verkrachting was als de betreffende vrouw later weer naar hem toe kwam. Dat dit op gespannen voet stond met de werkelijkheid van seksuele geweldpleging, zoals die zich zo vaak voordoet binnen onontkoombare werk- of familierelaties – en dat dit bovendien op gespannen voet stond met de wet – leek hem geheel te ontgaan. Hij was ook sceptisch over het onderwerp van de vergelding dat als rode draad door alle aanklachten liep. 'In Hollywood wordt er geen wraak genomen,' zei hij, en hij noemde het concept van machtige mannen die de vrouwen in de industrie intimideerden 'een mythe'. En toen ik vroeg hoe hij daarbij kwam, zei hij dat mensen alleen maar een Ronan Farrow, een Jodi Kantor of een Kim Masters hoefden te bellen om de represailles te laten verdwijnen. Zijn logica deed me versteld staan: eerst een probleem helpen creëren, en dan wijzen naar de reacties erop om te beweren dat het probleem niet bestond.

In de eerdere, minder formele telefoontjes overheerste nog het gevoel dat Weinstein zich nog steeds in een parallelle werkelijkheid bevond. Hij erkende zijn fouten, en deed zijn handelen vervolgens af als een voorvalletje waarbij hij iets beledigends in het jaarboek van een meisje had geschreven of een collega verkeerd had aangekeken. Steeds als ik hem eraan herinnerde dat we bezig waren met een reportage over diverse aanklachten van verkrachting, klonk hij geschrokken. Het had hem te veel overdonderd, zei hij, om de berichten waarin we de feiten wilden checken grondig te bestuderen. Dat klonk aannemelijk.

Later, toen de adviseurs ook de arena betraden, kwam de reactie die we uiteindelijk in het stuk zouden opnemen op de voorgrond te staan: een totale ontkenning van alle 'seks zonder wederzijds goedvinden', zonder echt in te gaan op de specifieke beschuldigingen. Dit leek een goede afspiegeling van wat Weinstein oprecht geloofde: hij zei zelden dat de gebeurtenissen niet waren gebeurd, maar volhardde wel dat de interacties met wederzijdse instemming hadden plaatsgevonden en nu, jaren later, uit puur opportunisme in een kwaad daglicht werden geplaatst.

Hij besteedde een buitensporige hoeveelheid tijd aan het doen van aanvallen op het karakter van de vrouwen in het verhaal. 'Harvey, ik heb een vraag,' wierp Remnick er op een gegeven moment in alle eerlijkheid tussen. 'Hoe staat dit in verhouding tot jouw gedrag?' Weinstein leek zich relatief weinig druk te maken over het tegenspreken van specifieke feiten. Soms kon hij ze zich gewoonweg niet herinneren. Eén keer begon hij uitvoerig uit te weiden over een beschuldiging die niet in het verhaal voorkwam. Hij had een naam die wij hem hadden gegeven verward met een naam uit zijn eigen herinneringen die er wat op leek.

Steeds als ik begon over de geluidsopname van de undercoveroperatie met de politie, zette Weinstein, woedend over het feit dat er nog een exemplaar bestond, al zijn stekels op. 'Je hebt een kopie van een band die is vernietigd door de officier van justitie?' vroeg hij vol ongeloof. 'De band die is verníétigd?' Woordvoerders van Vance van het Openbaar Ministerie zouden later verklaren dat ze nooit hadden ingestemd met het vernietigen van bewijsmateriaal. Maar Weinstein was ervan overtuigd. Hofmeister belde later om te zorgen dat dat punt werd opgenomen. Weinstein, vertelde ze, maakte zich grote zorgen dat een deal die hij had gesloten, werd geschonden. 'Er was een afspraak tussen de politie en onze... de officier van justitie, ik weet niet precies met wie die afspraak was gemaakt,' zei ze. 'Maar volgens ons advocatenkantoor zou de band die de politie had, worden vernietigd.'

Weinstein bleef benadrukken dat er volgens hem een afspraak bestond met NBC News. 'NBC heeft er de pest in,' zei Weinstein bij verschillende gelegenheden. Hij wilde weten wat ik ging doen met het materiaal dat ik daar had geschoten. Hij zei dat de zender hem beloofd had te onderzoeken welke gerechtelijke stappen ze mogelijk tegen mij konden ondernemen mocht ik ooit die opnames willen gebruiken. Toen deze punten tijdens de telefonische vergaderingen te berde werden gebracht, luisterde Remnick geduldig en veegde vervolgens de argumenten van tafel. 'NBC is niet aan de orde hier,' zei hij. 'Dit gedoe met NBC is gewoon... je zult erachter komen dat dit een kansloze route is.'

In de loop van de telefoongesprekken werd Weinsteins stemming steeds explosiever. 'Emily heeft een geheimhoudingsverklaring,' zei hij over Nestor. 'Pas op met haar. We houden van haar.' Mismoedige bemiddelaars mengden zich in de gesprekken en probeerden in rap tempo over hem heen te praten, met wisselend succes. 'Ze is een lieve schat,' vervolgde hij. 'Verdient dit niet.' Er waren ook bedreigingen aan het adres van *The New Yorker*: ze zouden het blad aanklagen, of ons factcheckingmemo lekken om ons verhaal te ontkrachten. 'Pas maar op,' zei Weinstein dan. 'Pas maar op, jongens.'

Op een keer, toen Hofmeister en de andere bemiddelaars Weinstein kennelijk niet konden stoppen, leken ze opgehangen te hebben. 'We zijn jullie kwijt,' zei Remnick na de abrupt verbroken verbinding.

'Ze wilden voorkomen dat hij dat zei,' zei Foley-Mendelssohn.

'Een mooi staaltje advocatenwerk,' voegde Bertoni hoofdschuddend toe. 'Daar betaalt hij ze die grote sommen geld voor, om op te hangen.'

Toen we ze een paar minuten later weer aan de lijn hadden, zei Remnick: 'Sallie? Heeft een van jullie advocaten op de knop gedrukt?'

'Zit je aan de telefoon?' antwoordde Hofmeister.

'Ík wel,' zei Remnick.

Naarmate Weinstein met meer details kwam, werden die in ons concept opgenomen, dat steeds meer body begon te krijgen. En tegen het eind, zelfs toen zijn boosheid alle kanten op schoot, klonk Weinstein alsof hij erin berustte. Verschillende keren liet hij zich ontvallen dat we redelijk waren geweest – en dat hij het voor een groot deel 'verdiend' had.

Op 11 oktober stuurde Foley-Mendelssohn om één uur 's nachts de laatste versie van het verhaal rond, en om vijf uur 's morgens begon een laatste revisieronde. Bij aanvang van de nieuwe werkdag was het team naar huis gegaan. Alleen Kim en McIntosh zaten nog over de laatste details gebogen. Michael Luo, de gerespecteerde oud-medewerker van *The Times* die nu de leiding had over de website van *The New Yorker*, zag toe op de definitieve tekst van de webpresentatie. Toen ik arriveerde, waren de kantoren van het blad stil en zonovergoten, als een prisma. Monica Racic, de multimediaredactrice van het blad, stond aan haar bureau op het punt de publicatie de wereld in te sturen. Foley-Mendelssohn en een paar anderen kwamen erbij en ik wilde een foto maken. Het idee was het vastleggen van een serieus moment, niet triomfantelijkheid, maar Remnick stak er desalniettemin een stokje voor. 'Niet onze stijl,' zei hij en stuurde de mensen weg. Hij ging weer gewoon aan het werk.

Toen het gebeurd was, dwaalde ik naar een van de kantoorramen en keek uit over de Hudson. Ik voelde me als verdoofd; Peggy Lee zong lusteloos: *'Is that all there is?'* Ik hoopte maar dat de vrouwen vonden dat het het waard was geweest; dat ze anderen hadden kunnen beschermen. Ik vroeg me af wat er van mij terecht zou komen. Na dat eerste verhaal had ik geen verdere afspraken met *The New Yorker*, en in de televisiewereld was mijn pad afgesneden. In het glas van de ruit zag ik de donkere wallen onder mijn ogen en daarachter een wereld die tot aan de glinsterende horizon openlag. Een nieuwshelikopter zweefde waakzaam boven de Hudson.

Mijn telefoon ging verschillende keren over. Ik haastte me naar de dichtstbijzijnde computer en opende een browser. Vanuit mijn e-mailpostbus en op Twitter en Facebook piepte en pingelde het aan alle kanten. Het ene na het andere bericht kwam binnen en het werd algauw een constante stroom.

Na een tijdje lieten ook collega-journalisten van zich horen, onder wie Kantor en Twohey, die lang en hard aan hun verhaal hadden gewerkt. Verschillende verslaggevers zeiden dat ze zich teweer hadden moeten stellen tegen pogingen tot intimidatie. Eén schrijver die een belangrijk stuk over Weinstein had gepubliceerd in het blad waarvoor hij werkte, liet me de berichten zien en speelde de voicemails af die geleidelijk aan uitmondden in expliciete bedreigingen aan het adres van hem en zijn familie. Ze hadden de FBI erbij moeten halen. Hij had zijn stuk evengoed doorgezet.

Maar de meeste berichten kwamen van vreemden, die zeiden dat zij ook een verhaal hadden. Sommige waren van vrouwen, andere van mannen. Sommige vertelden een bloedstollend relaas van seksueel geweld en andere focusten op andere vormen van criminaliteit of corruptie. Allemaal spraken ze in bedekte termen over misbruik van macht, en van de mechnismen – binnen de overheid, de media, de wet – om dit misbruik toe te dekken.

Die eerste dag stuurde Melissa Lonner, de voormalige producer van *The Today Show* met wie ik kennis had gemaakt toen ze bij Sirius XM werkte, me een bericht dat ik bijna over het hoofd zag: 'Er zijn meer Harveys in jullie geleederen.'

43

KLIEK

'Ik vertrouw erop dat we een nieuwe deal kunnen sluiten,' appte Noah Oppenheim me die dag. Toen ik er nog was, hadden ze me een lastpost gevonden; nu zou het lastig voor hen worden als ik wegging. Binnen een uur nadat het verhaal de wereld in gestuurd was, belde hij. 'Ik ben blij dat het gelukt is,' zei hij. 'Heel goed!' Hij vervolgde: 'Je zult je vast wel kunnen voorstellen dat *Nightly* en MS...' (als in MSNBC) 'dat iedereen ineens aan het bellen is geslagen en vraagt: "Hoe krijgen we Ronan te pakken? Kunnen we hem boeken om over zijn artikel te komen praten?" Dus was ik even benieuwd hoe jij daar tegenover staat.' Oppenheim zei dat ze me voor de optredens een NBC-functie konden geven.

'De enige reden waarom ik aarzel om bij NBC te verschijnen, is dat ik niemand daar of jou in verlegenheid wil brengen. Het is inmiddels duidelijk dat het verhaal achter het verhaal, en de geschiedenis ervan bij NBC, voor Harvey een belangrijke rol heeft gespeeld toen hij naar mij uithaalde,' zei ik. 'Als ik bij NBC naar de geschiedenis erachter word gevraagd, wil ik niet in het lastige parket terechtkomen dat ik iets moet verbergen.'

Oppenheim en Kornblau zorgden er trouwens zelf voor dat de kwestie moeilijk te vermijden was. Tegen die tijd hadden verslaggevers van verschillende media me gebeld, met de boodschap dat de twee directeuren begonnen waren de geschiedenis van het verhaal op de achtergrond te verhullen. Gestrest speelde ik de telefoontjes door naar Raabe, het hoofd communicatie bij *The New Yorker*, en naar Jonathan. Terwijl ik met Oppenheim sprak, had Jake Tapper van CNN getwitterd, 'Over betrokkenheid van de media gesproken, je zou je kunnen afvragen waarom NBC-reporter Ronan Farrow dit voor *The New Yorker* schreef.'[1] Binnen de kortste keren was Tapper op tv met een quote. 'Een bron bij NBC heeft *The Daily Beast* verteld, ik citeer: "Hij heeft al vroeg bij NBC News materiaal over Weinstein aangedragen dat niet aan de norm voldeed om verder werk te maken van het verhaal. Het leek nog in niets op wat er uiteindelijk is gepubliceerd.[2] Op dat moment had hij nog niet één klaagster die bereid was on the record een verklaring te doen of uit de anonimiteit te treden. Het verhaal dat we nu kunnen lezen, wijkt radicaal af van waar hij bij NBC News mee kwam."'' Hij fronste zijn wenkbrauwen en zei: 'Dat lijkt mij een klinkklare leugen.'

Toen ik zei dat ik er niet over wilde liegen als de kwestie in een uitzending aan de orde kwam, lachte Oppenheim nerveus. 'Kijk, tenzij... tenzij je, ik bedoel..., het lijkt me niet dat daar aanleiding toe is... tenzij je het zelf ter sprake brengt...'

'Nee, nee,' antwoordde ik. 'Wat ik oprecht hiermee hoop te bereiken, Noah, zoals tijdens het hele proces, is de verhalen van die vrouwen niet te laten overschaduwen door iets anders.'

Oppenheim vroeg of ik snel naar Rock 30 kon komen om een item voor *Nightly News* op te nemen. Ik kreeg het gevoel dat ik werd ingezet om een kwalijk riekend pr-probleem te neutraliseren. Maar de vrouwen verdienden het om aandacht te krijgen voor hun claims op de platforms van de NBC. En de waarheid was dat ik mijn baan terug wilde. Ik maakte mezelf wijs dat het uit de weg gaan van het verhaal achter het verhaal iets anders was dan erover liegen.

Een paar uur later pingelde mijn telefoon: 'Ronan, hier Matt Lauer. Ik ben waarschijnlijk al nummer 567, maar gefeliciteerd met je fantastische stuk!'

De toezegging die ik Oppenheim had gedaan, bleek een ingewikkelde balanceeract. Voor andere zenders ontweek ik vragen en stuurde het gesprek in de richting van de vrouwen. Op NBC-programma's verscheen ik in wisselende functies: medewerker of correspondent, al dan niet met 'onderzoeks-' ervoor; het overhaaste herstel had zijn sporen nagelaten. Toen ik die middag arriveerde om het item voor *Nightly News* op te nemen, kwamen mijn collega's nog bleek van schrik op me af. Een producer die vaak politiezaken deed, zei, trillend van iets wat op verdriet leek, dat hij graag had willen helpen en niet kon begrijpen wat er was gebeurd. Een correspondent appte: 'Als overlever van seksueel misbruik heb ik het gevoel dat we werken voor een mediakliek die niet onderdoet voor het Vaticaan in zijn bereidheid om seksmisdrijven in de doofpot te stoppen.' Dit waren enkele van de beste journalisten die ik kende, de mensen door wie ik trots was dat ik bij NBC News hoorde. Ze waren fel overtuigd van de idealen van waarheid en transparantie van de zender. 'Iedereen in dit gebouw die iets om journalistiek geeft, was hierdoor enorm van zijn stuk gebracht,' vertelde iemand anders van de onderzoeksafdeling me. 'Het heeft lang geduurd voor het vertrouwen weer een beetje hersteld was.'

Het voelde raar om in plaats van het stuk waar McHugh en ik zo hard aan hadden gewerkt te presenteren, te worden geïnterviewd door een andere correspondent, die als taak had het nieuws van de dag te brengen. Het item bevatte materiaal dat Harris en Weiner hadden geschrapt in mijn script, zoals dat over de massa medewerkers die zeiden getuige geweest te zijn van wangedrag. 'Nieuwe beschuldigingen veroorzaken deining in Hollywood nu er een opname boven water komt van een treffen tussen Weinstein en een van zijn aanklaagsters tijdens een undercoveroperatie van de politie,' dreunde Lester Holt die avond voor de camera op. 'Dit is Anne Thompson van de NBC.' Dit was ook vreemd: 'nu er een opname boven water komt'. Waar zou die al die tijd gelegen hebben? Vast niet vijf maanden in de bureaula van Noah Oppenheim.

Enkele uren later, in een ruimte achter de schermen waar ik ooit de gasten van mijn show verwelkomde, keek ik op een klein schermpje in de hoek toe hoe Rachel Maddow haar programma opende. Twintig minuten lang deed ze verslag van de recente geschiedenis van seksueel grensoverschrijdend gedrag en intimidatie op hoog niveau, waarbij ze ook uitgebreid stilstond bij het gebrek aan verantwoordelijkheid bij de media. Ze trok een lijn van Cosby naar de beschuldigingen van Fox News en de felle verontwaardiging rond de opname van *Access Hollywood*. 'Deze week een jaar geleden dook die tape op,' benadrukte ze.

Toen ze bij Weinstein was aanbeland, maakte Maddow, zoals iedereen, veel werk van de opname. Op het scherm achter haar was de tekst 'Dat doe ik altijd' te lezen en ze vroeg zich af hoe dit alles zo lang verborgen had kunnen blijven. 'De aantijgingen waren algemeen bekend en kennelijk ook geaccepteerd,' zei ze. Het publiek 'begon onder ogen te zien dat er sprake was van een groot complot binnen de onderneming om dit allemaal onder de pet te houden.'

Ik voelde me doodmoe en stond in tweestrijd. De belofte die Oppenheim me had voorgehouden om mijn ontslag ongedaan te maken, deed zijn werk. Ondanks alles had ik nog steeds de ambitie om vaste presentator en verslaggever te worden voor NBC News. En als ik verder keek dan dit moment van belangstelling, tv-hits en tweets, vroeg ik me af wat ik hierna zou gaan doen. Maar hier was Maddow, die zorgvuldig ons gesprek aan het voorbereiden was en bij mij de twijfel deed toenemen over wat ik hier überhaupt in dit gebouw deed.

Intussen zat Maddow voorzien van mascara en een zwart jasje op de set. Ze boog zich naar voren, tegelijkertijd welwillend en gretig. 'Dit is kennelijk een lange achtervolging voor je geweest,' zei ze.[3] 'Toen je hieraan begon, werkte je voor NBC News. Uiteindelijk heb je het gepubliceerd bij *The New Yorker*... Als je dat zou willen toelichten, heel graag.' Toen ik andere onderwerpen probeerde aan te snijden, keek ze me indringend aan en zei: 'Ronan, ik heb hier nog een paar vragen over. Het was niet de bedoeling dat je tot na de reclame zou blijven, maar ik beslis nu even anders.' Na de commercials kwam ze terug op de thema's van de medeplichtigheid en het toedekken, en de vraag: 'Waarom heb je dit verhaal uiteindelijk bij *The New Yorker* uitgebracht en niet voor NBC News?'

Ik voelde Maddows blik en de verblindende lampen boven mijn hoofd. Ze had voldoende waarschuwingsschoten gegeven, maar ik had geen antwoord paraat. 'Voor de specifieke details van dat verhaal moet je bij NBC en de NBC-directie zijn,' zei ik. 'Ik kan wel zeggen dat allerlei nieuwsorganisaties vele jaren om dit verhaal heen hebben gedraaid en daarbij op veel tegenwerking zijn gestuit. En nu duiken er in het openbaar verhalen op over wat voor druk nieuwsorganisaties daarbij ervaren.' Ik legde uit dat ik persoonlijk bedreigd was met een rechtszaak. Dat *The Times* was bedreigd. Dat ik niet kon beschrijven welke bedreigingen anderen hadden ervaren, maar dat je er wel gevoeglijk van kon uitgaan dat er druk werd uitgeoefend.

'Volgens NBC, had je niet... was het verhaal niet publicabel, was het niet klaar om naar buiten te worden gebracht toen je ermee bij hen kwam,' zei ze, verwijzend naar de beweringen van Oppenheim en Kornblau dat ik het verhaal aan hen had voorgelegd, nul op het rekest had gekregen en er toen vrijwillig ergens anders mee naartoe was gegaan. Maddow drukte haar wijsvinger op het perspex bureau. Haar echte wenkbrauwen schoten omhoog en in het bureau zakten haar gereflecteerde wenkbrauwen omlaag: een Cirque du Soleil van scepsis. 'Maar blijkbaar was het wel klaar om naar buiten te worden gebracht toen het in *The New Yorker* kwam.'

Ik was tegen Oppenheim duidelijk geweest: ik zou het vermijden maar er niet over liegen. 'Ik liep bij *The New Yorker* naar binnen met een explosief stuk dat klaar was voor publicatie en dat al veel eerder naar buiten had moeten worden gebracht, en klaarblijkelijk had *The New Yorker* dat meteen door,' zei ik. 'Het klopt niet als je zegt dat het niet klaar was voor publicatie. Er was voldoende aanleiding om het te publiceren bij NBC.'

Ik voelde mijn belofte om de vrede te bewaren wegglippen, en daarmee mijn toekomst bij de zender. Maddow gaf me een meelevende blik. 'Ik weet dat delen van dit verhaal, in termen van het tot stand brengen ervan, niet gemakkelijk zijn om over te praten en ik weet ook dat je jezelf niet in het middelpunt van de belangstelling wilt plaatsen,' zei ze.

'Dat is belangrijk,' zei ik. 'Deze vrouwen zijn naar buiten gekomen met ongelofelijk dappere beschuldigingen. Ze hebben hun ziel en zaligheid gegeven en het trauma moeten herbeleven omdat ze ervan overtuigd waren dat ze hiermee in de toekomst andere vrouwen konden beschermen. Dus dit zou niet om mij moeten draaien of om het prachtige, belangrijke werk van Jodi Kantor… uiteindelijk staan we ten dienste van al die vrouwen die iets heel moeilijks hebben gedaan, en ik hoop dat hun stem gehoord wordt en de aandacht daarop komt te liggen.'

Ik liep de set af en barstte in tranen uit.

44
OPLADER

Zodra ze uit de lucht was, ging Maddows telefoon. Ze ijsbeerde met de telefoon aan haar oor door de studio en zelfs van een afstand was Griffins luide stem hoorbaar. Toen belde Oppenheim mij. 'Dus ik ben nu een ex-NBC-medewerker... of hoe had je het ook alweer bedacht?' grapte ik.

'Voor Rachel Maddows gedrag kan ik niet instaan. En geloof me...' begon Oppenheim. 'Goed, het is niet anders. Dit is wat ik zou zeggen. Helaas heeft het nogal een storm veroorzaakt.'

Oppenheim klonk zenuwachtig. Hij zei dat hem verteld was dat we een verklaring moesten afgeven waarin we krachtiger en officieel uitspraken dat NBC het verhaal nooit gehad had. Hij wilde dat ik me er ook aan zou conformeren.

Voor we het wisten, zaten we weer in de cirkelredenering van destijds bij hem op kantoor, alleen bepleitte Oppenheim nu niet meer dat het verhaal niet kon worden geplaatst, maar maakte hij zich er sterk voor dat er überhaupt nooit een verhaal geweest was.

Toen ik hem vroeg of hij Weinstein gesproken had, zei hij: 'Nooit!'

'Noah, toen je me dat artikel liet zien over dat Harvey met Woody Allen werkte, zei je: "Harvey zegt,"' bracht ik hem in herinnering. Hierop kreunde hij, herpakte zich en loeide: 'Harvey Weinstein heeft me hooguit *één keer* gebeld!'

Het gesprek duurde uren. Mark Kornblau sloot zich erbij aan en drong er bij me op aan dat ik een kafkaësk compromis zou ondertekenen, waarin werd toegegeven dat het verhaal wel aan de normen en juridische criteria beantwoordde, maar desondanks niet aan 'onze standaard' voldeed. Ik kreeg er hoofdpijn van. Het bleek dat Kornblau niet voor het eerst met dit bijltje had gehakt. Hij had regelmatig over schandalen gehuicheld. In 2007 had hij als woordvoerder van de toenmalige presidentskandidaat John Edwards maandenlang verhalen de kop in moeten drukken over dat Edwards een kind had bij Rielle Hunter, een campagnefilmer. Kornblau had Edwards gevraagd een officiële verklaring te ondertekenen waarin hij het vaderschap ontkende. Toen Edwards dat weigerde, schreef Hunter later dat dat 'het moment was waarop Mark de waarheid wist.'[1] Maar Mark Kornblau, die tot het einde van de campagne (een maand later) aanbleef, bleef de publieke ontkenningen orkestreren alsof hij Edwards' doorzichtige verhaaltje geloofde. Later, toen Edwards terechtstond voor overtreding van de wet op campagnefinanciering bij het toedekken van de affaire, werd hij er door de openbaar aanklager van beschuldigd het incident te hebben achtergehouden toen hij tijdens de regiezitting was gehoord. Kornblau zei dat de aanklagers gewoon niet de juiste vragen hadden gesteld.[2] Edwards werd later op één onderdeel van de tenlastelegging vrijgesproken en de andere punten werden geseponeerd.

Op dat moment wist ik dat allemaal nog niet. Ik wilde mijn toekomst bij mijn leidinggevenden veiligstellen. Ik vertelde ze dat ik niet kon meewerken aan een valse verklaring. Maar ik beloofde dat ik vragen zoals die van Maddow in de toekomst uit de weg zou gaan.

Op een gegeven moment viel mijn telefoon uit en werd Oppenheim midden in zijn geschreeuw afgebroken. Ik bevond me nog steeds in de ruimte achter de schermen bij MSNBC. Ik leende een oplader en sloot mijn telefoon erop aan. Terwijl ik zat te wachten, kwam er een prominente tv-persoonlijkheid die het pand nog niet had verlaten bij me zitten en merkte terloops op:

'Noah is een gestoorde klootzak en Andy is een gestoorde klootzak, en ze zouden allebei moeten ophoepelen.'

'Afgezien van dit akkefietje?' vroeg ik.

'Er zijn drie dingen voorgevallen waar ik persoonlijk weet van heb.'

'De *Access Hollywood*-tape,' zei ik. 'Dit...'

'En nog iets anders. Met sterren hier.'

Ik zette grote ogen op. Maar toen deed mijn telefoon het weer en belde Oppenheim terug.

Onder de lampen van Studio 1A bekeek Matt Lauer me alsof ik een stuk dynamiet was dat elk moment kon ontploffen en gaf me de laatste draai van het verhaal: 'Je hebt lang aan dit verhaal gewerkt, voor zowel NBC News als *The New Yorker*. Ik weet dat het een lang en moeilijk proces is geweest om die actrices uit de anonimiteit te halen en hun beschuldigingen op te tekenen.'3 Er was nooit sprake geweest van zo'n gedroomde gezamenlijke inspanning 'voor zowel NBC News als *The New Yorker*'. Binnen enkele dagen nadat we waren begonnen te filmen, hadden we al een vrouw die wilde praten. Als je het item terugkijkt, zie je mijn wenkbrauwen omhoog schieten. Lauer leek zichzelf niet die dag, hij was rusteloos. Toen ik het had over de ingewikkeldheden rond ongewenste intimiteiten op het werk en vergeldingsmaatregelen, verschoof hij in zijn stoel, waarna hij me onderbrak om Hofmeisters verklaring over Weinstein voor te lezen. Bij elke beweging bewoog het licht glanzend over zijn onberispelijke marineblauwe maatpak.

Een paar uur later riep Oppenheim de producers en verslaggevers van de onderzoeksafdeling bijeen om 'de lucht te klaren' en 'misverstanden' weg te nemen. Toen hij de bewering herhaalde dat de zender nooit een verhaal gehad had, deed McHugh zijn mond open. 'Sorry, Noah,' zei hij, 'maar dat ben ik niet met je eens.' Oppenheim keek geschrokken. Er ontstond een stekelige sfeer en de journalisten begonnen de ene na de andere vraag te stellen. Waarom had de zender niet gewoon de geluidsopname uitgezonden? Als Oppenheim meer had willen hebben, waarom mochten McHugh en ik er dan niet naar op zoek? De antwoorden leken geen van alle bevredigend. 'Ik begrijp niet onder welke omstandigheden een journalistieke organisatie – zelfs als ze op dat moment niet zouden geloven dat je iets had – niet zou zeggen: "We gaan zorgen voor extra middelen, we gaan ons er extra voor inzetten",' zei een journalist die al wat langer meedraaide. 'Ik kan dat niet met droge ogen aanzien. En ik denk niemand hier.'

De volgende ochtend kreeg McHugh een telefoontje van Oppenheims assistente. 'Noah wil je spreken.' Oppenheim zei dat hij het wilde hebben over de zorgen die McHugh had geuit in bijzijn van – zei hij met enige weerzin – de hele groep. 'Harvey Weinsteins advocaten hebben ons al die zeven maanden geen moment met rust gelaten en er is nooit een moment geweest dat ik gezegd heb: "Doe het niet",' zei Oppenheim.

'Mij is opgedragen ermee op te houden,' zei McHugh. 'Ronan en ik konden ons niet aan de gedachte onttrekken dat NBC een richting insloeg waarin ons verhaal niet gepubliceerd zou gaan worden.'

'Ik ben verdomme degene die dat hele kloteverhaal heeft aangedragen!' Oppenheim verloor zijn zelfbeheersing. 'Nu word ik door iedereen beschuldigd,' zei hij, 'dat ik op de een of andere manier medeplichtig ben aan het toedekken van de daden van een verkrachter. Oké! Terwijl ik de enige was die Ronan een baan heeft gegeven nadat MSNBC zijn programma had stopgezet, degene die met het idee kwam voor het verhaal...'

'Ik ben jou niet aan het beschuldigen,' zei McHugh kalm.

Maar nu was Oppenheim gekwetst. Dat David Remnick gewoon de vragen had beantwoord die hij kreeg voorgeschoteld, vond hij vooral bitter. ('Wist je meteen vanaf het moment dat hij hier binnenwandelde, dat je dit wilde afdrukken?' had een CBS-verslaggever Remnick gevraagd. 'Zeker weten,' had hij geantwoord.4)

'David Remnick heeft het verhaal van Ken Auletta tegengehouden!' schreeuwde Oppenheim tegen McHugh. 'Hij heeft de afgelopen zestien jaar niks gedaan tot Ronan bij hem op de stoep stond. Die zelfgenoegzaamheid vind ik een beetje moeilijk te verteren van iemand die eerst zelf zijn eigen verhaal om zeep heeft geholpen, jarenlang helemaal niks heeft gedaan, en nu ineens roept: "Ik ben de grote held hier omdat ik Ronan zijn werk heb laten afmaken."' Maar Remnick hád me ook mijn werk laten afmaken. En Oppenheim niet. Het was een 'idioot gesprek,' overpeinsde McHugh later. Het leek hem duidelijk dat Oppenheim op zoek was naar iemand binnen de organisatie die mee zou werken aan de verdraaiing van de feiten. Hij woog zijn opties af. Dit was wel de baas van zijn baas die hem stond uit te foeteren. McHugh had niet het podium of het profiel dat ik had. De macht van de zender om zijn broodwinning stiletjes van hem af te nemen was groter, de kans dat het iemand iets kon schelen was kleiner. McHugh had vier dochters waar hij om moest denken, en zijn contract verliep bijna.

Hij vertrok in de acute wetenschap dat zijn toekomst op het spel stond, en vroeg zich af hoelang hij deze druk van bovenaf zou kunnen weerstaan.

Het verhaal had een schokgolf teweeggebracht, en de NBC-directieleden waren niet de enigen die erin werden meegesleept. In het weekend tussen de verhalen van *The Times* en *The New Yorker* had Hillary Clinton zich stilgehouden. Terwijl andere politici moraliserende verklaringen aflegden, had zij vragen van verslaggevers afgeslagen. Tina Brown, die voor Weinstein de redactie van het blad *Talk* had gedaan, begon de pers te vertellen dat zij leden van het Clinton-team al tijdens de campagne van 2008 had gewaarschuwd voor Weinsteins reputatie.[5] De schrijfster en actrice Lena Dunham maakte bekend hoe zij tijdens de campagne van 2016 Clintons medewerkers had verteld dat de afhankelijkheid van de campagne van Weinstein als fondsenwerver en evenementenorganisator een risico was. 'Ik wil je alleen maar laten weten dat Harvey een verkrachter is en dat dit vroeg of laat naar buiten zal komen,'6 herinnert ze zich tegen een communicatiemedewerker gezegd te hebben, een van de velen die ze naar eigen zeggen had gewaarschuwd.

Na vijf dagen liet Clinton een verklaring uitgaan dat ze 'geschokt en ontsteld' was.7 Ik zocht Nick Merrill weer op, haar vertegenwoordiger die had gezegd zich zorgen te maken over mijn onderzoek. Ik vertelde hem dat ik in mijn buitenlandbeleidboek interviews zou opnemen met elke nog in leven zijnde minister van Binnenlandse zaken plus een poging om uit te leggen waarom Clinton zich had teruggetrokken. Haastig werd er alsnog een telefoongesprek met haar ingepland.

Woody Allen, die de maand ervoor telefonisch zijn medeleven aan Weinstein had betuigd, deed dat nu opnieuw in het openbaar. 'Niemand is ooit serieus naar me toe gekomen met zulke horrorverhalen,' zei hij. 'En waarom zouden ze, want het interesseert je niet. Het enige wat je interesseert, is je film maken.' En daarna: 'Dat hele Harvey Weinstein-gedoe is heel verdrietig voor alle betrokkenen. Tragisch voor die arme vrouwen die erbij betrokken waren, treurig voor Harvey dat [zijn] leven zo in de war was gegooid.' Later zei hij in reactie op kritiek op deze uitspraken dat hij bedoeld had dat Weinstein een 'treurige man was die in de war was'. In elk geval, benadrukte hij, was het belangrijk 'te voorkomen dat er een "heksenjachtachtige sfeer" ontstaat, waarin elke kerel die op kantoor naar een vrouw knipoogt meteen zijn advocaat moet bellen om zich te verdedigen.'8

Streep, die zo verrast was toen ze van de beschuldigingen hoorde toen ik haar sprak, herhaalde dit met zoveel woorden. Ze kreeg kritiek te verduren, die niet altijd even eerlijk was. Een rechtsgeoriënteerde straatkunstenaar9 plaatste ergens in Los Angeles een poster van Streep die dicht tegen Weinstein aan staat, met een rood balkje over haar ogen en daarin de tekst 'Zij wist het'. Streep gaf via haar pr-agent een verklaring af. (Omdat Hollywood graag zuinig met personages omgaat, was dit ook Woody Allens publiciteitsagent, Leslee

Dart, die hem had bijgestaan tijdens zijn herhaalde pogingen om mijn zus in diskrediet te brengen.) 'Laat er één ding duidelijk zijn. Niet iedereen wist het,' zei Streep in haar verklaring.[10] 'En als iedereen het wist, kan ik niet geloven dat al die onderzoeksjournalisten in de entertainmentindustrie en de hardnieuwsmedia dit tientallen jaren hebben laten liggen.' Ik geloofde dat Streep het niet wist. Maar haar optimisme was misplaatst: de media hadden het geprobeerd, maar ze hadden ook heel veel geweten en laten liggen.

45
NACHTJAPON

De vrouwen uit het verhaal lieten ook van zich horen. Sommigen reageerden getroffen, anderen in jubelstemming. Allemaal beschreven ze het gevoel alsof er een grote last van hun schouders viel. Na maanden van ups en downs bedankte McGowan me. 'Jij bent er met vlammend zwaard ingestapt. Zo fucking goed van je,' schreef ze. 'Je hebt ons allemaal een enorme dienst bewezen. En je was ZO DAPPER.' McGowan zei dat ze had moeten toezien hoe Weinsteins offensief escaleerde en haar eigen advocatenkosten de pan uit rezen. 'Je bent vast kwaad op me en ik heb het je niet makkelijk gemaakt,' legde ze uit. 'Maar achter de schermen hebben Harder en Bloom me geterroriseerd.'

Het was een eenzame tijd geweest voor McGowan. Ze had maar weinig mensen toegelaten, behalve haar nieuwe vriendin, 'Diana Filip' – 'Anna' in de recente ontmoeting met Weinstein. De dag dat mijn verhaal uitkwam, nam ze contact op met McGowan:

Hallo lieverd,

Ik moest de afgelopen dagen de hele tijd aan je denken. Zo idioot wat er allemaal gebeurt nu!

Hoe voel je je? Het is vast een opluchting en heel veel stress tegelijk. Je zult wel veel post krijgen, ik hoop maar dat je er steun aan hebt.

Goed, ik wilde je gewoon even vertellen hoe dapper ik je vind. Ik ben zo trots op je.

Ik stuur je snel een e-mail om je met Paul in contact te brengen, zodat jullie een nieuwe afspraak kunnen maken om de zaak te bespreken.

Xx[1]

Tegen die tijd had ik verschillende bronnen die toenaderingspogingen van vreemden als verdacht beschreven. Zelda Perkins, de assistente die betrokken was bij de Londense schikkingen, begon eindelijk te reageren, in eerste instantie om te benadrukken dat het haar juridisch verboden was over haar tijd met Weinstein te spreken, en na een tijdje om het hele verhaal over de afkoopregelingen alsnog uit de doeken te doen. Ze zei dat ze ook was benaderd met iets wat naar haar idee niet zomaar een gewone journalistieke vraag was. Een vraag van een schrijver voor *The Guardian*, Seth Freedman.

Ook kreeg ik op de dag dat het verhaal in het nieuws kwam een bericht van Annabella Sciorra: 'Je hebt ongelofelijk goed werk verricht. Niet alleen heb je hem onderuitgehaald, maar je hebt ook de pijn voelbaar gemaakt waar al die vrouwen doorheen zijn gegaan en nog steeds gaan,' schreef ze. Toen ik haar terugbelde, begon ze uit te leggen dat zij een van de vrouwen was die nog altijd die pijn ervoeren. Tijdens ons eerste gesprek had ze in haar woonkamer staan uitkijken over de East River en in tweestrijd gestaan over de vraag of ze haar verhaal moest vertellen. 'Ik dacht: dit is het moment waarop je je hele leven hebt gewacht...' En toen was de paniek toegeslagen. 'Ik stond helemaal te trillen,' herinnerde ze zich. 'En ik wilde het liefst meteen ophangen.'[2]

De waarheid was, zei ze, dat ze al meer dan twintig jaar had geworsteld met de vraag of ze zich over Weinstein moest uitspreken. Ze was doodsbang voor hem; ze sliep nog altijd met een honkbalknuppel naast haar bed. Weinstein, zei ze, had haar bruut verkracht en haar in de loop der jaren meerdere malen seksueel geïntimideerd.

Begin jaren negentig, nadat Sciorra een hoofdrol had gespeeld in de door Weinstein geproduceerde film *The Night We Never Met*, had ze volgens eigen zeggen helemaal ingekapseld gezeten in 'het Miramax-kringetje'. Er waren zoveel filmvertoningen en gelegenheden en etentjes dat het moeilijk voor haar was om zich een leven buiten de Weinstein-biotoop voor te stellen. Na een dinertje in New York 'stond ik op om naar huis te gaan. Harvey was er ook en zei: "O, ik breng je wel even." Harvey had me wel vaker thuisgebracht, dus ik verwachtte niets ongewoons – ik verwachtte gewoon te worden afgezet.' Weinstein zei Sciorra in de auto gedag, waarna ze naar boven liep naar haar appartement. Ze was alleen en wilde net naar bed gaan toen er na een paar minuten op de deur werd geklopt. 'Het was nog niet zo laat,' zei ze. 'Ik bedoel, het was niet midden in de nacht of zo, dus opende ik de deur op een kier om te zien wie het was. Hij duwde de deur open.' Sciorra stokte. Het vertellen van het verhaal was haar bijna fysiek onmogelijk. Weinstein 'liep naar binnen alsof hij thuis was, en begon zijn overhemd los te knopen. Het was wel duidelijk waar het voor hem op moest uitlopen. En ik liep in mijn nachtjapon. Ik had niet zoveel aan.' Hij liep het hele appartement door; op Sciorra kwam het over alsof hij wilde nagaan of er nog iemand anders in huis was.

Sciorra vertelde me dat ze na het horen van de opname van de undercoveroperatie van Gutierrez 'echt getriggerd was'. Ze herinnerde zich dat Weinstein dezelfde tactieken had toegepast toen hij haar in het nauw dreef en achteruit richting slaapkamer dwong. 'Kom hier, toe nou, hou daarmee op, wat doe je, kom hier,' had hij gezegd. Ze probeerde zich assertief op te stellen. 'Het gaat niet gebeuren,' zei ze hem. 'Je moet gaan. Ik wil dat je weggaat. Ga mijn huis uit.'

'Hij duwde me op het bed en kwam op me liggen.' Sciorra verzette zich. 'Ik schopte en gilde,' zei ze, maar Weinstein had haar armen met één hand boven haar hoofd vastgepakt en dwong haar tot gemeenschap. 'Toen hij klaar was, ejaculeerde hij op mijn been en op mijn nachtjapon.' Het was een familie-erfstuk; gekregen van familie in Italië en geborduurd in wit katoen. 'Hij zei: "Ik heb een feilloze timing," en toen: "Dit is voor jou."' Sciorra haperde, ze had het moeilijk en begon te hyperventileren. 'Toen probeerde hij orale seks met me te hebben. En ik stribbelde tegen maar ik had niet veel kracht meer in me.' Sciorra zei dat ze heftig was begonnen te schokken over haar hele lichaam. 'Ik denk dat hij daardoor uiteindelijk is weggegaan, omdat het eruitzag alsof ik een toeval had of zo.'

Het verslag van deze verhalen dat uiteindelijk in *The New Yorker* werd gepubliceerd, was accuraat en formalistisch. Ze deden geen poging om het pure desolate gevoel over te brengen wat het beluisteren van een herinnering aan een gewelddadige verkrachting als die van Sciorra in al zijn lelijkheid teweegbracht. Haar stem bleef steken. De gedachte deed haar in hortende snikken uitbarsten. Als je Annabella Sciorra één keer had horen worstelen met haar verhaal, dan bleef je dat voor altijd bij.

In de weken en maanden na de vermeende verkrachting sprak Sciorra er met niemand over. Ze is er nooit mee naar de politie gegaan. 'Net als de meesten van die vrouwen schaamde ik me zo voor wat er was gebeurd,' zei ze. 'En ik had nog gevochten. Ik had me verzet. Maar toch dacht ik steeds: waarom heb ik die deur opengedaan? Wie doet er nu de deur open om die tijd? Ik schaamde me enorm. Ik voelde me walgelijk. Ik voelde me alsof ik iets verkeerds had gedaan.' Ze raakte depressief en begon gewicht te verliezen. Haar vader, die niets van de verkrachting afwist maar zich wel zorgen maakte over haar welzijn, drukte haar op het hart hulp te zoeken. Ze ging inderdaad naar een therapeut, maar, zo zei ze: 'Ik heb het zelfs de therapeut niet eens verteld, geloof ik. Echt treurig.'

Sciorra was net als vele anderen bang dat Weinstein wraak zou nemen. Het effect op haar carrière was vrijwel meteen voelbaar. 'Van 1992 tot 1995 zat ik zonder werk,' zei ze. 'Ik kreeg voortdurend reacties als "ze zeiden dat je zo moeilijk was; we hebben dit of dat gehoord." Dat was volgens mij de Harvey-machine.' De actrice

Rosie Perez, een vriendin die als een van de eersten met Sciorra over het voorval sprak, vertelde me: 'Ze was in een roes, begon zich vervolgens vreemd te gedragen en trok zich toen in zichzelf terug. Dit sloeg nergens op. Hoe kon het dat deze vrouw, die zo getalenteerd was en zo succesvol, die de ene na de andere hit scoorde, zomaar ineens in de vergetelheid raken? Als collega-actrice kon ik het niet aanzien dat haar carrière zo in de kiem werd gesmoord.'

Enkele jaren later begon Sciorra weer werk te krijgen, en startten de ongewenste intimiteiten van Weinstein weer van voren af aan. In 1995 was ze in Londen voor opnames van *The Innocent Sleep*, een film die niet door Weinstein werd geproduceerd. Volgens Sciorra begon Weinstein haar berichtjes te sturen met de vraag hem te bellen of op te zoeken in zijn hotel. Ze had geen idee hoe hij haar had gevonden. Op een avond stond hij ineens op haar deur te bonzen, zei ze. 'Nachtenlang kon ik niet slapen. Ik stapelde meubels voor de deur, net als in een film.'

Twee jaar later had Sciorra een rol in het misdaaddrama *Cop Land*. Ze speelde Liz Randone, de vrouw van een corrupte politieagent. Ze zei dat ze auditie had gedaan voor de rol zonder zich te realiseren dat het een Miramax-film was. Ze kwam er pas achter dat het bedrijf van Weinstein erbij betrokken was toen de contractonderhandelingen al waren begonnen. In mei 1997, kort voordat de film uitkwam, ging Sciorra naar het filmfestival van Cannes. Toen ze incheckte bij Hotel du Cap-Eden-Roc in Antibes, vertelde een medewerker van Miramax dat Weinstein zijn kamer naast die van haar had. 'Mijn hart zonk me in de schoenen,' herinnert Sciorra zich. Op een vroege ochtend, toen ze nog lag te slapen, werd er op de deur geklopt. Nog half versuft van de slaap dacht ze dat ze was vergeten dat ze gewekt zou worden om haar haar en make-up te laten doen. Ze deed de deur open. 'Daar staat Harvey in zijn ondergoed met een fles babyolie in de ene hand en een videoband in de andere,' herinnert ze zich. 'Het was verschrikkelijk, want dit had ik al eens beleefd.' Sciorra zei dat ze bij Weinstein wegvluchtte. 'Hij haalde me al snel in, en ik drukte op de knoppen voor de was- en strijkservice en de roomservice. Ik bleef net zo lang op al die knoppen drukken tot er iemand kwam.' Zodra zich een hotelmedewerker meldde, trok Weinstein zich terug.

Na verloop van tijd luchtte Sciorra haar hart bij een klein groepje mensen. Perez zei dat ze van een kennis had gehoord wat Weinstein had gedaan in het hotel in Londen en dat ze Sciorra ernaar vroeg. Sciorra vertelde Perez van de verkrachting in haar appartement, waarop Perez, die als kind seksueel was misbruikt door een familielid, begon te huilen. 'Ik zei: "O, Annabella, je moet hiermee naar de politie." Ze zei: "Ik kan niet naar de politie. Hij maakt mijn carrière kapot."'

Perez zei dat ze Sciorra had proberen te overtuigen erover te praten door te beschrijven hoe ze zelf de openbaarheid had gezocht na haar eigen ervaringen. 'Ik zei haar: "Jarenlang was ik aan het spartelen; het water stond me tot aan de lippen. Dat hou je niet vol, door je uit te spreken vind je misschien die reddingsboei die je nodig hebt. Grijp je eraan vast en trek jezelf eruit,"' herinnerde Perez zich. 'Ik zei: "Lieve schat, dat water zal er altijd zijn. Maar nadat ik ermee naar buiten was gekomen, was het ineens nog maar een poeltje en kon ik er een brug overheen slaan. En op een dag ben jij ook zover."'

Toen Sciorra besloot met haar verhaal in de openbaarheid te treden, vertelde ik Remnick dat ik meer had. Hij wees David Rohde, een door de wol geverfde oorlogsverslaggever voor *Reuters* en *The Times*, aan als tweede redacteur. Rohde, die ooit gegijzeld was geweest door de taliban, had een engelachtig gezicht dat niet in staat leek een uitdrukking van valsheid of venijn aan te nemen.

Die oktober zagen hij en Foley-Mendelssohn toe op wat een verhaal begon te worden over de zware strijd die elk van deze vrouwen had moeten voeren over de vraag of ze zouden praten of niet. We namen Sciorra's relaas op en dat van de actrice Daryl Hannah, die me had verteld dat Weinstein ook haar seksueel had geïntimideerd. Hannah zei dat Weinstein tijdens het filmfestival van Cannes begin jaren nul gestaag op de deur van haar hotelkamer had staan bonzen tot ze via een zijdeurtje naar buiten had weten te glippen en de nacht had doorgebracht in de kamer van haar schminkster. De avond erop probeerde Weinstein het weer en had ze haar deur met meubels moeten barricaderen om hem buiten te houden. Een aantal jaren later, toen ze in Rome was voor de première van *Kill Bill: Volume 2*, die door Miramax werd gedistribueerd, stond hij zomaar ineens in haar kamer. 'Hij had een sleutel,' vertelde Hannah me. 'Hij liep via de zitkamer de slaapkamer in. Hij stormde gewoon binnen als een dolle stier. En elke vezel in mijn lijf zegt dat als mijn grimeur er op dat moment niet was geweest, het niet zo goed zou zijn afgelopen. Het was eng.' Weinstein, die blijkbaar een excuus zocht voor zijn bizarre gedrag, zei dat ze mee naar beneden moest komen voor een feestje. Maar toen ze daar aankwam, was de zaal leeg; alleen Weinstein was er die vroeg: 'Zijn die tieten echt?' waarna hij eraan wilde voelen. 'Ik zei: "Nee, niks ervan!" En toen zei hij: "Laat ze dan op zijn minst even zien." En ik zei: "Val dood, Harvey."' De volgende ochtend vertrok het privévliegtuig van Miramax zonder Hannah.

Sciorra en Hannah hadden het allebei over de krachten die ervoor zorgen dat vrouwen hun mond houden. Hannah zei dat ze het meteen vanaf het begin aan iedereen had verteld die het maar wilde horen. 'Het maakte niet uit,' zei ze. 'Ik denk dat het niet uitmaakt of je nu beroemd bent of niet, dat het niet uitmaakt of je nu twintig bent of veertig, dat het niet uitmaakt of je het aangeeft of niet, we worden toch niet geloofd. Sterker nog, we worden niet alleen niet geloofd, we worden bekritiseerd en krijgen de schuld.'

Sciorra was echter te bang geweest om zich uit te spreken, vanwege de bekende redenen die verkrachtingsslachtoffers maar al te vaak hebben: de verlammende werking van het psychische trauma; de angst voor wraak en schande. 'Wanneer ik nu naar een restaurant of een gelegenheid ga, weet iedereen dat me dit is overkomen,' zei Sciorra. 'Ze zien me en ze weten het. Ik ben altijd enorm op mezelf, naar binnen gekeerd, en je kunt je niet meer binnenstebuiten keren dan zo.'

Maar er zat nog iets anders achter haar zwijgen. De wurggreep waarin Weinstein de media hield, maakte het moeilijk te weten wie je nog kon vertrouwen. 'Ik weet al heel lang hoe machtig Harvey was, en hoe hij een heleboel journalisten en roddelschrijvers in zijn zak had,' zei ze.

En ze kon het niet bewijzen, maar ze was ervan overtuigd dat Weinstein haar bespioneerde, in de gaten liet houden en personen op haar afstuurde met verkapte bedoelingen. Ze gaf toe dat het idioot klonk. 'Ik was ook bang voor jou, want ik dacht dat Harvey erachter zat die mijn gangen aan het nagaan was,' zei ze. 'Toen ik met je sprak, vreesde ik dat jij het niet echt was.' Toen ik haar vroeg of ze ook echt was benaderd door een verdacht iemand, pijnigde ze haar geheugen. Ze had een telefoontje gekregen van een Britse verslaggever dat ze ontregelend had gevonden. 'Lulkoek, dacht ik,' zei ze. 'En het beangstigde me dat Harvey aan het kijken was of ik bereid was te praten.' Ze zocht in haar appjes. Daar had je hem, in augustus, niet lang nadat ik van hem gehoord had: 'Dag, Ms Sciorra, ik ben het, Seth, de journalist uit Londen....We hebben nog wat vragen voor ons artikel. Hebt u tijd voor een kort telefoontje? Tien minuten hooguit. Het zou ons enorm helpen...'

46
PRETEXTING

Seth Freedman was een kleurrijke figuur.[1] Hij was een klein mannetje met woeste ogen en een volle baard, en een haardos die steevast in de war zat. Hij was effectenmakelaar geweest in Londen, was naar Israël verhuisd en had in de jaren nul vijftien maanden in een gevechtseenheid van het Israëlische defensieleger (IDF) gediend. Later had hij als klokkenluider in *The Guardian* verteld dat de financiële instelling waar hij werkte, sjoemelde met benzineprijzen. Uiteindelijk was dat de reden voor zijn ontslag. Zijn artikelen hadden een breedvoerige, schertsende stijl en waren doorspekt van openhartige verwijzingen naar zijn drugsverslaving. In 2013 had hij een roman geschreven met de titel *Dead Cat Bounce*[2] over een Joodse beursbengel in Londen met een cokeverslaving die zich bij het IDF aansluit en verstrikt raakt in een web van misdaad en spionage. En dat alles onder het mom van zijn schrijverschap voor *The Guardian*. Freedman schreef zoals een gangster uit een Guy Ritchie-film praat: 'De perfecte mojito is een lijntje coke. Gesnopen? Rum, limoen, suiker, munt – yeah, yeah, yeah, maar echt, dit is de sniffer van de armen. De sneeuw van de schijtluis. De base van de brave burger.'

Eind oktober 2017, na mijn gesprek met Sciorra, belde ik Freedman terug en zei dat ik wel wilde praten. Ik zei hem dat het dringend was. Vervolgens buitelden de WhatsApp-berichtjes over elkaar heen.

'Enorm gefeliciteerd met je reportage,' zei hij. 'Heb je nauwlettend gevolgd.' Hij zei dat hij met een Engelse krant in onderhandeling was om enkele van de verhalen daar uit te brengen. Later verhelderde hij hoe hij opnames die hij had gemaakt van zijn gesprekken met Mc-Gowan en iemand anders die Weinstein had aangeklaagd, had doorgespeeld aan *The Observer*, de zondagseditie van *The Guardian*, hoe er op basis van die interviews artikelen waren gepubliceerd. In de artikelen werd Freedman niet genoemd en het bleef vaag wie de interviews had gehouden en waarom.[3]

Freedman pretendeerde de opnames te hebben gedeeld vanuit de oprechte wens om de waarheid boven tafel te krijgen. En hij bood ook aan om me bij mijn werk te helpen. Meteen stuurde hij een screenshot van een document met de titel 'Lijst met doelwitten'. Het was een stukje van een lijst met wel bijna honderd namen: voormalig, werknemers van Weinstein, onwelgevallige journalisten, en vooral vrouwen met beschuldigingen. Rose McGowan. Zelda Perkins. Annabella Sciorra. Veel van de bronnen uit mijn onderzoek stonden erop, waaronder verschillenden die hadden aangegeven het ongemakkelijke gevoel te hebben dat ze in de gaten werden gehouden of geschaduwd. De doelwitten die prioriteit hadden, waren rood. Het was dezelfde lijst die Lubell en Doyle Chambers hadden helpen samenstellen. In sommige gevallen stonden er aantekeningen bij met de laatste informatie over gesprekken met de betreffende personen.

Een paar uur nadat we aan het appen waren geslagen, zat ik aan de telefoon met Freedman. Eerst herhaalde hij het verhaal dat hij een journalistieke interesse in de zaak had. 'Ik kreeg rond november vorig jaar een tip dat er iets op het punt stond te gebeuren, en dat mensen zich verdiepten in de mogelijkheden van een verhaal over Harvey Weinstein,' zei hij. 'Op dat moment wilde ik alleen nog maar een stuk schrijven over Hollywood, over hoe het leven daar was.'

Maar in de loop van het gesprek doken er nadere bijzonderheden op over de 'mensen', die 'zich verdiepten in' degenen die Weinstein hadden beschuldigd. Eerst noemde hij deze schimmige groep 'ze'. 'Ik kende ze al een beetje, maar in een totaal andere context,' zei hij. Toen werd het 'we'. 'In eerste instantie dachten we dat dit... een normaal zakelijk geschil was tussen Oligarch 1 en Oligarch 2, maar dan in Hollywood,' zei hij. In de vroegste dossiers die hij ontving, werden Weinsteins zakelijke rivalen onder de loep genomen, onder wie enkele bestuursleden van amfAR. Maar toen de focus meer op McGowan, Perkins en Dix kwam te liggen, begon hij zich ongemakkelijk te voelen over zijn rol hierin. 'Het bleek eigenlijk om seksuele intimidatie te gaan. We trokken ons terug en zeiden dat we hier op geen enkele manier betrokken in wilden raken. Hoe we eruit stapten? Hij had ons ingehuurd.'

Ik had moeite me een beeld te vormen van met wie Seth Freedman dan namens Weinstein werkte. 'Hebben we het over privédetectives die voor hem werken of andere journalisten?' vroeg ik.

'Ja, die eersten, ja,' zei hij, op zijn hoede. 'Ik heb in het Israëlische leger gezeten,' vervolgde hij. 'Ik ken heel veel mensen bij de Israëlische inlichtingendienst. Dat moet je een idee geven van wie het zijn zonder dat ik je precies vertel wie het zijn.'

Ik probeerde het nog één keer over een andere boeg. 'Kun je namen geven van personen in deze groep of de naam van de groep?'

Uiteindelijk zei hij: 'Ze heten Black Cube.'

Voor u of mij kan de term 'privédetective' een beeld oproepen van stevig drinkende ex-politieagenten die hun werk doen vanuit een haveloos kantoor. Maar voor ondernemingen en mensen met geld bieden privédetectives al sinds jaar en dag diensten aan die een heel ander plaatje opleveren. Ooit, in de jaren zeventig, had de voormalige openbaar aanklager Jules Kroll zijn gelijknamige bedrijf opgericht. Het bediende advocatenkantoren en banken, en werd bemand door oud-politiemensen, FBI-agenten en forensisch accountants. De formule sloeg aan en een hele generatie copycats volgde. In de jaren nul werd Israël een kweekplaats voor dergelijke bedrijven. De verplichte dienstplicht in dit land en de legendarische beslotenheid en prestaties van de inlichtingendienst, de Mossad, vormde een kant-en-klare aanvoerleiding van getraind personeel.4 De Israëlische bedrijven begonnen zich te specialiseren in minder conventionele vormen van bedrijfsspionage, waaronder *pretexting*: het inzetten van agenten met een valse identiteit.

Black Cube perfectioneerde deze formule. Dit bedrijf werd in 2010 opgericht door Dan Zorella en dr. Avi Yanus, die in de e-mailuitwisseling met Weinsteins advocaten waren genoemd. Zorella en Yanus waren allebei oudgedienden van een geheime Israëlische inlichtingeneenheid.5 Sinds het begin onderhield Black Cube nauwe banden met de top van het Israëlische leger en de inlichtingendienst. Tot zijn dood in 2016 had Meir Dagan, het legendarische voormalig hoofd van de Mossad, zitting in de adviesraad van het bedrijf. Dagan had ooit de diensten van Black Cube bij een of andere magnaat aangeprezen met de woorden: 'Ik kan een persoonlijke Mossad voor jullie regelen.'6

Het personeelsbestand van Black Cube groeide uit tot meer dan honderd medewerkers, die samen dertig talen spraken.7 Het bedrijf opende vestigingen in Londen en Parijs en verhuisde uiteindelijk het hoofdkwartier naar een gigantische ruimte in een glanzende toren in het centrum van Tel Aviv, achter een gitzwarte deur waar niets aan af te lezen viel. Daarbinnen waren nog meer deuren zonder bordjes, waarvan vele slechts toegankelijk waren via een vingerafdruklezer. In de receptie van het bedrijf was er zo'n beetje overal een thema van zwarte kubussen toegepast: van de luxe inrichting tot de kunst aan de wanden. In weer andere ruimten gaven agenten een geheel nieuwe dimensie aan het begrip *pretexting*. Eén bureau kon voorzien zijn van vakjes voor wel twintig verschillende mobiele telefoons, die elk met een eigen nummer vastzaten aan een fictief personage. Iedereen moest geregeld aan de leugendetector om er zeker van te zijn dat niemand naar de pers lekte. Zelfs de conciërges moesten eraan geloven.

Soms was het maar een dun lijntje tussen Black Cube en het echte

Israëlische inlichtingenapparaat. Het particuliere bureau was 'de exclusieve leverancier voor grote organisaties en ministeries,' bleek uit een gerechtsdocument.[8] Het was dus geen verrassing dat Ehud Barak, de voormalige premier, Black Cube had aanbevolen bij Weinstein.

Ik bestookte Tel Aviv met telefoontjes en e-mailtjes, en binnen de kortste keren begon er een bedrijf, dat prat ging op hun stilzwijgen, zachtjes te fluisteren, tot op de allerhoogste niveaus. Er was een formele, nietszeggende ontkenning, die was georkestreerd door Eido Minkovsky, een publiciteitsman uit Tel Aviv die al flirtend en vleiend mijn telefoontjes afwikkelde. 'Mijn vrouw heeft foto's van je gezien,' zei hij. 'Ze komt beslist niet naar New York. Daar komt niks van in. Ik heb haar visum geconfisqueerd.'

'Je weet het mooi te brengen. Dat respecteer ik,' zei ik.

'Ja, dat is mijn ding.'

En toen volgde er een hele reeks meer onthullende telefoontjes die ik naast Rohde, de redacteur, pleegde en waarvoor we vanwege het tijdsverschil 's morgens al heel vroeg bij elkaar op zijn kantoor zaten. Deze gesprekken had ik met twee mannen die nauw betrokken waren bij de werkzaamheden van Black Cube, en die alleen op voorwaarde van anonimiteit wilden spreken. In eerste instantie volgden ze de lijn van de ontkenning. Ze zeiden dat hun bureau alleen een internetonderzoek voor Weinstein had uitgevoerd. Hun medewerkers hadden nooit contact opgenomen met vrouwen met een aanklacht of verslaggevers, zeiden ze. 'We hebben geen van hen ooit benaderd,' zei de lagere stem met Israëlisch accent, de oudste van de twee bronnen. 'Ik heb het ook nog even gecheckt met mijn team hier, geen enkele van de namen die je hebt opgeschreven: Annabella Sciorra, Sophie Dix, Rose McGowan...' En toen ik het vermoeden van Ben Wallace en mezelf ter sprake bracht dat ook wij onderwerp van hun onderzoek waren: 'Doorgaans richten we ons niet op journalisten.' Ze 'zweren' het, zei de jongere man die bij de operatie betrokken was, met een lichtere, hogere stem. 'We zijn joden van de Talmoed,' voegde hij eraan toe. 'We zweren niet zomaar!' De telefoontjes waren zowel veelbetekenend als onderhoudend.

Ze beloofden ons documenten vanuit de organisatie van de operatie te sturen die alle vermoedens zouden wegnemen dat Black Cube aanklaagsters of verslaggevers had geschaduwd. 'Ik stuur je de documenten vandaag nog,' zei de lagere stem. 'We gebruiken een eenmalig e-mailadres of een van onze servers, we kijken wel even.'

Een half uur nadat we hadden opgehangen, verscheen er inderdaad een bericht van ProtonMail, een dienst voor het verzenden van versleutelde e-mails, met een aantal bijgevoegde documenten. Een paar uur later volgde er een tweede bericht, via de versleutelingsdienst Zmail, met nog meer documenten. Handig om ze via verschillende accounts te verzenden, dacht ik. 'Hallo gemeenschappelijke vriend,' zei het eerste mailtje. 'Bijgaand nieuwe informatie over de HW&BC-zaak. Vriendelijke groet, cryptoadmin.'9

Het ProtonMail-account waarvandaan het was verstuurd, droeg de naam 'Sleeper1973'.

47
RENNEN

Bij die e-mail zat een compleet dossier van het werk van Black Cube voor Weinstein. Ik kreeg het eerste, op 28 oktober 2016 getekende contract, plus verschillende andere van daarna, waaronder één herziene versie van 11 juli 2017 na het gedoe over de facturen. In die laatste overeenkomst[1] werden diensten toegezegd tot en met november:

> De primaire doelstellingen van het project zijn:
> Inlichtingen verschaffen ter ondersteuning van de verrichtingen van Cliënt om volledig de publicatie te verhinderen van een nieuw negatief artikel in een toonaangevende New Yorkse krant (hierna te noemen 'het Artikel'); Aanvullend materiaal verkrijgen over een boek dat momenteel wordt geschreven en schadelijke negatieve informatie bevat over Cliënt (hierna te noemen 'het Boek').

Black Cube beloofde 'een deskundig team van gespecialiseerde inlichtingenofficieren die zullen worden ingezet in de vs en welk ander land dan ook,' met inbegrip van een projectmanager, inlichtingenanalisten, linguïsten en 'Avatar-agenten', die speciaal worden ingehuurd om valse identiteiten te creëren op sociale media, evenals 'technisch experts met ruime ervaring in *social engineering*'. Het bureau kwam overeen om 'op verzoek van Cliënt een onderzoeksjournalist in te huren', die vier maanden lang tien interviews per maand zou afnemen en 40.000 dollar betaald zou krijgen. Het bureau zou 'direct de resultaten van dergelijke interviews door de Journalist melden aan Cliënt.'

Black Cube zegde bovendien toe 'een fulltime agent te leveren met de naam "Anna" (hierna te noemen "de Agent"), die volgens instructies van Cliënt zal worden gestationeerd in New York en Los Angeles en die fulltime beschikbaar zal zijn om Cliënt en diens advocaten de komende vier maanden te ondersteunen.'

Van de bijgevoegde facturen vielen mijn ogen zowat uit mijn hoofd: tarieven die bij elkaar wel zo'n 1,3 miljoen dollar bedroegen. De contracten waren ondertekend door dr. Avi Yanus, de directeur van Black Cube, en Boies Schiller. Dat was een complete verrassing. Het advocatenkantoor van Boies vertegenwoordigde *The New York Times*. Maar intussen stond hier de handtekening van de hoog aangeschreven advocaat, in elegant blauw schuinschrift, onder een contract om het werk van de krant om zeep te helpen en McGowans boek in handen te krijgen.

Black Cube benadrukte dat de toegepaste tactieken door juristen van over de hele wereld waren nagetrokken en dat het bedrijf strikt binnen de wet opereerde. Maar al snel hoorde ik van bronnen uit de privé-inlichtingensfeer dat het bureau de reputatie had het niet zo nauw te nemen met de regels. In 2016 belandden twee medewerkers van Black Cube in Roemenië in de gevangenis voor intimidatie van een openbaar aanklager en het hacken van haar e-mail.[2] Later werden ze veroordeeld tot een voorwaardelijke straf. 'Privacywetten, datawetten,' zei een direct bij Black Cube betrokkene. 'Het is onmogelijk om te doen wat zij doen zonder de wet te overtreden.' Het hoofd van een concurrerend Israëlisch privédetectivebedrijf dat zaken deed met Black Cube vertelde me: 'Meer dan vijftig procent van wat ze doen is illegaal.' Ik vroeg hem wat ik moest doen als ik het gevoel had dat ik gevolgd werd, en hij zei: 'Rennen.'

Naarmate onze gesprekken met de Israëli's intensiever werden, bracht ik een paar nachten door aan mijn geleende bureau bij *The New Yorker* zodat ik niet in het donker nog over straat hoefde.

Binnen enkele uren nadat de contracten waren binnengekomen, zat ik aan de telefoon met David Boies voor het eerste van wat zou uitgroeien tot een dagenlange reeks gesprekken. In eerste instantie wist hij niet of hij zich wel wilde laten citeren. Hij zei dat hij druk bezig was met zijn pro-Deowerk, zoals de onderhandelingen om een jonge Amerikaan uit een Venezolaanse gevangenis te krijgen. En hij was bang dat hij verkeerd zou worden begrepen. 'Zoals de schurk in *Mission Impossible* zegt: het is ingewikkeld,' schreef hij in een van zijn e-mails.[3] Ik peinsde over zijn keuze voor dit citaat. Het kwam uit een scène uit de derde film in de reeks. Billy Crudup, die tot nu toe was neergezet als de braverik, gaat voor de bebloede Tom Cruise zitten, die is vastgebonden aan een stoel zoals dat de held nu eenmaal altijd overkomt op dit punt in het derde bedrijf van het stuk, en steekt een even obligaat verhaal af over hoe hij voor de slechterik werkte. 'Het is ingewikkeld,' zegt Crudup. Hij is bang ontmaskerd te worden. 'Heeft iemand anders het gezien?' vraagt hij over het bewijsmateriaal dat hem in verband brengt met de schurk. Hij legt het er behoorlijk dik bovenop, alsof hij het script heeft gelezen en weet dat dit zijn laatste scène is.

Boies liet zich uiteindelijk interviewen. 'We hadden geen detectives moeten inhuren die we niet zelf hadden geselecteerd en aangestuurd,' zei hij. 'Destijds leek het een redelijke regeling voor een cliënt, maar het was niet goed doorgedacht en dat was mijn fout. Het was verkeerd, destijds.' Boies gaf toe dat de pogingen om verslaggevers te profileren en ondermijnen problematisch waren geweest. 'Over het algemeen denk ik niet dat het correct is om verslaggevers onder druk te zetten,' zei hij. 'Als dat in dit geval gebeurd is, zou dat niet correct geweest zijn.' En hij kwam in de buurt van iets wat op spijt leek. 'Terugkijkend wist ik in 2015 genoeg om door te hebben dat er een probleem was en ik had er iets aan moeten doen,' voegde hij toe met betrekking tot de periode waarin de beschuldigingen van

Nestor en Gutierrez zich voordeden. 'Ik weet niet of en wat er na 2015 is gebeurd, maar voor zover dat het geval was, denk ik dat ik een zekere mate van verantwoordelijkheid heb. Ook geloof ik dat als er eerder mensen in actie waren gekomen, dat ook beter voor meneer Weinstein geweest zou zijn.'

Het spreekt voor Boies dat hij zonder aarzelen alles toegaf, ook de agente die in het contract Anna werd genoemd en de ingehuurde reporter, die hij aanduidde als Freedman, de voormalige schrijver voor *The Guardian*. Toen ik hem de ondertekende contracten met Black Cube toezond, schreef hij eenvoudigweg terug: 'Beide handtekeningen zijn van mij.' De beste personages weten wanneer ze een bekentenis moeten afsteken.

De volgende ochtend zaten we weer in Rohdes kantoor aan de telefoon met de twee mannen die bij de Black Cube-operatie betrokken waren. Ik bedankte hen voor de documenten. Ze klonken vrolijk en gingen ervan uit dat wat ze hadden gestuurd hen zou vrijpleiten van de beschuldiging dat ze namens Weinstein inbreukmakende menselijke observatie hadden ingezet. 'Wij hebben geen enkele van deze vrouwen undercover benaderd,' zei de lagere stem van de twee nog maar weer eens. 'Wij hebben geen enkele van deze journalisten undercover benaderd.'

Toen ik vragen begon te stellen over het contract waarin werd gezinspeeld op precies die tactieken, raakten ze in verwarring. 'Wij hebben daar nooit mensen voor ingezet. Ik kan je met honderd procent zekerheid vertellen dat we daar nooit mensen voor hebben ingezet,' viel de hogere stem hem bij.

Rohde en ik wisselden een verwonderde blik uit. 'Ik zie het hier staan. Het staat op briefpapier van Black Cube, het is ondertekend door Avi,' zei ik. 'Ik heb het over een document dat jullie me hebben gestuurd.'

'Als je zegt "jullie", wie bedoel je dan precies?" zei de lagere stem, voorzichtig nu, bezorgd.

'Het zat in het setje documenten dat jullie me gisteren hebben gestuurd. Niet in de tweede dump van Zmail, maar in die allereerste, in de e-mail van Sleeper,' zei ik.

Je kon een speld horen vallen.

'We hebben je gisteren geen burnermail gestuurd,' antwoordde de lagere stem. 'Het enige wat we je gisteren hebben gestuurd, was van Zmail.'

Met een schok besefte ik het. Deze mannen hadden ons een pakket met documenten van Black Cube beloofd vanaf een geheime account. Hoe groot was de kans dat een andere bron zich hier op precies hetzelfde moment in zou mengen met een conflicterend en veel vernietigender lek? Maar toch leek de mogelijkheid dat er twee verschillende lekken waren, de enige. Ik was per ongeluk op een interne oorlog tussen spionnen gestuit.

Snel liet ik het onderwerp van de bron van de documenten voor wat het was, en vertelde hun dat we ze al hadden geverifieerd bij Boies en anderen. 'Ze zijn authentiek,' zei ik. Even klonk er iets van paniek door in de lagere stem. 'Ik... ik weet niet wie dat heeft gestuurd, maar dat zullen we zeker onderzoeken.' Toen raapte hij zichzelf weer bij elkaar en voegde eraan toe: 'Laten we dit het liefst in der minne oplossen.' Ik vroeg me af waar het alternatief uit bestond.

Direct vuurde ik een e-mail af naar het mysterieuze adres. 'Kunt u me informatie geven aan de hand waarvan we deze documenten kunnen verifiëren? Bepaalde betrokken partijen ontkennen delen ervan.' Meteen een reactie: 'Het verbaast me niet dat ze het ontkennen, maar het is allemaal waar. Ze probeerden het boek van Rose te pakken te krijgen, via een meisje dat "Ana" heet... een agent van HUMINT.'[4]

Er was nog een set bestanden bijgevoegd: een uitvoerige geschiedenis aan correspondentie en aanvullende documenten ter ondersteuning van en rondom de contracten. Op den duur zouden deze ook echt blijken.

Ik leunde achterover en wreef peinzend met mijn hand over mijn mond.

Wie ben je, Sleeper?

48
GASLIGHT

'We moeten erachter komen wie hij is,' drong Rohde aan, en dat verlangen leefde trouwens bij zo'n beetje iedereen bij *The New Yorker*. We bogen ons opnieuw over de vraag. 'Sleeper1973 is waarschijnlijk een verwijzing naar Woody Allen,' schreef ik, waarbij ik dacht aan de film met die naam die dat jaar was uitgekomen. 'Wat best brutaal is.' Iemand met gevoel voor humor dus.

Maar Sleeper wees al mijn pogingen af om zich bekend te maken, om een versleuteld telefoongesprek te voeren, om elkaar persoonlijk te treffen. 'Ik snap de zorgen van je redacteur maar ik ben bang om mezelf kenbaar te maken. Elke online methode kan tegenwoordig worden gevolgd... ik durf er moeilijk op te vertrouwen dat het niet tegen me zal worden gebruikt,' schreef Sleeper. 'NSO ken je vast wel, dus neem ik liever geen onnodige risico's.' NSO Group was een Israëlisch cyberinlichtingenbedrijf, dat bekend was vanwege hun Pegasus-software, waarmee je toegang tot een mobiele telefoon kon krijgen en alle data eraf kon halen. Het was ingezet tegen dissidenten en journalisten over de hele wereld. Maar Sleeper bleef wel informatie sturen vanaf het versleutelde e-mailadres, en die bleek altijd te kloppen. Nadat McGowan me had verteld dat ze de afgelopen maanden maar een paar vertrouwde personen had gezien en zich niemand kon herinneren die mis-

schien Anna, de undercover-agent, had kunnen zijn, vroeg ik
Sleeper om tips. Alweer een razendsnelle reactie: 'Anna heet in het
echt Stella Pen. Bijgaand een aantal foto's. Ze schijnt 125 pagina's
van het boek van Rose te hebben (zoals blijkt uit de overeenkomst
tussen BC en Boies), en heeft de bevindingen zelf met HW
doorgesproken.'

Erbij zaten drie foto's van een rijzige blondine met een prominente neus en hoge jukbeenderen.

Ik zat in een taxi, terwijl buiten de West Side Highway aan me
voorbijgleed. Ik appte de foto's naar McGowan en Ben Wallace.

'O mijn god,' schreef McGowan terug. 'Reuben Capital. Diana
Filip. Niet te geloven.'

Wallace herkende haar ook meteen. 'Ja,' schreef hij terug. 'Wie is
ze?'

Het werk van Black Cube was zo georganiseerd dat het eigenlijk
nooit aan het licht zou moeten kunnen komen. Maar eens in de
zoveel tijd liet een agent te veel sporen na. In het voorjaar van 2017
– toen de regering-Trump en aanhangers bezig waren het nucleaire
akkoord met Iran van 2015 te ontmantelen – kreeg een aantal prominente voorstanders van het akkoord een reeks merkwaardige vragen
voorgeschoteld.[1] Een vrouw die zichzelf kenbaar maakte als Adriana
Gavrilo van Reuben Capital Partners e-mailde Rebecca Kahl, een
voormalige programmamedewerkster bij het National Democratic
Institute en de vrouw van Colin Kahl, de adviseur buitenlandbeleid
van de regering-Obama. Gavrilo vertelde Kahl dat ze bezig was met
een onderwijsplan en vroeg verschillende keren of ze een afspraak
kon maken om het over de school te hebben waar Kahls dochter op
zat. Kahl vermoedde dat ze 'ergens op een vreemde manier voor
gebruikt werd,' en antwoordde niet meer.

Een paar weken later stuurde een vrouw met de naam Eva Novak,
van de in Londen gevestigde filmmaatschappij Shell Productions, een
e-mail naar Ann Norris, een voormalige ambtenaar van het ministerie

van Buitenlandse zaken en de vrouw van Ben Rhodes, ook een adviseur buitenlandbeleid onder Obama. Novak vroeg Norris' advies over een film die ze beschreef als 'een kruising tussen *All the President's Men* en *The West Wing*', waarin het verhaal verteld werd van overheidsfunctionarissen in tijden van geopolitieke crises, zoals de 'nucleaire onderhandelingen met een vijandige natie'. Norris vond Novaks verzoek nogal 'bizar', en besloot helemaal niet terug te schrijven.

Later kwam ik in het bezit van de documenten die ten grondslag lagen aan de hele operatie: door Black Cube gemaakte profielen van ambtenaren van de regering-Obama, vol opgeduikelde nadelige informatie, uitgesponnen valse claims dat ze samenwerkten met lobbyisten voor Iran, steekpenningen ontvingen, plus het gerucht dat een van hen een affaire had.

Er waren nog meer voorbeelden. In de zomer van 2017 begon een vrouw die zichzelf Diana Ilic noemde, een in Londen gevestigde consultant bij een Europese softwaregigant, te telefoneren en af te spreken met critici van AmTrust Financial Services Inc., met als doel hen te bewegen tot uitspraken over hun werk die tegen hen gebruikt zouden kunnen worden.[2] Niet lang daarna begon Maja Lazarov[3] van Caesar & Co., een Londens wervingsbureau, hetzelfde te doen met werknemers van West Face Capital, een Canadese vermogensbeheerder.[4]

De socialemedia-accounts die aan deze namen gekoppeld waren, en de foto's die tijdens deze bijeenkomsten genomen waren, lieten een bekend gezicht zien, met hoge jukbeenderen en omlijst door lang blond haar.

De doelwitten bleven allemaal zitten met dezelfde vraag:

Anna, Adriana, Eva, Diana, Maja.

Wie ben je?

Stella Penn Pechanac was geboren tussen twee werelden in maar hoorde bij geen enkele. 'Ik was een Bosnische moslim en mijn man was Servisch-orthodox,' zei haar moeder later. 'En wat was onze kleine Steliza?' Op haar kinderfoto's was ze nog niet blond maar donker: donker haar, donkere ogen. Ze groeide op in de fletse buitenwijken van Sarajevo, tussen de afgeragde auto's en verkrotte flatgebouwen. En toen moest het ergste nog komen.

Pechanac zag hoe het allemaal tot as en bloed werd gereduceerd. Het werd oorlog: de orthodoxe Serviërs tegen de islamitische Bosniers. In Sarajevo werden de geloofsgemeenschappen van elkaar gescheiden door wegversperringen en afzettingen. Tijdens de oorlog bestond de dagelijkse sleur, als het meezat, uit armoede en net niet verhongeren. Als er niets anders te krijgen was, maakte haar moeder grassoep. Pechanac was wel slim, maar onderwijs was er nauwelijks. En als het tegenzat, had haar jeugd nog het meeste weg van Guernica. Scherpschutters op de daken maakten de straten een levensgevaarlijke plek. Een half jaar lang woonde het gezin in een kale kelderruimte ter grootte van een bezemkast. Toen de eerste bommen begonnen te vallen, raapten Pechanacs ouders zoveel gewonden als ze konden van de straat, en deelden de kamer met slechts een dun matrasje ook nog met hen. 'Eén vrouw stierf op dat matras,' herinnerde Pechanac zich later schouderophalend. Na het bombardement stroomde het bloed uit het halletje van hun haveloze gebouw. 'Er waren tuinslangen die we gebruikten bij het schoonmaken, en ze spoelden gewoonweg al het bloed de deur uit. Ik weet nog dat ik zeven was.'

Een jaar of tien voor de Weinstein-zaak, toen Pechanac begin twintig was, was ze met haar moeder teruggegaan naar Sarajevo om mee te doen in een documentaire over de oorlog[5] en hoe zij met haar gezin ervoor gevlucht was. Haar moeder huilde openlijk toen ze door de straten liep en zich het bloedvergieten herinnerde. Pechanac leek er niet veel zin in te hebben. Meestal zag je haar nog net binnen beeld rondhangen, kauwgom kauwend of rokend, en met een geïrriteerde blik op de camera.

Uiteindelijk wist een van de filmmakers de onbewogen jonge

vrouw te strikken bij de ingang van een bouwval en haar te vragen hoe het voelde om zulke pijnlijke herinneringen te herbeleven. Ook nu weer haalde ze haar schouders op. 'Ik vind het heel erg dat zij dit heeft moeten doormaken,' zei ze over haar moeder. 'Maar persoonlijk voel ik al heel lang niets meer.'

Tijdens de Tweede Wereldoorlog had Pechanacs oma Joden verborgen en beschermd. De staat Israël verleende haar de eretitel Rechtvaardige onder de Volkeren, voor het eerst aan een moslimvrouw. Terwijl Sarajevo brandde, bewees een Joodse familie de Pechanacs een wederdienst door hen te helpen door de vijandelijke linies heen te ontkomen. Ze streken neer in Jeruzalem en bekeerden zich van het islamitische geloof tot het jodendom. De jonge Stella Pechanac paste zich aan haar nieuwe identiteit en culturele omgeving aan. 'In haar hart is ze niet echt patriottistisch zoals de mensen die in Israël geboren zijn,' zei iemand die haar goed kende. 'Ze voelt zich altijd in zekere zin een vreemdeling.'

Op haar achttiende meldde Pechanac zich aan bij de Israëlische luchtmacht. Daarna ging ze naar de Nissan Nativ-toneelschool. Ze droomde van Hollywood. Maar ze kreeg niet meer dan aan paar vluchtige rolletjes in toneelstukken en muziekvideo's. 'Op al die audities,' merkte Pechanac later op, 'vielen ze allemaal over mijn accent; iedereen zag dat ik anders was.'

De baan bij Black Cube was een ideaal compromis. De agenten werden getraind in *psyops* – psychologische operaties met als doel het manipuleren van de objecten van hun onderzoek. Net als goede acteurs bestudeerden ze de lichaamstaal en de subtiele tics die erop duiden dat iemand liegt of kwetsbaar is. Ze wisten hoe ze die bij anderen konden herkennen en hoe ze ze zelf overtuigend konden inzetten. Ze droegen kostuums en maakten gebruik van technologie die rechtstreeks afkomstig leek uit spionageromans: horlogecamera's, opnamepennen.[6] 'Ze ging voor Black Cube werken,' zei degene die haar goed kende, 'omdat ze de behoefte heeft om een personage te zijn.'

Toen ik hun het bewijs van Sleeper voorlegde, konden de mannen die nauw betrokken waren bij de Black Cube-operatie het niet langer ontkennen. Ze bevestigden, net als Boies, dat Freedman de journalist in het contract was, en beschreven hem als een informele toevoeging aan het team. Ze gaven een gedetailleerde beschrijving van Pechanacs pogingen om in McGowans leven binnen te dringen. McGowan was een gemakkelijk doelwit geweest. 'Ze was goedgelovig,' verklaarde de lagere stem. 'Ze werden heel goede vriendinnen. Ze zal er wel van slag van zijn.' McGowan had Pechanac gezegd dat het wel leek of iedereen in haar leven uiteindelijk in het geniep gekoppeld was aan Weinstein. Ze verdacht zelfs haar advocaten. Maar 'ons verdacht ze natuurlijk niet'.

Toen ik ten slotte McGowan vertelde wat ik te weten was gekomen, wankelde ze. 'Het was net die film, *Gaslight*,' zei ze. 'Iedereen had al die tijd tegen me gelogen.' Het afgelopen jaar had ze, zei ze, 'in een spiegelpaleis gewoond'.7

49
STOFZUIGER

Het was niet alleen Black Cube. De telefoontjes leverden weer nieuwe telefoontjes op, en binnen de kortste keren was het hek van de dam: de hele duistere schimmenwereld van de privé-inlichtingen begon uit de school te klappen. Je had de gewetensbezwaarden die me van informatie voorzagen over hun inlichtingenbureaus. En je had de leiding van die bedrijven, die verwoed begonnen door te slaan over hun concurrenten in een poging om de focus van mijn onderzoek van hun eigen activiteiten af te leiden.

Er waren documenten en bronnen die licht wierpen op de lange relatie van Weinstein met Kroll en Dan Karson, het hoofd onderzoek en geschillen voor Amerika bij het bedrijf. Een voormalig personeelslid van Weinstein herinnerde zich een telefoontje begin jaren tien waarin Karson over een chauffeur die een geschil had met Weinstein, zei: 'We kunnen ervoor zorgen dat die kerel op de bodem van een meer belandt.' De medewerker ging ervan uit dat het bij wijze van spreken was, maar vond het toch verontrustend genoeg om het op te schrijven. In de loop der jaren had Kroll Weinstein bijgestaan in zijn pogingen om reporters tegen te werken. Verschillende bronnen bij Kroll zeiden dat Weinstein dit bureau opdracht had gegeven onwelgevallige informatie op te diepen over David Carr, de oud-essayist en mediaverslaggever. In een van de dossiers die Weinsteins privédetectives hadden opgesteld, werd opgemerkt dat Carr in zijn berichtgeving over Weinstein nooit de beschuldigingen van seksueel misbruik had aangekaart, 'volgens HW uit angst voor HW's wraak'.[1]

In 2016 en 2017 hadden Kroll en Karson opnieuw nauw met Weinstein samengewerkt. In een e-mail uit oktober 2016 stuurde Karson Weinstein elf foto's van McGowan en Weinstein samen op gelegenheden die plaats hadden gevonden in de jaren nadat hij haar zou hebben aangerand.[2] Weinsteins strafadvocaat Blair Berk antwoordde dat één foto waarop McGowan geanimeerd in gesprek is met Weinstein, 'de hoofdprijs is'.[3] Terwijl Wallace aan het verhaal werkte, was Kroll op zoek naar nadelige informatie over hem en Adam Moss, zijn redacteur bij *New York Magazine*. 'Geen negatieve informatie over Adam Moss tot dusver (geen smaad-/lasterzaken, geen processen-verbaal of vonnissen/beslagen/handelsvorderingen, enz.),'[4] schreef Karson in een e-mail. Kroll stuurde Weinstein ook recensies van eerdere reportages van Wallace[5] en een uitvoerige beschrijving van een lasterzaak in het VK die tegen hem was aangespannen in reactie op een boek dat hij had geschreven,[6] en die uiteindelijk buiten de rechtbank om werd geschikt.

PSOPS, het bedrijf dat was opgericht door Jack Palladino en Sandra Sutherland, had geholpen bij de zoektocht naar beschadigende informatie over verslaggevers en klagers. Eén PSOPS-rapport over McGowan bevatte hoofdstukken met titels als 'Leugens/overdrijvingen/tegenstrijdigheden',[7] 'Hypocrisie' en 'Mogelijke negatieve karaktergetuigen'. Eén subkopje was getiteld 'Vroegere vriendjes'. Palladino stuurde Weinstein een gedetailleerd profiel van Moss, met de opmerking: 'Ons onderzoek heeft niets opgeleverd wat Moss in een kwaad daglicht kan stellen.'[8] PSOPS had zelfs een profiel gemaakt van de ex-vrouw van Wallace, voor het geval zij 'relevant kon zijn in het kader van onze reactiestrategie'.[9] Het werk van het bureau aan verslaggevers zette zich voort in dossiers over mij en Jodi Kantor van *The Times*, met als doel onze bronnen boven water te krijgen. (Sommige observaties van de detectives waren een stuk prozaïscher.

Eén document stelde kort maar krachtig via Twitter: 'Kantor volgt Ronan Farrow NIET'.[10] Je kan niet alles hebben.)

Weinstein had ook K2 Intelligence ingezet, een tweede bedrijf dat was opgericht door Jules Kroll nadat hij het bedrijf met zijn naam in de jaren nul had verkocht. Tijdens het onderzoek naar Gutierrez werd K2 ingehuurd door Elkan Abramowitz, Weinsteins advocaat. K2 huurde Italiaanse privédetectives in om geruchten op te diepen over Gutierrez seksuele verleden – de bungabungafeestjes, de beweringen over prostitutie die zij ontkende. Huidige en voormalige K2-werknemers, die allemaal eerder bij het Openbaar Ministerie hadden gewerkt, belden de informatie over Gutierrez door aan openbaar aanklagers. Juristen die voor Weinstein werkten, gaven de openbaar aanklagers ook persoonlijk nog een dossier met de bevindingen van de privédetectives. Twee K2-werknemers zeiden dat die contacten deel uitmaakten van een 'draaideurcultuur' tussen de openbaar aanklager en dure privédetectivebureaus. Een woordvoerder van aanklager Vance zei later dat dergelijke interacties met advocaten de standaardprocedure waren – en dat klopte, voor de rijken en machtigen welteverstaan.

Het uitdijende onderzoek liet ook Weinsteins pogingen zien om journalisten te ronselen voor zijn campagne om klagers te ondermijnen. In Weinsteins communicatiearchief is zijn verbond met Dylan Howard van de *National Enquirer* niet te missen. In december 2016 stuurde Howard Weinstein een lijst met contacten en stelde hij voor om 'te bespreken welke volgende stappen we voor elk van hen gaan ondernemen.'[11] Nadat Weinstein hem had bedankt, beschreef Howard zijn pogingen om nadelige uitspraken over McGowan te ontlokken aan filmproducent Elizabeth Avellan. Robert Rodriguez, Avellans ex-man en de vader van haar kinderen, had Avellan verlaten voor McGowan. Weinstein dacht dat Avellan wel ontstemd zou zijn.

Voor bepaalde aspecten van zijn werk namens Weinstein deed Howard een beroep op een bedrijf dat regelmatig door de *National*

Enquirer werd ingehuurd, de societyfotodienst Coleman-Rayner. Voor de Avellan-klus had Howard een Britse verslaggever ingeschakeld die destijds nieuwsredacteur was bij Coleman-Rayner en die roddelartikelen had geschreven voor *The Sun*, *The Daily Mail* en de *Enquirer* zelf. Toen ik haar aan de telefoon kreeg, vertelde Avellan me dat ze zich het incident goed kon herinneren. Die reporter 'bleef maar bellen,' zei ze, en zocht ook contact met mensen uit haar directe omgeving. Avellan belde uiteindelijk terug, omdat 'ik bang was dat ze mijn kinderen zouden gaan lastigvallen.' Avellan stond erop dat het gesprek informeel zou blijven, en de verslaggever ging akkoord. Ook al was hij op dat moment in Californië, waar beide partijen wettelijk verplicht zijn hun instemming te verlenen voor een opname, nam hij toch stiekem het gesprek op. En dus mailden Weinstein en Howard elkaar die winter enthousiast. Howard schreef: 'Ik heb iets GEWELDIGS... op het eind was ze behoorlijk tekeergegaan over Rose,'[12] waarop Weinstein antwoordde: 'Dit is de doodklap. Zeker als het niet naar mij kan worden herleid.'[13] Howard verzekerde hem dat er geen sporen waren, en dat alles was opgenomen.

Ik bleef nog tot laat bij *The New Yorker* de e-mails doorspitten, met de echo van een stofzuiger ergens op de achtergrond. Dit zou slechts het topje van de ijsberg blijken te zijn toen de rol van de *National Enquirer* duidelijk werd, en hun werk voor vooraanstaande mannen met goed bewaarde geheimen.

Toen we ons voorbereidden op de publicatie van ons rapport over Weinsteins leger van informanten, sloeg bij de instellingen die erin genoemd werden de paniek toe. In diverse telefoontjes legde Dylan Howard een combinatie van vleiende taal en dreigementen aan de dag. 'Voorzichtig,' zei hij, zoals Weinstein vóór hem. Judd Burstein, een jurist die met Howard werkte, volgde met een brief waarin het onderzoek werd beschreven als laster en smaad. Toen dat niets opleverde, werd Howard kwaad. Tegen twee collega's zei hij over mij: 'Ik krijg hem nog wel.'

Het in het vk gevestigde advocatenkantoor van Black Cube stuurde ook dreigementen, en beloofde 'stappen tegen u te ondernemen'[14] als we de documenten van Black Cube of informatie eruit zouden publiceren. Dr. Avi Yanus, de directeur van het bureau zelf, overwoog het materiaal van het Weinstein-onderzoek te vernietigen. 'We willen ons ontdoen van alle documenten en informatie in ons bezit met betrekking tot dit project,'[15] schreef hij in een e-mail. Toen bewoog hij de advocaten van het bureau om een gerechtelijk bevel te vorderen om de publicatie door *The New Yorker* tegen te houden.

Maar we publiceerden toch en de impact van het verhaal dreunde nog lang na. De ene na de andere tv-persoonlijkheid zei verbijsterd te zijn. Wat zei dit over de kloof tussen de machtigen en de machtelozen dat de rijken op zo'n uitgebreide schaal konden intimideren, schaduwen en verhullen?

Ostrovskiy, de privédetective, had het verhaal meteen gezien. Hij las over de lijst met personen op wie Black Cube zich richtte en de journalisten die erop stonden, en dacht terug aan zijn klussen van de afgelopen zomer. Hij stuurde het verhaal naar Khaykin en vroeg of hij het gezien had. Khaykin antwoordde dat ze dat niet over de telefoon moesten bespreken. Een paar dagen later vroeg Ostrovskiy het tijdens een routinesurveillance opnieuw. Khaykin reageerde geërgerd en leek het er niet over te willen hebben. Maar ten slotte zei hij: 'Nu weet je voor wie we werken.'

Er ging wat tijd overheen voordat Ostrovskiy in de gelegenheid was om het onderwerp opnieuw aan te snijden. Het was midden in de nacht en de twee privédetectives zaten op een boot in de koude wateren net ten noorden van Sandy Hook, New Jersey. Khaykin was dol op zeilen – hij had een socialemedia-account voor zeilfanaten. De mannen waren op de terugweg naar New York nadat ze hadden gegeten in een restaurant aan het water in Atlantic Highlands. Ostrovskiy greep de gelegenheid aan om nog eens over Black Cube te beginnen.

Khaykin keek hem met zijn harde ogen strak aan en zei: 'Voor mij is dit als een bar mitswa. Ik doe iets goeds voor Israël.' Ostrovskiy staarde terug. Het was geen bar mitswa en het was niet voor Israël. 'Ik ben bang, maar het is interessant en het is spannend,' zei Ostrovskiy over hun werk voor Black Cube. Hij speelde het spelletje mee.

'Ik ben degene die bang moet zijn, dit hele Weinstein-gedoe gebeurde onder mijn verantwoordelijkheid,' antwoordde Khaykin. Snel voegde hij eraan toe: 'Het was allemaal legaal. We hebben nooit de wet overtreden.' Maar hij klonk nerveus.

De laatste dagen van mijn onderzoek waren de mannen die nauw bij de Black Cube-operatie betrokken waren, aan één stuk door verwoed op jacht geweest naar de bron die mij de contracten en de andere documenten had doorgespeeld. 'We trekken alles na: alle betrokken partijen, en wat er is gestolen,' zei de lagere stem van de twee. Hij zei dat hij iedereen aan een nieuwe ronde leugendetectortests zou onderwerpen, en beloofde degene die hij zou betrappen voor het gerecht te slepen. 'We kunnen maar moeilijk geloven dat een medewerker zo'n kamikazemissie onderneemt,' voegde de hogere stem eraan toe.

'Ik wil alleen even weten of je geen risico loopt,' schreef ik Sleeper. 'Ik zal er alles aan doen om je te beschermen.'

De reactie kwam zoals altijd snel: 'Ik stel je betrokkenheid op prijs... Op dit moment voel ik me veilig.'

Vlak voor de publicatie probeerde ik nog één keer achter de identiteit van mijn bron te komen. Ik schreef dat meer te weten willen komen een zaak van journalistiek belang was. Sleeper vertelde me iets waaruit duidelijk werd waar de documenten vandaan kwamen... en vroeg me het geheim te bewaren.

Er werd ook iets gezegd over het motief. 'Ik ben een insider die het zat is hoe BC valse en slinkse praktijken hanteert om illegaal materiaal te verkrijgen,' schreef Sleeper. 'Bovendien ben ik er in deze zaak van overtuigd dat HW een zedendelinquent is en als vrouw schaam ik me ervoor dat ik hieraan meedoe.'

Ik moest dit even verwerken, het was weer zo'n moment van inzicht waar je haren van overeind gaan staan. Dat is wat ik uiteindelijk over Sleeper kan vertellen en de risico's die ze nam om zoiets enorms bloot te leggen. Ze was een vrouw en ze was het zat.

'Laten we maar zeggen dat ik je nooit iets zou geven waar ik niet 100% achter kan staan,' schreef ze me in een van haar laatste berichten. 'Ik werk in de inlichtingenbranche. De wereld van spionage en grenzeloze avonturen. Hopelijk kunnen we er ooit echt over praten. Het project waarbij ik betrokken ben... is niet van deze wereld, lieverd.'[16]

50
PLAYMATE

Het onderzoek naar Dylan Howard en de *Enquirer* legde een hele ader aan informatie bloot. De ene na de andere bron in en om American Media Inc. belde met de boodschap dat Weinstein niet de enige was met wie het boulevardbladenimperium had samengewerkt om verhalen uit het nieuws te houden.

Eind november werd ik gebeld door een advocaat, Carol Heller. Er zat meer, legde ze uit, achter een rapport dat *The Wall Street Journal* in de herfst van 2016 had gepubliceerd over een *Playboy*-model dat aan AMI de exclusieve rechten had overgedragen op haar verhaal over een vermeende affaire met Donald Trump – een verhaal dat AMI nooit geplaatst had. Heller vertelde me dat de vrouw waar het hele mysterie om draaide, de voormalige Playmate van het jaar Karen McDougal, nog steeds 'te bang' was om te praten. Als ik haar en anderen rond de transactie aan het praten kon krijgen, zou ik wellicht kunnen aantonen hoe het contract met AMI tot stand was gekomen, en een begin kunnen maken met het ophelderen van de vraag hoe die cultuur van geheimhoudingsverklaringen en het wegstoppen van verhalen zich niet alleen tot Hollywood beperkte maar ook diep in de politiek geworteld was.

Tegen het einde van de maand zat ik aan de telefoon met McDougal. Ze vertelde me dat haar contract met AMI 'me mijn rechten heeft afgenomen'. Het bevatte een bepaling waarmee AMI haar tot een privaat arbitrageproces kon dwingen en een schadevergoeding vorderen. McDougal kon maar nauwelijks de eindjes aan elkaar knopen. AMI zou haar te gronde richten. 'Momenteel heb ik het gevoel dat ik nergens over kan praten zonder in de problemen te komen,' vertelde ze me. Over Trump zei ze: 'Ik durf niet eens zijn naam uit te spreken.'[1] Maar naarmate ik meer bewijs verzamelde, onder meer over haar contract met AMI en beschrijvingen van hoe het tot stand was gekomen, van anderen die bij het proces betrokken waren, begon McDougal steeds meer van haar verhaal los te laten.

McDougal, die was opgegroeid in een klein stadje in Michigan en als kleuterjuf had gewerkt voordat ze modellenwerk ging doen, ontmoette Trump tijdens een feestje aan het zwembad van de Playboy Mansion. Dit was in juni 2006 en hij was daar om een aflevering op te nemen van zijn realityshow *The Apprentice*. 'Kom eens hier,' zei hij tegen een paar modellen in korset met konijnenstaartje. 'Wauw, schitterend.' De cameramannen van het programma sloegen aan het zoomen en pannen alsof ze natuurfotografen waren en borsten een bedreigde diersoort. Op het moment dat het feestje plaatsvond, was Trump nog geen twee jaar getrouwd met het Sloveense model Melania Knauss; hun zoon, Barron, was een paar maanden oud. Maar zijn nieuwe verplichtingen als vader leken Trump niet in de weg te zitten. McDougal herinnert zich dat hij 'niet van haar af kon blijven' en zei dat hij haar mooi vond. Toen vroeg hij haar telefoonnummer. Vanaf dat moment spraken de twee elkaar regelmatig en ontmoetten ze elkaar binnen afzienbare tijd voor een diner in een privéhuisje van het Beverly Hills Hotel. 'We praatten een paar uur – en toen ging het LOS! We kleedden ons uit + hadden seks,' schreef McDougal in haar aantekeningen over de affaire die ik later bemachtigde. Toen McDougal zich weer aankleedde en wilde vertrekken, wilde Trump haar geld geven. 'Ik keek hem aan (+ werd verdrietig) + zei: Nee dank je – "zo'n meisje" ben ik niet.' Daarna ging McDougal 'altijd naar hem toe wanneer hij in LA was (best vaak).'

Tijdens de affaire vloog Trump McDougal verschillende malen naar openbare bijeenkomsten overal in het land, maar verborg het feit dat hij haar reizen betaalde. 'Hij laat geen papieren sporen na,' aldus haar notities. 'Elke keer als ik naar hem toe vloog, boekte/betaalde ik de vlucht + hotel + betaalde hij me terug.' Tijdens hun relatie stelde Trump McDougal voor aan leden van zijn familie en leidde hij haar rond in zijn bezittingen. In de Trump Tower, schreef McDougal, wees Trump op Melania's aparte slaapkamer. Hij 'zei dat ze haar eigen ruimte nodig had'.

In april 2007 maakte McDougal na negen maanden een einde aan de verhouding. Nu ze steeds meer te weten kwam over Trumps gezin, begon ze zich schuldig te voelen. En Trumps gedrag botste met het bescheiden karakter van het meisje uit het Midwesten dat ze was. Hij had een keer McDougals moeder, die ongeveer van zijn leeftijd was, 'die ouwe heks' genoemd. Een andere keer, toen zij en een van haar vriendinnen op de avond van de Miss Universe-verkiezingen bij Trump in zijn limousine zaten, begon hij dingen uit te kramen over penislengte en McDougals vriendin uit te horen over haar ervaringen en voorkeuren… met vragen over 'kleine pikken', 'grote pikken' en 'zwarte pikken'.

Een vriend van McDougal, Johnny Crawford, had als eerste voorgesteld het verhaal te verkopen. Toen ze in 2016 tijdens het verkiezingsseizoen naar Trump op tv zaten te kijken, zei Crawford: 'Weet je, als je een fysieke relatie met hem hebt gehad, is dat misschien wel wat waard.' Op zijn aandringen ging McDougal haar aantekeningen over de verhouding opschrijven. Eerst wilde ze haar verhaal niet vertellen. Maar toen een oude vriendin van haar, mede-*Playboy*-model Carrie Stevens, dingen over de affaire op de sociale media begon te posten, bedacht McDougal dat ze beter zelf uit de school kon klappen voordat iemand anders het deed.

Crawford trok Jay Grdina aan, de ex-man van de pornoster Jenna Jameson, om het verhaal te helpen verkopen. Grdina regelde eerst twee afspraken tussen McDougal en JJ Rendón, een Latijns-Amerikaanse politiek medewerker die toen al berichten in de media ontkende dat hij zichzelf op de sociale media had voorzien van grote aantallen nepvolgers en de e-mailaccounts van tegenstanders had gehackt.[2] Toen die geen belangstelling had, wendde Grdina zich tot Keith M. Davidson, een advocaat met een reputatie op het gebied van het verkopen van pikante verhalen.[3] Davidson nam contact op met AMI. Pecker en Howard waarschuwden op hun beurt Michael Cohen, Trumps advocaat. Het duurde niet lang voordat Trump aan de telefoon zat met Pecker om hem om hulp te vragen.[4]

In juni 2016 spraken McDougal en Howard af. Howard deed haar een aanbod: in eerste instantie niet meer dan 10.000 dollar en daarna, nadat Trump de Republikeinse nominatie binnen had, een aanzienlijk hoger bedrag. Op 5 augustus 2016 ondertekende McDougal een beperkte overeenkomst op de rechten van haar levensverhaal waarin ze aan AMI de exclusieve eigendomsrechten verleende op haar relaas van elke verhouding die ze ooit had gehad met 'op een dat moment getrouwde man'. In het voorschotcontract met Davidson stond expliciet dat de man in kwestie Donald Trump was. In ruil zou AMI haar 150.000 dollar betalen. De drie mannen die bij de deal betrokken waren – Davidson, Crawford en Grdina – eigenden zich vijfenveertig procent van de betaling toe als honorarium, waarna er voor McDougal in totaal 82.500 dollar overbleef. De dag dat ze het contract ondertekende, stuurde McDougal een e-mail aan Davidson omdat het haar niet helemaal duidelijk was waar ze zich precies op vastlegde, en hoe ze moest reageren op vragen van verslaggevers. 'Als je ontkent, zit je altijd goed,'[5] schreef Davidson. 'Nu is van belang dat je dit ondertekent, zodat we het snel kunnen afronden...' 'Ik ben degene die heeft getekend, dus is het mijn eigen schuld,' zei McDougal tegen me. 'Maar de volledige implicaties ervan kon ik niet overzien.'

Toen de Amerikaanse kiezers op de verkiezingsdag in 2016 naar de stembus gingen, zaten Howard en het hoofd van de juridische afdeling van AMI aan de telefoon met McDougal en een advocatenkantoor dat haar vertegenwoordigde, waarbij McDougal ondersteuning bij haar carrière werd beloofd, plus een publiciteitsagent die haar zou helpen interviews af te handelen. Die pr-man bleek Matthew Hiltzik te zijn,[6] de persvoorlichter van Ivanka Trump, die me namens Weinstein had gebeld – ook al werd er uiteindelijk geen gebruik gemaakt van zijn diensten. AMI reageerde snel toen journalisten McDougal probeerden te interviewen. In mei 2017 vroeg Jeffrey Toobin van *The New Yorker*, die bezig was met een profiel van David Pecker, McDougal om commentaar over haar relatie met AMI en Trump. Howard, die met een andere publiciteitsman werkte, stuurde McDougal een conceptantwoord met als onderwerpregel 'STUUR DIT'.[7] In augustus 2017 vloog Pecker McDougal naar New York om haar tijdens een lunch te bedanken voor haar loyaliteit.

Terwijl wij eind 2017 en begin 2018 aan ons verhaal werkten, leek AMI er steeds meer op gespitst erop toe te zien dat het contract werd nageleefd. Op 30 januari stuurde het hoofd van de juridische afdeling van AMI een e-mail met als onderwerp: 'Verlenging contract McDougal'[8], met een voorstel voor een verlenging plus nog een tijdschriftcover om de deal te verzachten.

Die februari werd ons verhaal evengoed geplaatst. McDougal had haar angsten overwonnen en ingestemd om voor het eerst openlijk over de zaak te praten. In de jaren ervoor was ze religieus geworden en als uitvloeisel daarvan extreem onzelfzuchtig. 'Elk meisje dat haar mond open doet, plaveit de weg voor weer een volgende,' vertelde ze me. Haar eigen stilzwijgen betrof een verhouding met wederzijdse instemming, maar ze wilde bijdragen aan het blootleggen van de veel bredere praktijk van het toedekken van verhalen die soms werd toegepast om ernstiger, of zelfs crimineel gedrag te verdoezelen.

Het Witte Huis noemde het verhaal 'nog meer nepnieuws'.[9] Het hoofd juridische zaken van AMI schreef ook dat dit rapport 'onjuist en lasterlijk' was, en dat ik had samengespannen 'met McDougal en haar advocaat om AMI nog meer geld af te troggelen'. Howard dreigde op zijn beurt *The New Yorker* publiekelijk aan de schandpaal te nagelen. AMI bleef erop hameren dat ze McDougals verhaal niet hadden geplaatst omdat ze het niet geloofwaardig hadden gevonden. Het voldeed gewoon niet aan de kritische journalistieke criteria van de *Enquirer*.

51
CHUPACABRA

Rond de tijd dat we het verhaal publiceerden, had ik al gehoord van een andere transactie waaruit zou kunnen blijken dat McDougals contract deel uitmaakte van een patroon waarbij AMI actief verhalen voor Trump uit de publiciteit hield. Vrienden en collega's van Dylan Howard hadden contact met me gezocht om me te vertellen dat Howard had zitten opscheppen dat hij bewijs had dat Trump eind jaren tachtig mogelijk een kind had verwekt bij zijn voormalige huishoudster. Howard 'zei weleens dingen als hij dronken of stoned was. Zo vertelde hij me dat ze voor verhalen betaalden om ze vervolgens niet te publiceren, om mensen te beschermen,' zei een van de vrienden. 'Als iemand zegt "O, trouwens, de mogelijk toekomstige president heeft een liefdesbaby," dan vergeet je dat niet.'

In februari 2018 zat ik op kantoor bij David Remnick om hem dit verhaal te vertellen. 'Weet je wat mensen gaan zeggen als ze erachter komen dat uitgerekend jij hiermee bezig bent?' vroeg hij met een peinzende blik. We schoten allebei in de lach. Ik had mijn portie vaderschapspraatjes ook wel gehad.

Er was geen bewijs dat het onderliggende gerucht over de 'liefdesbaby' waar was. Maar dat voorjaar bleek op basis van een toenemend aantal documenten en bronnen dat AMI wel degelijk de rechten op die twijfelachtige bewering had aangekocht, en vervolgens alles in het werk had gesteld om de onthulling ervan te verhinderen.

Eind 2015 had Dino Sajudin, een oud-portier van de Trump Tower, het verhaal aan AMI verteld,[1] plus de namen van de vermeende moeder en het kind. Wekenlang bleven verslaggevers van de *National Enquirer* zich met de zaak bezighouden. Het boulevardblad had twee privédetectives in de arm genomen: Danno Hanks, die de familie natrok, en Michael Mancuso, een voormalige opsporingsambtenaar, die Sajudin een leugendetectortest liet ondergaan. Verschillende verslaggevers trokken de geloofwaardigheid van Sajudin in twijfel. (Zijn ex-vrouw zou hem later een fantast noemen. 'Hij heeft de *chupacabra* gezien,'[2] zei ze. 'Hij heeft de verschrikkelijke sneeuwman gezien.') Maar de oud-portier doorstond de test, en getuigde dat hij het verhaal had van hooggeplaatste werknemers van Trump, onder wie Trumps hoofd beveiliging, Matthew Calamari.

Toen beval David Pecker plotseling zijn verslaggevers ermee op te houden. In november 2015 tekende Sajudin een overeenkomst waarmee hij voor 30.000 dollar de exclusieve rechten op de informatie afstond. Vrij vlot daarna sprak hij af met een AMI-verslaggever in een McDonald's in Pennsylvania en ondertekende hij nog een amendement bij het contract, dat bepaalde dat de oud-portier een boete van één miljoen dollar te wachten stond indien hij ooit de informatie zonder toestemming van AMI openbaar zou maken. De verslaggever vertelde Sajudin dat hij zijn geld zou krijgen. Sajudin zei verheugd dat het wel 'een heel vrolijk kerstfeest zou worden'.

Zoals hij later ook tijdens de zaak-McDougal zou doen, had Michael Cohen, Trumps persoonlijke advocaat, de gebeurtenissen nauwlettend in de gaten gehouden. 'Er is geen twijfel over mogelijk dat dit werd gedaan als een gunst aan Trump, om hem uit de wind te houden,' vertelde een voormalige AMI-werknemer me. 'Dat is overduidelijk.'

Later, toen journalisten verslag wilden doen van het gerucht, werden ze tegengewerkt door de *Enquirer*. In de zomer van 2017 hadden twee verslaggevers van Associated Press, Jeff Horwitz en Jake Pearson, een uitvoerig verhaal uitgewerkt en ingeleverd. Maar toen de publicatiedatum naderde, kwam Howard met een gespierd juridisch team op de proppen en dreigde AP voor de rechter te slepen. Op aandringen van AMI sprak Sally Buzbee, de hoofdredacteur van AP, en het hoofd van haar juridische afdeling met Howard en zijn team. Hij had de vertegenwoordigers van Weinstein ingehuurd: de advocaten van Boies Schiller en Lanny Davis.

De maand erop kondigde Buzbee intern aan dat het verhaal niet zou worden geplaatst. 'Na een stevige interne discussie heeft de nieuwsdirectie van AP besloten dat het verhaal op dat moment niet voldeed aan de strikte eisen die AP hanteert met betrekking tot bronnen,' voerde Buzbee later ter verdediging van de beslissing aan. Verschillende andere AP-journalisten vonden dat er niets mis was met de bronnen en zeiden geschokt te zijn over het besluit. Horwitz kwam dagen niet op het werk[3] en moest door zijn bazen worden overgehaald om terug te komen. Bijna een jaar lang bleef het stil rondom het verhaal.

Maar het voorjaar daarop begon er iets te veranderen. Bronnen van de *Enquirer* begonnen te praten. Begin maart 2018 stond er een op het punt om een kopie te delen van het amendement dat Sajudin eind 2015 had ondertekend. Deze bron ontmoette ik in een afstands Midden-Oosters restaurant in Los Angeles, waar ik urenlang de voordelen van het delen van het document bepleitte. Die avond keerde ik terug naar Jonathans huis in West Hollywood met een geprint exemplaar in mijn handen.

'Wanneer besefte je...' zei Jonathan met veel drama toen ik veel te laat binnenkwam.

'...Ik weet, ik weet dat ik je haat,' antwoordde ik. Ons vaste riedeltje.

'We zouden uit eten gaan,' zei hij.

'Sorry. Het duurde langer dan verwacht.'

'Gisteren duurde het ook al langer,' zei hij en we kibbelden hier nog even over door. Ik vroeg me af hoelang we dit nog gingen volhouden: ik almaar afwezig en bezig met andere dingen en gestrest. Later, toen Jonathan goed en wel in bed lag, liep ik de deur uit om een bezorger op te vangen. Pal aan de overkant stond naast een auto een bleke man van ergens in de dertig met donker touwhaar en een stoppelbaard me aan te staren. Ik werd weer overvallen door dat knagende gevoel dat ik in de gaten werd gehouden.

Ik had zelf al voor een leven lang genoeg meegemaakt op het vlak van nieuwsgierige journalisten, dus wilde ik me niet opdringen. Maar als ik de wensen van degenen die bij het gerucht betrokken waren wilde eerbiedigen, moest ik wel te weten zien te komen of ze er iets over wilden zeggen. Medio maart klopte ik ergens in de bossen van Pennsylvania op de deur van Sajudin. 'Praten kost geld,' zei hij en sloeg de deur in mijn gezicht dicht. Op e-mailtjes en telefoontjes aan de vermeende liefdesbaby – die natuurlijk al lang geen baby meer was – kreeg ik geen reactie. Tegen het eind van de maand speurde ik de Bay Area van Californië af, op zoek naar nieuw geregistreerde adressen. Ik vond slechts één familielid, dat zei: 'Ik mag eigenlijk niet met u praten.' Ik beproefde mijn geluk ook op een zakelijk adres. De veronderstelde liefdesbaby werkte bij een bedrijf dat (echt!) genetische screenings uitvoerde.

Uiteindelijk probeerde ik het adres van de familie in Queens. Het was klein en vaal, met gepotdekselde buitenmuren. Buiten stond in een stukje gras een altaartje met een gipsen Mariabeeld. Ik ging een paar keer langs voordat ik een man van middelbare leeftijd trof, die ik herkende als de man van de vrouw die de affaire gehad zou hebben. Hij hief zijn handen omhoog toen ik op hem af liep. 'Ze gaat niet met jou praten. Ze praat met niemand,' zei hij. Hij had een heldere, eenvoudige manier van spreken en een Latijns-Amerikaans accent. Hij was ervan overtuigd dat de praatjes onzin waren. De transactie met de *Enquirer* had het gezin in een lastig parket gebracht. 'Ik snap niet waarvoor ze die kerel hebben betaald,' zei hij. 'Ik ben de vader.'

'Begrepen,' zei ik en gaf hem een meelevende blik. Ik vertelde hem dat ik alleen duidelijk wilde maken dat ze de gelegenheid hadden om te reageren, mochten ze dat willen. Ik zei dat ik begreep hoe vreselijk het kon zijn om de pers voortdurend om je gezin heen te moeten zien cirkelen.

Hij knikte. 'Nu snap ik het. Jij bent Farrow.'

'Ja.'

'En of ik het weet.'

En toen was hij degene met de meewarige blik.

Tegen begin april hadden we het verhaal voldoende geschraagd met het relaas van zes huidige en voormalige AMI-werknemers, appjes en e-mails uit de tijd dat AMI de deal sloot, en het amendement dat Sajudin had getekend in de McDonald's. Net als bij McDougal had het Witte Huis de affaire ontkend, en eraan toegevoegd: 'Ik verwijs u naar AMI,' wat ook een manier was om te reageren op een verhaal over een wettelijk aanvechtbare samenwerking met het bedrijf in kwestie.

Sean Lavery, de jongensachtige man uit het Midwesten die als taak had het verhaal op feiten te controleren, stuurde Howard een uitgebreide memo. Binnen een half uur postte *Radar Online*, een website van AMI, een bericht waarin alles werd erkend.[4] 'Ronan Farrow van *The New Yorker*,' stond er, 'belt onze medewerkers en schijnt te denken dat dit alweer een voorbeeld is van hoe de *Enquirer*, door zogenaamd... verhalen over president Trump de kop in te drukken, een bedreiging vormt voor de nationale veiligheid.'

Enkele minuten later kreeg ik een e-mail van Howard. Net als bij McDougal beriep hij zich op pure journalistieke redenen en ontkende elke vorm van samenwerking met Trump. 'Hiermee trek je een instituut als *The New Yorker* de stront in,' schreef hij aan Remnick. 'Ronans ziekelijke obsessie met onze publicatie *(en mij – is het soms mijn lach?)* brengt jou in gevaar.' Over mij schreef hij verder nog: '*Voor The Enquirer is hij natuurlijk gefundenes fressen.*'⁵ (Dylan Howard schreef graag in cursief.)

Nu Howards bekentenis vol in het zicht op *Radar Online* stond, was AP er als de kippen bij om weer een nieuwe poging te wagen. AP publiceerde hun concept⁶ dat ze nieuw leven hadden ingeblazen, en vlak erna kwamen wij met ons verhaal in *The New Yorker.*

Niet alle inspanningen van AMI ten behoeve van Trump waren even succesvol. Later zou ik nog van een ander geval horen waarin het bedrijf zich in nauwe samenspraak met medewerkers van Trump met een zaak bemoeide. Begin 2016 spande een vrouw – aanvankelijk 'Katie Johnson' in een juridisch document, later 'Jane Doe' in een volgend document – een rechtszaak aan tegen Trump. De klaagster beweerde dat in 1994, toen ze dertien jaar oud was en zich net in New York had gevestigd om als model te gaan werken, haar geld was geboden om feestjes bij te wonen die werden gegeven door Jeffrey Epstein, de steenrijke investeerder, en bijgewoond door Trump. De beschuldigingen van seksueel geweld deden je de haren te berge rijzen:⁷ in het proces werd aangevoerd dat de klaagster en andere minderjarigen werden gedwongen om seksuele handelingen uit te voeren met Trump en Epstein, die uitmondden in een 'woeste aanranding' door Trump; dat Trump de klaagster en haar familie had bedreigd met fysiek letsel mocht ze ooit haar mond opendoen; en dat zowel Trump als Epstein verteld was dat de betreffende meisjes minderjarig waren.

Hiervan was in elk geval één ding waar: Epstein was goed bevriend met Donald Trump.⁸ 'Ik ken Jeff al vijftien jaar. Geweldige vent,' zei Trump in 2002 tegen een verslaggever. 'Hij is lollig gezelschap. Er wordt zelfs van hem gezegd dat hij net zoveel van mooie vrouwen houdt als ik, en dat ze soms een tikje jong zijn. Zeker weten: Jeffrey geniet van het leven.' De schrijfster voor de *Miami Herald* Julie K. Brown publiceerde later een krachtig stuk over de wijdverbreide beweringen over seksueel misbruik van minderjarigen door Epstein.[9] In 2019 werd hij door de FBI gearresteerd wegens sekshandel, waarbij een minnelijke schikking ongedaan werd gemaakt die de investeerder tot dan toe had beschermd. De soepele regeling was door Alexander Acosta, een minister van Werkgelegenheid in het kabinet van Trump, tot stand gebracht toen hij nog openbaar aanklager was. Later diende hij vanwege deze zaak zijn ontslag in. Epstein werd kort daarop dood aangetroffen in zijn cel; kennelijk zelfmoord door verhanging.

Maar evenals met de beweringen van Sajudin over de liefdesbaby, was er ook hier onvoldoende overtuigend bewijs om de anonieme aanklacht wegens verkrachting te staven. De zaak, die in eerste instantie was aangespannen in Californië, werd op procedurele gronden afgewezen, opnieuw aangespannen in New York, en vervolgens weer ingetrokken. Norm Lubow, een oud-producer van *The Jerry Springer Show* en iemand die verschillende dubieuze schandalen rond beroemdheden aan de kaak had gesteld, had bijgedragen aan het optuigen van de rechtszaak en fungeerde als de woordvoerder van de klaagster in de pers.[10] De klaagster zelf was moeilijk bereikbaar. Eén advocaat die haar vertegenwoordigde, vertelde me dat hij soms ook moeite had om haar te pakken te krijgen. Slechts enkele verslaggevers waren er ooit in geslaagd in contact met haar te komen. Een van hen, Emily Shugerman, zei dat de advocaat van de vrouw verschillende keren een gepland Skype- of FaceTime-interview had gecanceld, om er een kort telefoontje voor in de plaats te stellen. Shugerman had uiteindelijk net zoveel twijfels als de meeste journalisten over het verhaal en de ongrijpbare vrouw die er centraal in stond.[11] Mogelijk was ze bedreigd, waardoor ze zich had teruggetrokken. Of was ze een verzinsel van de schaakstukken om haar heen.

Maar er was nog één merkwaardig geval dat nooit openbaar was gemaakt. Volgens verscheidene AMI-werknemers en één senior medewerker van Trump, was Pecker, die destijds nauw in contact stond met Trump, kort nadat de rechtszaak was aangespannen ervan op de hoogte gebracht. Daarna belde Howard Cohen, Trumps persoonlijke advocaat, om hem ervan te verzekeren dat ze de vrouw met de aanklacht van verkrachting zouden opsporen en kijken wat ze aan haar konden doen. 'Dylan zat de hele tijd met Cohen aan de telefoon' over die zaak, herinnerde een van de AMI-werknemers zich. 'Het had de hoogste prioriteit.' Terwijl Cohen de situatie in de gaten hield, stuurde Howard een AMI-verslaggever naar een adres dat in verband stond met een van de eerste aangespannen zaken. Maar in het slaperige plaatsje Twentynine Palms in de Californische woestijn trof de verslaggever slechts een huis waarop de bank beslag gelegd had. Volgens een buurman was er sinds de herfst niemand meer geweest.

Dit verhaal kon dus niet worden afgekocht. Toch publiceerde AMI in de dagen na de anonieme rechtszaak, toen er maar weinig andere media mee bezig waren, een aantal artikelen waarin de claims uit de zaak onderuit werden gehaald.[12] In een van de koppen werd Trump geciteerd, die het 'walgelijk' noemde; een andere kop gebruikte het woord 'nep'.

Eind 2016 dook de anonieme vrouw met de aanklacht wegens verkrachting weer op met een nieuwe advocaat. Het was de zelfverklaarde verdedigster van vrouwenrechten, die Howard later zou beschrijven als een 'oude vriendin': Lisa Bloom. Toen hij had vernomen dat Bloom aan de zaak werkte, waarschuwde Howard haar erbij weg te blijven. Uiteindelijk kondigde Bloom op het laatste moment de annulering aan van een geplande persconferentie met de klaagster en trok ze de zaak voor de laatste keer in.

Er waren ook andere media die melding maakten van verhalen die het idee ondersteunden van een alliantie tussen Trump en AMI. Al sinds het begin van mijn verslaglegging rondom McDougal had ik geruchten gehoord dat de pornoactrice Stormy Daniels een geheimhoudingsverklaring had getekend die haar verbood te spreken over een seksueel rendez-vous dat ze gehad zei te hebben met Trump. Twee maanden nadat ik met McDougal was gaan praten, meldde *The Wall Street Journal* dat Daniels inderdaad een dergelijk contract had ondertekend en dat het rechtstreeks via Michael Cohen was gelopen.[13] Wat niet in het verslag van *The Journal* stond, was het feit dat Daniels' advocaat, Keith Davidson, die eerder McDougal had vertegenwoordigd, Dylan Howard eerst over het verhaal had gebeld. Howard had Davidson gezegd dat AMI de zaak-Daniels niet zou oppakken. Pecker had zojuist zijn nek uitgestoken voor Trump en begon zich zorgen te maken over de mogelijke gevolgen. Maar Howard verwees Davidson door naar Michael Cohen, die een lege vennootschap in het leven riep om Daniels 130.000 dollar te betalen in ruil voor haar stilzwijgen. In het contract werd gewerkt met pseudoniemen: Daniels was 'Peggy Peterson' en Trump 'David Dennison'.

'Weet je wie er echt genaaid is?' vroeg Davidson me later. 'David Dennison. Hij zat bij mij in het hockeyteam op de middelbare school. En hij heeft er goed de smoor in.'

De verhalen die AMI tijdens de verkiezingen had gekocht en onder de pet gehouden, zoals die van Sajudin en McDougal, plus de verhalen waarover ze eerder met Cohen bezig waren, zoals die van Daniels en de anonieme klaagster, wierpen netelige juridische en politieke vragen op. Trump had tijdens de verkiezingen geen enkele van de betalingen ingevuld op zijn aangifteformulier. Toen wij met onze stukken kwamen, werden er door een non-profittoezichtorganisatie en een linksgeoriënteerde politieke club formele klachten ingediend. Ze verzochten het ministerie van Justitie, het Bureau voor Overheidsethiek en de Federale Verkiezingscommissie te onderzoeken of de betalingen aan Daniels en McDougal niet een schending vormden van de federale kieswet.[14]

Volgens juristen kon dat zeker het geval zijn. De timing, tijdens de verkiezingen, vormde een goed indirect bewijs dat het AMI's bedoeling was geweest om de campagne te ondersteunen, en de gesprekken met Cohen nog meer. Mediabedrijven hebben diverse vrijstellingen van de wet op campagnefinanciering. Maar die waren mogelijk niet van toepassing, zo beargumenteerden de juristen, in het geval dat werd vastgesteld dat een mediabedrijf niet handelde in zijn perscapaciteit maar als een verlengstuk van de pr-inspanningen van een machtige figuur.

Alle AMI-werknemers die ik sprak zeiden dat het verbond met Trump de organisatie en het businessmodel geen goed hadden gedaan. 'Er is nooit een woord over Trump afgedrukt zonder zijn goedkeuring,' aldus Jerry George, de oud-hoofdredacteur van AMI. Diverse werknemers vertelden me dat Pecker tastbare voordelen had binnengehaald. Volgens hen hadden mensen die dicht bij Trump stonden Pecker voorgesteld aan potentiële geldbronnen voor AMI. In de zomer van 2017 bracht Pecker een bezoek aan het Oval Office[15] en dineerde in het Witte Huis met een Franse zakenman die bekendstond om de deals die hij tot stand bracht met Saoedi-Arabië. Twee maanden later hadden de zakenman en Pecker een ontmoeting met de Saoedische kroonprins, Mohammed bin Salman.

Enkele van de werknemers zagen het feit dat AMI geleidelijk aan steeds meer in handen had waarmee ze Trump konden chanteren, als de belangrijkste beloning. Howard schepte er tegen zijn vrienden over op dat hij verschillende keren een aanbod voor een baantje bij de televisie had afgeslagen, omdat zijn huidige positie en de daaruit voortvloeiende mogelijkheden om negatieve verhalen tegen mensen te gebruiken, hem veel meer macht bezorgden dan wat voor carrière in de traditionele journalistiek dan ook. 'In theorie zou je denken dat Trump in die relatie alle macht heeft,' vertelde Maxine Page, de AMI-oudgediende me, 'maar in feite heeft Pecker de macht: hij heeft de macht om die verhalen naar buiten te brengen. Hij weet in welke kast de lijken liggen.' Het concern had ook de gesprekken met McDougal nageplozen. 'Als iemand in een hoge positie, die ons land bestuurt, beïnvloed kan worden,' zei ze over Trump, 'dan is dat niet zomaar iets.'

De relatie tussen AMI en Trump was een extreem voorbeeld van hoe gemakkelijk de media kan afglijden van een onafhankelijke toezichtfunctie naar cocktailpartyverbondjes met hun onderwerpen van onderzoek. Maar AMI bevond zich op bekend terrein. In de loop der jaren had het bedrijf deals gesloten om journalistiek onderzoek naar Arnold Schwarzenegger, Sylvester Stallone, Tiger Woods, Mark Wahlberg en ontelbaar vele anderen in de la te laten verdwijnen. 'We hadden verhalen en we kochten die aan, terwijl we ons er heel goed van bewust waren dat ze nooit het daglicht zouden zien,' zei George.

De ene na de andere AMI-werknemer gebruikte dezelfde uitdrukking om deze praktijk te beschrijven van het aankopen van een verhaal om het te laten verdwijnen. Het was een bekende term uit de sensatiekrantenwereld: *'catch and kill'*.

DEEL V
ONTSLAG-
VERGOEDING

52

KRINGEN

Dylan Howard was niet vrij van wraakgevoelens, zo werd me verteld door tien mensen die met hem werkten. Later zeiden oud-medewerkers tegen Associated Press dat hij 'op de nieuwsredactie openlijk zijn seksuele partners beschreef, de sekslevens van vrouwelijke medewerkers besprak en vrouwen dwong om naar pornografisch materiaal te kijken of te luisteren.'[1] Na klachten van vrouwelijke collega's startte AMI in 2012 een intern onderzoek, dat onder leiding stond van een externe consultant. Vervolgens verkondigde het bedrijf dat dit onderzoek geen 'ernstig' wangedrag aan de oppervlakte had gebracht. Wel bevestigde de hoogste AMI-advocaat dat vrouwen klachten over Howard hadden ingediend, onder meer over zijn aanbod een Facebook-pagina op te zetten voor de vagina van een collega. Maxine Page, de AMI-veterane, gaf aan dat ze namens meerdere vrouwen haar beklag had gedaan. Liz Crokin, een andere voormalige verslaggeefster, had de externe consultant verteld dat Howard haar lastigviel. Vervolgens, zo meende ze, zette Howard het haar betaald door haar alleen nog saaie klusjes toe te wijzen. Howard zou alle aantijgingen van wangedrag ontkennen; een woordvoerder verklaarde dat de vrouwen 'slechtgehumeurd' waren.

Verscheidene collega's van Howard vertelden dat hij na publicatie van mijn verhalen razend leek. Twee mensen herinnerden zich dat hij zei dat hij mij nog wel zou 'krijgen'. Een van hen waarschuwde hem dat zo'n wraakactie onverstandig want te doorzichtig zou zijn. Dat schrok Howard niet af.

Gedurende een kortstondige, stralende periode werd ik in geblokte hoofdletters op de pagina's van The National Enquirer herhaaldelijk als schurk opgevoerd. Een paar dagen na publicatie van het conciërgeverhaal ontving ik een eerste verzoek om commentaar. Het betrof de oom die Weinstein te berde had gebracht, maar die ik naar mijn beste weten nooit had ontmoet: 'The National Enquirer is voornemens een verhaal te publiceren waarin wordt beschreven dat Ronan Farrows oom John Charles Villiers-Farrow twee tienjarige jongens seksueel heeft misbruikt.'² Kort daarna begonnen tussenpersonen berichten te sturen waarin ze agressief verzochten om dick picks. Toen ik die niet stuurde, publiceerde The Enquirer een klacht over mijn weigering. Wanneer ik reageerde op een manier die als flirterig of vrijmoedig kon worden uitgelegd, zette Howard ook dat in het blad. Tevens vroegen Howard en collega's om een reactie op verzonnen sterke verhalen, waaronder eentje dat mij en een andere journalist, die bezig was met een groot en kritisch verhaal over AMI, aan een Braziliaans seksfeestje linkte. (Was mijn leven maar zo spannend!)

Howard en zijn partners belden en e-mailden. Dit was allemaal standaardprocedé. Waarvoor ook aan de ontvangerszijde een draaiboek bestond: antwoord, probeer Howard gunstig te stemmen, doe aan uitruil. De andere journalist die Howard op de korrel had, trad The Enquirer tegemoet met behulp van een advocaat met goede connecties, die kalm in gesprek ging, tot een overeenstemming kwam en ervoor zorgde dat AMI de naam van de journalist uit het verhaal schrapte. Maar hij was dan ook niet bezig aan een lopend onderzoek over mijn onderwerp. Zwichten voor de dreigementen van een vijandig onderwerp was nu precies de reactie die een jaar eerder het Weinstein-verhaal bijna de das had omgedaan. Ik negeerde het verhaal en ging verder met mijn onderzoek.

Deze kuiperijen waren nog het minst gecompliceerde wat Howard in petto had. Want hij nam ook, zo zeiden verschillende AMI-mede-werkers, een mannetje met een link met Coleman-Rayner in de arm – dezelfde organisatie werd ingezet om geheime opnames voor Weinstein te maken – om Jonathan in Los Angeles te schaduwen. Ze hielden zijn huis in de gaten en volgden zijn bewegingen. Howard 'kwam binnen en zei zoiets als "We gaan Ronans vriendje laten schaduwen",' herinnerde een medewerker. Een tijd later zei hij: 'Ik laat hem door iemand volgen, we zoeken uit waar hij heen gaat.' Howard zei dat deze beweringen niet klopten. Uiteindelijk, zo gaven deze medewerkers aan, was Jonathans doen en laten zo saai, dat zijn achtervolgers het bijltje erbij neergooiden.

'Maar ik ben best interessant!' zei Jonathan toen ik hem dit vertelde. 'Ik ben een zeer interessant mens! Ik ben zelfs naar een escaperoom geweest!'

Tegen die tijd raakte AMI al steeds verder in het nauw. Verschillende nieuwsmedia, in de eerste plaats *The Wall Street Journal*, spitten nog altijd naar de bedrijfstransacties ten voordele van Trump tijdens de verkiezingen. Bovendien hadden deze onthullingen de aandacht van de autoriteiten gewekt. In april 2018 vielen FBI-agenten binnen in Cohens hotel en kantoor. Ze zochten naar documentatie gerelateerd aan de betaling aan McDougal[3] en naar correspondentie tussen Cohen, Pecker en Howard. De autoriteiten hadden het voorzien op Pecker en Howard. In reactie op mijn artikelen ontkenden ze alles: ze noemden de notie van *catch and kill* belachelijk en betoogden louter uit journalistiek oogmerk te hebben gehandeld. Nog geen paar maanden later gooiden ze het op een akkoordje om vervolging te ontlopen voor een hele reeks aan mogelijke misdaden, waaronder overtreding van de wet op de campagnefinanciering. Ze bekenden alles. Ze gaven toe dat Pecker in een vroeg stadium van Trumps campagne Cohen en een andere campagnemedewerker had ontmoet. 'Pecker bood aan van dienst te zijn bij negatieve verhalen over de relaties met vrouwen van deze presidentskandidaat. Onder meer door de campagne te helpen bij het tijdig ontdekken van zulke verhalen, zodat die verhalen konden worden aangekocht en publicatie kon worden afgewend,'[4] zo stond in het akkoord te lezen. Ze hadden beet gehad ('*catch*') en efficiënt de nek omgedraaid ('*kill*'), met als bedoeling de presidentsverkiezingen doorslaggevend te beïnvloeden.

Als onderdeel van hun akkoord met de aanklager beloofde AMI de komende drie jaar 'geen wetsovertredingen van welke aard dan ook' te begaan. Binnen het jaar rees de vraag of *The Enquirer* die voorwaarde niet had geschonden. Howard zette vol in op de jacht naar een verhaal over hoe Jeff Bezos, oprichter en CEO van Amazon, zijn vrouw bedroog. Ditmaal verwierf Howard wel de pikante plaatjes waar hij immer opuit was. (Bezos' vrouw en maîtresse daargelaten, leek Dylan Howard meer belangstelling dan wie ook voor de penis van Bezos te hebben). Het gebruikelijke riedeltje volgde: AMI dreigde te publiceren en oefende druk op Bezos uit om tot een deal te komen. Bezos ging vol in de tegenaanval. 'Nee dank je wel, meneer Pecker,' schreef hij in een open brief. 'Ik zwicht niet voor afpersing en chantage. Ik heb integendeel besloten om dat wat mij is gestuurd openbaar te maken, ondanks de persoonlijke schade en schaamte waarmee mijn afpersers me bedreigden.'[5]

Begin 2019, terwijl de officier van justitie onderzocht of Howard de overeenkomst had geschonden[6] en AMI tot over de oren in de schulden zat, werden *The Enquirer* en zustermedia *The Globe* en *The National Examiner* voor een appel en een ei verkocht. De koper, James Cohen, wiens vader ooit het bedrijf Hudson News oprichtte, was vooral bekend als kunstverzamelaar en omdat hij één miljoen dollar aan de bat mitswa van zijn dochter had uitgegeven.[7] Het deed de vraag rijzen of Cohen deze deal zelf financierde of dat anderen achter de schermen dat deden. *The New York Post*, die bijna uit elkaar plofte van leedvermaak, citeerde een andere bron bekend met AMI: 'Het lijkt erop dat deze hele zaak binnen dezelfde kringen plaatsvindt.'[8]

Ook Howards bondgenoot Harvey Weinstein raakte steeds verder in het nauw. In de maanden na publicatie van de verhalen in *The New York Times* en *The New Yorker* werd Weinstein door tientallen andere vrouwen van seksuele intimidatie of seksueel misbruik beschuldigd. Dat cijfer klom naar dertig,[9] toen naar zestig, toen naar tachtig. Sommige vrouwen, onder wie Canosa, dienden een aanklacht in. In Londen, Los Angels en New York werden strafrechtelijke onderzoeken ingesteld. De dag nadat het *New Yorker*-verhaal verschenen was ging Keri Thompson, een rechercheur van het NYPD Cold Case Squad, dat jaren daarvoor verantwoordelijk was voor de afluisteroperatie in de Gutierrez-zaak, in de dichtbevolkte BosWash-regio aan de Amerikaanse oostkust op zoek naar Linda Evans. Evans had aangegeven dat Weinstein haar in 2004 in zijn kantoor seksueel had misbruikt. Toen de rechercheurs Evans vonden, zeiden ze dat haar aanklacht ertoe kon bijdragen Weinstein achter de tralies te krijgen. Evans wilde helpen. Maar ze was ook bang. Ze besefte dat als ze medewerking aan het strafproces verleende, ze daar zelf niet zonder kleerscheuren vanaf zou komen. Dat konden de rechercheurs niet ontkennen. Weinsteins advocaten zouden het gemeen spelen. Ze zouden alles in de strijd gooien om haar geloofwaardigheid te ondermijnen. 'Ik denk dat er bij iedereen die zich voor zo'n enorme keuze gesteld ziet een soort zelfbeschermingsmechanisme in werking treedt,' zei ze. 'Wat zal dit voor jou betekenen? Hoe gaat het je leven, je familie en vrienden beïnvloeden?' Na maanden van slapeloze nachten besloot ze om Weinstein aan te klagen.

Vroeg in de ochtend van 25 mei 2018 reed een zwarte SUV naar de ingang van het NYPD First Precinct. Terwijl de camera's flitsten, troffen Thompson en Nick DiGaudio, een andere rechercheur, Harvey Weinstein bij de SUV. Ze begeleidden hem het politiekantoor in. Voor de gelegenheid van zijn overgave had Weinstein zich gekleed als een vriendelijk ogende professor: een zwart jasje met eronder een kobaltblauwe sweater met v-hals. Onder zijn arm droeg hij een stapel boeken over Hollywood en Broadway. Weinstein verdween in het gebouw om zich te laten registreren op aanklachten van verkrachting en seksueel misbruik. Even later werd hij weer naar buiten geleid, zonder boeken en met zijn handen geboeid.

Weinstein werd vergezeld door Benjamin Brafman, zijn nieuwste advocaat, en door privédetective Herman Weisberg, zelf een ex-NYPD-rechercheur. Zijn firma, Sage Intelligence and Security, pronkte met die expertise zoals de Israëliërs deden met hun voormalige Mossad-status. Hij behoorde al een tijdje tot Weinsteins team. De vorige herfst, de periode dat mijn verhaal uitkwam, hield hij zich nog met McGowan bezig. Een keer kwam hij bij Weinstein aan met de mededeling dat hij wist van een vooralsnog niet openbaar politieonderzoek naar mogelijk drugsbezit. 'Kunnen we dat lekken?' vroeg Weinstein opgewonden. Oud-collega's noemden Weisberg een 'bloedhond'.[10] Hij was gespecialiseerd in het onder de loep leggen en ondervragen van getuigen.

Niettegenstaande de symboliek van de *perp walk* ging Weinstein die dag, weliswaar na betaling van een borgsom van een miljoen dollar, gewoon terug naar huis. Hij droeg een enkelband en kreeg toestemming om zich heen en weer te bewegen tussen zijn huizen in New York en Connecticut. In de daaropvolgende maanden werd de NYPD-zaak uitgebreid van twee naar drie vrouwen: de toegevoegde aanklacht betrof seksueel misbruik en werd ingediend door Mimi Haleyi, een voormalige productieassistente die claimde dat Weinstein haar in 2006 in zijn appartement seksueel misbruikte.[11] Tegelijkertijd voerde Weinstein zijn tegenoffensief op. Hij kronkelde zijn tentakels rond eenieder die aan de zaak werkte of zijn of haar medewerking toezegde.

Tegenover zowel de pers als de aanklager brieste Brafman dat Weinstein over vriendschappelijke berichten van Haleyi beschikte,[12] waaronder een bericht waarin ze ná de vermeende verkrachting op een afspraak aanstuurde. Daarnaast resulteerden Weisbergs inspanningen in een buitenkansje om DiGaudio, de rechercheur, in diskrediet te brengen. Een secundaire getuige in de zaak van Lucia Evans beweerde dat ze DiGaudio informatie had verstrekt die hij had verzuimd door te geven aan de aanklager. DiGaudio ontkende – maar Brafman had zijn stok om mee te slaan.[13] Hij uitte publiekelijk zijn verontwaardiging en beschuldigde de wetshandhavers van een samenzwering tegen Weinstein. Daarop werd DiGaudio van de zaak gehaald. Lucia Evans' aanklacht tegen Weinstein werd ingetrokken. 'Beide dingen kunnen tegelijk waar zijn,' kreeg ik te horen van een bron uit het kantoor van de officier van justitie. 'Je kunt een slachtoffer geloven, maar toch instemmen met intrekking van haar aanklacht. En wel omdat handhaving ervan, vanwege andere dingen die in het proces gebeurden, de overige aanklachten zou verzwakken.'

Brafman schreef deze ontwikkeling toe aan knap privédetectivewerk. 'Welk succes ik ook zal hebben in de Weinstein-zaak, Herman heeft daar sowieso een grote rol in gespeeld,' zei Brafman.[14] Daarbij legde hij uit dat Weisberg had geholpen 'informatie boven tafel te krijgen'[15] over 'verschillende van de belangrijkste getuigen van de aanklager'.

Weldra leek het erop dat ook tal van andere rechtszaken tegen Weinstein soepeltjes uit de weg werden geruimd. Een paar maanden nadat Evans aanklacht werd ingetrokken, ging het verhaal rond dat Weinstein en het voormalige bestuur van The Weinstein Company op het punt stonden voor in totaal 44 miljoen dollar in één keer de civielrechtelijke aanklachten te schikken.

Nog altijd hing Weinstein van alles boven het hoofd. In New York wachtten een aantal strafrechtelijke aanklachten op een proces. De autoriteiten in Los Angeles en Londen bouwden nog altijd aan zaken. Verschillende vrouwen die civielrechtelijke aanklachten hadden ingediend, bezagen de mogelijkheid van een algehele schikking wantrouwig en verklaarden publiekelijk dat ze nog altijd op een rechtszaak uit waren.[16]

Terwijl Weinstein zich opmaakte voor het strafproces, verscheen er een artikeltje over hem op Page Six, de roddelpagina van *The New York Post*.[17] Op een foto leunde hij over de winkelbalie van Cipriani

Dolci op de tussenetage van Grand Central. Zijn roze nekvel puilde over zijn ruime T-shirt. Boven zijn afzakkende broek piepten een paar centimeters boxershort. Hij oogde dunner, ouder en krommer dan voorheen. Het artikel ging over de mannen in donkere pakken die zich rond Weinstein dromden, hun hoofden naar elkaar toe gebogen in geconcentreerd gesprek. De ene werd een privédetective genoemd, de ander een advocaat.[18]

Hoe diep hij ook was gezonken: daar had je Harvey Weinstein met zijn huurlingen. Ze konkelden, planden en maakten zich op voor de strijd die komen zou. Voor Weinstein en mensen zoals hij was het spionnenleger nog springlevend.

53

AXIOMA

Het was na het 'liefdesbabyverhaal' – en alweer zomer – dat ik op de eerste aanwijzingen stuitte over wat Black Cube na de Weinstein-klus uitspookte. Ik was net een hete, bedompte metrocoupé binnengeglipt toen ik werd gebeld. De beller stond aangegeven als 'Axioma'. Het volgende moment ontving ik een tekstbericht. 'Ik probeer je rechtstreeks en privé te bereiken. Het gaat om een krasbestendige braadpan. Soms word ik tijdens het koken bang van de zwarte beschermlaag.'

Onlangs had ik op sociale media een afbeelding gepost van een braadpan onder het label 'Black Cube'. 'Krasbestendig. Kan valse identiteiten en lege vennootschappen gebruiken om informatie los te krijgen,' schreef ik. ('Hahaha,' reageerde Ambra Gutierrez sarcastisch).

Terwijl de metro een tunnel in reed, schreef ik terug: 'Kun je meer zeggen over wie je bent?'

'Ik kan zeggen dat ik in de surveillance zit.' Hij negeerde mijn verzoeken om meer informatie en zei vervolgens: 'We zullen elkaar discreet moeten treffen en ervoor zorgen dat we niet worden gevolgd.'

Een paar dagen later baande ik mezelf in het Theater District een weg door de zwetende menigte. Ik had voorgesteld elkaar te ontmoeten in hetzelfde Braziliaanse restaurant waar ik van Gutierrez de opname had gekregen. Ik was ruim op tijd, vroeg om een tafel voor twee en ging zitten. Op mijn telefoon kwam een versleutelde Signaloproep binnen. Opnieuw verscheen op het scherm 'Axioma'.

'Niet bestellen,' zei een mannenstem.

Ik keek weer om me heen. Niemand te zien.

'Je draagt een Messenger-tas, lichtblauwe blouse en iets donkerder jeans,' ging hij door. Hij zei me het restaurant te verlaten en langzaam te lopen.

'Loop tegen het verkeer in, alsjeblieft.'

Ik draaide mijn hoofd.

'Niet om je heen kijken,' zei hij lichtjes geërgerd. 'Ik ben ongeveer een half blok verderop, dus stop over één tot anderhalve minuut bij de kruising. Ik wil er zeker van zijn dat niemand hetzelfde traject aflegt.'

Terwijl hij me door Hell's Kitchen liet kronkelen, probeerde ik opnieuw rond te kijken. 'Niet kijken, gewoon op een natuurlijke manier lopen. Tegen het verkeer in. Goed zo, ga zo door.' Hij zei me halt te houden bij een Peruaans kelderrestaurant waar geen telefoonontvangst was. 'Vraag om een tafeltje achterin, helemaal achterin.'

Ik deed wat hij zei. Tien minuten later kwam er een man tegenover me zitten. Hij had donkere krullen en was een tikje gezet. En hij had een vet Oekraïens accent.

'Ik ben hierbij betrokken,' zei Igor Ostrovskiy. Hij schoof een telefoon over tafel. Hij gebaarde me door de foto's op de telefoon te swipen. Daar had je mijn straat, mijn voordeur, de conciërge van mijn gebouw. En daar de Nissan met twee mannen erin: de donkerharige, mollige Ostrovskiy en de bleke, kale Khaykin met zijn indringende blik.

Ostrovskiy zei dat ze behoorden tot een in New York gevestigd privédetectivebureau. 'Maar op de resultaten van het werk, op onze rapporten, stond Black Cubes naam.'

'Waarom doe je dit?' vroeg ik.

Waar veel van hun werk routineklusjes betrof – het nagaan van de wegen van overspelige echtgenoten of het graven naar belastend materiaal in voogdijzaken 'mag dan ethisch niet oké zijn, maar het is wel legaal' –, daar was hun werk voor Black Cube iets heel anders. Ostrovskiy vertelde me over hun pogingen om mij te volgen, zowel in persoon als via mijn telefoon. Ik dacht terug aan de spam-sms'jes: de weerupdates, en vervolgens de stortvloed aan politieke enquêteberichten die mijn telefoon in het World Trade Center hadden overspoeld. Hij wist niet of dat verband met elkaar hield, maar gaf wel aan dat hij accurate informatie over mijn locatie kreeg op ongeveer hetzelfde moment dat ik die enquêteberichten ontving. 'Ik vrees,' zei Ostrovskiy me, 'dat het illegaal is.' Hij was het niet eens met de tactiek die ze tegen mij hadden gebruikt. En het ging niet alleen om mij. Het detectivebureau volgde nog altijd mensen voor Black Cube. Ostrovskiy wilde weten waarom.

Hij las een lijst voor met namen van doelwitten, inclusief de data en tijden dat er op hen gerichte surveillanceoperaties plaatshadden. Medewerkers van het privédetectivebureau hielden in het ene luxueuze hotel-restaurant na het andere bijeenkomsten in de gaten tussen agenten van Black Cube en doelwitten waarvan ze de sterke indruk hadden dat het experts op het gebied van technologie en cybercrime waren. Verschillende van die experts waren gespecialiseerd in nieuwe manieren om te hacken en mee te kijken in mobiele telefoons – zoals de Pegasus-software vervaardigd door de Israëlische NSO Group, de cyberinlichtingenfirma waar Sleeper zich ongerust over had gemaakt.

Ostrovskiy zei dat de beperkte informatie waarover hij beschikte, 'was ontworpen om terug naar mij te leiden'. Hij was bang dat hij werd gevolgd. Voordat hij het restaurant binnenkwam, had hij zelfs de omgeving uitgekamd.

Zelf paste ik ook steeds meer op mijn tellen. Ik had een collega gevraagd om me van een afstandje te volgen en daarna het restaurant in het oog te houden. Unjin Lee was een tengere Koreaans-Amerikaanse vrouw die nauwelijks anderhalve meter mat. Krav maga was niet haar fort, maar ze zou het zeker opmerken als ik geschaduwd werd.

Ostrovskiy en ik vertrokken tien minuten na elkaar. Toen ik een eindje uit de buurt was, belde Lee. Een man leek ons te hebben gevolgd. Op het moment dat we naar binnen gingen, hield hij afstand. Daarna hing hij meer dan een uur bij de ingang rond.

Van weinig dingen kun je op aan, behalve dat je doodgaat, belastingen moet betalen en dat het Southern District of New York onderzoek instelt. Verschillende aanklagers van dat district richtten naar aanleiding van het spionnendienstverhaal uit eind 2017 hun pijlen op Black Cube. Hun Complex Frauds and Cybercrime Unit stelde een onderzoek in.[1] Algauw wilden de aanklagers, die overigens ook naar Harvey Weinstein en AMI keken, mij graag ontmoeten. Niet in de hoedanigheid van journalist, maar van getuige.

In de dagen na het McDougal-verhaal uit februari 2018 kreeg ik mijn eerste telefoontjes en berichten van het Southern District. In de daaropvolgende maanden bleven ze contact leggen. De verzoeken kwamen zowel van de officiers van justitie van het Southern District als van tussenpersonen, zoals Preet Bharara, de voormalige openbaar aanklager van dat district. Ze wilden mij en Bertoni spreken, de advocaat van *The New Yorker*.

Ook een oud-studiegenoot, nu werkzaam bij de officier van justitie, zocht contact. Hij wilde bijpraten. Aldus begaf ik me niet lang na mijn eerste afspraak met Ostrovskiy door de hitte naar een restaurantje vlak bij het One World Trade Center.

Zweterig en slordig gekleed zat ik aan de bar, toen ik zijn stem hoorde: 'Ha, Ronan.'

Ik keek op van mijn telefoon en richting een stralend witte rij tanden. Hij was symmetrisch naar de standaard van een modellencatalogus. Zelfs zijn naam was die van een acteur, een uitgedachte naam, als die van de betrouwbaarste dokter uit een voorstad in de jaren vijftig.

Hij kwam dichterbij. Nog zo'n verblindende glimlach. 'Dat is lang geleden!'

Ik voelde me luizig en antwoordde: 'Ik ben druk geweest.'

'Ik zou niet weten waarmee.'

Hij bestelde drankjes voor ons. Daarna gingen we in een box aan een tafeltje zitten.

Het werd een fijne maaltijd, vol 'hoe-is-het-met-die-en-die's?' Ik was vergeten hoe ver ik me van mijn eigen leven had verwijderd. Zonder die agressieve surveillance had ik helemaal geen sociaal leven meer over.

Hij zei dat hij getrouwd was.

'Hoe bevalt dat?'

Hij haalde zijn schouders op. 'Ingewikkeld. En jij?'

'Goed. Hij is fantastisch.' Een korte stilte. Ik dacht aan de vele spanningen met Jonathan het afgelopen jaar.

'Maar ook ingewikkeld?' vroeg hij.

'Nu ja, lange afstand is lastig.'

Hij keek me meelevend aan. 'Je moet onder grote druk staan.'

'Nu niet meer zo erg, hoor. En dat geldt vast ook voor jou.'

Hij leunde naar voren. Hij schonk me zijn warmste glimlach tot nu toe – deze was zelfs niet meer gepast voor een modellencatalogus. 'Zo hoeft het niet te zijn, weet je,' zei hij. Aan de overzijde van het smalle tafeltje kon ik zijn adem voelen. 'Om dit allemaal in je eentje te moeten doen.'

Hij schoof een mes op tafel iets rechter, gleed met zijn vinger over het zilverkleurige lemmet.

'Bedoel je...'

'Je zou eens langs moeten komen.'

'O.'

'Om te getuigen. Je hoeft geen bronnen te noemen die je niet wilt onthullen.'

Ik schoof iets naar achteren en ging beter rechtop zitten. 'Je weet dat je dat niet kunt garanderen.'

'Nou en?' zei hij. 'Als je ergens een slachtoffer van bent, moet je daarover praten.'

De persoonlijke belangstelling leek oprecht en los te staan van de professionele verzoeken. Toch wedijverden beide onaangenaam om voorrang. Toen we naar buiten liepen en elkaar ten afscheid omhelsden, hield hij me iets langer vast dan verwacht. 'Bel me,' zei hij. 'Mocht je hierover van gedachten veranderen.' Over zijn schouder wierp hij me zijn filmsterrenglimlach toe. Daarna verdween hij in de nacht.

Bertoni en ik worstelden met het dilemma: voor elk journalistiek medium was samenwerking met de autoriteiten een beladen kwestie. Natuurlijk bestonden er scenario's waarin een journalist vanzelfsprekend naar de politie moest stappen, zoals wanneer er sterke aanwijzingen waren dat iemand fysiek gevaar liep. Zo eenduidig was dit geval echter niet. Het was niet ondenkbaar dat er een misdaad tegen mij was begaan, die te maken had met het volgen van mijn telefoon of met de listen bedoeld om mij onderzoeksmateriaal te ontfutselen. Maar ik was er niet zeker van of ik, of anderen, zoveel gevaar liepen dat het gerechtvaardigd was om de openbaar aanklagers te ontmoeten en vragen te beantwoorden die al snel betrekking zouden hebben op bronnen en onderzoeksresultaten die ik had beloofd geheim te houden. Ik moest prioriteit geven aan de bescherming van mijn bronnen, onder wie Ostrovskiy. Dit ging trouwens niet alleen mij aan. Bertoni was bang dat het minste gesprek met de autoriteiten een gevaarlijk precedent voor *The New Yorker* in het leven zou roepen. Zouden we net zo gemakkelijk weigeren om informatie te geven over bijvoorbeeld een klokkenluider uit een overheidsinstantie, wanneer we inzake dit verhaal wel ja hadden gezegd?

54

PEGASUS

Aanvankelijk wilde Ostrovskiy me de naam van zijn baas niet geven. Maar er waren aanwijzingen genoeg. Op een van de foto's die hij me liet zien, was zelfs het nummerbord van de Nissan zichtbaar. Ik typte de naam in die ik daarbij had gevonden en kwam uit op een promotiefilmpje.[1] 'Ik ben de man in het veld. De man die actie onderneemt,' zei een kale man met Russisch accent. 'Ik heet Roman Khaykin. En ik ben de oprichter van de InfoTactic Group.'

Begeleid door een vrolijke technobeat kwamen er beelden van knoopsgatcamera's voorbij. Tussentitels beloofden 'de beste hightech surveillance-uitrusting'. Khaykin deed zijn beste vertolking van James Bond of Ethan Hunt en stoof behendig door mensenmenigten. Het was aantrekkelijk goedkoop. InfoTactic was een nietig bedrijfje dat slechts een handjevol freelancers in dienst had – die vaak ook nog eens reguliere banen hadden. Nochtans had Khaykin zijn grenzen willen verleggen in het afgelopen jaar dat hij voor Black Cube werkte: van het volgen van telefoons tot zijn gepoch over zijn vermogen om illegaal de hand op financiële documenten te leggen.

Over zijn capaciteiten verklaarde Khaykin in het filmpje doodserieus: 'Toen ik als kind net had leren lezen, sloeg ik mijn ouders met stomheid door de tekst van mijn favoriete boek uit het hoofd te leren: dat was Sherlock Holmes.'

Ostrovskiy hield me op de hoogte van InfoTactics lopende operaties voor Black Cube. Soms ging ik zelf naar een aangewezen locatie, of stuurde ik collega's die minder snel herkend zouden worden om van een afstandje toe te kijken. Het stramien was telkens hetzelfde: undercoveragenten van Black Cube kwamen in luxehotels samen met technologie- en cybercrime-experts.

Ook spraken Ostrovskiy en ik af in verlopen restaurantjes die we onmiddellijk weer verlieten om onze jachtige gesprekken te voeren tijdens wandelingen die kriskras door zijstraatjes leidden. Eenmaal zaten we een halfuur lang te praten in een schemerig hoekje van een hotellobby, toen hij abrupt opsprong, zich verontschuldigde en vlak daarna bezorgd terugkwam met de mededeling dat we ons meteen uit de voeten moesten maken. Hij vermoedde dat twee nabijgezeten mannen ons in de gaten hielden. Ze zagen eruit als professionals. Ze hadden te veel zitten kijken. We namen een taxi, en daarna nog één. Hij liet hem stoppen op de vluchtstrook van de West Side Highway en wachtte af of er achtervolgers langsreden die zich blootgaven door bijvoorbeeld snelheid te minderen. Een jaar eerder had ik deze paranoia overdreven gevonden.

Gedurende de rest van 2018 bleef ik onderzoek doen naar het wereldje van de commerciële Israëlische inlichtingenvergaring – als onderdeel daarvan hield ik Black Cube in het oog. Ik had regelmatig contact met Eido Minkovsky, de opgewekte freelancer die de public relations voor de spionnendienst deed. Wanneer ik hem belde, nam hij op met 'Ronan, schat'. En nadat hij ontwijkend gereageerd had op mijn meeste recente vragen, schreef hij: 'Verlaat me alsjeblieft niet.' In januari 2019 stemde hij in om iets te drinken tijdens een van zijn regelmatige bezoekjes aan New York.

Enkele uren voor die bijeenkomst belde Ostrovskiy. Black Cube had Roman Khaykin en InfoTactic opgedragen een pen te vinden waarmee je in het geheim een geluidsopname kon maken. Ostrovskiy stuurde een foto van de spionnenpen die ze hadden opgeduikeld.

Hij was gitzwart met een zilveren clip: niets dat opviel als je niet wist waarop je moest letten. Toch bezat de pen kenmerken waaraan je hem kon herkennen, zoals een chromen ringetje op een bepaalde hoogte op het inktreservoir.

Minkovsky en ik hadden afgesproken in een wijnbar in Hell's Kitchen. Ik trof hem aan terwijl hij met een brede grijns in een hoekje zat te loungen. Minkovsky bestelde een cocktail en voerde met zijn gebruikelijke gevlei de boventoon. Toen zei hij dat hij aantekeningen wilde maken terwijl ik mijn vragen stelde. Uit een zak van zijn jasje haalde hij een zwarte pen met zilveren clip tevoorschijn.

'Grappig, ik heb diezelfde pen,' zei ik.

Zijn grijns verflauwde. 'Het is een speciale pen,' zei hij. 'Van Minkovsky Industries.'

Ik vroeg Minkovsky of hij het gesprek opnam. Hij leek beledigd. Natuurlijk informeerde hij Zorella, de oprichter van Black Cube, over al zijn bijeenkomsten. Hij had geen keus, want hij werd regelmatig aan een leugendetectortest onderworpen. Maar: 'Ronan, ik zou nóóit een gesprek opnemen.'

Later zou Minkovsky nog altijd volhouden dat de pen die hij gebruikte volstrekt onschuldig was en dat hij geen weet had van het bestaan van andere pennen. Na afloop van onze bijeenkomst appte ik Ostrovskiy: 'Weet je misschien aan wie die pen werd geleverd?' Daarop stuurde hij een reeks foto's. Stuk voor stuk toonden ze Minkovsky, die net vóór onze afspraak op een straathoek de spionnenpen in ontvangst nam.

Een paar dagen later leek die spionnenpen op te duiken in Black Cubes meest recente operatie. Een man van middelbare leeftijd met een net wit baardje, die zichzelf voorstelde als Michael Lambert, nam plaats voor een lunch met John Scott-Railton, een onderzoeker voor de waakhondorganisatie Citizen Lab. Lambert zei dat hij werkzaam was voor de in landbouwtechnologie gespecialiseerde onderneming cpw Consulting, gevestigd in Parijs. Hij wilde graag met Scott-Railton praten over diens promotieonderzoek naar camera's die op vliegers worden gemonteerd om kaarten te ontwerpen – die dus schijnen te bestaan.

Toen het eten kwam, nam Lamberts belangstelling echter een afslag.[2] Onlangs had Citizen Lab, dat door staten gesteunde inspanningen om journalisten te hacken en in de gaten te houden in kaart brengt, naar buiten gebracht dat de Pegasus-software van de NSO Group was aangetroffen op een iPhone van een vriend van de journalist Jamal Khashoggi.[3] Dit was vlak voordat Saoedische geheim agenten Khashoggi met een botzaag in stukken sneden. Hun onderzoek ontlokte de NSO Group felle kritiek. De organisatie ontkende dat haar software was gebruikt om Khashoggi te volgen, maar weigerde antwoord te geven op de vraag of ze de software aan de Saoedische regering hadden verkocht. Lambert wilde graag meer weten over het onderzoek van Citizen Lab naar de NSO Group. Hij vroeg of er aan de focus op de Israëlische groep misschien een 'racistisch kantje' zat. Hij bestookte Scott-Railton met vragen over zijn ideeën over de Holocaust. En tijdens dat gesprek haalde Lambert een zwarte pen tevoorschijn, met een zilveren clip en chromen ringetje op het inktreservoir. Hij legde de pen op een blocnote voor zich, met de punt richting Scott-Railton.

Lambert volgde een welbekend script. In de operaties waarin Stella Penn Pechanac was betrokken – gericht op werknemers van West Face Capital en critici van AmTrust Financial Services – hadden Black Cube-agenten ook gehengeld naar antisemitische uitlatingen.[4] Ditmaal was het doelwit daar echter op beducht: Scott-Railton vermoedde al een list en had zichzelf met opnamemateriaal uitgerust. Aldus nam hij het hele gesprek op. Het was bijna een confrontatie tussen twee spionnen – die bovendien allebei een eigen schaduwman hadden meegebracht. Want op dat moment arriveerde ook Raphael Satter, een Associated Press-journalist met wie Scott-Railton eerder had gewerkt. Hij had een camera bij zich. En hij begon de man te ondervragen die helemaal geen Michael Lambert heette. De Black Cube-agent was ontmaskerd.

Vanaf een nabij tafeltje had ook Ostrovskiy de bijeenkomst gevolgd en gefotografeerd. Khaykin was eerder aanwezig geweest, maar daarna weer vertrokken. Woedend belde hij op: 'Onze man is erbij!' zei hij. 'Ga onmiddellijk naar de lobby. Hij moet daar weg.' De Black Cube-agent glipte naar buiten via de dienstingang. Ostrovskiy pikte hem met zijn bagage op. Daarna reed hij eerst wat rond om eventuele achtervolgers af te schudden. Tijdens de rit voerde de agent verwoede telefoongesprekken in het Hebreeuws en probeerde hij de eerst mogelijke vlucht uit New York te boeken. Aan zijn bagage hing een naamkaartje met 'ALMOG' en een huisadres in Israël. Dit was zijn echte naam: de agent heette Aharon Almog-Assouline.[5] Hij was een afgezwaaide Israëlische veiligheidsfunctionaris die, zo bleek later, betrokken was bij een hele reeks Black Cube-operaties.

Black Cube en de NSO Group ontkenden later elke connectie met de operatie tegen Citizen Lab. Maar Almog-Assouline was aanwezig geweest tijdens veel van de bijeenkomsten die Ostrovskiy mij in de voorgaande maanden had beschreven: hij gaf de indruk het te hebben voorzien op figuren die kritiek leverden op de NSO Group en stelde dat de software van die organisatie werd gebruikt om journalisten te achtervolgen.

Black Cube was woedend over de verknoeide operatie. Het bureau verordonneerde dat iedereen die van de operatie had afgeweten aan een leugendetectortest werd onderworpen. Ostrovskiy belde me. Hij vreesde dat het slechts een kwestie van tijd was voordat hij werd betrapt. Hij wilde praten, en niet alleen tegen een journalist. Hij bezat kennis over spionageoperaties op Amerikaans grondgebied van agenten nauw verbonden aan een buitenlandse regering. Inmiddels had hij het al bij de FBI geprobeerd, maar daar werd hij van het kastje naar de muur gestuurd door sceptische agenten die uiteindelijk hadden opgehangen. Hij vroeg of ik over betere contacten bij de autoriteiten beschikte. Daarop belde ik Bertoni. Die bleef onvermurwbaar waar het ging om het tot een absoluut minimum beperkt houden van contacten met de aanklager. Niettemin zag hij er geen kwaad in om een bron te informeren over contact met de autoriteiten.

De laatste keer dat ik deze kwestie met mijn oude studiegenoot besprak, zaten we in een ander restaurant in het Financial District. Ik kwam verfomfaaid binnen vanuit de regen. Hij, onberispelijk en droog, zond me opnieuw een perfecte glimlach en bestelde drankjes.

'Denk erover,' herhaalde hij. Op tafel raakte zijn hand op een haar na de mijne. 'Je hoeft dit niet allemaal in je eentje te doen.'

Ik stelde me voor hoe het zou zijn. Toen trok ik mijn hand een paar centimeter terug. Ik zei dat ik niet wilde praten, maar dat ik bronnen had die dat misschien wel wilden. Ik vroeg naar de juiste contactpersoon.

Snel daarna stuurde ik Ostrovskiy een naam van iemand bij het Southern District van New York. Ostrovskiy nam een advocaat in de arm – John Tye, dezelfde klokkenluidersadvocaat die ik eerder had geraadpleegd – en meldde zich als mogelijk getuige.

55
GESMOLTEN

Na het Weinstein-verhaal kende NBC News een lastig jaar. Eind november 2017 maakte Savannah Guthrie, vanwege een ochtendlijke tv-begrafenis gekleed in een zwarte bloemetjesjurk, bekend dat Matt Lauer op staande voet was ontslagen. Nog geen achtenveertig uur eerder had 'een collega een gedetailleerde klacht over ongepast seksueel gedrag op de werkvloer' ingediend. Guthrie zei dat ze er 'kapot van was'. Ze noemde Lauer 'mijn dierbare vriend' en benadrukte dat hij 'hier onder veel mensen geliefd' was.

Daarna las Guthrie een verklaring van Andy Lack voor, die suggereerde dat ook het management geschokt was over Lauer. De klacht van de niet bij name genoemde collega was 'de eerste over zijn gedrag in de ruim twintig jaar dat hij bij NBC News werkte'. De omroep ging snel te werk om die boodschap ook in de rest van de media opgeld te laten doen.

Na de aankondiging riep Oppenheim de medewerkers van het onderzoeksteam bijeen in de vergaderzaal op de derde verdieping. Hij zei dat het gedrag waar de anonieme collega Lauer van beschuldigde weliswaar 'onacceptabel' was, maar dat hij ermee alleen professionele en geen wettelijke grenzen had overschreden. 'Dit gedrag had voor een deel plaats op de werkvloer. En Matt Lauer is Matt Lauer,' zei hij. 'Dus er was hier onmiskenbaar sprake van een ongelijk machtsevenwicht.' Toch, zo benadrukte Oppenheim, gaven de omroepmensen die met de niet bij name genoemde collega hadden gesproken 'niet aan dat ze woorden zoals "crimineel" of "geweld" in de mond nam'. Diezelfde boodschap werd algauw uitgedrukt in artikelen waaraan het communicatieteam van NBC had meegewerkt. Toen de omroep samen met het tijdschrift *People* een coververhaal publiceerde waarin Hoda Kotb als Lauers vervanger werd aangekondigd – met als kop 'Hoda & Savannah: "We waren er kapot van"' –, werd deze 'partijlijn' nog duidelijker. 'Meerdere bronnen noemen als reden voor het ontslag een affaire die NBC's gedragscode op de werkvloer overtrad,'[1] zo stond in het artikel. 'In eerste instantie vertelden bronnen tegen *The Post* dat Lauer werd beschuldigd van seksueel geweld,' zo schreef Page Six, 'maar later werd gezegd dat het om ongepast seksueel gedrag ging.'[2] Media die destijds contact met NBC onderhielden, zeiden dat de omroep geen poging ondernam om de typering van de kwestie als een affaire te corrigeren.

Ook echode Oppenheim Lacks suggestie dat de omroep tot aan twee dagen eerder, toen de niet bij name genoemde collega zich uitsprak, geen weet had gehad van klachten over Lauer. Deze verklaring kwam op verschillende journalisten bevreemdend over. Want zowel *Variety* als *The New York Times* werkten al weken aan artikelen waarin Lauer werd beschuldigd van aanhoudend seksueel wangedrag. In die periode hadden ze hierover met tal van omroepmedewerkers telefonisch contact gehad. Bovendien hadden velen binnen het gebouw al lang daarvoor klachten over Lauer gehoord. Tijdens een bijeenkomst met Oppenheim sprak McHugh zich opnieuw uit: 'Vóór maandag hebben velen van ons geruchten opgevangen over dingetjes rond Matt... Laten we het zo even noemen. Was NBC vóór maandag op de hoogte van aantijgingen van seksueel wangedrag tegen Matt?'

'Nee,' zei Oppenheim. 'We hebben alles teruggekeken en, zoals we ook al in de verklaring zeiden, intern is er de afgelopen twintig jaar geen beschuldiging geuit' op 'zodanige wijze dat zoiets geregistreerd zou zijn.' Zijn woordkeuze was veelzeggend: het was een veilige gok om aan te nemen dat er geen formele aantekening stond in het personeelsdossier over iemand van Lauers statuur. Weinstein was er evengoed rotsvast van overtuigd geweest dat zijn dossier geen 'formele' vermelding van aantijgingen van seksueel wangedrag bevatte. Hetzelfde gold voor Bill O'Reilly van Fox News. Maar daar ging het helemaal niet om. McHugh vroeg niet naar wat er geregistreerd stond, maar of NBC ervan 'op de hoogte' was geweest. En daarover was Oppenheim minder duidelijk. 'We lezen allemaal *The New York Post* en we lopen allemaal langs supermarktstandjes met *The National Enquirer*,' zei hij. 'Daar kan je echter weinig mee, zeker wanneer betrokkenen aangeven dat dat allemaal *National Enquirer*-onzin is.'

Daarmee had Oppenheim een punt: Lauer, zo onthulden AMI-medewerkers en interne documenten naderhand, had gedurende heel 2017 en 2018 sterke belangstelling van *The Enquirer* mogen wegdragen. Een e-mailuitwisseling binnen de kantoren van de tabloid bevatte zelfs het cv van de anonieme collega van wie de aantijgingen tot Lauers ontslag leidden.

Niet lang daarna riep Greenberg McHugh naar zijn kantoor. McHugh vermoedde dat hij wilde nagaan of hij tegen de pers praatte. McHugh gaf aan dat hij verontrust was door wat hij meekreeg van NBC's interne problemen en de mogelijke invloed daarvan op de Weinstein-verslaggeving. 'Iedereen praat erover, ze zeggen allemaal dat...'

'Dat ze Matt Lauer dekten,' zei Greenberg.

'Precies,' antwoordde McHugh.

'Denk je echt dat ze wisten dat er een probleem met Matt Lauer was?' vroeg Greenberg.

McHugh keek hem recht aan en zei: 'Dat denk ik echt, ja.'

In de daaropvolgende maanden werd de boodschap dat niemand bij NBC van Lauer wist met de regelmaat van een ritmische trommelslag herhaald. In mei 2018 bracht NBCUniversal de conclusie van een intern onderzoek naar buiten: 'We hebben geen bewijs gevonden dat

NBC News of de directie van de *Today Show*, News HR of anderen in leidinggevende posities binnen de News Division, voorafgaand aan 27 november 2017 klachten ontvingen over Lauers gedrag op de werkvloer.'3 Het netwerk had zich steeds verzet tegen oproepen tot een onafhankelijk onderzoek, zowel vanuit het eigen bedijf als vanuit de pers.4 Na het onderzoek werden externe advocaten ingehuurd om de conclusies tegen het licht te houden, maar het onderzoek zelf werd volledig uitgevoerd door Kim Harris' team. Daartoe behoorde ook Stephanie Franco, de senior arbeidsrechtadvocate van het bedrijf. Op de dag dat het interne onderzoeksrapport werd gepresenteerd, belegden Oppenheim en Harris opnieuw een noodvergadering van het onderzoeksteam. De verzamelde journalisten vuurden de ene sceptische vraag na de andere af. Onder hen was McHugh. 'Heeft NBC ooit een medewerker die beschikte over informatie over Matt betaald om een geheimhoudingsverklaring te ondertekenen?' vroeg hij. Harris talmde even. 'Uhm,' bracht ze uit, 'nee'.

Vervolgens vroeg hij of er in de laatste 'zes of zeven jaar' schikkingen met medewerkers waren getroffen die verband hielden met seksuele intimidatie in het algemeen. Meer aarzelingen. 'Niet dat ik weet,' zei Harris ten slotte.

Tijdens die bijeenkomst leek Harris haar geduld te verliezen met de roep van de journalisten om een onafhankelijk onderzoek. 'Het lijkt me dat dit eerder overwaait wanneer we iemand van buiten halen, of die nu tot dezelfde conclusie komt of niet,' zei een van de vrouwen in de zaal. 'Het is zo frustrerend.'

'Nu, als de *pers* erover zou ophouden, dan waait het vanzelf over,' zei Harris.

Het bleef even stil. Daarna zei een andere onderzoeksjournalist: 'Maar wij zijn de pers.'

Van meet af aan verschenen er in andere media verhalen die lijnrecht indruisten tegen de door Oppenheim en Harris geschetste versie van wat de omroep had geweten. Enkele uren nadat NBC Lauers ontslag wereldkundig gemaakt had, schreef *Variety* dat 'verschillende vrouwen (...) tegen leidinggevenden van de omroep over Lauers gedrag hebben geklaagd, maar vanwege de lucratieve advertenties rondom *Today* was dit aan dovemansoren gericht.' Het artikel suggereerde dat de klachten over Lauer binnen NBC een publiek geheim waren.⁵ Zo gaf hij eenmaal een collega een seksspeeltje, met expliciete tekst over hoe hij het bij haar hoopte te gebruiken. Terwijl de microfoon aanstond, speelde hij gedurende reclameonderbrekingen '*fuck/marry/kill*'-spelletjes. Er doken filmpjes van dezelfde aard op. Waaronder een uit 2006, waarin Lauer Meredith Vieira lijkt te zeggen: 'Blijf zo voorover buigen. Dat biedt een mooi zicht.'⁶ Tijdens een besloten Friars Club-roast van Lauer uit 2008 voerde Katie Couric à la David Letterman een humoristische 'top tien-lijst' op, die ook een verwijzing naar seksuele handelingen tussen Lauer en Ann Curry bevatte; bij dezelfde gelegenheid maakte Jeff Zucker, het toenmalige hoofd van NBCUniversal, een grap over hoe Lauers vrouw hem vanwege zijn vele faux pas op de bank liet slapen. Donald Trump, destijds de gastheer van *The Celebrity Apprentice*, was erbij geweest. 'De rode draad was dat hij de show presenteert en daarna seks heeft met mensen, met zijn medewerkers,' zei de bekende ochtendshowpresentator Joe Scarborough in een uitzending. 'Dus of er alleen achter gesloten deuren werd gefluisterd? Nee. Het werd van de daken geschreeuwd en iedereen lachte erom.'⁷

Verschillende jongere *Today*-medewerksters gaven aan dat Lauer schaamteloos was geweest in zijn zucht naar seksuele kantoorcontacten. Addie Collins, een voormalige productieassistente, vertelde me dat Lauer haar in 2000, toen ze vierentwintig was, agressief, zelfs obsessief achterna had gezeten. Ze had veel van de berichten bewaard die hij haar stuurde via de werk-e-mail of de software om showdraaiboeken bij te houden. 'NU MAAK JE ME GEK... JE ZIET ER VANDAAG FANTASTISCH UIT! HEB MOEITE ME TE CONCENTREREN,' luidde een exemplarisch bericht.⁸ Collins vertelde me dat ze het vanwege Lauers macht op het werk moeilijk vond nee te zeggen wanneer hij haar gebood naar zijn kleedkamer, of bij een gelegenheid zelfs naar een toilet, te komen om seksuele gunsten te verlenen. Ze was erin meegegaan, maar was er ziek van geweest, en het deed haar vrezen voor haar baan en voor zijn mogelijke wraak. Hoewel ze dat niet kon bewijzen, vermoedde ze dat Lauer er de hand in had gehad dat ze later enkele professionele kansen was misgelopen.

Sommige vrouwen claimden dat seksuele contacten met Lauer op het werk zonder hun instemming hadden plaatsgevonden. Een oud-NBC-medewerkster vertelde *The New York Times* dat Lauer haar in 2001 naar zijn kantoor liet komen. Vervolgens drukte hij op een knop op zijn bureau waarmee, zoals ook in andere kantoren in Rock 30 mogelijk was, van afstand de deur dichtging. Ze zei dat ze zich machteloos had gevoeld toen hij haar broek naar beneden trok, haar over een stoel boog en seks met haar had.[9] Ze viel flauw. Ten slotte bracht Lauers assistente haar naar een verpleegkundige.

In heel 2018 hoorde ik over zeven claims van seksueel wangedrag van vrouwen die met Lauer hadden gewerkt. Ter ondersteuning van hun relaas kon het merendeel van deze vrouwen zich beroepen op geschreven bewijs of op mensen die ze indertijd over het voorval hadden verteld. Verschillende van hen zeiden dat ze het aan collega's hadden verteld en dat ze geloofden dat de omroep van hun probleem had geweten.

Bovendien kwam ik meer en meer te weten over een patroon rond vrouwen die klachten hadden geuit. In de jaren na 2011 of 2012 – dus binnen het tijdsbestek waarover Harris beweerde dat NBC geen schikkingen met medewerkers over kwesties van seksuele intimidatie had getroffen – liet de omroep in werkelijkheid geheimhoudingsver- klaringen tekenen door ten minste zeven vrouwen die aangaven bin- nen het bedrijf seksuele intimidatie of discriminatie te hebben mee- gemaakt. Als onderdeel van die overeenstemmingen deden de vrouwen afstand van hun recht om een aanklacht in te dienen. In de meeste van deze gevallen ontvingen de vrouwen aanzienlijke geldsommen, die volgens betrokkenen niet in verhouding stonden tot de gebruikelijke betalingen bij een vertrek bij het bedrijf. Toen Harris aangaf dat ze niet wist van schikkingen over seksuele intimidatie- kwesties, leek ze haar toevlucht tot een formeel detail te zoeken: de omroep verwees meestal naar deze betalingen als 'verhoogde ontslag- vergoedingen'. Die werden geboden aan vrouwen die grieven had- den wanneer ze de omroep verlieten. Maar betrokken personen – ook van het mediabedrijf zelf – betwistten deze voorstelling van zaken. Zij geven aan dat de overeenkomsten expliciet bedoeld waren om te voorkomen dat vrouwen die binnenskamers aantijgingen uiten zich ook in het openbaar zouden uitspreken.

Sommige klachten van vrouwen die geheimhoudingsverklaringen ondertekenden, hadden geen betrekking op Lauer, maar op andere mannen met leidinggevende functies binnen NBC News. Twee van die schikkingen, overeengekomen in de eerste twee jaar van de peri- ode waarnaar Harris verwees, werden getroffen met vrouwen die aangaven seksueel geïntimideerd te zijn door twee hooggeplaatste figuren – die in de nasleep hiervan de omroep verlieten. 'Intern wist iedereen waarom ze weggingen,' zei een directielid van NBC dat nauw betrokken was bij het vertrek van de twee mannen. Tevens bereikte NBC overeenstemming met de vrouw die Corvo – de *Date- line*-producer die toezag op de doorlichting van het Weinstein-ver- haal – van seksuele intimidatie beschuldigde.

De andere overeenkomsten leken echter in tegenspraak met de bewering van de bazen van de omroep dat ze niets hadden geweten van aantijgingen van vrouwen aan het adres van Lauer.

Een tv-persoonlijkheid, die in 2012 een geheimhoudingsverklaring had ondertekend, zei dat NBC op de deal aanstuurde nadat ze collega's berichten had laten zien die ze voor oneerbare voorstellen hield – deze berichten waren afkomstig van zowel Lauer als van een van de directieleden die later het mediabedrijf moesten verlaten. Collega's herinnerden zich hoe beide mannen tijdens uitzendingen vulgaire opmerkingen over haar maakten terwijl de microfoon aanstond. 'Ik leek wel een stuk vlees dat voor hun neus bengelde,' zei ze. 'Ik ging naar het werk met een knoop in mijn maag. Wanneer ik weer thuis was, huilde ik.' Ze had het gevoel dat ze minder opdrachten kreeg, nadat ze de avances had afgewimpeld. 'Ik werd gestraft,' zei ze. 'Mijn carrière raakte in een vrije val.' Ze diende geen formele klacht in, omdat ze twijfelde aan het functioneren van de personeelsafdeling en verdere schade aan haar carrière vreesde. Wel vertelde ze collega's wat er was gebeurd. Daarnaast begon ze haar vertrek bij NBC voor te bereiden.

Ze herinnerde zich dat toen NBC bij haar vertrek een regeling voorstelde, haar agent zei: 'Dit heb ik nog nooit meegemaakt. Ze willen dat je een geheimhoudingsverklaring tekent.' Hij voegde toe: 'Het kan niet anders of je weet iets enorms over hen.' De agent zelf vertelde me dat hij zich dat gesprek ook nog kon herinneren. Het contract, dat ik heb ingezien, ontnam de tv-persoonlijkheid het recht om een aanklacht in te dienen. Daarnaast verbood het haar negatieve uitlatingen over NBCUniversal te doen, 'behalve in het kader van authentieke nieuwsverslaggeving'.

Het contract stond op briefpapier van NBC News en was ondertekend door zowel haarzelf als het directielid dat ze van seksuele intimidatie beschuldigde.

Een andere schikking met een vrouw die binnen het bedrijf een serieuze beschuldiging tegen Lauer uitte, stamde uit 2013. Een paar maanden nadat het Lauer-verhaal uitgekomen was, nam ik in een Italiaans restaurant in Greenwich Village plaats naast Ann Curry, zijn voormalige medepresentatrice. Ze zat op de barkruk naast me, in een perfecte houding en met een door zorgen getekend gezicht. Ze vertelde dat in haar tijd de klachten over Lauers verbale seksuele intimidatie van vrouwen op kantoor algemeen bekend waren. Eenmaal, in 2010, werd ze door een vrouwelijke collega een leeg kantoor ingetrokken. De vrouw barstte in tranen uit en vertelde

Curry dat Lauer zijn geslachtsdeel had laten zien en oneerbare voorstellen had gedaan. 'Ze leek haast voor mijn ogen van pijn *te smelten*,' zei Curry.

Naderhand wist ik de identiteit van deze vrouw te achterhalen: het was Melissa Lonner, de *Today*-producer die ik ontmoette nadat ze haar baan had opgegeven om voor de radio te werken. Aan collega's vertelde Lonner dat zij en Lauer de avond voordat ze in het bijzijn van Curry instortte, bij een werkevenement in Rock 30 waren geweest. Lauer had haar gevraagd de receptie te verlaten en met hem naar zijn kantoor te gaan; ze had dit opgevat als een werkgerelateerd verzoek. Toen ze daar aankwamen, deed hij de deur achter hen dicht.

Ze herinnerde zich hoe ze afwachtend tegen Lauer zei: 'Ik dacht dat je wilde praten.' Lauer vroeg haar op de bank te gaan zitten en begon over ditjes en datjes. Hij grapte dat hij zo'n hekel had aan werkrecepties. Vervolgens, zo vertelde ze haar collega's, ritste hij zijn broek open en liet hij zijn erectie zien.

Lonner leefde apart van haar man, maar was nog wel getrouwd. Ze was geboren in de sloppenwijken van Bangkok en had hard moeten werken om haar toenmalige professionele positie te bereiken. Ze wist nog goed hoe ze terugdeinsde in reactie op Lauers avances. Ze lachte nerveus en probeerde zichzelf uit de situatie te redden met een grap over hoe ze niet intiem wilde worden in een kantoor waar 'iedereen het heeft gedaan'.

Lonner herinnerde zich hoe Lauer zei dat hij wist dat ze dit stiekem wel wilde en, in reactie op haar grap over de stoeipartijen in het kantoor, dat hij vermoedde dat ze van een beetje smerig hield. Bovendien zou het 'voor haar de eerste keer zijn'. Ze vertelde dat hij vervolgens boos werd. Hij zei: 'Je bent verdomme een flirt, Melissa. Dit is niet oké. Eerst maak je me lekker en dan doe je niets.'

Bronnen uit Lauers kringen vertelden me dat hij haar relaas betwistte. Volgens hen herinnerde Lauer zich dat hij schertsend een schunnig gebaar maakte, maar niet dat hij zich ontblootte of haar een oneerbaar voorstel deed. Lonner deed echter direct de volgende dag zichtbaar overstuur tot in detail haar verhaal, en daaraan zou ze in de daaropvolgende jaren consequent vasthouden. Ze smeekte Curry en een andere tv-persoonlijkheid om haar naam niet te noemen, omdat ze wist dat Lauer haar carrière kapot kon maken. Curry vertelde echter wel twee hoge stafleden binnen de omroep dat ze iets aan Lauer moesten doen. 'Ik vertelde hun dat ze met hem een probleem hadden. Dat hij een probleem met vrouwen had. En dat ze hem in de gaten moesten houden.' Voor zover Curry wist, gebeurde er vervolgens niets.

Lonner vertelde collega's dat ze zich na afloop ellendig voelde. Wekenlang sprak Lauer geen woord tegen haar. Ze was bang dat ze ontslagen zou worden en begon uit te kijken naar andere banen. Toen ze een aanbod van CNN kreeg, gebeurde er echter iets geks: verschillende NBC-directieleden riepen haar voor overleg naar hun kantoren en brachten dezelfde boodschap over. Elk van hen zei dat Lauer erop aandrong dat ze bleef. 'Ik weet niet wat er tussen jullie aan de gang is,' zei een van hen, 'maar ik moet hem tevreden houden.'

Ze bleef bij de omroep. Een aantal jaar later, toen haar contract bijna afliep, werd ze alsnog ontslagen. Tegen collega's zei ze dat er nooit was gezegd waarom. Een advocaat die ze raadpleegde, merkte op dat als gevolg van een verjaringsregeling, het uitgestelde vertrek voorkwam dat ze een klacht van seksuele intimidatie kon indienen. Terwijl Lonner haar vertrek bij NBC News afrondde, belde haar agent omdat er iets merkwaardigs aan de hand was: naast de gebruikelijke verklaringen van geheimhouding en het niet doen van negatieve uitlatingen bood de omroep haar een bedrag van zes cijfers. De voorwaarde: dat ze een verklaring ondertekende waarin ze bepaalde rechten opgaf. 'Dit heb ik nooit eerder gezien,' zei haar agent. 'Blijkbaar weet jij in welke kast de lijken verborgen liggen.' Lonner begreep dat de betaling als belangrijkste doel had om haar te verhinderen dat ze met de pers praatte.

Hoewel Lonner achter de schermen werkte, verschenen er in de tabloids stukjes over haar. Daarin werd beweerd dat ze lastig was om mee te werken. Tegen vrienden vertelde Lonner dat ze geloofde dat ze belasterd werd omdat ze Lauers toenaderingen had afgeslagen.

Toen ik Lonner vroeg naar NBC, gaf ze aan dat ze over haar tijd daar niet kon praten. NBC betwistte de lezing dat de betaling aan Lonner met haar klacht over Lauer van doen had. Toch leek de omroep zich wel degelijk bewust van een zeker verband. Want toen Lachlan Cartwright, een *Daily Beast*-journalist, in 2018 aan een verhaal werkte over het vermeende NBC-patroon van schikkingen met slachtoffers van seksuele intimidatie, belde Stephanie Franco, senior arbeidsrechtadvocate van NBCUniversal, Lonners advocaat om haar te herinneren aan het bestaan en de werkzaamheid van de deal. NBC's juristen stelden later dat het telefoontje een reactie was op een navraag van Lonners advocaat. Volgens hen verwittigde het gesprek enkel over Lonners verbeuring van de mogelijkheid een juridische aanklacht in te dienen, en dus niet over een geheimhoudingsvoorwaarde.

In de jaren nadien werden nieuwe schikkingen getroffen. In 2017 ontving de ervaren *Today*-medewerkster die ik een jaar eerder op de set had zien huilen, een bedrag van zeven cijfers in ruil voor ondertekening van een geheimhoudingsverklaring. In de interne communicatie over dit contract – die ik heb kunnen inzien – benadrukten advocaten dat het voornaamste doel de belofte van stilzwijgen was. Toen haar contract bij de omroep afliep, stelde ze de seksuele intimidatie en discriminatie aan de kaak. Toch hield de omroep vol dat er geen verband was tussen de betaling en welke klacht dan ook. Daarnaast was ze tegen een hoge medewerker begonnen over Lauers seksuele intimidatie – al liet ze hem niet het materiaal zien dat ikzelf later wel onder ogen kreeg, waaronder voicemails en berichten van Lauer die ze als avances opvatte. Toen hij haar reactie te koeltjes vond, zette hij het haar betaald, zo meende ze, door op kantoor negatieve geruchten over haar te verspreiden.

56
ZDOROVIE

De klacht die tot Lauers ontslag leidde, eindigde op dezelfde manier: met een afkoopsom en een geheimhoudingsverklaring. Toen we elkaar voor het eerst spraken, wist Brooke Nevils, de niet-genoemde collega van wie het verhaal de directie van NBC en de pers hadden afgedaan als een verhouding met wederzijdse instemming, nog niet of ze ooit in staat zou zijn om ermee in de openbaarheid te treden. Toen ik uit de zware regen haar New Yorkse appartement binnenstapte, bleef ze over mijn schouder kijken tot ze de deur achter ons afgesloten had. 'Ik leef gewoon in doodsangst,' zei ze. 'En na jouw verhaal over die spionnen werd ik pas echt bang. Nu wist ik met wie ik te maken had. En wat voor schimmige streken ze hadden uitgehaald.'

Ze was voor in de dertig maar had een wat slungelig, puberachtig voorkomen. 'Lang, onhandig en plat,' zei ze lachend. Haar appartement stond vol met kunst en boeken. Net als in een roman van Murakami waren er overal katten. Nevils had er zes, althans tot die ochtend, want ze had er eentje moeten laten inslapen vanwege nierproblemen.

Ze vertelde me dit met de vlakke intonatie van iemand die al te veel had moeten doormaken. Ergens in de loop van de afgelopen twee jaar had Nevils een zelfmoordpoging gedaan. Ze was opgenomen geweest voor een posttraumatische stressstoornis, was gaan drinken, had zichzelf teruggetrokken. Ze was ruim zes kilo afgevallen en was in de afgelopen periode van tien maanden eenentwintig keer bij de dokter geweest. 'Ik was alles kwijt waar ik om gaf,' zei ze. 'Mijn baan. Het doel in mijn leven.'

Nevils was opgegroeid in de buitenwijken van Chesterfield, Missouri. In haar rapporten van de lagere school stond dat ze altijd vrijuit sprak, veel lachte en een scherp gevoel voor humor had. Haar vader was marinier geweest in Vietnam, had een PhD in marketing behaald en had een burgerfunctie bij het Pentagon. Haar moeder, die stewardess was bij TWA, was iets meer dan een jaar voor onze ontmoeting gestorven aan een hartaanval. Nevils vertelde me dat haar moeder 'zo iemand was die de wereld wilde verbeteren.'

Nevils wilde al sinds haar dertiende journalist worden en had eens gelezen dat Hemingway ooit schreef voor de *Kansas City Star*. 'Je wilt de journalistiek in omdat je in de waarheid gelooft. Omdat verhalen van mensen ertoe doen.' Ze fronste. De regen sloeg tegen de ruiten. 'Ik dacht dat wij de goeden waren.' Na haar studie aan het Johns Hopkins liep ze stage bij een aantal kranten. In 2008 kreeg ze haar droombaan in het NBC Page-programma voor loopbaanontwikkeling. In de jaren daarna werkte ze zich omhoog van het geven van rondleidingen tot het meehelpen aan grote artikelen en het assisteren van de grote sterren.

Zo werkte ze in 2014 voor Meredith Vieira, een persoonlijke heldin van haar met een carrière zoals ze zelf ook ooit hoopte te hebben. Toen Vieira werd gevraagd de Olympische Spelen van 2014 te verslaan, reisden de twee af naar Sochi, de Russische badplaats. Aan het eind van een van hun lange werkdagen gingen Vieira en Nevils naar de bar van het luxehotel waar het NBC-team verbleef. Daar zaten ze te lachen en te roddelen, en dronken ze martini's. Het was al laat, misschien rond middernacht, toen Lauer binnenkwam en rondkeek of hij een bekend gezicht zag. 'Ik was altijd een beetje bang van hem.

Op het werk was hij nogal een hork. Als we niet zo vrolijk waren geweest...' Ze maakte haar zin niet af. Maar de twee vrouwen waren zeker vrolijk. En ze hadden zitten drinken. Ze klopte op het zitje naast haar en nodigde Lauer uit om erbij te komen.

Lauer ging naast haar zitten, bekeek de martini's en zei: 'Weet je waar ik zin in heb? Een lekkere koude wodka.' Hij bestelde glazen Beluga-wodka. Nevils dronk er zes. 'Na zdorovie!' riep Lauer – op je gezondheid. Toen Lauer zijn iPhone pakte en foto's begon te maken, begon Nevils zich ondanks alle lol een beetje zorgen te maken. Lauer stond erom bekend voor de grap foto's uit te zenden van collega's tijdens de nazit. Dat hoorde bij de kwajongensstrekencultuur die hij hooghield bij *The Today Show*. Nevils voelde zich dronken en was bang dat dat op de foto's ook te zien was.

Nadat ze ieder huns weegs waren gegaan – Lauer naar zijn kamer, de vrouwen naar de hunne op een hogere verdieping in het hotel – liet Vieira grinnikend Lauers officiële perskaart zien die hem toegang gaf tot de gebeurtenissen waar ze verslag van deden. Vieira en Lauer hadden een plagerige, zusjesachtige verstandhouding. Dit was een van de vele grappen die ze samen uithaalden. De vrouwen belden Lauer en vroegen, tussen aangeschoten lachbuien door, of hij niet iets kwijt was. Nevils herinnerde zich dat Lauer vroeg of zij háár perskaart niet gemist had. Hij had hem.

Nevils ging naar Lauers kamer, een gigantische suite met een ruim uitzicht over de Zwarte Zee, om haar perskaart op te halen. Hij had nog steeds zijn werkkleding aan en de twee praatten wat over de perskaartenroof zonder dat er iets noemenswaardigs voorviel. Nevils zag zijn luxe briefpapier met 'Matthew Todd Lauer' in marineblauw reliëf, en wilde in haar dronken bui bijna voor de grap 'stinkt' eronder schrijven, maar bedacht zich. Lauer kon ook heel formeel en uit de hoogte doen tegen lager personeel zoals zij. Ze kende hem al van televisie sinds haar dertiende. Ze wilde zich niet in de nesten werken.

Nevils ging terug naar boven en nadat zij en Vieira elkaar goedenacht hadden gewenst, stuurde ze ook nog een welterustenberichtje aan Lauer, met nog een grapje over hoeveel moeite ze hadden gehad om met hun dronken hoofd de sleutelkaart in de deur te krijgen. Toen Nevils een paar minuten later haar tanden stond te poetsen, ging haar werk-BlackBerry over. Er was een mailtje binnengekomen van Lauers zakelijke mailadres met de vraag of ze nog even naar beneden kon komen. Ze antwoordde dat ze alleen kwam als ze de foto's mocht wissen waarop ze dronken in de bar zat. Hij zei dat het aanbod over tien minuten verviel. Later vertelden bronnen uit Lauers naaste omgeving me dat hij haar zorgen om de foto's als een smoesje had beschouwd, en haar berichtjes als avances. Nevils ze dat ze het nooit in haar hoofd zou halen om met Lauer te flirten. De berichtjes had ze schertsend bedoeld, zoals hij zich de hele avond ook tegen haar en Vieira had gedragen. Terugkijkend vond ze het onverstandig dat ze 's nachts alleen naar de kamer van een man was gegaan. Ze zei dat ze dronken was, niet goed over de consequenties had nagedacht, en op basis van haar eerdere ervaringen geen enkele reden had om te vermoeden dat Lauer haar niet vriendelijk zou bejegenen. 'Hij behandelde me altijd een beetje als zijn kleine zusje,' zei ze. 'Ik was al heel vaak in zijn kamer geweest.' Ze tutte zich niet op voordat ze naar beneden ging. Ze had nog steeds de kleren aan waarin ze gewerkt had, een bruine spijkerbroek van Uniqlo, een ruimvallende groene trui van Target en het Nike Sochi Olympics-jack dat de NBC-medewerkers hadden gekregen. Ze had al weken haar benen niet geschoren. Ze zei dat ze verwachtte binnen no-time weer terug te zijn.

Nu, jaren later in haar appartement, probeerde Nevils niet te huilen, maar deed het toch. 'Ik heb PTSD-therapie, ken je dat? Elke week is er weer iets anders waar ik last van heb. Ik word elke keer zo kwaad dat dit ene voorval mijn hele leven overhoop heeft gehaald.' Toen Nevils bij zijn kamer aankwam, droeg Lauer inmiddels alleen nog maar een T-shirt en een boxershort. Hij duwde haar tegen de deur en begon haar te kussen, en zij merkte dat ze eigenlijk best dronken was.

Ze herinnerde zich dat de kamer begon te tollen. 'Ik was bang dat ik zou overgeven,' zei ze. 'Ik dacht de hele tijd: ik ga over Matt Lauer heen overgeven.' Ze zei dat ze zich ineens hevig geneerde voor haar slobberkleren en haar ongeschoren benen.

Ze herinnerde zich dat Lauer haar op bed duwde, haar omdraaide en vroeg of ze zin had in anale seks. Ze zei dat ze verschillende keren had geweigerd en op een gegeven moment had geantwoord: 'Nee, dat is niet mijn ding.' Nevils zei dat ze nog niet eens uitgesproken was 'of hij deed het gewoon'. Lauer, zei ze, gebruikte geen glijmiddel. De pijn was ondraaglijk. 'Het deed zo'n zeer. Ik herinner me dat ik dacht: is dit normaal?' Ze vertelde me dat ze ophield nee te zeggen en stilletjes huilde in het kussen.

Nadat Lauer klaar was, had hij gevraagd of ze het lekker had gevonden.

'Ja,' had ze mechanisch geantwoord. Ze voelde zich vernederd en had pijn. Ze vertelde hem dat ze die dronken foto's van haar nog moest wissen en hij gaf haar zijn telefoon.

'Heb je iets tegen Meredith gezegd?' vroeg hij.

'Nee,' antwoordde ze.

'Doe maar niet,' zei hij. Nevils vroeg zich af of dit een advies of een waarschuwing was.

Eenmaal terug in haar kamer, gaf ze over. Ze trok haar broek uit en viel flauw. Toen ze bijkwam, zat ze onder het bloed. Het was door haar ondergoed en door de lakens heen gesijpeld. 'Lopen deed pijn, zitten deed pijn.' Ze durfde het probleem niet op haar werktelefoon te googelen. Later durfde ze zich niet te laten testen op een soa, want wat zou haar vriend, met wie ze al vijf jaar samen was, ervan zeggen? Het bloeden hield dagenlang aan.

Nevils zei dat, wat Lauers interpretatie ook mocht zijn van hun ontmoetingen ervoor en erna, wat er in zijn kamer was gebeurd, niet met wederzijdse instemming had plaatsgevonden. 'Het was niet met wederzijdse instemming in de zin dat ik te dronken was om te kunnen instemmen,' zei ze. 'Het was niet met wederzijdse instemming omdat ik, meer dan één keer, heb gezegd dat ik geen anale seks wilde.'

De volgende dag mailde Lauer haar een grapje over dat ze hem niet had geschreven of gebeld. Nevils zei dat er niets aan de hand was. Ze vertelde me dat ze als de dood was dat ze hem kwaad zou maken, een kwestie waar ze zich steeds meer zorgen om ging maken toen hij haar de rest van de reis leek te negeren. Toen ze eindelijk genoeg moed had verzameld om hem te bellen, zei hij dat ze zouden praten zodra ze terug waren in New York.

Ze zei dat Lauer haar bij hun terugkeer verschillende keren uitnodigde in zijn vorstelijke appartement aan de Upper East Side, waar ze twee keer seks hadden, en in zijn kantoor, waar ze nog meer seks hadden. Bronnen uit Lauers nabije omgeving benadrukten dat zij soms hem benaderde. Wat niet wordt bestreden, is dat Nevils, evenals een aantal van de vrouwen met wie ik sprak, later nog verschillende keren seks heeft gehad met de man die haar volgens haar zeggen had verkracht. 'Dat is wat ik mezelf nog het meest aanreken,' zei ze. 'Het waren transacties. Het was geen relatie.' Nevils vertelde destijds aan vrienden dat ze geen kant op kon. Lauers machtspositie – over haar én haar vriend, wiens broer voor Lauer werkte – maakte dat ze dacht geen nee te kunnen zeggen. Ze zei dat ze in de eerste weken na de vermeende aanranding, probeerde uit te stralen dat ze zich er prettig bij voelde en uitkeek naar hun ontmoetingen. Ze probeerde ook zichzelf hiervan te overtuigen. Ze gaf grif toe dat ze in gesprekken met Lauer vriendelijk en welwillend overkwam.

Maar ze zei ook dat ze doodsbang was dat Lauer haar carrière om zeep zou helpen, en dat hun ontmoetingen haar zo in gewetensnood brachten dat ze uiteindelijk haar relatie met haar vriend verbrak. Ze zei dat het haar gelukt was hem een aantal maanden uit de weg te gaan. Maar uiteindelijk kon ze toch vanwege haar werk niet om Lauer heen. In september 2014, toen Vieira de set van haar talkshow aan het versieren was met foto's van collega's, vroeg Lauers assistent

Nevils of ze bij Lauer zijn foto's wilde komen ophalen. Om half tien 's morgens, in het kleine bijkantoortje bij de studio van *The Today Show* waar ik ook wel eens met hem afsprak, wees hij op een digitaal fotolijstje op een brede rand voor het venster; het was een cadeautje geweest van Savannah Guthrie. 'Daar staat het,' zei hij. Ze moest over de rand heen buigen om erbij te kunnen. Ze zei dat hij, terwijl zij de foto's uitzocht en aan zichzelf mailde, haar bij de heupen greep en haar vingerde. Ze vertelde me dat ze gewoon haar werk probeerde te doen. 'Ik stond daar als verlamd. Ik blijf maar tegen mezelf zeggen dat ik heb gefaald omdat ik geen nee heb gezegd.' Nevils krijgt gemakkelijk blauwe plekken. Op de plaats waar hij haar benen uit elkaar duwde, heeft Lauer donkere paarse afdrukken achtergelaten. Huilend rende ze naar haar nieuwe date, een producer die die ochtend in de redactieruimte werkte, en vertelde hem wat er gebeurd was.

Die november gaf ze zich op om een afscheidsvideo samen te stellen voor haar ex-vriend, die bij de zender wegging. Dergelijke video's waren een traditie als er iemand vertrok, en bevatten meestal gelukswensen van bekende gezichten. Toen ze Lauer om een bijdrage vroeg, zei hij dat ze die zelf in zijn kantoor kon komen opnemen. Toen ze daar kwam, zei ze, vroeg hij haar hem te pijpen. 'Ik was echt ontdaan. Ik voelde me zo ellendig,' vertelde ze me. 'Ik probeerde iets aardigs te doen, en toen moest ik Matt afzuigen om hem in een afscheidsfilmpje te krijgen. Ik was er misselijk van.' Ze herinnert zich dat ze vroeg: 'Waarom doe je dit?' en dat Lauer antwoordde: 'Omdat het leuk is.'

Daarna stopten hun seksuele onderonsjes. Ze zei dat ze hem één keer, een maand later, toen ze worstelde met depressies en onzeker was over hoe hij over haar dacht, een appje stuurde met de vraag of hij in New York was. Hij antwoordde van niet.

Nevils had 'ongelofelijk veel mensen' over Lauer verteld. Ze had het haar beste vrienden verteld. Ze had het aan collega's en leidinggevenden bij NBC verteld. Maar zoals in zoveel van de verhalen die ik had gehoord, vertelde Nevils sommigen van hen slechts het halve verhaal en liet ze bepaalde details weg. Maar ze was nooit inconsistent en maakte duidelijk hoe ernstig alles was wat er gebeurd was. Toen ze een andere functie kreeg binnen het concern, als producer voor Peacock Productions, meldde ze het aan een van haar nieuwe bazen daar. Ze vond dat ze het moesten weten, voor het geval het in de openbaarheid zou komen en zij een risico zou gaan vormen. Het was geen geheim.

En toch gebeurde er jarenlang niets. Ze wist niets van het patroon van beschuldigingen van seksuele intimidatie binnen het bedrijf, of van de afkoopsommen en andere zoethoudertjes om die beschuldigingen toe te dekken. Ze wist niet dat de leiding van Peacock Productions destijds was overgedragen aan degene die Corvo had beschuldigd.

'Als de aanklaagsters van Weinstein niet met jou hadden gesproken, had ik ook nooit iets gezegd,' vertelde Nevils me. 'Ik herkende mezelf in die verhalen. En als je de zwartste periode van je leven in *The New Yorker* ziet staan, verandert dat je leven.' Naarmate het Weinstein-verhaal steeds meer momentum kreeg, begonnen collega's Nevils vragen te stellen over Lauer. Tijdens een borrel had een collega van *The Today Show* gevraagd hoe het kwam dat Nevils zo veranderd was. Vroeger was ze zo vol zelfvertrouwen en vrijmoedig geweest, net als haar rapporten van de basisschool hadden gezegd, maar nu leek Nevils teruggetrokken. Ze liet carrièrekansen lopen uit vrees dat haar ervaringen met Lauer opgerakeld zouden worden zodra ze haar nek uitstak. Ze begon stevig te drinken. Nadat ze jarenlang haar leven had ingericht rond langdurige, toegewijde relaties, had ze nu de een na de ander.

Nevils vertelde de collega van *The Today Show* alles. 'Dit is niet jouw schuld,' had de collega volgens Nevils gezegd, die in tranen was uitgebarsten. 'En geloof me, je bent niet de enige.' De collega had zo haar eigen ervaringen met Lauer en was daarna professioneel uit de gratie geraakt. De collega vond dat Nevils het Vieira moest vertellen. En zo ging Nevils naar Vieira's appartement om het hele verhaal nogmaals op te biechten. 'Het gaat om Matt, toch?' vroeg Vieira, aan het begin van hun gesprek. 'Toen ik erover nadacht, kwam ik tot de conclusie dat hij de enige is die genoeg macht over je heeft om zoiets te kunnen doen.' Vieira was bezorgd. Ze verweet zichzelf dat ze niet meer had gedaan om Nevils te beschermen, en vreesde dat er meer slachtoffers waren. 'Denk eens aan al die andere vrouwen die ik hier aan een baan heb geholpen,' zei Vieira. Nevils bleef zich maar verontschuldigen.

Beide vrouwen wisten hoever de zender zou gaan om hun toptalenten uit de wind te houden. Maar Nevils vond dat ze iets moest doen om andere vrouwen voor hetzelfde te behoeden. Vieira zei dat als ze iets wilde doen, ze een formele klacht moest indienen bij de afdeling Human Resources van NBC. En zo zat Nevils in november 2017 met een advocaat tegenover twee vrouwen van NBCUniversal, en vertelde ze het hele verhaal.

Ze vroeg of ze anoniem kon blijven, en dat kon. Maar ze hield niets achter. Ze vertelde dat er na het incident nog wel contact was geweest maar maakte duidelijk dat ze geen verhouding hadden. Ze beschreef alles in detail, lichtte toe dat ze te dronken was om in te stemmen en dat ze herhaaldelijk nee had gezegd toen Lauers anale seks wilde. Het was een van de eerste keren dat ze het trauma weer herbeleefde – ze gebruikte het woord 'verkrachting' die dag niet. Maar ze gaf er wel een ondubbelzinnige beschrijving van. Haar advocaat, Ari Wilkenfeld, onderbrak haar relaas op een gegeven moment om nog eens te benadrukken dat de interactie niet met wederzijdse instemming had plaatsgevonden. Een van de vertegenwoordigers van NBC antwoordde dat ze het begrepen, maar later zou de zender verklaren dat ze niet tot een officiële conclusie waren gekomen over dit geval. Stephanie Franco, de advocaat van NBCUniversal die het telefoontje had gepleegd om Lonners advocaat aan het bestaan van de regeling met haar te herinneren, was bij de bijeenkomst aanwezig.

Toen Nevils een paar dagen later op het werk vernam dat Lack en Oppenheim benadrukten dat het incident geen 'strafbare handeling' of een 'aanranding' inhield, liep ze van haar bureau naar het dichtstbijzijnde toilet om over te geven. Tot haar nog grotere ontzetting doken er artikelen op waaraan het communicatieteam van NBC had bijgedragen waarin het incident werd bestempeld als een 'affaire'. Het kantoor van haar advocaat werd overspoeld met boze brieven. 'Je moest je schamen dat je je kut voor een getrouwde man openzet,' stond er in een.

Nevils' dagen op het werk werden een marteling. Ze moest dezelfde vergaderingen bijwonen als iedereen waarin het nieuws werd besproken, en tijdens al die besprekingen uitten collega's uit Lauers kamp hun twijfels over haar aantijgingen, en veroordeelden ze haar. In een vergadering van *Dateline*-medewerkers vroeg Lester Holt sceptisch: 'Staat de straf wel in verhouding tot het vergrijp?' Collega's begonnen in de wandelgangen haar blik te ontwijken. Na de artikelen waarin de relatie als een affaire was gekwalificeerd, was haar toenmalige vriend ineens een stuk minder met haar begaan. Hij vroeg haar: 'Hoe kon je?' Het management van NBC had van haar een paria gemaakt. 'Je moet weten dat ik verkracht ben,' vertelde ze een vriendin. 'En NBC liegt erover.'

De zender leek intussen ook weinig in het werk te stellen om Nevils' identiteit te beschermen. Lack verkondigde dat het incident had plaatsgevonden in Sochi, waardoor het aantal mogelijke klaagsters werd teruggebracht tot een klein groepje vrouwen die tijdens die reis gemakkelijk toegang tot Lauer hadden. Een lid van de communicatieafdeling noemde Nevils bij naam in gesprekken met collega's. Bronnen die kennis van de zaak hadden, zeiden later dat Kornblau die medewerker had gewaarschuwd dat niet te doen. Wilkenfeld beschuldigde NBC publiekelijk van het beschadigen van Nevils. 'Ze weten heel goed wat ze hebben gedaan en ze moeten ermee ophouden,'[1] zei hij.

Nevils had in eerste instantie geen geld gevraagd. Ze had andere vrouwen willen helpen en daarna doorgaan met het werk waar ze zo van hield. Maar nu de publieke verontwaardiging over het verhaal en over Nevils toenam, bood NBC haar een jaarsalaris als ze zou vertrekken en een geheimhoudingsverklaring zou tekenen. Nevils wist dat haar reputatie was geschaad. Ze worstelde met het feit dat ze niet alleen een leuke baan verloor maar waarschijnlijk ook de kans om ooit nog werk te vinden. Ze dreigde de zender voor de rechter te slepen, en er volgden langdurige en moordende onderhandelingen. Bronnen die op de hoogte waren van de gesprekken zeiden dat de advocaten van de zender aanvoerden dat Nevils' toestand voortvloeide uit de dood van haar moeder en geen verband hield met de vermeende aanranding. Ten slotte vroeg haar advocaat haar het niet meer met haar therapeut over haar verdriet te hebben, uit vrees dat NBC de verslagen van haar therapie via de rechter zou opvragen. De zender zou later ontkennen dat ze daarmee hadden gedreigd of überhaupt de dood van haar moeder hadden opgeworpen. De onderhandelingen strekten zich uit over 2018 en Nevils nam verlof op medische gronden op. Uiteindelijk werd ze opgenomen voor een posttraumatische stressstoornis en alcoholmisbruik.

Op het laatst wilde NBC van het probleem af. Ze boden Nevils een steeds grotere afkoopsom – een van zeven cijfers op het eind – in ruil voor haar stilzwijgen. De zender stelde een scenario voor dat ze moest lezen, met de suggestie dat ze was vertrokken om andere mogelijkheden na te jagen, dat ze goed behandeld was en dat NBC News een positief voorbeeld vormde van hoe een bedrijf kan omgaan met seksueel grensoverschrijdend gedrag. De bronnen die van de gesprekken op de hoogte waren, zeiden dat de zender in eerste instantie een bepaling wilde opnemen om te voorkomen dat Nevils met andere vrouwen zou praten die Lauer hadden beschuldigd, maar daar verzette Nevils zich tegen. Later zou de zender ontkennen dat ze ooit op deze bepaling hadden aangedrongen.

De advocaten sloten de gelederen en zetten Nevils onder druk om het aanbod te accepteren, zoals ze ook hadden gedaan bij Gutierrez en zoveel andere vrouwen. Voor Comcast was het bedrag niet meer dan een afrondingsverschilletje. Voor Nevils was het een kwestie van overleven. Ze overzag haar verloren carrièrekansen en de schade die de zender had toegebracht aan haar reputatie, en wist dat ze geen keuze had. NBC nam bovendien nog de opvallende maatregel om niet alleen Nevils maar ook haar advocaat en een aantal anderen uit haar directe omgeving afstand te laten doen van het recht om ooit nog over de zender te spreken.

57
DOOFPOT

De beschuldigingen tegen Lauer waren niet de enige die de kop opstaken. Meteen vanaf de eerste dagen nadat het verhaal over Weinstein in het nieuws geweest was, werd NBC geteisterd door aantijgingen over mannen uit hun hoogste gelederen. Korte tijd na het eerste artikel over Weinstein in *The New Yorker* ontsloeg de zender Mark Halperin,[1] de prominente politiek analist van MSNBC en NBC News, nadat vijf vrouwen CNN hadden verteld dat hij al sinds zijn tijd bij ABC meer dan tien jaar geleden, vrouwen op het werk seksueel had geïntimideerd of aangerand: betasten, exhibitionistisch gedrag, met zijn erectie tegen een vrouw aan schurken...

Een paar dagen later ontsloeg NBC Matt Zimmerman,[2] de senior vicedirecteur boekingen van *The Today Show* en een vertrouweling van Lauer, omdat hij met twee ondergeschikten naar bed was geweest. Binnen een maand nadat het verhaal over Lauer in het nieuws gekomen was, meldden verschillende media dat de zender een assistent-producer in 1999 40.000 dollar had betaald nadat ze een aanklacht wegens verbale intimidatie had ingediend tegen Chris Matthews,[3] een van de grootste sterren aan het firmament van MSNBC.

Meer nieuws volgde. Er was de omvangrijke betaling aan de vrouw die David Corvo had beschuldigd tijdens zijn betrokkenheid bij het Weinstein-verhaal. En er was een nog opzienbarender claim die mij persoonlijk nogal schokte: drie vrouwen hadden Tom Brokaw beschuldigd van ongewenste intimiteiten van vele jaren eerder.[4] Dit ging niet om beschuldigingen van aanranding. Maar medewerkers van hem, die toen nog jong waren en aan het begin stonden van hun carrière, terwijl hij aan de top ervan stond, hadden gezegd dat hij hen een oneerbaar voorstel had gedaan en dat ze zich geïntimideerd voelden.[5] Brokaw was furieus en diep gekwetst. Hij ontkende alles.[6]

Brokaw had praktisch als enige onder de prominente figuren van NBC News bezwaar gemaakt tegen het onder de pet houden van het nieuws over Weinstein. Hij had me verteld hoe hij bij de leiding van de zender had geprotesteerd. In een e-mail aan mij noemde hij het verhaal dat ze hadden proberen onschadelijk te maken, 'de zelftoegebrachte wond van NBC'.[7] Maar het kon natuurlijk allebei waar zijn. Tom Brokaw, principieel voorvechter van lastige verhalen, had ook ooit deel uitgemaakt van een de cultuur bij de nieuwszender waarbinnen vrouwen zich niet op hun gemak en onveilig voelden, en waar er rond de sterren op hun voetstuk weinig ruimte was voor rekenschap.

Eerst zes, toen twaalf en vervolgens enkele tientallen huidige en voormalige werknemers vertelden een vergelijkbaar relaas van de sfeer van toegeeflijkheid als het ging om intimidatie door belangrijke mannen bij de zender. Verschillende werknemers zeiden dat ze ervan overtuigd waren dat het jarenlange patroon van schikkingen de continuering van dit gedrag mogelijk had gemaakt. Sommigen zeiden dat de problemen zich hadden verergerd onder leiding van Andy Lack. Toen Lack in de jaren negentig aan zijn eerste periode als hoofd van NBC News begon, 'vond er plotseling een fundamentele verschuiving plaats. Er was een bepaalde tolerantie voor grensoverschrijdend gedrag, of dat nu seksuele of alleen verbale intimidatie was,' vertelde Linda Vester me, die de eerste klacht over Brokaw indiende. 'Neerbuigende, vernederende praat, vooral tegen vrouwen. En dat was het heersende klimaat onder Andy Lack. Het was gewoon... het was afzien.'

Alle werknemers zeiden dat ze zich zorgen maakten dat die sfeer van klachten en regelingen gevolgen zou hebben voor de manier waarop de zender nieuws bracht. Dat domino-effect, zei Vester, was Lacks handelsmerk. 'Verhalen over vrouwen werden tegengehouden,' vertelde ze me. 'En dat gebeurde structureel.'

NBC verkeerde voortdurend in staat van paraatheid. In de loop van 2018 verschenen er onderzoeksartikelen in *The Washington Post*,[8] *Esquire*[9] en *The Daily Beast*, waarin een cultuur van intimidatie werd beschreven bij de zender. Toen *The Post* de voorbereidingen trof om met het verhaal naar buiten te komen dat Ann Curry de NBC-leiding had verteld dat Lauer vrouwen seksueel intimideerde, nam Stephanie Franco, dezelfde arbeidsrechtadvocaat van NBCUniversal die bij de bijeenkomst met Nevils aanwezig was geweest, telefonisch contact op met Curry. Curry herinnerde zich van het gesprek dat Franco wilde weten wat zij tegen de pers vertelde. 'Eigenlijk was het een telefoontje om me te proberen te intimideren,' zei Curry. 'Dat was mijn indruk.' Ze was verbijsterd. Het was dus blijkbaar belangrijker om haar het zwijgen op te leggen dan het probleem van het seksueel grensoverschrijdende gedrag bij de zender op te lossen. Ze nam dan ook geen blad voor de mond. 'Je moet voor die vrouwen opkomen,' zei Curry tegen Franco. 'Dat is je taak. Je zou ervoor moeten zorgen dat die vrouwen tegen die vent beschermd worden.'

'Dat probeer ik ook, als ze het toelaten,' zei Franco.[10] Later zou het telefoontje met Curry in het rapport van het interne onderzoek naar Lauer worden vermeld. Curry zei dat Franco het nooit over een rapport gehad had, en geen vragen had gesteld over seksuele intimidatie bij de zender.

Diverse huidige en voormalige werknemers herinnerden zich andere gevallen waarin de zender zijn best leek te doen om onthullingen te dwarsbomen. In één geval had NBC een externe verslaggever in dienst genomen die tot vlak daarvoor vrouwen bij de zender had gebeld met vragen over intimidatie. Een van de vrouwen met wie de verslaggever contact had opgenomen, appte me: 'Doofpot'. Er was geen medium dat zich intensiever had beziggehouden met de aantijgingen van seksuele intimidatie bij de zender en de beschuldigingen tegen Lauer, dan de *National Enquirer*. In de loop der jaren had het boulevardblad de aanklaagsters van Lauer op de huid gezeten. In 2006, toen Addie Collins plaatselijk als vaste presentator werkte in West Virginia, trof ze voor haar huis een verslaggever aan van de *Enquirer*, die haar bestookte met vragen over Lauer. Nadat Lauer ontslagen was, verlegde het blad de focus naar Nevils, die toen nog niet met haar naam bij het publiek bekend was. De samenvatting van haar verhaal had bij AMI als bijlage gecirculeerd bij interne e-mails die ik later te zien kreeg. Vlak nadat ze haar klacht had ingediend, begon de *Enquirer* Nevils' collega's en uiteindelijk ook haarzelf te bellen.

In mei 2018, na de bijeenkomst waarin Oppenheim en Harris het interne onderzoek naar Lauer probeerden uit te leggen aan een kritisch onderzoeksteam, werd ik gebeld door William Arkin, een gerespecteerd lid van dat team. Hij was bezorgd. Hij zei dat twee bronnen, één die in verband stond met Lauer en een andere binnen NBC, hem hadden verteld dat Weinstein de zender had laten weten dat hij op de hoogte was van Lauers gedrag en in staat was het te onthullen. Twee bronnen bij AMI vertelden me later dat ze hetzelfde hadden gehoord. NBC ontkende dat er bedreigingen waren geuit.

Maar het leed geen twijfel dat er ten tijde van ons onderzoek gedreigd was de beschuldigingen tegen Lauer, en in bredere zin het inzetten van geheimhoudingsverklaringen door NBC voor vrouwen die met intimidatie te maken hadden gekregen, openbaar te maken. Die twijfelachtige zwijgcultuur maakte NBC extra kwetsbaar tegenover de verleidingen en bedreigingen van Harvey Weinstein, die hij uitte via zijn advocaten en tussenpersonen, en telefoontjes aan Lack en Griffin en Oppenheim en Roberts en Meyer, die de zender in eerste instantie achterhield. Dat patroon van geheimhoudingsverklaringen en de niet-aflatende dreigementen om ze af te dwingen werd duidelijk zichtbaar toen de zender zich neerlegde bij Weinsteins argument dat zijn eigen, soortgelijke afspraken in beton gegoten waren en niet in het nieuws konden komen. En toen Weinstein zo met Dylan Howard had zitten smoezen, hadden al deze geheimen onder druk gestaan. De *Enquirer* had Lauers dossier erbij gehaald en belde de ene na de andere NBC-werknemer met vragen over hem. Vervolgens begonnen er artikelen te verschijnen die de toekomst van de sterpresentator, aan wiens naam intussen het hele lot van de zender verbonden was, op het spel zetten.

58

WITWASSEN

Ook Rich McHugh worstelde dat jaar met de nasleep van het verhaal. In zijn gesprek met Oppenheim had hij geweigerd om zich neer te leggen bij hoe de algemeen directeur van NBC de verslaggeving had gekarakteriseerd. Oppenheim was daarop steeds geïrriteerder geworden en tegen hem gaan vloeken, en Rich had zich afgevraagd af wat de gevolgen voor zijn toekomst zouden zijn. Toen hij zich in vergaderingen bleef uitspreken, 'werd ik in feite de wacht aangezegd,' zei McHugh. Hr begon te bellen: ze boden hem een loonsverhoging als hij zou blijven en – dat gevoel had hij na het gesprek met Oppenheim – zich zou aansluiten bij de partijlijn. Aan de andere kant herinnerden ze hem eraan dat zijn contract bijna afliep.

'Niemand weet wie ik ben,' zei hij tegen me toen we in een eethuisje dicht bij mijn appartement in de Upper West Side zaten te praten. 'Ze kunnen over me zeggen wat ze willen. Ze kunnen ervoor zorgen dat ik geen werk meer krijg.'

'Doe wat het beste is voor je meiden,' zei ik.

McHugh schudde zijn hoofd. 'Ik weet niet of ik dat kan.' Over zijn gezin beginnen, had geen zin – het was juist zijn verantwoordelijkheidsgevoel voor de wereld waarin zijn dochters zouden opgroeien, dat deze principiële uitbarstingen had veroorzaakt.

Uiteindelijk besloot hij dat hij het geld niet kon aannemen. 'Ik zat bij de vergaderingen waar ze tegen de rest van de mensen zaten te liegen,' zei McHugh. 'Dan moest ik op m'n tong bijten. En toen dacht ik: dat doe ik niet meer.'

Een jaar nadat hij het onderzoek naar Weinstein had moeten laten vallen, nam McHugh ontslag. Daarna gaf hij een interview aan *The New York Times*, waarin hij vertelde dat de verslaggeving op 'de allerhoogste niveaus van NBC'[1] was afgekapt, dat hem was opgedragen om geen telefoontjes meer over het verhaal aan te nemen, en dat het netwerk had gelogen over wat er was gebeurd.

Mark Kornblau en de pr-machine van NBC News gingen door het lint. Lack verzette zich, net als bij de kwestie Lauer, tegen de roep om een extern onderzoek, en stuurde nog een intern rapport naar de pers. Ik las zijn memo in een van de glazen kantoren bij *The New Yorker*, en wist niet goed wat ik ervan moest maken. Later zou het netwerk toegeven dat de memo niet was gefactcheckt. Al binnen een paar uur nadat het stuk naar buiten kwam, brachten veel van de bronnen die erin werden genoemd, verklaringen naar buiten die de inhoud bestreden.

'Farrow had nooit een slachtoffer of getuige die bij naam mocht worden genoemd,'[2] stond er herhaaldelijk in de memo. Dit was niet waar, op geen enkel moment gedurende de periode dat er bij NBC aan het verhaal werd gewerkt. 'Ambra was er altijd mee akkoord dat Farrow haar bij naam zou noemen en de opname van haar zou gebruiken, en ik had een interview in de schaduw opgenomen,' schreef Nestor in een woedende verklaring aan de pers, kort nadat Lacks memo was gepubliceerd. 'Nadat Rose McGowan zich had teruggetrokken, omdat ze zich realiseerde dat het verhaal misschien helemaal niet openbaar zou worden gemaakt, sprak ik met Farrow en had ik geopperd om ofwel mijn naam te verbinden aan het interview in silhouet, of zelfs om het interview opnieuw op te nemen, waarbij mijn gezicht wel zichtbaar zou zijn. Maar ze waren niet geïnteresseerd in dit interview.'[3] Gutierrez voegde daaraan toe: 'Ik was net zo beschikbaar voor Ronan vóórdat hij NBC verliet, als ik was nadat hij daar wegging. Niets in mij heeft ooit geaarzeld.'4 Rose McGowan gaf een verklaring aan Megyn Kelly's programma waarin ze herhaalde dat ze maandenlang *on the record* was geweest.

De memo bevatte een lange verhandeling waarin Lack en het communicatieteam de geloofwaardigheid van de bronnen probeerden te ondermijnen en ontmantelen. De verhalen van Abby Ex over Weinsteins bijeenkomsten die waren bedoeld om vrouwen in de val te lokken, werden afgedaan met de opmerking dat 'haar weergave alleen op vermoedens berustte.' Ook Ex gaf een verklaring uit waarin ze dat tegensprak. 'Dat is feitelijk incorrect,' schreef ze. 'Harvey vroeg MIJ, heel vaak, om bij deze bijeenkomsten te zijn, wat ik weigerde. Maar ik was er wel getuige van, en ben zelfs persoonlijk getuige geweest van het lichamelijke en verbale geweld van zijn hand – en dit alles heb ik voor de camera aan Ronan verteld.' In de memo werd gesuggereerd dat Dennis Rice, de marketingdirecteur, in zijn interview niet naar Weinstein verwees, en dat ik zijn uitspraken op een misleidende manier had gebruikt. In feite warende verklaringen van Rice zo opgesteld dat hij zich in geval van vergelding zou kunnen beroepen op 'plausibele ontkenning,' en hij was akkoord met de manier waarop zijn uitspraken werden gebruikt. Rice zei tegen een verslaggever dat McHugh en ik 'niets uit de context hadden gehaald. Ik wist altijd dat wat ik voor de camera zei, in een verhaal over Harvey terecht zou komen.'5 *The New Yorker* had deze uitspraken later zonder problemen gebruikt.

Lacks memo was een 'misleidende en incorrecte weergave,'6 schreef Ex, verbijsterd over het feit dat NBC bronnen onthulde en aanviel zonder ze te raadplegen. 'Dat deze memo naar de pers wordt gelekt, met een opsomming van de bronnen, zelfs als sommigen van ons niet bij naam worden genoemd, en zonder het volledige en eerlijke beeld van de verslaggeving, voelt als het tegenovergestelde van eerlijk en direct.'

In de memo werd – voor het eerst, en in tegenspraak met eerdere persberichten – toegegeven dat Weinstein 'vele malen' naar Lack, Griffin en Oppenheim had gebeld en ge-e-maild. Er werd een beeld van die gesprekken geschetst dat niet strookte met de documenten die ik later zou ontdekken, en met beschrijvingen van de mensen die erbij aan de lijn waren gebleven. In de memo werd niets gezegd over Griffins verzekeringen aan Weinstein of het warme contact dat blijkt uit een fles Grey Goose.

Verschillende onderzoeksjournalisten bij NBC spraken hun verbijstering uit over de nadrukkelijke poging van de memo om het nog lopende onderzoek puntsgewijs af te kraken. Enkele televisiejournalisten die ik ernaar vroeg, waren het met me eens dat alleen al de geluidsopnames het uitzenden waard waren. Maar McHugh en ik hadden niet beweerd dat het verhaal bij NBC al was afgerond, of dat het niet meer kon groeien en tot wasdom kon komen, zoals het slechts een paar weken later bij *The New Yorker* deed. Het probleem was dat we een strikt bevel kregen om die ontwikkeling stop te zetten. In Lacks memo werd nergens genoemd dat ik van Greenberg een interview moest afzeggen, waarvoor hij de verantwoordelijkheid bij Oppenheim had neergelegd. Ook hield het stuk achterwege dat McHugh was opgedragen om met het verhaal te stoppen, en dat Oppenheim als eerste had voorgesteld om het onderzoek de deur uit te sturen naar een gedrukt medium. 'Het doet er niet toe,' had een doorgewinterde correspondent tegen Oppenheim en Greenberg gezegd, als reactie op hun tegenwerpingen over wat we hadden gehad. 'Ik weet hoe het eruitziet als we een verhaal wél naar buiten proberen te krijgen, en hoe het eruitziet als we dat niet doen.' De correspondent zei dat 'intern het beeld is dat we het verprutst hebben.'

De memo werd ook door de pers met dergelijke scepsis ontvangen. In NBC's eigen zendtijd zette Megyn Kelly vraagtekens bij de manier waarop het netwerk intern onderzoek had verricht, en sloot zich aan bij de roep om onafhankelijk toezicht. Binnenkort zou ook zij weg zijn – ontslagen na weer een controverse rondom een tactloze opmerking over ras. Voor NBC had haar ontslag het bijkomende voordeel dat daarmee een einde kwam aan wat verschillende bronnen rondom Lack beschreven als oplopende spanningen vanwege Kelly's focus op Weinstein en Lauer.

De memo was één stap in een hele reeks bedoeld om de geschiedenis van het Weinstein-verhaal bij NBC te herschrijven. Ze huurden ook Ed Sussman in, een 'Wikipedia-witwasser,' om verwijzingen naar Oppenheim, Weinstein en Lauer in de gecrowdsourcete encyclopedie van elkaar los te maken. De Lauer-kwestie, schreef Sussman als argument voor een van zijn wijzigingen, 'kan beter apart worden behandeld.'[7] Hij manipuleerde het materiaal ten gunste van NBC, en verwerkte er soms onjuistheden in. In één wijziging stelde hij voor om de ene maand tussen het groene licht voor het Weinstein-verhaal en het verschijnen ervan in *The New Yorker* te veranderen naar 'meerdere maanden.' En soms verwijderde hij simpelweg alles wat naar de controverses verwees.

'Ik heb in WP nog maar zelden gezien dat een bedrijf de informatie zo schaamteloos en opzichtig probeert te verdraaien, en ik heb al veel gezien,' klaagde een Wikipedia-bewerker van het eerste uur. Maar Sussman kwam er vaak mee weg: hij bleef zijn wijzigingen steeds weer doorvoeren, met een volharding die onbetaalde bewerkers niet konden evenaren. Ook zette hij een netwerk van bevriende accounts in[8] om zijn aanpassingen wit te wassen en ervoor te zorgen dat ze bleven hangen. Verschillende Wikipedia-pagina's, inclusief die van Oppenheim, werden ontdaan van bewijs dat het Weinstein-verhaal was gesmoord. Het was bijna alsof het nooit was gebeurd.

59
ZWARTE LIJST

Na het eerste verhaal in *The New Yorker* stond ik voor ongeveer hetzelfde dilemma als McHugh. Een tijd lang deed ik wat ik met tegenzin had beloofd tijdens de ruzie met Oppenheim en Kornblau, en ontweek ik vragen over de geschiedenis van het verhaal bij NBC. Bij CBS keek Stephen Colbert me onderzoekend aan toen ik zei dat ik niet wilde dat het verhaal over mij ging en van onderwerp veranderde. 'Een deel van dit verhaal is dat het verhaal zo lang niet is verteld,' zei hij. 'En jij hebt meegemaakt dat het verhaal niet werd verteld.'

Te midden van al die ontwijkende interviews belde mijn zus me. 'Je neemt ze in bescherming,' zei ze.

'Ik lieg niet,' antwoordde ik.

'Nee. Je laat dingen weg. Het is oneerlijk.'

De dieptepunten tussen ons staken weer de kop op. Ik dacht aan de moeilijke jaren, nadat ik had gezegd dat ze haar mond moest houden over haar eigen beschuldiging: toen ik haar kamer inliep nadat ze uit het ziekenhuis kwam; dat ik zag hoe ze haar mouw over de rij bloedrode strepen op haar pols trok; dat ik zei dat het me speet, en dat ik wou dat ik meer had kunnen doen.

Die herfst kwam het netwerk herhaaldelijk terug op Oppenheims berichtje over een mogelijke nieuwe deal. 'Maak je tegenbod maar zo pittig als je nodig vindt,' voegde hij toe. Griffin belde mijn agenten en zei: 'Ik ben z'n man. Wat moeten we voor hem doen?' Voordat de beweringen over hem opdoken, e-mailde Brokaw me na mijn mediaoptredens: 'Je bent hier perfect mee omgegaan. Nu over de toekomst...'[1] Hij belde en zei dat het netwerk hem had gevraagd me over te halen om terug te komen. 'Ik besef dat het aanbod misschien *over the top* moet zijn, maar denk er maar eens over na. Het is nog altijd een geweldige plek om journalistiek te bedrijven.' Hij had er vertrouwen in, zei hij, dat NBC akkoord zou gaan met een verklaring waarin werd erkend wat er was misgegaan, en met een aantal nieuwe richtlijnen om redactionele inmenging te voorkomen. Ik wilde nog steeds gewoon mijn baan terug. En ik geloofde in de waarden waar NBC op zijn best voor stond. Ik overtuigde mezelf ervan dat het smoren van het Weinstein-verhaal iets eenmaligs was, niet een symptoom van dieper kwaad. Ik gaf aan dat ik wel wilde horen wat NBC te zeggen had, en vertelde hetzelfde aan mijn agenten.

Maar door McHughs weigeringen om een compromis te sluiten, en door het groeiende aantal bronnen dat me opbelde en vertelde over een patroon van misbruik en schikkingen bij NBC, werd het steeds moeilijker om verder te gaan alsof er niks gebeurd was. Kort nadat het Weinstein-verhaal uitkwam, kreeg ik contact met een groep bronnen die stelselmatig wangedrag bij CBS beschreven: een staflid dat met ondergeschikten naar bed zou gaan en anderen zou lastigvallen en aanvallen; een patroon van afkopingen om vrouwen stil te houden; tientallen medewerkers die beschreven hoe het doofpotgedrag de prioriteiten van een nieuwsmedium verstoorde. Uiteindelijk dacht ik niet dat ik verslag kon doen van de beschuldigingen tegen Leslie Moonves en de andere CBS-directieleden terwijl ik mijn mond hield over de voortdurende stroom van aantijgingen die uit Rockefeller Plaza 30 rolde.

Ik vroeg mijn agenten om de onderhandelingen te staken.

De vergelding die volgde, was resoluut. De komende maanden zou ik voor elk van de AMI-verhalen aanschuiven bij allerlei MSNBC- en NBC-programma's – en plotseling was ik niet meer welkom. Presentatoren belden me ontdaan op, één bijna in tranen, om te zeggen dat ik ondanks hun bezwaren van de show was gehaald, in opdracht van Griffin. Later vertelde een senior staflid bij NBC me dat Lack zo'n zelfde oekaze had uitgevaardigd. 'Wat zijn deze mensen gluiperig,' schreef een vaste presentator naar me. 'Ik ben zo boos.' Toen begonnen de directieleden contact op te nemen, omdat ze hadden gehoord dat ik een boek ging uitbrengen – het was me eindelijk gelukt om het boek over buitenlands beleid dat ik zo lang genegeerd had, af te maken. Ze wilden met alle plezier overwegen om me weer een plekje in hun programma's te geven om het boek te promoten, als ik vooraf een formele overeenkomst met ze kwam sluiten dat we het verleden niet meer zouden oprakelen. Ik belde Maddow op, die luisterde, en zei dat niemand haar vertelt hoe ze haar programma moet runnen. En zo kwam het dat ik tijdens de twee jaren na het Weinstein-verhaal wel in haar programma verscheen, en verder bij geen enkel ander programma van NBC of MSNBC. Later, toen ik aan de afronding van dit boek werkte, begonnen de advocaten van NBC contact op te nemen met de uitgever, Hachette.

Het laatste gesprek dat ik met Noah Oppenheim had tijdens de nasleep van het Weinstein-verhaal, was toen hij me opbelde. Ik praatte met hem vanuit het vreemde safehouse in Chelsea, waar ik rusteloos heen en weer liep terwijl Jonathan op de achtergrond meeluisterde. 'Ik ben hier de posterboy voor geworden,' zei Oppenheim tegen me. De impact van de huichelachtige verklaringen die hij en Kornblau aan verslaggevers hadden gegeven, was in de politieke tijdgeest opgevlamd. Een paar dagen eerder had Tucker Carlson bij Fox News voor een foto van Oppenheim gezeten en zijn ontslag geëist. 'Laten we duidelijk zijn. NBC liegt,' had Carlson gezegd. 'Er waren veel machtige mensen die wisten wat Harvey Weinstein deed, en die zijn misdaden niet alleen negeerden, maar actief partij kozen tegen zijn vele slachtoffers. Het is een lange lijst, maar helemaal boven aan die lijst staat NBC News.'[2] Hij leek ervan te genieten dat hij in één klap een mainstream nieuwsmedium, de Hollywood-liberalen, én een pleger van seksueel misbruik te grazen kon nemen. 'Nieuwsbazen mogen geen leugens vertellen,' zei hij, alsof hij er nog nooit een had ontmoet.

Terwijl ik liep te ijsberen, zei Oppenheim: 'Weet je, ik ben vanmorgen gebeld door NBC Global Security om te zeggen dat ze een politiewagen naar mijn huis moeten sturen vanwege alle online doodsbedreigingen.' Hij klonk boos, niet bang. 'Ik heb drie jonge kinderen die zich afvragen waarom er agenten voor de deur staan.' Ik zei dat ik dat naar vond om te horen. Ik meende het.

'Zelfs als je denkt dat NBC laf was of ongepast heeft gehandeld of wat dan ook – wat je mag vinden – dan hoop ik dat je je wel realiseert dat het niet eerlijk of juist is, dat dit zo persoonlijk is geworden en allemaal aan míj opgehangen wordt,' voegde hij toe. 'Zelfs als je denkt dat er een slechterik in dit verhaal is, dat ík die slechterik niet ben.'

Hij was geagiteerd, en praatte over me heen. Iedereen droeg wel wat verantwoordelijkheid voor zijn huidige toestand, leek het, behalve hijzelf. Toen ik zei dat mediaverslaggevers me vertelden dat hun kritiek het gevolg was van Kornblaus vele valse beweringen aan de pers, brulde hij: 'Kornblau werkt voor Andy! Hij werkt voor de nieuwsgroep! Hij werkt niet voor mij! *Hij werkt niet voor mij!*' En daarna: 'Ik kan hem niet vertellen wat-ie moet doen. Ik kan het proberen en dat heb ik ook gedaan.' Toen hij zei dat hij me nooit had bedreigd, herinnerde ik hem eraan dat Susan Weiner dat expliciet had gedaan, op zijn orders. Hij schreeuwde: 'Susan Weiner is *Andy's* advocaat! Deze mensen werken niet voor míj!' Later zouden andere betrokkenen die weergave van Oppenheims autoriteit als directeur van NBC News bestrijden.

'Je blijft zeggen dat jij degene bent die de klappen krijgt terwijl het niet jouw schuld was. Dus waar komt het dán vandaan?' vroeg ik uiteindelijk.

'Mijn baas! Oké? Ik heb een baas. Ik run NBC News niet in mijn eentje,' zei hij, en leek toen te horen wat hij zei. 'Weet je, iederéén was bij deze beslissing betrokken. Je kan je afvragen wat Kim Harris' motieven zijn, je kan je afvragen wat Andy's motieven zijn, je kan je afvragen wat mijn motieven zijn. Het enige wat ik je kan zeggen is dat ze uiteindelijk het gevoel hadden dat er, weet je wel, er een *consensus bestond over de mate waarin de organisatie zich nog prettig voelde om ermee door te gaan.*'

Hij herinnerde me er twee keer aan dat hij mijn carrière uit het slop had getrokken nadat mijn programma was stopgezet. Dat we vrienden waren geweest. Hij hoopte dat we over een paar maanden een biertje konden gaan drinken en erom zouden kunnen lachen. Ik begreep niet goed wat hij nu eigenlijk van me vroeg. Stukje bij beetje kwam het eruit. 'Ik zou je gewoon willen vragen...' zei hij. 'Mocht de gelegenheid zich ooit voor jou voordoen om te zeggen dat ík misschien niet de slechterik in dit alles ben, dan zou ik dankbaar zijn.'

En daar had je het, na al zijn argumenten: niet alleen was hij niet bereid om de verantwoordelijkheid te nemen, maar hij wilde niet eens toegeven dat er misschien ergens, bij iemand, verantwoordelijkheid zou bestaan. Het was een *consensus over de mate waarin de organisatie zich nog prettig voelde om ermee door te gaan* die onze verslaggeving had tegengehouden. Het was een *consensus over de mate waarin de organisatie zich nog prettig voelde om ermee door te gaan* die het hoofd had gebogen voor advocaten en dreigementen; die had gekucht en geschraapt en gepeinsd en de schouders had opgehaald; die meerdere geloofwaardige beschuldigingen van seksueel wangedrag had achtergehouden en een op band vastgelegde schuldbekentenis had genegeerd. Dat steriele, sussende zinnetje, die taal van onverschilligheid zonder eigenaarschap, had op zoveel plaatsen zoveel zwijgen in stand gehouden. Het was een *consensus over de mate waarin de organisatie zich nog prettig voelde om ermee door te gaan* die Harvey Weinstein en mannen zoals hem had beschermd; die had gegeeuwd en gegaapt en hele advocatenbureaus, PR-zaken, directiesuites en beroepsvelden bezig had gehouden; die vrouwen had verzwolgen.

Noah Oppenheim was niet de slechterik.

'Ik denk niet dat je over een paar maanden een biertje gaat drinken met Noah Oppenheim,' zei Jonathan later kurkdroog. Het was een zonnige middag, en we waren weer in zijn huis in Los Angeles.

'Geen ochtend-tv meer voor mij, geloof ik,' antwoordde ik. Ik begon me steeds meer te realiseren dat ik het komende jaar bezig zou zijn met het opvolgen van aanwijzingen over CBS en NBC.

'Ik zorg wel voor je, schatje,' zei hij. 'Je zult altijd mooie kleren en smoothies hebben.'

Hij knuffelde mijn middel zoals een kind een speelgoedknuffel omklemt. Ik lachte en legde een hand op de zijne. Het was een lang jaar geweest, voor mij en voor ons, maar we hadden volgehouden.

Later, toen ik had besloten dat een deel van die verslaggeving in een boek terecht zou komen, zou ik hem een vroege versie van het manuscript sturen, en hier, op deze pagina, een vraag zetten: 'Trouwen?' Op de maan of zelfs hier op aarde. Hij las het manuscript en vond het aanzoek hier, en zei: 'Tuurlijk.'

De eerste keer dat ik mijn zus Dylan zag nadat de verhalen uit begonnen te komen, gaf ze me ook een knuffel. We waren in haar huisje op het platteland, in de buurt van mijn moeder en nog een paar broers en zussen, onder een dikke laag sneeuw – lichtjaren verwijderd van het tumult van de journalistieke onthullingen. Dylans twee jaar oude dochter, die griezelig veel op haar moeder leek en zelfs een van haar moeders oude kruippakjes droeg, kirde om iets en zwaaide met haar armen. Mijn zus gaf haar een speen met een klein apenknuffeltje eraan vast, en we keken hoe ze er op haar wiebelige beentjes vandoor ging.

In mijn hoofd passeerden allerlei beelden de revue van Dylan en mij uit de tijd dat we zelf nog in kruippakjes liepen, en uit de jaren die volgden: verkleed voor schoolvoorstellingen, wachtend op de bus, samen bouwend aan een magisch koninkrijk waar niemand ons kon raken. Ik herinnerde me hoe we eens bezig waren geweest met die tinnen koningen en draken, tot er een volwassen stem klonk, die haar wegriep. Haar geschrokken blik, te bang. Dat ze vroeg of ik, als er ooit iets naars met haar zou gebeuren, er voor haar zou zijn. En dat ik haar een belofte deed.

Daar op het platteland, terwijl haar dochter in het rond rende, zei ze tegen me dat ze trots was op de verslaggeving. Ze was er dankbaar voor. En toen werd ze even stil.

'Geen verhaal voor jou,' zei ik. Toen zij zich had uitgesproken – als kind, en een paar jaar voor dit alles nog een keer – had ze het gevoel gehad dat mensen de andere kant op keken.

'Klopt,' antwoordde ze.

Het was een tijd van nieuw ontdekte aansprakelijkheid. Maar voor elk verhaal dat werd gehoord, waren er ontelbaar veel andere die dat niet werden. Dylan was gefrustreerd. Ze was boos, net als de vele andere slachtoffers van onverantwoordelijk machtige figuren, die me nu in groten getale mailden. En niet veel later voegde ze zich bij de rest – afkomstig uit de ene bedrijfstak na de andere – en vertelde tegen de wereld dat ze ook gefrustreerd was. Ze nodigde een tv-ploeg uit in haar huisje op het platteland, die de kamer zo fel verlichtten als een operatiekamer. Een nieuwspresentatrice wuifde dat het tijd was, en Dylan haalde diep adem en stapte het licht in – en dit keer luisterden de mensen wel.

Het schemerde toen ik David Remnicks kantoor bij *The New Yorker* binnenliep. Hij zat net door een document te bladeren. 'O!' zei ik, en ik bloosde een beetje. 'Dat was voor mij bedoeld.' Ik had een collega gevraagd het uit te printen zodat ik het kon ophalen. Notities, geen hand-out. Maar in plaats daarvan had Remnicks assistent het naar hem gebracht.

'Het is interessant,' zei hij. Een plagerige glimlach, een beetje on-
deugend.

We gingen zitten bij een groot raam met uitzicht op de Hudson.
Remnick was heel vriendelijk geweest, en terwijl ik probeerde te bedenken wat mijn volgende stap zou worden, had hij me advies gegeven. Hij dacht dat ik een 'tv-jongen' was, die misschien iets te graag
zijn eigen gezicht op tv wilde zien. En misschien was ik dat ook wel.
'Je wil dit niet voor altijd blijven doen, hè?' vroeg hij terwijl hij naar de
kantoren om ons heen gebaarde. Maar ik besefte dat ik dat wel wilde.

Ik wees naar de notities. De volgende golf van mogelijke verhalen.
Sommige gingen over seksueel geweld. Er was een onderzoek in ontwikkeling rondom de New Yorkse procureur-generaal Eric Schneiderman, over wie mijn collega bij *The New Yorker* Jane Mayer en ik
uiteindelijk vier beschuldigingen van lichamelijk geweld zouden publiceren, die ertoe zouden leiden dat hij aftrad. Er was een onderzoek
naar CBS, dat zou uitgroeien tot twaalf beschuldigingen van geweld en
ongewenste intimiteiten tegen Leslie Moonves, die ertoe zouden leiden dat hij ontslag nam – in dit nieuwe tijdperk het eerste ontslag van
een 'Fortune 500'-CEO vanwege dergelijke aantijgingen – en dat er
veranderingen werden doorgevoerd binnen het bestuur en de nieuws-
divisie van CBS. Andere aanwijzingen gingen over verschillende vormen van corruptie: verspilling, fraude en doofpotkwesties bij de media
en de overheid. Sommige heeft u al gezien, sommige niet.

Hij keek weer naar het document en gaf het terug aan mij.

'Te veel?' vroeg ik. Buiten het raam naast ons begon de lucht te
veranderen.

Remnick keek me aan. 'Ik ging zeggen dat we nog een hoop te
doen hebben.'

In de maanden die volgden, wist ik niet of de beschuldigingen van
misbruik bij NBC ook bij die plannen zouden horen. Bij het netwerk
was alles op orde gebracht: de Wikipedia-artikelen waren opge-
schoond en de interne onderzoeksrapporten definitief verklaard. De

mensen die iets anders zouden kunnen beweren, waren betaald, en bleven te bang om schending van hun geheimhoudingsverklaringen te riskeren. De mannen van NBC News hadden het laatste woord gesproken over Brooke Nevils: ze had een affaire gehad, ze was niet misbruikt, het bedrijf had niets over de kwestie geweten.

Of misschien toch niet. Begin 2019 ging ik terug naar Nevils, en zat weer in haar woonkamer, omringd door boeken. Dit keer nam ik Lavery mee, de factchecker van *The New Yorker*. Het middaglicht stroomde door de ramen naar binnen. Nevils werd omringd door katten: witte, zwarte en grijze, én een nieuw katje, dat de plaats innam van het diertje dat ze eerder verloren had.

Nevils zat door brieven van haar overleden moeder te bladeren. Nauwgezette briefjes, in een handschrift van dromerig cursieve omhalen, waar de liefde van een moeder voor haar dochter van de vergelende vellen papier afspatte. 'Mijn allerliefste dochter,' begon er een. 'Telkens als er een deur sluit, gaat er een andere open.'

Nevils had het gevoel dat ze haar leven had verwoest door niet haar mond te houden. En ze was er steeds meer van overtuigd dat het de juiste keuze was geweest. 'Alle vrouwen vóór mij hebben het gevoel dat wat er met mij is gebeurd, hun schuld is,' zei ze. 'En als er vrouwen na mij zouden zijn, heb ik het gevoel dat dat míjn schuld is.' Ze vertelde me dat ze bereid was om nog een risico te nemen – om haar verhaal opnieuw te vertellen, in het belang van de vrouwen die nog zouden komen.

Toen ik op het punt stond om weg te gaan, keek ze me recht in de ogen en herhaalde haar antwoord op al mijn vragen over NBC. 'Ik ben verplicht om je te zeggen dat ik Andy Lack, Noah Oppenheim of een andere medewerker van NBC News niet in diskrediet kan brengen.'

Ik knikte. En toen zag ik bij haar mondhoeken het begin van een glimlach verschijnen.

Uiteindelijk kan de moed van vrouwen niet worden uitgeroeid. En verhalen – de grote, de ware – kun je misschien vangen, maar niet vernietigen.

EPILOOG

Niet lang na mijn afspraak met Nevils spraken Igor Ostrovskiy en ik af bij een Franse bistro aan de Upper West Side. Het zonlicht viel door het raam achter hem op ons kleine tafeltje. Hij zag er doodmoe uit, alsof hij al dagen niet had geslapen. Ik vroeg hem waarom hij het had gedaan, dat idiote staaltje dubbelspionage waarbij hij maandenlang informatie naar me doorgespeeld had.

'Ik wil graag het nieuws kunnen lezen zonder de gedachte dat er iemand een pistool tegen het hoofd van de journalist houdt en zegt wat die moet schrijven,' zei hij. 'Ik kom uit een wereld waar het nieuws werd bepaald door degenen aan de macht, en dat wil ik nooit laten gebeuren met het land dat mij en mijn vrouw en zoon een kans heeft gegeven.'

Wat bleek: zijn vrouw had net een kind gekregen. Een Amerikaans jongetje van de eerste generatie.

'Ik bevond me toevallig op die tweesprong: we volgden journalisten waarvan ik de verhalen las, en waarvan ik dacht dat ze iets eerlijks en goeds deden voor de maatschappij. Als iemand dat wil aanvallen, dan valt-ie mijn land aan. Dan valt-ie mijn thuis aan.'

Ik nam hem op. Wat was het vreemd om dit te horen van de man die me een zomer lang had gevolgd, die had geprobeerd mijn verslaggeving tegen te houden.

Toen hij eenmaal had geweigerd om een leugendetectortest voor Black Cube af te nemen, kwamen er geen klussen meer van InfoTactic. Nu was hij zijn eigen bedrijf aan het opzetten, Ostro Intelligence. Hij zou nog steeds privédetective zijn, maar met het algemeen belang als invalshoek, vertelde hij, trots en oprecht. Hij meende het en wilde dat ik dat wist. Misschien kon hij groepen zoals Citizen Lab helpen. 'In de toekomst ga ik proberen om meer bij dit soort dingen betrokken te zijn, om de samenleving beter te maken, om dit soort figuren op te sporen, en proberen ze te ontmaskeren,' zei hij. 'Weet je, de pers hoort net zo zeer bij onze democratie als het Congres, de uitvoerende macht of de rechterlijke macht. De pers moet dingen controleren. En als de mensen met macht de pers onder controle hebben, of de pers nutteloos maken, als het volk de pers niet kan vertrouwen, dan verliest het volk. En dan kunnen de mensen met macht doen wat ze willen.'

Ostrovskiy bladerde door foto's op zijn telefoon, met in de verte een glimlach op zijn gezicht. Een moeder, blozend en doodop na de bevalling. Een nieuwe zoon die thuiskomt. Een vader die droomt wat voor goede man hij voor zijn gezin zou kunnen worden. Een blauwgrijze kat met slimme lampjesogen, die verwonderend naar de pasgeborene tuurt.

De kat heette trouwens Spy.

DANKWOORD

Catch and Kill is zeer grondig doorgelicht door Sean Lavery, een senior factchecker bij *The New Yorker*, die ook aan veel van mijn onderzoeken voor dat tijdschrift heeft gewerkt. Zonder zijn solide oordeel en gebrek aan werk-privébalans was dit boek niet mogelijk geweest. Noor Ibrahim en Lindsay Gellman, mijn feilloze onderzoekers, hebben lange uren gemaakt. De briljante en onvermoeibare Unjin Lee heeft dat onderzoeksteam ondersteund en geleid, me tijdens stressvolle dieptepunten geadviseerd, en lichte contraspionagetaken uitgevoerd. Ze is nog steeds van plan om Krav Maga te leren.

Little, Brown and Company is achter dit boek blijven staan tijdens een langdurig proces van verslaggeving en feitenonderzoek. Moeilijke verhalen worden niet verteld zonder bedrijven die bereid zijn om de storm te doorstaan. Dankjewel Reagan Arthur, mijn geweldige uitgever, en Michael Pietsch van Hachette Book Group. Dankjewel Vanessa Mobly, de redacteur waar elke schrijver van droomt, en een standvastige bondgenoot in het proces om dit boek goed te krijgen. Dankjewel Sabrina Callahan en Elizabeth Garriga voor hun inzet om de boodschap van dit boek te verdedigen. Ik had ook veel steun aan Mike Noon, onze hardwerkende productieredacteur, Janet Byrne, onze uiterst precieze bureauredacteur, en Gregg Kulick, onze getalenteerde ontwerper, die zich welwillend schikte in mijn stuurman-aan-wal-gedrag. Liz McNamara van Davis Wright Tremaine en

Carol Fein Ross van Hachette hebben het onderzoek met hun juridische controles verder verdedigd. En de legendarische Lynn Nesbit, mijn literair agent en goede vriendin, is tijdens de lange weg van het Weinstein-verhaal en gedurende het schrijven van dit boek, altijd achter me blijven staan.

Ik hoop dat *Catch and Kill* een eerbetoon is aan andere journalisten die ik bewonder. Zonder hun werk zouden machtige mensen niet tot de verantwoording kunnen worden geroepen. Ik ben elke dag dankbaar voor het weergaloze team bij *The New Yorker* dat het Weinstein-verhaal heeft gered, en dat telkens weer nieuwe moeilijke onderzoeken steunt.

Ik weet niet hoe ik David Remnick moet bedanken. Hij heeft de verhalen zó recht gedaan, en mij ook, dat het mijn kijk op journalistiek en op het leven heeft veranderd. Ken je dat fragment waarin Oprah Winfrey over Gayle King zegt: 'Ze is de moeder die ik nooit heb gehad. Ze is de zus die iedereen zou willen hebben. Ze is de vriendin die iedereen verdient. Ik ken geen beter mens'? Dat is David Remnick. Esther Fein, een geweldige journaliste en David Remnicks vrouw, is onwaarschijnlijk aardig. Deirdre Foley-Mendelssohn, mijn redacteur, is een uitzonderlijk talent met een onfeilbaar moreel kompas. Ze is verantwoordelijk voor de stem van onze verhalen in *The New Yorker,* en wist ergens de tijd vandaan te halen – tussen werk, reizen en een zwangerschap door – om dit boek van grondige notities te voorzien. David Rohde is mijn onverschrokken collega. Ik ben niet overtuigd van zijn beweringen dat hij niet de engel is die in dit boek beschreven wordt. Zowel hij als Michael Luo zijn belangrijke voorvechters van het onderzoek geweest.

Fabio Bertoni is een bikkel van een advocaat die de netelige juridische uitdagingen en dreigingen met integriteit en gezond verstand benaderde. Het is gemakkelijk voor een advocaat om nee te zeggen. De beste media-advocaten adviseren je hoe je op een zorgvuldige en eerlijke manier bij 'ja' komt. Natalie Raabe, het hoofd Communicatie van *The New Yorker,* ging de barricade op om onze verhalen te verdedigen tegen een paar behoorlijk efficiënte publiciteitsmachines die de feiten verdraaiden. Er zijn vele anderen, zoals Peter Canby, het hoofd Feitenonderzoek van het tijdschrift, E. Tammy Kim, de fact-checker die zo ijverig aan het eerste Weinstein-verhaal heeft gewerkt, samen met Fergus McIntosh, die me ook hielp Black Cube en AMI te ontwarren. Natalie Meade onderzocht vervolgverhalen tot in de details. Allemaal hebben ze ervoor gezorgd dat de verslaggeving precies, accuraat en eerlijk was. Andere senior redacteurs bij het tijdschrift, waaronder Pam McCarthy en Dorothy Wickenden, zijn vriendelijk en genereus geweest. Roger Angell was zo aardig om me, misschien zonder het te weten, zijn bureau te laten gebruiken. Ik hou van *The New Yorker* – en van de mensen daar, die me inspireren om een betere journalist te zijn.

Dank ook aan mijn bazen bij HBO, inclusief Richard Plepler, Casey Bloys, Nancy Abraham en Lisa Heller, die de verslaggeving bij iedere stap hebben gesteund, en die gedurende lange maanden van boekverlof achter me zijn blijven staan.

Ik ben ook veel dank verschuldigd aan de vele verslaggevers en publicaties die me hebben geholpen nieuw terrein te winnen dat relevant was voor dit boek. Dank aan de journalisten die achter het Weinstein-verhaal aan hebben gezeten en daarna hun inzichten met me hebben gedeeld, terwijl ze me niet kenden en dat niet hoefden te doen, behalve vanuit hun gevoel voor principe. Ken Auletta is een prins onder de mensen en de geschiedenis van het Weinstein-verhaal zou zonder zijn werk niet hetzelfde zijn. Ben Wallace was evenzo genereus. Janice Min, Matt Belloni en Kim Masters waren dat ook. En bewondering voor Jodi Kantor en Megan Twohey: door hun ijzersterke verhalen voelde ik me minder alleen, en leerde ik sneller typen.

Dank aan de verslaggevers die licht hebben geworpen op het AMI-verhaal, inclusief Jeff Horwitz en Jake Pearson van de Associated Press en Joe Palazzolo en Michael Rothfeld van *The Wall Street Journal.* Dank aan Shachar Alterman van *Uvda*, de documentairemaker

Ella Alterman, Adam Ciralsky van *Vanity Fair*, Raphael Satter van de Associated Press, John Scott-Railton van Citizen Lab, en Adam Entous, mijn collega bij *The New Yorker*, voor hun hulp bij het onderzoek naar Black Cube.

Dank aan degenen die beschuldigingen van misbruik bij NBC News hebben onthuld, zoals Ramin Setoodeh en Elizabeth Wagmeister van *Variety*, Sarah Ellison van *The Washington Post*, en Lachlan Cartwright van *The Daily Beast*, die het patroon van schikkingen hardnekkig heeft gevolgd.

Dank aan de journalisten en producers van NBC News die nog altijd aan belangrijke verhalen werken en geloven in de belofte en principes van die plek. Vóór de tussenkomst van directieleden was er onder collega's van Rich McHugh en mij veel steun voor het Weinstein-verhaal. Ik ben zo dankbaar aan Anna Schechter, Tracy Connor, William Arkin, Cynthia McFadden, Stephanie Gosk en vele anderen bij de onderzoeksafdeling. Rachel Maddow was een baken van morele standvastigheid. Phoebe Curran, een medeproducer, heeft ons in de vroege dagen van het verhaal geholpen bij het onderzoek.

Rich McHugh deed het juiste, zelfs als dat voor hemzelf het slechtste was, telkens weer. Zonder zijn felle ethiek en tot in zijn botten gevoelde opdracht, om nog maar te zwijgen over de gerechtvaardigde verontwaardiging van zijn vrouw Danie, waren we verloren geweest. Hij is een held en hij woont in New Jersey.

Bovenal wil ik de bronnen bedanken. De mensen die onethisch en soms illegaal gedrag van binnenuit hebben onthuld, inspireerden me. Sleepers moed brak door een muur van leugens heen en hielp slachtoffers van bedrog en *gaslighting*. Igor Ostrovskiy stelde keer op keer principes en patriottisme boven zelfbescherming, eerst door mij op de hoogte te stellen, en daarna door me zijn naam in dit boek te laten gebruiken. Dank ook aan John Tye, die hem bij dat proces heeft ondersteund, en mij bij mijn eigen veiligheidszorgen uit de brand hielp. De lijst van gewetensvolle klokkenluiders omvat vele medewerkers van Miramax en The Weinstein Company, van NBC News en AMI, van het kantoor van de officier van justitie in Manhattan, de politie van New York, en de rechtbank van het Southern District of New York. De meeste van hen kan ik niet bij naam noemen. Een paar aan wie ik veel dank verschuldigd ben, zijn Abby Ex, Dede Nickerson, Dennis Rice en Irwin Reiter.

In het bijzonder ben ik de vrouwen dankbaar die zoveel hebben geriskeerd om belangrijke informatie en moeilijke waarheden aan het licht te brengen. Rosanna Arquette overwon haar angst om me te helpen met het Weinstein-verhaal, en bleef daarna deelnemen aan de strijd, door de ene na de andere bron aan te sporen om ook naar buiten te treden. Ze is onmisbaar geweest voor mijn vervolgverhalen over Weinstein, mijn onderzoek naar CBS en andere verslaggeving die het licht nog niet heeft gezien.

Ambra Gutierrez is een fenomenale bron met de moed van een juwelendief. Haar verhaal in dit boek spreekt voor zich. Emily Nestor is een van de meest medelevende en vastberaden mensen die ik ooit heb ontmoet. Al voordat vaststond dat het verhaal er kwam, stond zij erachter. En ze is erachter blijven staan, ondanks voortdurende pogingen om haar en andere bronnen in diskrediet te brengen.

Het is een zegen dat het er te veel zijn om allemaal op te noemen. Maar hier zijn er een paar: Ally Canosa, Annabella Sciorra, Asia Argento, Brooke Nevils, Daryl Hannah, Emma de Caunes, Jane Wallace, Jennifer Laird, Jessica Barth, Karen McDougal, Lauren O'Connor, Lucia Evans, Melissa Lonner, Mira Sorvino, Rose McGowan, Sophie Dix en Zelda Perkins.

Tot slot wil ik mijn familie bedanken. Mijn moeder, die een misbruikslachtoffer – ondanks verdachtmakingen, blacklisten en intimidatie – altijd is blijven steunen, inspireert me voortdurend om een beter mens te zijn. De moed van mijn zus Dylan heeft ervoor gezorgd dat ik bleef doorgaan, en hielp me het onbegrijpelijke te begrijpen – en de interne illustraties in *Catch and Kill* zijn van haar hand. Mijn zus Quincy, wier bruiloft ik miste toen het Weinstein-verhaal moest worden afgerond, was zo begripvol. Het spijt me, Quincy!

En Jonathan – het boek is al aan hem opgedragen, en hij wordt door het hele boek heen geciteerd. Hoeveel meer aandacht heeft hij nodig?

NOTEN

1 David A. Fahrenthold, 'Trump Recorded Having Extremely Lewd
Conversation About Women in 2005,' *Washington Post*, 8 oktober 2016.
2 Opname *Access Hollywood* van Billy Bush, met Donald Trump, 2005.
3 Billy Bush in gesprek met Jennifer Lopez, *Access Hollywood*, 2002.
4 Jack Shafer, 'Why Did NBC News Sit on the Trump Tape for So Long?' *Politico Magazine*, 10 oktober 2016.
5 'NBC Planned to Use Trump Audio to Influence Debate, Election,' TMZ, 12 oktober 2016.
6 Paul Farhi, 'NBC Waited for Green Light from Lawyers Before Airing Trump Video,' *Washington Post*, 8 oktober 2016.
7 'Get to Know Billy Bush — from Billy Himself, As His Parents Send Special Wishes,' *Today show*, 22 augustus 2016.
8 'Here's How the Today show Addressed Billy Bush's Suspension On-Air,' *Entertainment Tonight*, 10 oktober 2016.
9 Michael M. Grynbaum en John Koblin, 'Gretchen Carlson of Fox News Files Harassment Suit Against Roger Ailes,' *New York Times*, 6 juli 2016.
10 Edward Helmore, 'Anti-Trump Protests Continue Across US as 10,000 March in New York,' *Guardian*, 12 november 2016.
11 Emanuella Grinberg, 'These Tweets Show Why Women Don't Report Sexual Assault,' CNN, 13 oktober 2016.
12 Rose McGowan aangehaald door Gene Maddaus in 'Rose McGowan Says a Studio Executive Raped Her,' *Variety*, 14 oktober 2016.

2 BEET
1 Ronan Farrow, 'From Aggressive Overtures to Sexual Assault: Harvey Weinstein's Accusers Tell Their Stories,' *The New Yorker*, 10 oktober 2017. Naar dit artikel wordt ook in andere hoofdstukken verwezen.

2 'They Know Him as God, but You Can Call Him Harvey Weinstein,' *Guardian*, 23 februari 2012.

3 Auletta, 'Beauty and the Beast,' *The New Yorker*, 8 december 2002.

4 Harvey Weinstein geciteerd in Margaret Sullivan, 'At 18, Harvey Weinstein Penned Tales of an Aggressive Creep. It Sure Sounds Familiar Now,' *Washington Post*, 17 oktober 2017.

5 Edward Jay Epstein, 'The Great Illusionist,' *Slate*, 10 oktober 2005.

6 Donna Gigliotti geciteerd in Ken Auletta, 'Beauty and the Beast,' *The New Yorker*, 8 december 2002.

7 Leena Kim, 'A Night Out with NYC's Former Police Commissioner,' *Town & Country*, 30 oktober 2016.

8 Ashley Lee, 'Weinstein Co. Sets Exclusive Film and TV First-Look Deal with Jay Z,' *Hollywood Reporter*, 29 september 2016.

9 Harvey Weinstein geciteerd in Zaid Jilani, 'Harvey Weinstein Urged Clinton Campaign to Silence Sanders's Black Lives Matter Message,' *Intercept*, 7 oktober 2016.

10 Ashley Lee, 'Harvey Weinstein, Jordan Roth Set Star-Studded Broadway Fundraiser for Hillary Clinton,' *Hollywood Reporter*, 30 september 2016.

11 Robert Viagas, 'Highlights of Monday's All-Star Hillary Clinton Broadway Fundraiser,' *Playbill*, 10 oktober 2016.

12 Stephen Galloway, 'Harvey Weinstein, the Comeback Kid,' *Hollywood Reporter*, 19 september 2016.

13 James B. Stewart, 'David Boies Pleads Not Guilty,' *New York Times*, 21 september 2018.

14 E-mail van Harvey Weinstein, 16 oktober 2016.

15 Black Cube website homepage, 'What makes us unique,' onder 'Cutting-Edge Analytical Skills.'

3 SLIJK

1 Joe Palazzolo, Michael Rothfeld and Lukas I. Alpert, 'National Enquirer Shielded Donald Trump From Playboy Model's Affair Allegation,' *Wall Street Journal*, 4 november 2016.

2 'Cedars Sinai Fires Six over Patient Privacy Breaches After Kardashian Gives Birth,' Associated Press, 13 juli 2013.

3 David Pecker geciteerd in Jeffrey Toobin, 'The National Enquirer's Fervor for Trump,' *The New Yorker*, 26 juni 2017.

4 Maxwell Strachan, 'David Pecker's DARKEST TRUMP SECRETS: A National Enquirer Insider Tells All!' *HuffPost*, 24 augustus 2018.

5 Jack Shafer, 'Pravda on the Checkout Line,' *Politico Magazine*, januari/februari 2017.

6 'Een van je grootste fans is Dylan Howard. Hij luistert iedere dag naar je,' schreef Lenny Dykstra, een ex-honkballer die na zijn carrière werd beschuldigd van exhibitionisme, cocaïnebezit en autodiefstal (voor dit laatste vergrijp werd

hij ook veroordeeld). Dykstra stuurde ook een kopie naar Howard en Jones, en de twee mannen spraken af elkaar te ontmoeten. E-mail van Lenny Dykstra aan Alex Jones, 10 oktober 2015.

7 'The Weinstein Company Partnering with American Media, Inc. to Produce Radar Online Talk Show,' *My New York Eye*, 5 januari 2015.

8 Ramin Setoodeh, 'Ashley Judd Reveals Sexual Harassment by Studio Mogul,' *Variety*, 6 oktober 2015.

9 E-mail van Dylan Howard aan Harvey Weinstein, 7 december 2016.

4 KNOP

1 Jared Hunt, '*Today Show* Host Left $65 in W.Va.,' *Charleston Gazette-Mail*, 19 oktober 2012.

2 Emily Smith, 'NBC Pays for Matt Lauer's Helicopter Rides to Work,' Showbizzpagina, *New York Post*, 3 september 2014.

3 Ian Mohr, 'Ronan Farrow Goes from Anchor's Desk to Cubicle,' Showbizzpagina, *New York Post*, 14 december 2016.

4 Noah Oppenheim geciteerd in Mike Fleming Jr., 'Rising Star Jackie Screenwriter Noah Oppenheim Also Runs NBC's *Today*? How Did That Happen?' *Deadline*, 16 september 2016.

5 'Oppenheim to Lauer: "There Is No Summer House," Today.com, 16 oktober 2007.

6 Noah Oppenheim geciteerd in Mike Fleming Jr., 'Rising Star Jackie Screenwriter Noah Oppenheim Also Runs NBC's *Today*? How Did That Happen?' *Deadline*, 16 september 2016.

7 Noah Oppenheim geciteerd in Mike Fleming Jr., 'Rising Star Jackie Screenwriter Noah Oppenheim Also Runs NBC's *Today*? How Did That Happen?' *Deadline*, 16 september 2016.

8 Alex French en Maximillion Potter, 'Nobody Is Going to Believe You,' *The Atlantic*, 23 januari 2019.

5 KANDAHAR

1 E-mail van Avi Yanus aan Christopher Boies, 25 november 2016.

2 E-mail van Avi Yanus aan Christopher Boies, 28 november 2016.

3 PJF Military Collection, Alamy.com stock photo, foto van Rose McGowan en U.S. Navy Petty Officer 2nd Class Jennifer L. Smolinski, een inlichtingenspecialist bij het Naval Construction Regiment 22 op het vliegveld van Kandahar in Afghanistan, 29 maart 2010.

4 Rose McGowan, BRAVE (New York: HarperCollins 2018), blz. 154.

5 Andy Thibault, 'How Straight-Shooting State's Attorney Frank Maco Got Mixed Up in the Woody-Mia Mess,' *Connecticut Magazine*, 1 april 1997.

6 Ronan Farrow, 'My Father, Woody Allen, and the Danger of Questions Unasked,' *Hollywood Reporter*, 11 mei 2016.

6 CONTINENTAAL

1 Richard Greenberg, 'Desperation Up Close,' Dateline NBC blog, aangepast op 23 januari 2004.

2 Jennifer Senior (@JenSeniorNY) op Twitter, 30 maart 2015.

3 David Carr, 'The Emperor Miramaximus,' *New York Times*, 3 december 2001.

7 PHANTOMS

1 Bill Carter, 'NBC News President Rouses the Network,' *New York Times*, 24 augustus 2014.

2 Michael Phillips, '"Brave": Rose McGowan's Memoir Details Cult Life, Weinstein Assault and Hollywood's Abuse of Women,' *Chicago Tribune*, 6 februari 2018.

8 WAPEN

1 Michael Schulman, 'Shakeup at the Oscars,' *The New Yorker*, 19 februari 2017 en Jesse David Fox, 'A Brief History of Harvey Weinstein's Oscar Campaign Tactics,' *Vulture*, 29 januari 2018.

2 Redactie Variety, 'Partners Get Chewed in UTA's Family Feud,' *Variety*, 15 januari 1995.

3 Gavin Polone, 'Gavin Polone on Bill Cosby and Hollywood's Culture of Payoffs, Rape and Secrecy (Guest Column),' *Hollywood Reporter*, 4 december 2014.

4 Danika Fears en Maria Wiesner, 'Model who accused Weinstein of molestation has sued before,' Showbizzpagina, *New York Post*, 31 maart 2015.

9 MINIONS

1 James C. McKinley Jr., 'Harvey Weinstein Won't Face Charges After Groping Report,' *New York Times*, 10 april 2015.

2 Jay Cassano en David Sirota, 'Manhattan DA Vance Took $10.000 From Head Of Law Firm On Trump Defense Team, Dropped Case,' *International Business Times*, 10 oktober 2017.

3 David Sirota en Jay Cassano, 'Harvey Weinstein's Lawyer Gave $10.000 To Manhattan DA After He Declined To File Sexual Assault Charges,' *International Business Times*, 5 oktober 2017.

11 BLOOM

1 Rebecca Dana, 'Slyer Than Fox,' *New Republic*, 25 maart 2013.

2 E-mail van Lisa Bloom aan Ronan Farrow, 14 maart 2014.

3 Lisa Bloom over *Ronan Farrow Daily*, MSNBC, 27 februari 2015.

4 Lisa Bloom over *Ronan Farrow Daily*, MSNBC, 27 februari 2015.

12 GRAPPIG

1 Jason Zengerle, 'Charles Harder, the Lawyer Who Killed Gawker, Isn't Done Yet,' *GQ*, 17 november 2016.

13 DICK

1 Ken Auletta, 'Beauty and the Beast,' *The New Yorker*, 8 december 2002.
2 E-mail van Diana Filip aan Ronan Farrow, 31 juli 2017.
3 E-mail van Diana Filip, doorgestuurd door Lacy Lynch aan Rose McGowan, 10 april 2017.
4 E-mail van Sara Ness aan Harvey Weinstein, 11 april 2017.
5 Nora Gallagher, 'Hart and Hart May Be Prime-Time Private Eyes but Jack & Sandra Are for Real,' *People Magazine*, 8 oktober 1979.
6 Michael Isikoff, 'Clinton Team Works to Deflect Allegations on Nominee's Private Life,' *Washington Post*, 26 juli 1992.
7 Jane Mayer, 'Dept. of Snooping,' *The New Yorker*, 16 februari 1998.
8 Jack Palladino geciteerd in Seth Rosenfeld, 'Watching the Detective,' *San Francisco Chronicle*, 31 januari 1999.

14 GROENTJE

1 Manuel Roig-Franzia, 'Lanny Davis, the Ultimate Clinton Loyalist, Is Now Michael Cohen's Lawyer. But Don't Call It Revenge,' *Washington Post*, 23 augustus 2018.
2 Christina Wilkie, 'Lanny Davis Wins Lobbying Fees Lawsuit Against Equatorial Guinea,' *HuffPost*, 27 augustus 2013.
3 E-mail aan Christopher Boies van Avi Yanus, 24 april 2017.
4 Phyllis Furman, 'Proud as a Peacock,' *New York Daily News*, 1 maart 1998.
5 'The Peripatetic News Career of Andrew Lack,' *New York Times*, 9 juni 2015.
6 E-mail aan Christopher Boies van Avi Yanus, 5 mei 2017.

15 GEDOE

1 E-mail van Seth Freedman aan Benjamin Wallace, 8 februari 2017.

16 VVH

1 Anna Palmer, Jake Sherman en Daniel Lippman, *Politico Playbook*, 7 juni 2017.
2 LinkedIn-bericht van Irwin Reiter aan Emily Nestor, 30 december 2014.
3 LinkedIn-bericht van Irwin Reiter aan Emily Nestor, 14 oktober 2016.

17 666

1 E-mail van Avi Yanus aan Christopher Boies, 6 juni 2017.
2 E-mail van Avi Yanus aan Christopher Boies, 12 juni 2017.
3 E-mail van Avi Yanus aan Christopher Boies, 18 juni 2017.
4 E-mail van Black Cubes projectmanager, 23 juni 2017.

18 ZWERKBAL

1 Sms van Lisa Bloom, 13 juli 2017.
2 'Confidential memo to counsel Re: Jodi Kantor/Ronan Farrow Twitter Contacts and Potential Sources,' rapport van psops, 18 juli 2017.
3 'JB Rutagarama,' Black Cube-profiel 2017.

19 NOTITIES

1 Zelda Perkins geciteerd in Ronan Farrow, 'Harvey Weinstein's Secret Settlements,' *The New Yorker*, 21 november 2017. Naar dit artikel wordt ook in andere hoofdstukken verwezen.
2 Peter Kafka, 'Why Did Three Sites Pass on a Story About an Amazon Exec Before It Landed at The Information?' *Recode*, 12 september 2017.
3 E-mail van Diana Filip aan Rose McGowan, 24 juli 2017.

22 PATHFINDER

1 E-mail van Diana Filip aan Ronan Farrow, 31 juli 2017.

23 CANDY

1 Brief van Hillary Clinton, 20 juli 2017.

24 PAUZE

1 Yashar Ali, 'Fox News Host Sent Unsolicited Lewd Text Messages To Colleagues, Sources Say,' *HuffPost*, 4 augustus 2017.
2 Redactie *Hollywood Reporter*, 'Jay Z, Harvey Weinstein to Receive Inaugural Truthteller Award from L.A. Press Club,' *Hollywood Reporter*, 2 juni 2017.

26 KNUL

1 Jon Campbell, 'Who Got Harvey Weinstein's Campaign Cash and Who Gave It Away,' *Democrat and Chronicle*, 9 oktober 2017.
2 Emily Smith, 'George Pataki Fetes His Daughter's New Book,' Showbizzpagina, *New York Post*, 9 maart 2016.

28 PAUWENSTAART

1 Noah Oppenheim, 'Reading "Clit Notes",' *Harvard Crimson*, 3 april 1998.
2 Noah Oppenheim, 'Transgender Absurd,' *Harvard Crimson*, 24 februari 1997.
3 Noah Oppenheim, 'Remembering Harvard,' *Harvard Crimson*, 22 mei 2000.
4 Noah Oppenheim, 'Considering "Women's Issues" at Harvard,' *Harvard Crimson*, 17 december 1999.
5 Noah Oppenheim, 'The Postures of Punch Season,' *Harvard Crimson*, 9 oktober 1998.

29 FAKAKTA

1 E-mail van David Remnick aan Ronan Farrow, 9 augustus 2017.
2 E-mail van Diana Filip aan John Ksar, 11 august 2017.

30 DE FLES

1 Dorothy Rabinowitz, 'Juanita Broaddrick Meets the Press,' *Wall Street Journal*, bijgewerkt op 19 februari 1999.
2 David Corvo geciteerd in Lachlan Cartwright en Maxwell Tani, 'Accused Sexual Harassers Thrived Under NBC News Chief Andy Lack,' *Daily Beast*, 21 september 2018.
3 David Corvo geciteerd in Lachlan Cartwright en Maxwell Tani, 'Accused Sexual Harassers Thrived Under NBC News Chief Andy Lack,' *Daily Beast*, 21 september 2018.

31 DE SYZYGIE

1 Lachlan Cartwright en Maxwell Tani, 'Accused Sexual Harassers Thrived Under NBC News Chief Andy Lack,' *Daily Beast*, 21 september 2018.
2 Sms van Noah Oppenheim aan Ronan Farrow, 17 augustus 2017.
3 Sms van Noah Oppenheim aan Ronan Farrow, 21 augustus 2017.

32 ORKAAN

1 'NBC Gives Sleazy Lauer One More Chance,' *National Enquirer*, 19 december 2016.
2 'Hey Matt, That's Not Your Wife!' *National Enquirer*, 25 september 2017.

33 GREY GOOSE-WODKA

1 E-mail van Harvey Weinstein aan David Pecker, 28 september 2017.
2 E-mail van David Pecker aan Harvey Weinstein, 28 september 2017.
3 E-mail van Harvey Weinstein aan David Pecker, 28 september 2017.
4 E-mail van David Pecker aan Harvey Weinstein, 28 september 2017.
5 E-mail van Deborah Turness aan Harvey Weinstein, 20 september 2017.
6 E-mail van Harvey Weinstein aan Ron Meyer, 27 september 2017.
7 E-mail van Ron Meyer aan Harvey Weinstein, 27 september 2017.
8 E-mail van David Glasser aan Harvey Weinstein, 27 september 2017.
9 E-mail van David Glasser aan Harvey Weinstein, 27 september 2017.
10 E-mail van Ron Meyer aan Harvey Weinstein, 2 oktober 2017.
11 E-mails tussen Harvey Weinstein en Noah Oppenheim, 25 september 2017.
12 E-mail aan het kantoor van Weinstein 25 september 2017. (Een bron dicht bij Oppenheim zei dat 'als' Weinstein de Grey Goose had gestuurd, Oppenheim er niet van zou hebben gedronken, en dat een medewerker hem zou hebben geretourneerd.)

34 BRIEF

1 E-mail van Bryan Lourd aan Harvey Weinstein, 26 september 2017.
2 Brief van Harder Mirell & Abrams, 29 september 2017.

35 MIMIC

1 Peter Jackson geciteerd in Molly Redden, 'Peter Jackson: I Blacklisted Ashley Judd and Mira Sorvino Under Pressure from Weinstein,' *Guardian*, 16 december 2017.
2 Jodi Kantor, 'Tarantino on Weinstein: "I Knew Enough to Do More Than I Did,"' *New York Times*, 19 oktober 2017.
3 'Rosanna (Lisa) Arquette,' Black Cube-profiel, 2017.
4 E-mail van Harvey Weinstein aan David Glasser, 27 september 2017.
5 Megan Twohey, Jodi Kantor, Susan Dominus, Jim Rutenberg en Steve Eder, 'Weinstein's Complicity Machine,' *New York Times*, 5 december 2017.

36 JAGER

1 Yohana Desta, 'Asia Argento Accuser Jimmy Bennett Details Alleged Assault in Difficult First TV Interview,' *Vanity Fair*, 25 september 2018.
2 Dino-Ray Ramos, 'Asia Argento Claims Jimmy Bennett "Sexually Attacked Her", Launches "Phase Two" Of #MeToo Movement,' *Deadline*, 5 september 2018.
3 Lisa O'Carroll, 'Colin Firth Expresses Shame at Failing to Act on Weinstein Allegation,' *Guardian*, 13 oktober 2017.

37 COUP

1 Lauren O'Connor geciteerd in Jodi Kantor en Meghan Twohey, 'Harvey Weinstein Paid Off Sexual Harassment Accusers for Decades,' *New York Times*, 5 oktober 2017.
2 Claire Forlani geciteerd in Ashley Lee, 'Claire Forlani on Harvey Weinstein Encounters: "I Escaped Five Times,"' *Hollywood Reporter*, 12 oktober 2017.
3 E-mail van Meryl Streep aan Ronan Farrow, 28 september 2017.
4 Amy Kaufman en Daniel Miller, 'Six Women Accuse Filmmaker Brett Ratner of Sexual Harassment or Misconduct,' *Los Angeles Times*, 1 november 2017.

38 BEROEMDHEID

1 E-mail van Harvey Weinstein aan Dylan Howard, 22 september 2017.
2 Megan Twohey, 'Tumult After AIDS Fund-Raiser Supports Harvey Weinstein Production,' *New York Times*, 23 september 2017.

39 RADIOACTIEVE NEERSLAG

1 Brief van Harder Mirell & Abrams, 2 oktober 2017.
2 E-mail van het kantoor van Harvey Weinstein aan Dylan Howard, 4 oktober 2017.
3 E-mail van Fabio Bertoni aan Charles Harder, 4 oktober 2017.

4   Kim Masters en Chris Gardner, 'Harvey Weinstein Lawyers Battling N.Y. Times, New Yorker Over Potentially Explosive Stories,' *Hollywood Reporter*, 4 oktober 2017.

5   Brent Lang, Gene Maddaus en Ramin Setoodeh, 'Harvey Weinstein Lawyers Up for Bombshell New York Times, New Yorker Stories,' *Variety*, 4 oktober 2017.

40 DINOSAURUS

1   Adam Ciralsky, '"Harvey's Concern Was Who Did Him In": Inside Harvey Weinstein's Frantic Final Days,' *Vanity Fair*, 18 januari 2018.

2   Lisa Bloom (@LisaBloom) op Twitter, 5 oktober 2017.

3   Lisa Bloom geciteerd in Nicole Pelletiere, 'Harvey Weinstein's Advisor, Lisa Bloom, Speaks Out: "There Was Misconduct,"' ABC News, 6 oktober 2017.

4   Verklaring van Harvey Weinstein aan de *New York Times*, 5 oktober 2017.

41 GEMEEN

1   Shawn Tully, 'How a Handful of Billionaires Kept Their Friend Harvey Weinstein in Power,' *Fortune*, 19 november 2017.

2   E-mail van Harvey Weinstein aan Brian Roberts, 6 oktober 2017.

3   Ellen Mayers, 'How Comcast Founder Ralph Roberts Changed Cable,' *Christian Science Monitor*, 19 juni 2015.

4   Tara Lachapelle, 'Comcast's Roberts, CEO for Life, Doesn't Have to Explain,' *Bloomberg*, 11 juni 2018.

5   Jeff Leeds, 'Ex-Disney Exec Burke Knows His New Prey,' *Los Angeles Times*, 12 februari 2004

6   Yashar Ali, 'At NBC News, the Harvey Weinstein Scandal Barely Exists,' *HuffPost*, 6 oktober 2017

7   Dave Itzkoff, 'SNL Prepped Jokes About Harvey Weinstein, Then Shelved Them,' *New York Times*, 8 oktober 2017.

42 BIJLICHTEN

1   Megan Twohey en Johanna Barr, 'Lisa Bloom, Lawyer Advising Harvey Weinstein, Resigns Amid Criticism From Board Members,' *New York Times*, 7 oktober 2017.

43 KLIEK

1   Jake Tapper (@jaketapper) op Twitter, 10 oktober 2017.

2   Lloyd Grove, 'How NBC "Killed" Ronan Farrow's Weinstein Exposé,' *Daily Beast*, 11 oktober 2017.

3   *The Rachel Maddow Show*, 10 oktober 2017.

44 OPLADER

1   Rielle Hunter, *What Really Happened: John Edwards, Our Daughter, and Me* (Dallas, TX; BenBella Books, 2012), loc 139 van 3387, Kindle.

2   Joe Johns en Ted Metzger, 'Aide Recalls Bizarre Conversation with Edwards Mistress,' CNN, 4 mei 2012.
3   *The Today show* met Matt Lauer, Hoda Kotb en Savannah Guthrie, 11 oktober 2017.
4   David Remnick in *CBS Sunday Morning*, 26 november 2017.
5   Megan Twohey, Jodi Kantor, Susan Dominus, Jim Rutenberg en Steve Eder, 'Weinstein's Complicity Machine,' *New York Times*, 5 december 2017.
6   Lena Dunham geciteerd in Megan Twohey, Jodi Kantor, Susan Dominus, Jim Rutenberg en Steve Eder, 'Weinstein's Complicity Machine,' *New York Times*, 5 december 2017.
7   Jeremy Barr, 'Hillary Clinton Says She's "Shocked and Appalled" by Harvey Weinstein Claims,' *Hollywood Reporter*, 10 oktober 2017.
8   'Harvey Weinstein a Sad, Sick Man — Woody Allen,' BBC News, 16 oktober 2017.
9   Rory Carroll, 'Rightwing Artist Put Up Meryl Streep "She Knew" Posters as Revenge for Trump,' *Guardian*, 20 december 2017.
10 Meryl Streep geciteerd in Emma Dibdin, 'Meryl Streep Speaks Out Against Harvey Weinstein Following Sexual Harassment Allegations,' *Elle*, 9 oktober 2017.

45 NACHTJAPON

1   E-mail van Diana Filip aan Rose McGowan, 10 oktober 2017.
2   Annabella Sciorra geciteerd in Ronan Farrow, 'Weighing the Costs of Speaking Out About Harvey Weinstein,' *The New Yorker*, 27 oktober 2017. Naar dit artikel wordt ook in andere hoofdstukken verwezen.

46 PRETEXTING

1   Miriam Shaviv, 'IDF Vet Turned Author Teases UK with Mossad Alter Ego,' *Times of Israel*, 8 februari 2013.
2   Seth Freedman, *Dead Cat Bounce* (Londen: Cutting Edge Press, 2013), loc. 17 van 3658, Kindle.
3   Mark Townsend, 'Rose McGowan: "Hollywood Blacklisted Me Because I Got Raped",' *Guardian*, 14 oktober 2017.
4   Adam Entous en Ronan Farrow, 'Private Massod for Hire,' *The New Yorker*, 11 februari 2019.
5   Redactie Haaretz, 'Ex-Mossad Chief Ephraim Halevy Joins Spy Firm Black Cube,' *Haaretz*, 11 november 2018.
6   Adam Entous and Ronan Farrow, 'Private Massod for Hire,' *The New Yorker*, 11 februari 2019.
7   Yuval Hirshorn, 'Inside Black Cube – the "Mossad" of the Business World,' *Forbes Israel*, 9 juni 2018.
8   Hadas Magen, 'Black Cube – a "Mossad-style" Business Intelligence Co,' *Globes*, 2 april 2017.
9   E-mail van Sleeper1973, 31 oktober 2017.

47 RENNEN

1 Overeenkomst tussen Boies Schiller Flexner LLP en Black Cube, 11 juli 2017.
2 Yuval Hirshorn, 'Inside Black Cube — the 'Mossad' of the Business World,' *Forbes Israel*, 9 juni 2018.
3 E-mail David Boies to Ronan Farrow, 4 november 2017.
4 E-mail van Sleeper1973 aan Ronan Farrow, 1 november 2017.

48 GASLIGHT

1 Ronan Farrow, 'Israeli Operatives Who Aided Harvey Weinstein Collected Information on Former Obama Administration Officials,' *The New Yorker*, 6 mei 2018.
2 Mark Maremont, 'Mysterious Strangers Dog Controversial Insurer's Critics,' *Wall Street Journal*, 29 augustus 2017.
3 Mark Maremont, Jacquie McNish en Rob Copeland, 'Former Israeli Actress Alleged to Be Operative for Corporate-Investigation Firm,' *Wall Street Journal*, 16 november 2017.
4 Matthew Goldstein en William K. Rashbaum, 'Deception and Ruses Fill the Toolkit of Investigators Used by Weinstein,' *New York Times*, 15 november 2017.
5 *The Woman from Sarajevo* (2007, regie Ella Alterman).
6 Yuval Hirshorn, 'Inside Black Cube — the 'Mossad' of the Business World,' *Forbes Israel*, 9 juni 2018.
7 Rose McGowan geciteerd in Ronan Farrow, 'Harvey Weinstein's Army of Spies,' *The New Yorker*, 6 november 2017. Naar dit artikel wordt ook in andere hoofdstukken verwezen.

49 STOFZUIGER

1 'Confidential memo to counsel, Re: Jodi Kantor/Ronan Farrow Twitter Contacts and Potential Sources,' rapport psops, 18 juli 2017.
2 E-mail van Dan Karson aan Harvey Weinstein, 22 oktober 2016.
3 E-mail van Blair Berk aan Harvey Weinstein, 23 oktober 2016.
4 E-mail van Dan Karson aan Harvey Weinstein, 13 oktober 2016.
5 E-mail van Dan Karson aan Harvey Weinstein, 13 oktober 2016.
6 E-mail Dan Karson aan Harvey Weinstein, 23 oktober 2016.
7 'Confidential memo to counsel, Re: Weinstein Inquiry, Re: Rose Arianna McGowan,' rapport psops, 8 november 2016.
8 'Confidential memo to counsel, Re: Weinstein Inquiry, Re: Adam Wender Moss,' rapport psops, 21 december 2016.
9 'Confidential memo to counsel, Re: Weinstein Inquiry,' rapport psops, 11 november 2016.
10 'Confidential memo to counsel, Re: Jodi Kantor/Ronan Farrow Twitter Contacts and Potential Sources,' rapport psops, 18 juli 2017.
11 E-mail van Dylan Howard aan Harvey Weinstein, 7 december 2016.
12 E-mail van Dylan Howard aan Harvey Weinstein, 7 december 2016

13 E-mail van Harvey Weinstein aan Dylan Howard, 6 december 2016.
14 E-mail van het kantoor van Black Cube in het VK aan Ronan Farrow,
2 november 2017.
15 E-mail van Avi Yanus, 31 oktober 2017.
16 E-mail van Sleeper1973 aan Ronan Farrow, 2 november 2017.

50 PLAYMATE

1 Karen McDougal geciteerd in Ronan Farrow, 'Donald Trump, a Playboy
Model, and a System for Concealing Infidelity,' *The New Yorker*, 16 februari,
2018. Naar dit artikel wordt ook in andere hoofdstukken verwezen.
2 Jordan Robertson, Michael Riley en Andrew Willis, 'How to Hack an
Election,' *Bloomberg Businessweek*, 31 maart 2016.
3 Beth Reinhard en Emma Brown, 'The Ex-Playmate and the Latin American
Political Operative: An Untold Episode in the Push to Profit from an Alleged
Affair with Trump,' *Washington Post*, 28 mei 2018.
4 Joe Palazzolo, Nicole Hong, Michael Rothfeld, Rebecca Davis O'Brien en
Rebecca Ballhaus, 'Donald Trump Played Central Role in Hush Payoffs to
Stormy Daniels and Karen McDougal,' *Wall Street Journal*, 9 november
2018.
5 E-mail van Keith Davidson aan Karen McDougal, 5 augustus 2016.
6 Cameron Joseph, 'Enquirer Gave Trump's Alleged Mistress a Trump Family
Associate to Run Her PR,' Talking Points Memo, 27 maart 2018.
7 E-mail van Dylan Howard aan Karen McDougal, 23 juni 2017.
8 E-mail hoofd juridische afdeling van AMI, 30 januari, 2018.
9 Ronan Farrow, 'Donald Trump, a Playboy Model, and a System for
Concealing Infidelity,' *The New Yorker*, 16 februari 2018.

51 CHUPACABRA

1 Ronan Farrow, 'The National Enquirer, a Trump Rumor, and Another Secret
Payment to Buy Silence,' *The New Yorker*, 12 april 2018. Naar dit artikel wordt
ook in andere hoofdstukken verwezen.
2 Nikki Benfatto geciteerd in Edgar Sandoval en Rich Schapiro, 'Ex-Wife of
Former Trump Building Doorman Who Claimed the President Has a Love
Child Says He's a Liar,' *New York Daily News*, 12 april 2018.
3 Michael Calderone, 'How a Trump 'Love Child' Rumor Roiled the Media,'
Politico, 12 april 2018.
4 'Prez Love Child Shocker! Ex-Trump Worker Peddling Rumor Donald Has
Illegitimate Child,' RadarOnline.com, 11 april 2018.
5 E-mail van Dylan Howard aan David Remnick, 11 april 2018.
6 Jake Pearson en Jeff Horwitz, '$30,000 Rumor? Tabloid Paid For, Spiked,
Salacious Trump Tip,' Associated Press, 12 april 2018.
7 Katie Johnson v. Donald J. Trump and Jeffrey E. Epstein, zaaknr. 5:16-CV-
00797-DMG-KS, United States District Court Central District of California,

aanklacht ingediend op 26 april 2016 en Jane Doe v. Donald J. Trump and Jeffrey E. Epstein, zaaknr. 1:16-cv-04642, United States District Court Southern District of New York, aanklacht ingediend op 20 juni 2016.

8 Landon Thomas Jr., 'Jeffrey Epstein: International Moneyman of Mystery,' New York, 28 oktober 2002.

9 Julie K. Brown, 'How a Future Trump Cabinet Member Gave a Serial Sex Abuser the Deal of a Lifetime,' Miami Herald, 8 november 28, 2018.

10 Jon Swaine, 'Rape Lawsuits Against Donald Trump Linked to Former TV Producer,' Guardian, 7 juli 2016.

11 Emily Shugerman, 'I Talked to the Woman Accusing Donald Trump of Rape,' Revelist, 13 juli 2016.

12 'Trump Sued by Teen "Sex Slave" for Alleged "Rape"—Donald Blasts "Disgusting" Suit,' RadarOnline.com, 28 april 2016 en 'Case Dismissed! Judge Trashes Bogus Donald Trump Rape Lawsuit,' RadarOnline.com, 2 mei 2016.

13 Michael Rothfeld en Joe Palazzolo, 'Trump Lawyer Arranged $130,000 Payment for Adult-Film Star's Silence,' Wall Street Journal, aangevuld 12 januari 2018.

14 Greg Price, 'McDougal Payment from American Media Was Trump Campaign Contribution, Watchdog Group Claims to FEC,' Newsweek, 19 februari 2018.

15 Jim Rutenberg, Kate Kelly, Jessica Silver-Greenberg en Mike McIntire, 'Wooing Saudi Business, Tabloid Mogul Had a Powerful Friend: Trump,' New York Times, 29 maart 2018.

52 KRINGEN

1 Jake Pearson en Jeff Horwitz, 'AP Exclusive: Top Gossip Editor Accused of Sexual Misconduct,' Associated Press, 5 december 2017.

2 E-mail van AMI, 17 april 2018.

3 Michael D. Shear, Matt Apuzzo en Sharon LaFraniere, 'Raids on Trump's Lawyer Sought Records of Payments to Women,' New York Times, 10 april 2018.

4 Brief van de United States Attorney for the Southern District of New York to American Media Inc., 20 september 2018.

5 Jeff Bezos, 'No Thank You, Mr. Pecker.' Medium.com, 7 februari 2019.

6 Devlin Barrett, Matt Zapotosky en Cleve R. Wootson Jr., 'Federal Prosecutors Reviewing Bezos's Extortion Claim Against National Enquirer, Sources Say,' Washington Post, 8 februari 2019.

7 Edmund Lee, 'National Enquirer to Be Sold to James Cohen, Heir to Hudson News Founder,' New York Times, 18 april 2019.

8 Keith J. Kelly, 'Where Did Jimmy Cohen Get the Money to Buy AMI's National Enquirer?' New York Post, 14 mei 2019.

9 Brooks Barnes en Jan Ransom, 'Harvey Weinstein Is Said to Reach $44 Million Deal to Settle Lawsuits,' New York Times, 23 mei 2019.

10 Lachlan Cartwright en Pervaiz Shallwani, 'Weinstein's Secret Weapon Is a "Bloodhound" NYPD Detective Turned Private Eye,' *Daily Beast*, 12 november 2018.

11 Elizabeth Wagmeister, 'Former Weinstein Production Assistant Shares Graphic Account of Sexual Assault,' *Variety*, 24 oktober 2017.

12 Jan Ransom, 'Weinstein Releases Emails Suggesting Long Relationship With Accuser,' *New York Times*, 3 augustus 2018.

13 Tarpley Hitt en Pervaiz Shallwani, 'Harvey Weinstein Bombshell: Detective Didn't Tell D.A. About Witness Who Said Sex-Assault Accuser Consented,' *Daily Beast*, 11 oktober 2018.

14 Benjamin Brafman geciteerd in Lachlan Cartwright en Pervaiz Shallwani, 'Weinstein's Secret Weapon Is a "Bloodhound" NYPD Detective Turned Private Eye,' *Daily Beast*, 12 november 2018.

15 Benjamin Brafman geciteerd in Lachlan Cartwright en Pervaiz Shallwani, 'Weinstein's Secret Weapon Is a "Bloodhound" NYPD Detective Turned Private Eye,' *Daily Beast*, 12 november 2018.

16 Gene Maddaus, 'Some Weinstein Accusers Balk at $30 Million Settlement,' *Variety*, 24 mei 2019 en Jan Ransom en Danielle Ivory, '"Heartbroken": Weinstein Accusers Say $44 Million Settlement Lets Him Off the Hook,' *New York Times*, 24 mei 2019.

17 Mara Siegler en Oli Coleman, 'Harvey Weinstein spotted meeting with PI in Grand Central Terminal,' Showbizzpagina, *New York Post*, 20 maart 2019.

18 Mara Siegler en Oli Coleman, 'Harvey Weinstein Spotted Meeting with PI in Grand Central Terminal,' Showbizzpagina, *New York Post*, 20 maart 2019.

53 AXIOMA

1 Alan Feuer, 'Federal Prosecutors Investigate Weinstein's Ties to Israeli Firm,' *New York Times*, 6 september 2018.

54 PEGASUS

1 Promotievideo van de Infotactic Group, geplaatst op de Facebookpagina en het Youtub-eaccount van de Infotactic Group, 3 maart 2018.

2 Raphael Satter, 'AP NewsBreak: Undercover Agents Target Cybersecurity Watchdog,' Associated Press, 26 januari 2019.

3 Miles Kenyon, 'Dubious Denials & Scripted Spin,' Citizen Lab, 1 april 2019.

4 Ross Marowits, 'West Face Accuses Israeli Intelligence Firm of Covertly Targeting Employees,' *Financial Post*, 29 november 2017.

5 Raphael Satter en Aron Heller, 'Court Filing Links Spy Exposed by AP to Israel's Black Cube,' Associated Press, 27 februari 2019.

55 GESMOLTEN

1 Charlotte Triggs en Michele Corriston, 'Hoda Kotb and Savannah Guthrie Are Today's New Anchor Team,' People.com, 2 januari 2018.

2　Emily Smith en Yaron Steinbuch, 'Matt Lauer Allegedly Sexually Harassed Staffer During Olympics,' Showbizzpagina, *New York Post*, 29 november 2017.

3　Claire Atkinson, 'NBCUniversal Report Finds Managers Were Unaware of Matt Lauer's Sexual Misconduct,' NBC News, 9 mei 2018.

4　Maxwell Tani, 'Insiders Doubt NBC Did a Thorough Job on Its #MeToo Probe,' *Daily Beast*, 11 mei 2018 en David Usborne, 'The Peacock Patriarchy,' *Esquire*, 5 augustus 2018.

5　Ramin Setoodeh en Elizabeth Wagmeister, 'Matt Lauer Accused of Sexual Harassment by Multiple Women,' *Variety*, 29 november 2017.

6　Matt Lauer geciteerd in David Usborne, 'The Peacock Patriarchy,' *Esquire*, 5 augustus 2018.

7　Joe Scarborough gesiteerd in David Usborne, 'The Peacock Patriarchy,' *Esquire*, 5 augustus 2018.

8　Ramin Setoodeh, 'Inside Matt Lauer's Secret Relationship with a Today Production Assistant (EXCLUSIVE),' *Variety*, 14 december 2017.

9　Ellen Gabler, Jim Rutenberg, Michael M. Grynbaum and Rachel Abrams, 'NBC Fires Matt Lauer, the Face of Today,' *New York Times*, 29 november 2017

56 ZDOROVIE

1　Ari Wilkenfeld geciteerd in Elizabeth Wagmeister, 'Matt Lauer Accuser's Attorney Says NBC Has Failed His Client During Today Interview,' *Variety*, 15 december 2017.

57 DOOFPOT

1　Oliver Darcy, 'Five Women Accuse Journalist and Game Change Co-Author Mark Halperin of Sexual Harassment,' website CNNMoney, 16 oktober 2017.

2　Redactie *Variety*, 'NBC News Fires Talent Booker Following Harassment Claims,' *Variety*, 14 november 2017.

3　Erin Nyren, 'Female Staffer Who Accused Chris Matthews of Sexual Harassment Received Severance from NBC,' *Variety*, 17 december 2017.

4　Emily Stewart, 'Tom Brokaw Is Accused of Sexual Harassment. He Says He's Been "Ambushed",' Vox, aangevuld op 1 mei 2018.

5　Elizabeth Wagmeister en Ramin Setoodeh, 'Tom Brokaw Accused of Sexual Harassment By Former NBC Anchor,' *Variety*, 16 april 2018.

6　Marisa Guthrie, 'Tom Brokaw Rips "Sensational" Accuser Claims: I Was 'Ambushed and Then Perp Walked",' *Hollywood Reporter*, 27 april 2018.

7　E-mail van Tom Brokaw aan Ronan Farrow, 11 januari 2018.

8　Sarah Ellison, 'NBC News Faces Skepticism in Remedying In-House Sexual Harassment,' *Washington Post*, 26 april 2018.

9　David Usborne, 'The Peacock Patriarchy,' *Esquire*, 5 augustus 2018.

10　Maxwell Tani, 'Insiders Doubt NBC Did a Thorough Job on Its #MeToo Probe,' *Daily Beast*, 11 mei, 2018. (NBC News verkondigde later dat het contact met Curry deel uitmaakte van hun officiële onderzoek ten behoeve van het interne rapport over Lauer. In een verklaring aan *The Daily Beast* zeiden ze: 'Zodra we op de hoogte waren van wat Ann Curry tegen *The Washington Post* had gezegd, wat we als relevant voor ons onderzoek beschouwden, heeft een senior arbeidsrechtadvocaat van NBCUniversal uit het onderzoeksteam rechtstreeks contact met haar opgenomen en hadden ze op 24 april 2018 een gesprek.')

58 WITWASSEN

1 John Koblin, 'Ronan Farrow's Ex-Producer Says NBC Impeded Weinstein Reporting,' *New York Times*, 30 augustus 2018.
2 Intern memo van Andy Lack, 'Facts on the NBC News Investigation of Harvey Weinstein,' 3 september 2018.
3 Emily Nestor geciteerd in Abid Rahman, 'Weinstein Accuser Emily Nestor Backs Ronan Farrow in Row with "Shameful" NBC,' *Hollywood Reporter*, 3 september 2018.
4 Ambra Battilana (@AmbraBattilana) op Twitter, 4 september 2018.
5 Voormalige bestuurder van Miramax door Yashar Ali (@Yashar) op Twitter geciteerd, 4 september 2018.
6 Abby Ex (@abbylynnex) op Twitter, 4 september 2018.
7 Ed Sussman stelde voor het lemma op Wikipedia over NBC News aan te passen, 'Talk: NBC News,' Wikipedia, 14 februari 2018.
8 Ashley Feinberg, 'Facebook, Axios and NBC Paid This Guy to Whitewash Wikipedia Pages,' *HuffPost*, 14 maart 2019.

59 ZWARTE LIJST

1 E-mail van Tom Brokaw aan Ronan Farrow, 13 oktober 2017.
2 *Tucker Carlson Tonight*, Fox News, 11 oktober 2017.